DUEL MET DE DOOD

PRESTON & CHILD

Duel met de dood

UITGEVERIJ LUITINGH

Mixed Sources
Productgroep uit goed beheerde bossen
en andere gecontroleerde bronnen
www.fsc.org Cert no. SGS-COC-006507
© 1996 Forest Stewardship Council

Uitgeverij Luitingh en drukkerij Bariet vinden het belangrijk om op milieu-
vriendelijke en verantwoorde wijze met natuurlijke bronnen om te gaan

Eerste druk november 2009
Tweede druk januari 2010

Oorspronkelijke titel: *Cemetery Dance*
Vertaling: Marjolein van Velzen
Omslagontwerp: Pete Teboskins
Omslagfotografie: © Stanislaw Fernandes

ISBN 978 90 245 3066 3
NUR 332

www.boekenwereld.com
www.uitgeverijluitingh.nl
www.watleesjij.nu

Lincoln Child draagt dit boek op
aan zijn dochter, Veronica

Douglas Preston draagt dit boek op
aan Karen Copeland

1

'Het is toch niet te geloven, Bill? Zeg nou zelf. Ik heb het nu twaalf uur geleden gehoord, en ik geloof het nog steeds niet.'

'Geloof het nou maar, liefje.' William Smithback jr. strekte zijn lange, magere benen, drapeerde ze op de bank in de woonkamer en legde een arm om de schouders van zijn vrouw. 'Zit er nog wat in de fles?'

Nora schonk hem nog een glas port in. Hij hield het tegen het licht en bewonderde de granaatrode kleur. Bijna honderd dollar had die fles hem gekost, maar het was het waard. Hij nam een slokje en blies zijn adem uit. 'Je bent een ster aan het worden. Wacht maar. Over vijf jaar ben jij hoofd van de wetenschappelijke dienst van het museum.'

'Doe niet zo mal.'

'Nora, dit is nu het derde achtereenvolgende jaar dat ze bezuinigen – maar jouw expeditie krijgt groen licht. Die nieuwe baas van jou is niet gek.' Smithback stak zijn neus in Nora's haar. Na al die jaren vond hij de geur, met een vleugje kaneel en iets van jeneverbes, nog steeds opwindend.

'Denk je eens in: volgende zomer zitten we in Utah, bij een opgraving. Althans, als jij vrij kunt krijgen.'

'Ik heb recht op vier weken. Ze zullen me natuurlijk wanhopig missen bij *The New York Times*, maar dat moet dan maar.' Hij nam nog een slok en liet de drank in zijn mond rondwalsen. 'Nora Kelly's expeditie nummer drie. Je had geen beter cadeau kunnen kiezen voor onze trouwdag.'

Nora keek hem met één wenkbrauw opgetrokken aan. 'Ik dacht dat het etentje van vanavond mijn cadeau was.'

'Was het ook.'

'En het was volmaakt. Dank je.'

Smithback knipoogde naar haar. Hij had Nora meegenomen naar zijn favoriete restaurant, Café des Artistes aan West 67th Street. De perfecte locatie voor een romantisch maal. Het zachte, romantische licht; de intieme zitjes; de schitterende naakten van Howard Chandler Christy aan de muren – en dan, als klap op de vuurpijl, het exquise eten.

Smithback merkte dat Nora naar hem zat te kijken. In haar ogen, en in die glimlach, lag de belofte van een cadeau dat nog komen ging. Hij kuste haar wang en trok haar dichter tegen zich aan.

Ze slaakte een diepe zucht. 'En ik heb tot op de cent nauwkeurig gekregen waar ik om vroeg.'

Smithback mompelde een antwoord. Hij was helemaal tevreden met het moment, zo met zijn vrouw op de bank, zijn gedachten nog bij de maaltijd die hij zojuist genoten had. Hij was begonnen met twee martini's met een olijf erin, gevolgd door een voorgerecht van charcuterie. Als hoofdgerecht had hij als altijd de steak bearnaise genomen, aan beide zijden even dichtgeschroeid, met daarbij pommes frites en een heerlijke schep spinazie à la crème; en natuurlijk had hij zich flink te goed gedaan aan Nora's hertenbiefstuk...

'En weet je wat dat betekent? Dat ik mijn onderzoek kan afmaken naar de verspreiding van de Kachina-cultus door het zuidwesten.'

'Fantastisch.' Het dessert was een chocoladefondue voor twee geweest, met daarnaast een plankje heerlijke Franse stinkkaasjes. Smithback liet zijn vrije hand lichtjes op zijn maag neerkomen.

Nora zweeg, en zo lagen ze even samen van elkaars gezelschap te genieten. Smithback wierp een blik op zijn vrouw. Als een warme deken daalde het gevoel van tevredenheid over hem neer. Hij was niet gelovig, niet echt; maar hij voelde zich gezegend hier te zitten, in een mooi appartement in de beste stad ter wereld, met de baan waarvan hij altijd gedroomd had. En in Nora had hij de ideale metgezellin gevonden. Ze hadden heel wat meegemaakt in de jaren sinds hun eerste ontmoeting, maar de problemen en het gevaar hadden hen alleen maar nader tot elkaar gebracht. Ze was mooi, slank en in het bezit van een fijne, goedbetaalde baan; ze zeurde nooit en was meevoelend en intelligent, en ze was ook de ideale zielsverwant gebleken. Toen hij zo naar haar zat te kijken, brak er onwillekeurig een glimlach door op zijn gezicht. Nora was simpelweg te mooi om waar te zijn.

Nora hees zich overeind. 'Ik mag het me niet al te gemakkelijk maken. Nog even niet.'

'Hoezo niet?'

Ze maakte zich los uit zijn omhelzing en liep de keuken in om haar tas te pakken. 'Ik moet nog heel even de deur uit.'

Smithback knipperde met zijn ogen. 'Op dit uur?'

'Ik ben met tien minuutjes terug.' Ze liep naar de bank, boog zich over hem heen en streek met één hand zijn kuif vlak terwijl ze hem een kus gaf. 'Niet weggaan, reus van me,' fluisterde ze.

'Wat denk jij nou? Ik zit hier veel te goed!'

Ze glimlachte, streek nogmaals over zijn haar en liep naar de voordeur.

'Voorzichtig,' riep hij haar na. 'Denk aan die rare pakjes die we de laatste tijd steeds krijgen.'

'Maak je geen zorgen. Ik pas goed op mezelf.' Even later viel de deur dicht en werd de sleutel omgedraaid.

Smithback vouwde zijn handen in zijn nek en rekte zich met een zucht uit. Hij hoorde haar voetstappen in de gang, en het belletje van de lift. Daarna werd het stil, afgezien van het zachte gonzen van de stad buiten.

Hij kon wel raden waar ze naartoe was: naar de banketbakker om de hoek. Die maakten heerlijke taarten, waar hij dol op was; en ze waren open tot middernacht. De *praline génoise* met calvadosvulling was Smithbacks favoriet, en als het even meezat was dat de taart die Nora voor vanavond had besteld.

Zo bleef hij in het schemerige appartement zitten luisteren naar de ademhaling van Manhattan. Door de cocktails die hij had genuttigd leek alles net een heel klein beetje trager te gaan. Hij dacht aan een formulering uit een kort verhaal van Thurber: 'dromerig tevreden, nevelig tevreden'. Hij had altijd een intuïtieve voorliefde gehad voor de verhalen van James Thurber, die net als hij journalist was geweest. En voor die van pulpschrijver Robert E. Howard. De eerste had altijd te zeer zijn best gedaan, vond hij; en de ander niet genoeg.

Onwillekeurig gingen zijn gedachten terug naar de zomerdag waarop hij Nora voor het eerst had gezien. Alle herinneringen kwamen weer boven: Arizona, Lake Powell, de hitte op het parkeerterrein, de enorme limousine waarin hij was komen aanrijden. Hoofdschuddend grinnikte hij bij de herinnering. Nora Kelly had hem een kenau van het zuiverste water geleken: de inkt op haar doctorsbul was amper droog, maar ze had de wijsheid in pacht. Enfin, hij had zelf ook niet direct een goede indruk gemaakt; hij had zich idioot gedragen, dat stond wel vast. Vier jaar geleden was dat, of vijf... O god, was dat echt al zo lang geleden?

Er klonk enig geschuifel bij de voordeur, en daarna hoorde hij een sleutel in het slot ratelen. Was Nora zo snel terug?

Hij wachtte tot de deur zou opengaan, maar in plaats daarvan rammelde het slot nogmaals, alsof Nora moeite had met het slot. Misschien stond ze met één hand een taart in evenwicht te houden. Net toen hij wilde gaan opendoen, knerste de deur open en hoorde hij voetstappen in de gang.

'Nou, ik ben er nog, hoor,' riep hij. 'Zoals beloofd: een rots in de branding. Noem me maar Rocky.'

Nog een stap. Vreemd, het klonk niet als Nora: te traag en te zwaar, en ietwat onvast, onzeker bijna.

Smithback veerde overeind. In de kleine entree, afgetekend tegen het licht van de gang daarachter, doemde een gestalte op. Iemand die zo lang was en zulke brede schouders had dat het Nora niet kon zijn.

'Wie ben jij in godsnaam?' zei hij.

Snel reikte Smithback naar de lamp op het tafeltje naast de bank en knipte die aan. Bijna meteen herkende hij de figuur; althans, dat dacht hij, want er was iets mis met het gezicht. Het was asgrijs, opgezwollen, bijna pafferig. Het zag er ziek uit... of erger.

'Colin?' vroeg Smithback. 'Ben jij dat? Wat doe jij in godsnaam bij mij binnen?'

Op dat moment zag hij het slagersmes.

Meteen stond hij overeind. De gestalte schuifelde naar voren en sneed hem de pas af. Eén gruwelijk moment lang gebeurde er niets. Toen sprong het mes in een flits naar voren en doorkliefde het de lucht waar Smithback geen seconde tevoren nog gestaan had.

'Wat is dát nou?' brulde Smithback.

Weer flitste het mes door de lucht, en in een wanhopige poging het lemmet te ontwijken viel Smithback over de salontafel heen, waarbij ook die omviel. Hij krabbelde overeind en draaide zich om naar zijn aanvaller, diep door de knieën gezakt, zijn handen gespreid, de vingers wijd uiteen: klaar voor de tegenaanval. Snel keek hij om zich heen naar een wapen. Niets. De gestalte stond tussen hem en de keuken in – als hij daarlangs kwam, kon hij een mes grijpen, zijn kansen doen keren.

Hij trok zijn hoofd iets tussen zijn schouders, stak een elleboog uit en viel aan. De gestalte deinsde achteruit, maar op het laatste moment kwam de hand met het mes omhoog, haalde uit naar Smithbacks arm en reet een diepe wond open, van elleboog tot schouder. Met een kreet van verbazing en pijn smeet Smithback zichzelf opzij – en had de griezelig kille gewaarwording van staal dat diep in zijn onderrug werd gedreven.

Het lemmet leek eindeloos diep door te dringen, vrat aan de kern van zijn leven, doorkliefde hem met een pijn die hij maar eenmaal eerder gevoeld had. Hij hapte naar adem, struikelde, probeerde weg te komen; hij voelde het mes naar buiten glijden en meteen opnieuw binnendringen. Plotseling was er iets warms op zijn rug, alsof iemand warm water over hem uitgegoten had.

Hij verzamelde al zijn krachten en krabbelde overeind, klauwde wanhopig naar zijn aanvaller en bewerkte hem met zijn blote vuisten. Keer op keer hakte het mes in op zijn knokkels, maar Smithback voelde het niet meer. De gestalte zag zich achteruit gedrongen door de wilde aanval. Dit was zijn kans, en Smithback wervelde om zijn as, klaar om de keuken in te lopen. Maar de vloer kantelde onder zijn voeten en bij iedere ademtocht klonk er een vreemd gereutel in zijn borst. Naar adem snakkend wankelde hij de keuken in, probeerde zich overeind te houden, graaide met zijn natte vingers naar de messenla. Maar op het moment dat hij kans zag die open te trekken, zag hij een schaduw over het aanrecht vallen... en toen trof een zoveelste vreselijke klap hem tussen zijn schouderbladen. Hij probeerde weg te komen, maar het mes bleef maar omhooggrijzen en neerkomen, omhoog en naar beneden, de bloedrode glinstering van het lemmet vager naarmate het licht in zijn ogen doofde...

Alles vervlogen, alles gedaan, draag mij nu maar ten grave; het feest voorbij, het licht gedoofd...

De liftdeuren gleden open en Nora stapte de gang in. Ze was snel geweest, en met een beetje geluk zat Bill nog op de bank, misschien verdiept in die roman van Thackeray waar hij de hele week al zo enthousiast over was. Voorzichtig hield ze de doos met de taart erin in evenwicht terwijl ze naar haar sleutel tastte; ongetwijfeld wist hij al waar ze naartoe was geweest, maar op je eerste trouwdag was het moeilijk nog met een echte verrassing aan te komen zetten...

Er was iets niet goed. Ze was zo in gedachten verzonken geweest dat het even duurde eer ze wist wat er niet klopte: de deur van het appartement stond wijd open.

Terwijl ze daarnaar stond te kijken, stapte er iemand naar buiten. Ze herkende hem. Zijn kleren zaten onder het bloed en hij had een enorm mes in zijn hand. Terwijl hij haar aankeek, droop het mes letterlijk van het bloed.

Intuïtief, zonder erbij na te denken, liet ze taart en sleutel vallen en rende op hem af. Intussen kwamen er ook buren de gang op lopen en klonk er geroep van angst en schrik. Terwijl ze op de gestalte af renden, hief hij het mes. Ze stootte zijn hand opzij en gaf hem een stomp vlak onder zijn middenrif. Hij haalde naar haar uit en smeet haar tegen de andere muur van de gang. Haar hoofd klapte tegen het harde stucwerk en ze viel op de grond. Er dansten sterren voor haar ogen toen hij met geheven mes naar haar toe liep. Ze wierp zich opzij toen het mes omlaag kwam; hij schopte haar tegen het hoofd en hief opnieuw het mes. Het gegil van de buren weerkaatste door de gang. Maar Nora hoorde het niet; er was geen geluid meer, er waren alleen nog vage beelden. Tot ook die verdwenen.

2

Inspecteur Vincent D'Agosta stond te midden van de menigte in de gang voor de deur van het appartement. Hij bewoog even zijn schouders in zijn bruine pak en probeerde zijn bezwete armen los te weken van zijn polyester overhemd. Hij was heel erg boos, en woede was niet goed. Die zou invloed hebben op alles wat hij deed, en zijn observatievermogen zou eronder lijden.

Hij haalde diep adem en blies uit; hij probeerde zijn woede met de lucht mee naar buiten te laten stromen.

De deur van het appartement ging open en een magere man met kromme schouders en een klein toefje haar op zijn verder kale schedel kwam naar buiten; hij sleepte een tas vol instrumenten achter zich aan en duwde een aluminium koffer op wieltjes voor zich uit. 'Wij zijn zover, inspecteur.' De man pakte een klembord van een politieman aan en noteerde zijn tijdstip van vertrek, waarna zijn assistent hetzelfde deed.

D'Agosta keek op zijn horloge. Drie uur in de nacht. De sporenrecherche had er lang over gedaan. Ze gingen extra zorgvuldig te werk: ze wisten dat hij Smithback al een hele tijd kende. Irritant zoals ze met afgewend hoofd langs hem heen slopen, hem zijdelings aankeken terwijl ze zich zichtbaar afvroegen hoe hij het opnam, zich afvroegen of hij zou vragen van het onderzoek gehaald te worden. Heel wat moordonderzoekers zouden dat doen – al was het alleen maar omdat er bij de rechtszaak vragen gesteld zouden worden. Het zag er niet goed uit als je door de verdediger in het getuigenbankje werd geplaatst. 'De overledene was een vriend van u? Zo zo, dat is me een interessant toeval...' Het was een complicatie die de rechtszaak geen goed deed, en de officier van justitie had er een pesthekel aan als zoiets gebeurde.

Maar D'Agosta was niet van plan deze zaak aan wie dan ook over te laten. Geen denken aan. Bovendien was het een overduidelijk geval. De dader was al zo goed als veroordeeld, hij was er gloeiend bij. Het enige wat ze nog moesten doen was die hufter vinden.

De laatste van het team van de sporenrecherche kwam naar buiten en noteerde zijn vertrektijd, waarna D'Agosta alleen was met zijn gedachten. Even bleef hij in de verlaten gang staan in een poging zijn gespannen zenuwen te kalmeren. Toen deed hij een paar latex handschoenen aan, trok het haarnetje strak rond zijn kalende schedel en liep naar de open deur toe. Hij was een beetje misselijk. Het lijk was uiteraard weggehaald, maar verder was er niets aangeraakt. Waar de gang een bocht maakte, ving hij even een glimp op van de kamer daarachter, met een zee van bloed op de vloer; bloederige voetsporen; een hand die een streep had getrokken over een roomwitte muur.

Voorzichtig stapte hij over het bloed heen en bleef op de drempel van de woonkamer staan. Een leren bank, een paar stoelen, een omgevallen salontafeltje, een Perzisch tapijt met bloedvlekken. Langzaam liep hij de kamer in, zijn voeten in de schoenen met crêpezolen zorgvuldig afwikkelend: eerst de ene voet, daarna de andere. Hij bleef staan, draaide zich om en probeerde in gedachten te reconstrueren wat er gebeurd moest zijn.

D'Agosta had het team verzocht uitgebreide monsters te nemen van de bloedvlekken; er waren complexe, elkaar overlappende patronen van bloedspatten die hij wilde ontrafelen, voetsporen door het bloed, handafdrukken over andere handafdrukken heen. Smithback had zich uit alle macht verzet; de dader kon hier onmogelijk weggekomen zijn zonder DNA achter te laten.

Oppervlakkig bezien was het een eenvoudig misdrijf. Een opzichzelfstaande, slordige moordpartij. De dader was met een loper binnengekomen. Smithback zat in de woonkamer. De moordenaar had hem vol kunnen treffen met het mes, zodat Smithback meteen al zwaar in het nadeel verkeerde. Daarna hadden ze gevochten. Dat gevecht had zich naar de keuken verplaatst en Smithback had geprobeerd zich te wapenen: de messenla stond half open en op de knop en het aanrecht zaten bloedige handafdrukken. Maar hij had geen mes te pakken gekregen. Vreselijk. En tijdens die pogingen was hij opnieuw van achter neergestoken. Er had een tweede gevecht plaatsgevonden. Daarbij was hij ernstig gewond geraakt, de hele vloer zat onder het bloed en er waren sporen van blote voeten te zien. Maar D'Agosta wist bijna zeker dat de dader zelf intussen ook gewond was. Hij had gebloed, hij had haar en vezels laten vallen, hij had staan hijgen en snuiven van de inspanning, misschien had hij speeksel en slijm verspreid. Het was er allemaal, en hij had er vertrouwen in dat het team de sporen gevonden had. Ze hadden zelfs hier en daar stukken uit de houten vloer gezaagd, met messporen en al; ze hadden stukken stucwerk losgehaald en van alle oppervlakken vingerafdrukken gelicht, alle vezels verzameld die ze maar vinden konden, ieder pluisje en draadje.

D'Agosta bleef om zich heen kijken en in zijn hoofd speelde zich de film van het misdrijf af. Uiteindelijk had Smithback zoveel bloed verloren en was daardoor zo verzwakt geraakt dat de moordenaar de genadestoot had kunnen toebrengen: volgens de lijkschouwer een mes door het hart, dat vervolgens nog een centimeter in de vloer was gedrongen. De dader had het mes met geweld moeten loswrikken, zodat het hout versplinterd was. Bij de gedachte alleen al voelde D'Agosta zich rood aanlopen van woede en verdriet. Die plank was er ook uitgehaald.

Niet dat al die aandacht voor details veel verschil zou uitmaken. Ze wisten al wie de dader was. Maar het kon geen kwaad om zo veel mogelijk bewijs te verzamelen. Je wist maar nooit wat voor jury je zou treffen in dat halfgare New York.

En dan de bizarre spullen die de moordenaar had achtergelaten. Een verfrommeld bundeltje veren, samengebonden met groen touw. Een perkamenten zakje zand met een raar tekeningetje op de buitenkant. De moordenaar had ze midden in de zee van bloed geplaatst, als een soort offerandes. De jongens van de sporenrecherche hadden ze natuurlijk meegenomen, maar hij zag ze nog voor zich.

Er was echter één ding dat ze niet hadden kunnen meenemen: het haastig getekende beeld op de muur, twee slangen rond een raar, stekelig soort plant gekronkeld, met sterren en pijlen en complexe lijnen en een woord dat leek op iets als 'dambalah'. De tekening was met Smithbacks bloed gemaakt, zoveel was duidelijk.

D'Agosta liep de echtelijke slaapkamer binnen en keek naar het bed, het bureau, de spiegel, het raam op het zuidoosten met uitzicht op West End Avenue, het tapijt, de wanden, het plafond. Aan de andere kant van de slaapkamer was een tweede badkamer, en de deur daarvan was dicht. Raar idee: de vorige keer dat hij hier was, stond die deur open.

Hij hoorde iets in de badkamer. De kraan werd open- en weer dichtgedraaid. Er was nog iemand van de sporenrecherche aanwezig. D'Agosta liep naar de deur, greep de klink en voelde dat de deur op slot zat.

'Hé, jij daarbinnen! Waar denk jij soms dat je mee bezig bent?'

'Momentje,' klonk een gedempte stem.

D'Agosta's verbazing veranderde in razernij. Die idioot zat op de wc! Op een verzegelde plaats-delict! Ongelooflijk.

'Open die deur, makker. Nú!'

De deur sprong open, en daar stond *special* agent A.X.L. Pendergast, met een houder vol reageerbuisjes in de ene hand, een pincet in de andere, en een juweliersloep op een band rond zijn hoofd.

'Vincent,' klonk de bekende, wat lijzige stem. 'Wat afschuwelijk dat we elkaar onder deze ongelukkige omstandigheden tegenkomen.'

D'Agosta keek hem sprakeloos aan en stamelde toen: 'Pendergast... ik had geen idee dat je weer terug was.'

Pendergast stak het pincet weg, stopte de houder met reageerbuisjes in zijn dokterstas en liet die volgen door de loep. 'Hier is de moordenaar niet geweest, en ook niet in de slaapkamer. Een voor de hand liggende conclusie, maar ik wilde het zekere voor het onzekere nemen.'

'Is dit nu een FBI-zaak?' vroeg D'Agosta, terwijl hij achter Pendergast aan de slaapkamer door liep naar de woonkamer.

'Niet echt.'

'Dus je bent weer aan het freelancen?'

'Zo zou je het kunnen zeggen. Ik zou het waarderen als je mijn rol in het geheel voorlopig nog even voor je houdt.' Hij draaide zich om. 'Wat denk jij ervan, Vincent?'

D'Agosta vertelde hoe hij de misdaad voor zich zag, en Pendergast knikte goedkeurend. 'Niet dat het veel uitmaakt,' concludeerde D'Agosta. 'We weten al wie die teringlijer is. We moeten hem alleen nog vinden.'

Pendergast trok vragend zijn wenkbrauwen op.

'Een benedenbuurman. We hebben twee ooggetuigen die de moordenaar hebben zien binnengaan, en twee die hem hebben zien vertrekken, helemaal onder het bloed, met het mes in de hand. Onderweg naar buiten heeft hij Nora Kelly aangevallen – althans, dat heeft hij geprobeerd, maar er waren buren op het lawaai afgekomen en hij is ervandoor gegaan. Ze hebben hem goed kunnen zien, de buren bedoel ik. Nora ligt in het ziekenhuis; een hersenschudding, maar verder is ze er goed afgekomen. Naar omstandigheden.'

Weer een vaag hoofdknikje.

'Ene Fearing. Colin Fearing. Een creep, een werkloze Britse acteur. Appartement twee-veertien. Hij heeft Nora al eens eerder lastiggevallen, in de lobby. Mij lijkt het een mislukte verkrachting. Hij had waarschijnlijk gehoopt Nora alleen thuis te treffen, maar het bleek Smithback te zijn. Dikke kans dat hij de sleutel uit het kastje van de conciërge had gejat. Dat wordt momenteel uitgezocht.'

Ditmaal volgde er geen bevestigend hoofdknikje. Alleen de gebruikelijke ondoorgrondelijke blik in die peilloos diepe, zilvergrijze ogen.

'Maar goed, het is volkomen duidelijk,' zei D'Agosta, die zich zonder te weten waarom in de verdediging gedrongen voelde. 'Het was niet alleen Nora's woord. We hebben hem op de bewakingsvideo's staan, een voorstelling die een Oscar waard is. Hij gaat naar binnen, hij komt naar buiten. Op weg naar buiten hebben we een opname *en face*, met het mes in de hand, onder het bloed, door de lobby heen, waarbij hij de conciërge en passant nog even bedreigt voordat hij ervandoor gaat. Dat zal het goed doen voor een jury. Die hufter hangt.'

'Volkomen duidelijk, zei je?'

Weer voelde D'Agosta zich onzeker worden bij de vragende toon in Pendergasts stem. 'Ja,' zei hij ferm. 'Volkomen duidelijk.' Hij keek op zijn horloge. 'Beneden zit de conciërge op me te wachten. Dat wordt de kroongetuige: een betrouwbare, keurige man, getrouwd, met kinderen. Hij heeft de dader jarenlang gekend. Wou jij hem nog iets vragen voordat we hem naar huis sturen?'

'Met alle genoegen. Maar voordat we naar beneden gaan...' De stem van de special agent stierf weg. Met witte, dunne vingers reikte hij in de borstzak van zijn zwarte pak en haalde er een opgevouwen stuk papier uit. Met een elegant polsgebaar hield hij het D'Agosta voor.

'Wat is dit?' D'Agosta pakte het document aan en vouwde het open. Hij zag een rood notarisstempel, het wapen van de stad New York, fraaie letters, een paar handtekeningen.

'Het overlijdenscertificaat van Colin Fearing. Tien dagen geleden gedateerd en ondertekend.'

3

D'Agosta ging het bewakingshokje van 666 West End Avenue binnen, met op zijn hielen de magere, bleke gestalte van Pendergast. De conciërge, een gezette man uit de Dominicaanse Republiek met de naam Enrico Mosquea, zat met gespreide, vlezige benen op een metalen kruk. Hij had een dun snorretje en golvend haar. Met verbazingwekkende lenigheid sprong hij overeind toen het tweetal binnenkwam.

'U moet die *hijo de puta* vinden,' zei hij met bevende stem. 'U móét hem vinden. Smithback was een goed mens, dat kan ik u wel...'

D'Agosta legde vriendelijk een hand op het keurige bruine uniform van de man. 'Dit is special agent Pendergast van de FBI. Hij gaat ons helpen.'

Mosquea nam Pendergast op. 'Goed,' zei hij. 'Heel goed.'

D'Agosta haalde diep adem. De volle betekenis van het document dat Pendergast hem had laten zien, had hij nog niet helemaal tot zich laten doordringen. Misschien hadden ze hier te maken met een tweeling. Misschien waren er twee Colin Fearings. New York was groot, en de helft van de Britse ingezetenen leek Colin te heten. Of misschien hadden ze bij de lijkschouwing een vreselijke fout gemaakt.

'Ik weet dat u al een massa vragen beantwoord hebt, meneer Mosquea,' ging D'Agosta verder, 'maar agent Pendergast heeft er nog een paar.'

'Geen probleem. Desnoods stelt u me dezelfde vraag tien keer, of twintig, als u daarmee die hijo de puta te pakken krijgt.'

D'Agosta pakte zijn notitieboekje. Zijn werkelijke bedoeling was Pendergast te laten horen wat Mosquea te zeggen had. De conciërge was een uitermate geloofwaardige getuige.

Zachtjes begon Pendergast: 'Meneer Mosquea, kunt u me beschrijven wat u gezien hebt? Vanaf het begin.'

'Die man, Fearing, die arriveerde net toen ik iemand in een taxi aan het helpen was. Ik zag hem binnenkomen. Hij zag er niet best uit, alsof hij gevochten had. Opgezwollen gezicht, misschien een blauw oog. Zijn huid had een rare kleur, te bleek. En hij liep vreemd. Langzaam.'

'Wanneer had u hem vóór gisteravond voor het laatst gezien?'

'Twee weken geleden zowat. Ik dacht dat hij even weg was.'

'Gaat u verder.'

'Hij loopt langs me heen, de lift in. Even later komt mevrouw Kelly weer binnen. Het duurt een minuut of vijf. Dan komt hij weer naar buiten. Onvoorstelbaar. Helemaal onder het bloed, met een mes in zijn hand, wankelend alsof hij gewond is.' Mosquea zweeg even. 'Ik probeer hem nog beet te grijpen, maar hij haalt naar me uit met dat mes, en daarna draait hij zich om en gaat ervandoor. Ik bel de politie.'

Pendergast streek met een ivoorwitte hand over zijn kin. 'Ik neem aan dat u, toen u die persoon in de taxi aan het helpen was, en toen hij binnenkwam, niet meer dan een glimp van hem opving.'

'Nee, ik heb hem goed kunnen zien, een hele tijd. Het was geen glimp. Ik zei al, hij liep langzaam.'

'En hij had een opgezwollen gezicht, zegt u? Kan het iemand anders geweest zijn?'

'Fearing woont hier al zes jaar. Ik doe soms wel drie-, viermaal op een dag de deur open voor dat stuk vreten.'

Pendergast zweeg. 'En toen, toen hij weer naar buiten kwam, zat zijn gezicht onder het bloed, stel ik me zo voor.'

'Zijn gezicht niet. Er zat geen bloed op zijn gezicht, of misschien een heel klein beetje. Er zat bloed op zijn handen, zijn kleren. En op het mes.'

Pendergast bleef even stil en zei toen: 'En als ik u nu eens vertel dat het lijk van Colin Fearing tien dagen geleden in de Harlem River is gevonden?'

Mosquea kneep zijn ogen samen. 'Dan zeg ik dat dat niet kan!'

'Ik vrees van wel, meneer Mosquea. Met officiële identificatie, met sectie, alles.'

De man richtte zich in zijn volle lengte van één meter achtenvijftig op en zijn stem kreeg een plechtige klank. 'Als u het niet gelooft, dan verzoek ik u: kijk naar de opnamen. De man op die video is Colin Fearing.' Hij zweeg en wierp Pendergast een kritische blik toe. 'Lijken in de rivier interesseren me niet. De moordenaar is Colin Fearing. Dat wéét ik.'

'Dank u, meneer Mosquea,' zei Pendergast.

D'Agosta schraapte zijn keel. 'Als we u nog eens moeten spreken, laat ik het u weten.'

De man knikte en wierp Pendergast een argwanende blik toe. 'De moordenaar is Colin Fearing. Zorg maar dat u die *coño* te pakken krijgt.'

Ze liepen de straat op, de heldere oktoberlucht in; een verademing na de misselijkmakende benauwdheid van het appartement. Pendergast gebaarde naar een Rolls-Royce die met stationair draaiende motor bij de stoep stond, een Silver Wraith uit 1959, en D'Agosta zag het solide silhouet van Proctor, Pendergasts chauffeur, achter het stuur. 'Kan ik je ergens afzetten?'

'Welja. Het is al halfvier, ik doe vannacht toch geen oog meer dicht.'

D'Agosta stapte de naar leer geurende auto in en Pendergast ging naast hem zitten. 'Laten we maar eens naar die opnamen van de bewakingscamera kijken.' Pendergast drukte op een knop in de armleuning en vanuit de dakbekleding zwenkte een lcd-scherm omlaag.

D'Agosta haalde een dvd uit zijn aktetas. 'Hier is een kopie. Het origineel ligt al op het bureau.'

Pendergast stopte de schijf in de speler. Even later werd een groothoekopname van de lobby van 666 West End Avenue zichtbaar. De fisheye bestreek het hele gebied van de lift naar de voordeur. Een tijdteller in de hoek telde de seconden af. Voor misschien wel de tiende keer keek D'Agosta naar de conciërge, die met een van de bewoners naar buiten liep, waar hij vermoedelijk een taxi aanhield. Terwijl hij buiten stond, kwam er een gestalte de deur door. Zijn manier van lopen had iets onuitsprekelijk griezeligs: een vreemde, wankelende tred, bijna ongecoördineerd, met zware passen en zonder enige haast. Eenmaal keek hij met glazige, schijnbaar niets ziende blik op naar de camera. Hij had een bizarre outfit aan: een bonte mantel met glitters over zijn overhemd heen, kleurige motieven op een achtergrond van rood met krullen, harten en gekruiste botten. Zijn gezicht was gezwollen en misvormd.

Pendergast hield FAST FORWARD ingedrukt tot een nieuwe persoon het blikveld van de camera in liep: Nora Kelly, met een taartdoos in haar hand. Ze liep naar de lift en verdween weer. Nog een FAST FORWARD, en daar strompelde Fearing de lift uit, plotseling helemaal wild. Zijn kleren waren nu gescheurd en zaten vol bloedvlekken en -vegen, en in zijn rechterhand had hij een enorm jachtmes, wel vijfentwintig centimeter lang. De conciërge kwam zijn hokje uit zetten en probeerde hem te grijpen, maar Fearing haalde naar hem uit, wankelde de openslaande voordeuren door en verdween de nacht in.

'De lul,' zei D'Agosta. 'Ik zou die vent het liefst zijn kloten van zijn lijf rukken en ze hem zelf laten opvreten.'

Hij keek naar Pendergast. Die leek diep in gedachten verzonken.

'Geef toe, die opnamen laten geen twijfel bestaan. Zeker weten dat het lijk in de Harlem Fearing was?'

'Zijn zus heeft het lijk geïdentificeerd. Hij had een stel moedervlekken en tatoeages als bevestiging. De lijkschouwer die de zaak in handen had is een moeilijk type, maar wel betrouwbaar.'

'Hoe was hij om het leven gekomen?'

'Zelfmoord.'

D'Agosta gromde even. 'Verder nog familie?'

'Zijn moeder is niet compos mentis en zit in een verpleeghuis. Verder is er niemand.'

'En die zus?'

'Die is na de identificatie teruggegaan naar Engeland.' Hij viel stil, en even later hoorde D'Agosta hem prevelen: 'Eigenaardig, bijzonder eigenaardig.'

'Wat?'

'Mijn beste Vincent, in een toch al verbluffende zaak is er één aspect van die band dat me wel heel bizar voorkomt. Heb jij gezien wat hij doet als hij op weg naar binnen de lobby binnenkomt?'

'Nou, wat dan?'

'Dan kijkt hij omhoog, de camera in.'

'Hij wist dat daar een camera zit. Hij woonde daar.'

'Precies.' En de FBI-agent verviel weer in een contemplatief stilzwijgen.

4

Caitlyn Kidd zat achter het stuur van haar Toyota terreinwagen met haar ontbijt voor zich: een sandwich van Subway in de ene hand en een grote kartonnen beker zwarte koffie in de andere. Al etende was ze verdiept in het nummer van *Vanity Fair* dat op het stuur lag. Buiten reed het spitsverkeer op West 79th Street blèrend en toeterend voorbij, een onophoudelijke en onaangename stroom lawaai.

Na enig geknetter klonk er een politieradio door haar luidsprekers, en meteen keek Caitlyn op.

'... centrale aan 2527, onmiddellijk naar een 10-50 op het kruispunt van 118th en Third...'

Meteen verslapte haar aandacht. Ze nam nog een hap van haar sandwich en sloeg met een vrije vingertop de pagina's van haar tijdschrift om.

Als misdaadverslaggever voor district Manhattan bracht Caitlyn heel wat tijd in haar auto door. Misdrijven werden vaak in afgelegen uithoeken van het eiland gepleegd en als je de weg wist, was je eigen auto stukken beter dan de metro of een taxi. Bij dit werk ging het erom als eerste ter plekke te zijn, en iedere minuut telde. Dankzij haar scanner zat zij boven op de interessantste verhalen. Eén belangrijke primeur, daar zat ze op te wachten. Eén echt enorme primeur.

Op de stoel naast haar gonsde haar mobiele telefoon. Ze pakte het toestel en klemde het tussen kin en schouder, in een complexe manoeuvre met sandwich, telefoon en koffie. 'Met Kidd.'

'Caitlyn. Waar zit je?'

Ze herkende de stem: Larry Bassington, de schrijver van de overlijdensberichten voor de *West Sider*, het rioolblaadje waarvoor ze beiden werkten. Larry probeerde haar al tijden te versieren. Ze zou die middag met hem gaan eten, voornamelijk omdat ze slecht bij kas was en haar salaris pas over een week kwam.

'Op weg,' zei Kidd.

'Zo vroeg op de dag?'

'De beste meldingen komen zo rond zonsopgang binnen. Dan worden de lijken gevonden.'

'Ik snap niet waarom je zoveel moeite doet; de *West Sider* is niet bepaald de *Daily News*. Hé, vergeet niet dat we...'

'... centrale voor 3133, ooggetuigen van een 10-53 op Broadway 1579, melden graag.'

'3133 voor centrale, 10-4...'

Ze luisterde niet verder en concentreerde zich weer op het telefoongesprek. 'Sorry. Wat zei je?'

'Ik zei, vergeet niet dat we straks een date hebben.'

'We hebben geen date. We gaan even iets eten.'

'Maar ik mag toch wel dromen? Waar wil je naartoe?'

'Jij betaalt, dus jij mag het zeggen.'

Een korte stilte. 'Wat dacht je van die Vietnamees aan 32nd?'

'Eh... nee, dank je. Daar heb ik gisteren gegeten, en dat heb ik de hele middag bezuurd.'

'Oké, Alfredo dan?'

Maar Kidd zat alweer naar de politiezender te luisteren.

'... centrale, centrale, dit is 7477, inzake die 10-29 doodslag: slachtoffer Smithback, William is momenteel op weg naar de pathologische dienst voor lijkschouwing. Supervisor verlaat het gebouw.'

'10-4, 7477.'

Bijna liet ze haar koffie vallen. 'Shit! Heb je dat gehoord?'

'Wat?'

'Daarnet, op de scanner. Een moord. En ik ken het slachtoffer: Bill Smithback. Dat is die gozer die voor *The Times* schrijft, ik heb hem vorige maand gesproken bij dat journalistencongres bij Columbia.'

'Hoe weet je nou dat hij het is?'

'Hoeveel Smithbacks ken jij? Larry, ik moet ervandoor.'

'Goh, wat vreselijk voor hem. Wat betreft vanmiddag...'

'Niks vanmiddag.' Met haar kin klapte ze de telefoon dicht. Ze liet hem in haar schoot vallen en startte de motor. Sla, tomaat, groene paprika en stukken ei vlogen in het rond terwijl ze de koppeling liet opkomen en in het verkeer invoegde.

Binnen vijf minuten stond ze op de kruising van West End Avenue en 92nd Street. Caitlyn was een zeer bedreven chauffeur in het stadsverkeer, en haar auto had net genoeg deuken en schrammen om een duidelijk signaal af te geven: om een krasje meer of minder zou zíj zich niet bekommeren. Ze parkeerde op een plek voor een waterkraan van de brandweer. Als het even meezat was ze met verhaal en al vertrokken voordat iemand van de verkeerspolitie de overtreding opmerkte. En anders moest het maar; ze had meer boetes uitstaan dan de hele auto waard was.

Snel liep ze naar het juiste adres, terwijl ze intussen een digitaal opnameapparaatje uit haar zak haalde. Voor 666 West End Avenue stond een massa auto's dubbel geparkeerd: twee surveillancewagens, een gewone Crown Vic en een ambulance. De auto van het mortuarium reed net weg. Twee agenten in uniform stonden op de bovenste tree van de ingang van het gebouw en lieten alleen bewoners binnen. Op de stoep daaronder stond een stel mensen somber te fluisteren. Hun gezichten stonden geschrokken en gespannen, bijna, merkte Kidd ironisch op, alsof ze een spook gezien hadden.

Geroutineerd mengde ze zich onder de rusteloze, mompelende mensen en luisterde naar een handvol gesprekken tegelijk, waarbij ze irrelevant gesnater behendig uitfilterde en zich concentreerde op mensen die echt iets leken te weten. Ze richtte zich tot een van hen, een kale, gezette man met een granaatrood gezicht. Ondanks de herfstkilte stond hij overvloedig te transpireren.

'Sorry,' zei ze, terwijl ze op hem af liep. 'Caitlyn Kidd, verslaggever. Is het waar dat William Smithback is vermoord?'

Hij knikte.

'De verslaggever?'

De man knikte nogmaals. 'Een ramp. Een prima vent, ik kreeg altijd een gratis krant van hem. Bent u een collega van hem?'

'Ik werk bij de afdeling Misdaad van de *West Sider*. U kende hem dus goed?'

'Ja, hij woonde bij mij op de gang. Ik heb hem gisteren nog gezien.' De man schudde zijn hoofd.

Dit was precies wat ze nodig had. 'Wat is er precies gebeurd?'

'Het was gisteravond laat. Een vent met een mes; hij is als een beest tekeergegaan. Ik heb de hele toestand gehoord. Vreselijk.'

'En de moordenaar?'

'Die heb ik gezien. Ik kende hem. Hij woonde hier in het gebouw. Colin Fearing.'

'Colin Fearing,' herhaalde Kidd langzaam voor de recorder.

De blik op het gezicht van de man veranderde in iets wat ze niet direct wist te plaatsen. 'Alleen... er is één probleem.'

Kidd veerde op. 'En dat is?'

'Het schijnt dat Fearing bijna twee weken geleden gestorven is.'

'O já? Hoezo?'

'Ze hebben zijn lijk gevonden, in het water bij Spuyten Duyvil.

Geïdentificeerd, sectie verricht, alles.'

'Weet u dat zeker?'

'De conciërge heeft het van de politie gehoord. En die heeft het toen weer aan ons verteld.'

'Ik snap het niet,' zei Kidd.

De man schudde zijn hoofd. 'Ik ook niet.'

'Maar u weet zeker dat de man die u gisteravond hebt gezien, ook Colin Fearing was?'

'Geen twijfel mogelijk. Vraag Heidi hier maar, die heeft hem ook herkend.' Hij gebaarde naar een angstig kijkende vrouw met een boekenwurmgezicht die naast hem stond. 'En de conciërge heeft hem ook gezien. Hij heeft met hem gevochten. Kijk, daar komt hij net aan.' En de man gebaarde naar de deur, waar een korte, gedrongen man in een keurig pak naar buiten kwam.

Snel noteerde Caitlyn hun namen en een paar andere relevante details. Ze kon zich voorstellen wat ze bij Opmaak met dit soort informatie zouden doen; dat werden me een koppen!

Intussen kwamen er steeds meer journalisten aan; als gieren streken ze neer om ruzie te maken met de agenten die in beweging waren gekomen en probeerden de bewoners het gebouw weer in te jagen. Toen ze bij haar auto aankwam, zat er een bekeuring onder de ruitenwisser.

Niet dat die haar ook maar iets uitmaakte. Ze hád haar primeur!

5

Nora Kelly deed haar ogen open. Het was nacht, en alles was stil. Door het raam van haar ziekenhuiskamer kwam een zacht stadsbriesje naar binnen, dat door de gordijnen rond het lege bed naast haar ritselde.

De nevel van de pijnstillers was opgetrokken, en toen ze besefte dat de slaap niet terugkwam, bleef ze roerloos liggen en probeerde ze de vloedgolf van afgrijzen en verdriet tegen te houden die haar wilde overspoelen. Het was een wrede, grillige wereld, en verder blijven ademhalen leek zinloos. Toch probeerde ze haar verdriet de baas te worden, zich te concentreren op het vage bonzen van haar hoofd, dat in het verband zat, en de geluiden van het enorme ziekenhuis rondom haar. Langzaam nam het beven van haar armen en benen af.

Bill was dood. Haar man, haar minnaar, haar vriend. Ze had het niet alleen gezien, ze vóélde het in haar botten. Er was een leegte, er miste iets. Hij was niet langer op aarde.

De schok en gruwel van de tragedie leken met het uur toe te nemen, en haar gedachten waren martelend helder. Hoe kon dit gebeurd zijn? Het was een nachtmerrie, de wrede daad van een meedogenloze god. Gisteravond hadden ze hun eerste trouwdag nog gevierd. En nu... nú...

Opnieuw probeerde ze de golf van ondraaglijke pijn terug te dringen. Haar hand reikte naar het knopje van de bel om de verpleging om meer morfine te vragen, maar halverwege bleef ze stilliggen. Dat was het antwoord niet. Ze kneep haar ogen dicht en hoopte op de genadige omhelzing van de slaap. Ze wist echter dat die niet zou komen. Misschien zou die nooit meer komen.

Ze hoorde iets, en een vaag déjà-vugevoel zei haar dat ze van ditzelfde geluid wakker was geworden. Een soort grommen, afkomstig uit het bed naast haar in de tweepersoonskamer. Even vlamde de paniek op, maar meteen kalmeerde ze weer: er moest iemand in dat bed gelegd zijn terwijl zij lag te slapen.

Ze draaide haar hoofd die kant uit en probeerde te zien wie er achter het gordijn lag. Er klonk nu een zwakke ademhaling, moeizaam en rochelend. De gordijnen bolden even op en ze besefte dat het niet de verplaatsing van lucht in de kamer was, maar haar kamergenoot die ging verliggen. Een zucht, het ritselen van gesteven lakens. Het licht dat door het raam viel, scheen door de half doorzichtige gordijnen heen en vaag zag ze een donker silhouet, dat met een nieuwe zucht en een licht gegrom van inspanning langzaam overeind kwam.

Er werd een hand uitgestoken, die de gordijnen van binnenuit lichtjes beroerde.

Nora zag de vage omtrekken van de hand langs de dunne plooien tasten en glijden zodat het textiel begon te rimpelen. De hand vond een opening, glipte erdoorheen en greep de rand van het doek.

Nora keek vol ongeloof toe. De hand was smerig. Er zaten donkere, natte strepen op – het leek wel bloed. Hoe langer ze in het schemerlicht lag te kijken, des te zekerder wist ze dat het inderdaad bloed was. Misschien kwam die persoon net uit de ok, of waren er hechtingen opengesprongen. Misschien was het iemand die heel erg ziek was.

'Gaat het?' vroeg ze; haar stem klonk luid en schor in de stilte.

Nog een grom. Heel langzaam begon de hand het gordijn open te trekken. De weloverwogenheid waarmee de stalen ringen over de rail werden getrokken, had iets afgrijselijks. Met een kille, ziek aandoende cadans tikte metaal over metaal. Weer tastte Nora langs de rand van haar bed naar de belknop.

Toen het gordijn open was, werd er een donkere gestalte zichtbaar, gehuld in flarden van kleding en overdekt met donkere vlekken. Op het hoofd stond kleverig, aangekoekt haar in plukken overeind. Nora hield haar adem in. Tegenover haar draaide de gestalte langzaam zijn hoofd om en keek haar aan. De mond ging open en er kwam een kelig geluid uit, als water dat in een afvoer weggorgelt.

Nora vond de knop en begon er wanhopig op te drukken.

De gestalte liet zijn voeten op de vloer zakken, wachtte even alsof hij moest bekomen van de schok en ging onvast overeind staan. Even bleef hij in de schemering heen en weer staan zwenken. Toen deed hij een kleine, bijna tastende stap in haar richting. En daarbij doorkruiste het gezicht een bundel bleek licht dat door het ruitje boven de deur viel, zodat Nora een glimp opving van modderige, gezwollen gelaatstrekken, pafferig en vochtig. Die trekken, die wankele voetstappen, kwamen haar afschuwelijk bekend voor. Weer een onvaste stap haar kant uit; de bevende arm was nu naar haar opgeheven...

Nora krijste, sloeg wanhopig van zich af, krabbelde achteruit om uit de buurt van de figuur te komen, haar voeten raakten verstrikt in de lakens. Gillend drukte ze keer op keer op de knop van de bel en probeerde zich los te maken uit de lakens. Waarom duurde het zo lang eer er een verpleegster kwam? Met een ruk bevrijdde ze zich uit het beddengoed, sprong uit bed, smeet de infuuspaal om die met een luid gerinkel op de grond viel en struikelde daarover, in een waas van afgrijzen en paniek.

Nadat ze een tijdje wazig en verward op de grond had gelegen, hoorde ze rennende voeten, stemmen. Het licht ging aan en er stond een verpleegster over haar heen gebogen. Voorzichtig werd ze overeind geholpen en er klonk een kalmerende stem in haar oor.

'Rustig maar,' zei de stem. 'Je hebt een nachtmerrie gehad...'

'Hij was binnen!' riep ze tegenstribbelend. 'Híér was hij!' Ze probeerde haar arm op te tillen om te wijzen, maar de verpleegster had haar armen om Nora heen geslagen om haar vriendelijk maar stevig in bedwang te houden.

'Kom, dan breng ik je weer naar bed,' zei de verpleegster. 'Nachtmerries komen wel vaker voor na een hersenschudding.'

'Nee! Hij was er echt, ik zweer het!'

'Natuurlijk leek hij echt. Maar nu is het goed.' De verpleegster hielp haar weer in bed en trok de deken over haar heen.

'Kijk dan! Achter dat gordijn!' Haar hoofd bonsde en ze kon amper nadenken.

Er kwam een andere verpleegster binnenrennen, met een injectiespuit in de aanslag.

'Ik weet het, ik weet het... maar nu is het over.' De verpleegster bette zachtjes haar voorhoofd met een koele doek. Even voelde Nora een naald in haar bovenarm steken. Een derde verpleegster kwam binnen en zette de infuuspaal overeind.

'... Achter het gordijn... in bed...' Ondanks haar verzet voelde Nora haar hele lichaam slap worden.

'Hier?' vroeg de verpleegster, terwijl ze overeind kwam. Met een hand trok ze het gordijn weg. Daarachter stond het keurig opgemaakte bed; het laken zat er strak als een trommelvel overheen getrokken. 'Zie je nou wel? Het was gewoon een droom.'

Nora ging liggen, haar ledematen werden zwaar. Het was dus toch niet echt geweest...

De verpleegster leunde over haar heen, streek het beddengoed glad en stopte haar steviger in. In een roes zag Nora dat de tweede verpleegster een nieuwe fles zoutoplossing ophing en de slang weer vastmaakte. Alles leek steeds verder weg te gebeuren. Nora was moe, zo moe. Natuurlijk was het een droom geweest. Ze merkte dat het haar niet meer uitmaakte en ze bedacht hoe heerlijk het was als het je niets meer uitmaakte...

6

Vincent D'Agosta bleef staan bij de open deur van de ziekenkamer en klopte aan, kort en timide. De ochtendzon stroomde door de hal en verguldde de glanzende ziekenhuisapparatuur die tegen de betegelde wanden stond opgesteld.

'Binnen,' riep een stem, met een krachtiger geluid dan hij verwacht had.

Met een onbehaaglijk gevoel liep hij naar binnen, legde zijn hoed op de enige stoel, en moest die vervolgens weer oppakken om te kunnen gaan zitten. Hij was niet goed in dit soort dingen. Wat aarzelend wierp hij een blik op haar, en hij was verrast over wat hij zag. In plaats van de gewonde, wanhopige, diepbedroefde weduwe die hij verwacht had, zag hij een vrouw zitten die er opvallend beheerst uitzag. Haar ogen waren rood, maar stonden helder en vastberaden. Een deel van haar hoofd zat in het verband en onder haar rechteroog zat een vage blauwe plek, maar dat waren de enige zichtbare sporen van de aanval van twee avonden geleden.

'Nora, ik vind het zo erg, zo verdómde erg...' Zijn stem viel weg.

'Bill beschouwde u als een goede vriend,' antwoordde ze. Ze koos haar woorden langzaam en zorgvuldig, alsof ze wist wat ze moest zeggen zonder echt te begrijpen wat ze zei.

Een stilte. 'Hoe voel je je?' vroeg hij, en nog voordat de woorden goed en wel zijn mond uit waren besefte hij hoe stompzinnig die vraag moest klinken.

Nora's reactie was een simpel hoofdschudden, waarna ze hem diezelfde vraag stelde. 'Hoe voel jíj je?'

'Ellendig,' was D'Agosta's eerlijke antwoord.

'Hij zou blij geweest zijn dat jij...'

D'Agosta knikte.

'Om twaalf uur komt de dokter, en als alles in orde is kan ik dan meteen weg.'

'Nora, één ding wil ik je meteen zeggen. We zullen die klootzak vinden. We vinden hem, we sluiten hem op en we gooien de sleutel weg.'

Nora reageerde niet.

D'Agosta wreef over zijn kale kruin. 'Maar om dat te kunnen doen moet ik je nog een paar vragen stellen.'

'Ga je gang. Praten... praten helpt.'

'Oké.' Hij aarzelde. 'Weet je zeker dat het Colin Fearing was?'

Ze keek hem strak aan. 'Zo zeker als ik hier zit, in dit bed. Het was Fearing.'

'Hoe goed kende je hem?'

'Hij loerde wel eens naar me, in de gang. Hij heeft me een keer mee uit gevraagd; terwijl hij nota bene wist dat ik getrouwd was.' Ze huiverde. 'Een zwijn, die vent.'

'Heb je er ooit iets van gemerkt dat hij labiel was?'

'Nee.'

'Vertel eens over die keer dat hij je, eh... mee uit vroeg.'

'We stonden toevallig samen in de lift. Met zijn handen in zijn zakken draaide hij zich naar me om en vroeg me, met dat slijmerige Britse accent van hem, of ik met hem mee naar huis wilde om zijn verzameling etsen te bekijken.'

'Echt waar? Zijn etsen?'

'Ik neem aan dat hij dat zelf reuzekomisch vond.'

D'Agosta schudde zijn hoofd. 'Heb je hem de afgelopen, zeg, twee weken nog gezien?'

Nora antwoordde niet meteen. Ze leek haar best te doen om het zich te herinneren, en D'Agosta had zielsmedelijden met haar. 'Nee. Hoezo?'

Die vraag wilde D'Agosta nog even niet beantwoorden. 'Had hij een vriendin?'

'Niet dat ik weet.'

'Heb je zijn zus ooit ontmoet?'

'Ik wist niet eens dat hij een zus had.'

'Had Fearing goede vrienden? Of andere familieleden?'

'Dat kan ik niet zeggen, daarvoor kende ik hem niet goed genoeg. Hij leek me een beetje een einzelgänger. Een acteur, weet u; hij werkte in het theater.'

D'Agosta keek op zijn notitieblok, waar hij een paar routinevragen had opgekrabbeld. 'Nog een paar formaliteiten, gewoon voor het dossier. Hoe lang zijn jij en Bill getrouwd?' Hij kon zich er niet toe zetten om de vraag in de verleden tijd te stellen.

'Die avond was onze eerste trouwdag.'

30

D'Agosta probeerde zijn stem een kalme en neutrale klank te geven. Er leek iets in zijn keel te zitten, en hij slikte. 'Hoe lang werkt hij bij *The Times*?'

'Vier jaar. Daarvoor zat hij bij de *Washington Post*. En daar weer voor was hij freelancer; hij schreef boeken over het museum en over het aquarium van Boston. Ik kan je zijn cv wel sturen...' Hier werd haar stem heel zacht. 'Als je dat wilt.'

'Dank je, dat is inderdaad handig.' D'Agosta maakte een aantekening. Daarna keek hij weer naar haar op. 'Nora, het spijt me, maar ik moet dit vragen. Heb jij enig idee waarom Fearing dit gedaan heeft?'

Nora schudde haar hoofd.

'Geen aanvaringen? Vetes?'

'Niet dat ik weet. Fearing was gewoon iemand die in hetzelfde gebouw woonde.'

'Ik weet dat dit moeilijke vragen zijn, en ik begrijp...'

'Waar ik moeite mee heb, inspecteur, dat is dat Fearing nog op vrije voeten is. Vraag maar wat u weten moet.'

'Oké. Denk je dat hij van plan was jou aan te randen?'

'Dat kan. Hoewel zijn timing dan niet best was. Hij is binnengekomen nadat ik vertrokken was.' Ze aarzelde. 'Mag ik iets vragen, inspecteur?'

'Natuurlijk.'

'Op dat moment van de dag had hij kunnen verwachten dat we beiden thuis waren, denkt u niet? Maar het enige wat hij bij zich had, was een mes.'

'Dat klopt, hij had alleen een mes.'

'Je breekt niet ergens in met alleen een mes op zak als je verwacht twee mensen aan te treffen. Tegenwoordig kan iedereen aan een vuurwapen komen.'

'Inderdaad.'

'Dus wat moeten we daarvan denken?'

Daar had D'Agosta inderdaad al een hele tijd over lopen piekeren. 'Een goede vraag. En je weet zeker dat hij het was?'

'Dat is nu de tweede keer dat u me die vraag stelt.'

D'Agosta schudde zijn hoofd. 'Gewoon voor de zekerheid.'

'Jullie zijn toch echt naar hem op zoek?'

'Nou en of.' *En wel in het graf.* Ze waren al begonnen met de aanvraag voor opgraving van het lijk. 'Een paar vragen nog. Had Bill vijanden?'

Voor het eerst lachte Nora. Maar het was een vreugdeloze lach, niet ingegeven door plezier. 'Als verslaggever van *The New York Times*? Natuurlijk had hij vijanden.'

'Iemand in het bijzonder?'

Ze dacht even na. 'Lucas Kline.'

'Wie?'

'Die heeft een softwarebedrijf hier in de stad. Pakt zijn secretaresses en intimideert ze dan zo dat ze hun mond houden. Bill heeft hem aan de schandpaal genageld.'

'En waarom noem je juist zijn naam?'

'Hij heeft Bill een brief geschreven. Een dreigbrief.'

'Die zou ik graag zien.'

'Geen probleem. Maar Kline is niet de enige. Hij werkte bijvoorbeeld ook aan een serie over dierenrechten. Ik heb al liggen denken aan een lijst. En dan waren er die eigenaardige pakketjes...'

'Wat voor eigenaardige pakketjes?'

'De afgelopen maand had hij er twee ontvangen. Doosjes met rare dingetjes erin. Poppetjes van flanel. Botjes van dieren, mos, pailletten. Als ik thuiskom...' Haar stem brak, maar ze schraapte haar keel en ging koppig verder: 'Als ik thuiskom, dan zal ik alle knipsels en alle artikelen van de afgelopen tijd doornemen om te kijken waar mensen boos om geworden kunnen zijn. En u zou moeten praten met zijn hoofdredacteur bij *The Times*, om te informeren waar hij momenteel mee bezig was.'

'Dat staat al op mijn lijst.'

Ze zweeg even en keek hem met die rode, vastberaden ogen aan. 'Inspecteur, vindt u ook niet dat dit een bijzonder onbeholpen misdaad was? Fearing is naar binnen en naar buiten gewandeld zonder zich ook maar een moment te bekommeren om getuigen, zonder enige poging om zich te vermommen of de bewakingscamera te vermijden.'

Ook dat was iets waarover D'Agosta had lopen peinzen: was Fearing echt zo dom? Gesteld tenminste dat het Fearing geweest was. 'Er valt nog heel wat te onderzoeken.'

Ze bleef hem even aankijken. Toen wendde ze haar blik af en

keek naar de lakens op het bed. 'Is de flat nog verzegeld?'

'Nee. Vanochtend om tien uur is de zaak vrijgegeven.'

Ze aarzelde. 'Ik mag vanmiddag het ziekenhuis uit en ik... ik wil zo snel mogelijk naar huis.'

D'Agosta begreep het. 'Ik heb al een firma ingeschakeld om... om het huis voor je klaar te maken. Een bedrijf dat dit soort zaken op afroep kan doen.'

Nora knikte en wendde haar hoofd af.

Dat was zijn aanwijzing om te vertrekken, en hij stond op. 'Dank je, Nora. Ik hou je op de hoogte van de vorderingen. Als je nog iets bedenkt, bel je me dan even? Hou je me op de hoogte?'

Ze knikte weer, zonder hem aan te kijken.

'En vergeet niet wat ik gezegd heb. We zullen hem vinden, die Fearing. Ik zweer het.'

7

Special agent Pendergast schreed onhoorbaar door de lange, schemerige gang van zijn flat aan West 72nd Street. Hij passeerde een fraaie bibliotheek; een kamer met uitsluitend renaissance- en barokschilderijen; een gewelfde ruimte met airconditioning die van de vloer tot het plafond vol lag met rijpe wijnen in teakhouten wijnrekken; een salon met leren fauteuils, dure zijden tapijten en terminals met permanente verbinding met een handvol politiedatabases.

Dit waren de publieke ruimtes van Pendergasts appartement, hoewel misschien maar tien mensen daar ooit geweest waren. Hij was nu op weg naar zijn privévertrekken, waar maar twee mensen kwamen: hijzelf en Kyoko Ishimura, de inwonende doofstomme huishoudster.

In de loop van een aantal jaren had Pendergast op discrete wijze twee aangrenzende appartementen gekocht toen die op de markt kwamen en had die samengevoegd met het zijne. Nu liep zijn woning over een groot deel van de voorzijde van het Dakotagebouw aan 72nd Street en bestreek ze zelfs een deel van de gevel langs

Central Park West: een immens, uitgestrekt maar uitermate privé gelegen valkennest.

Toen hij het eind van de gang bereikte, opende hij de deur van iets wat een kast leek. Maar het vertrekje achter de deur was leeg, afgezien van een tweede deur in de achterwand. Pendergast schakelde het alarm uit, opende de deur en stapte zijn privédomein binnen. Snel liep hij daardoorheen. Hij knikte even naar miss Ishimura, die in de grote keuken bij het professionele fornuis stond te koken: soep van visseningewanden. Net als alle andere ruimtes in het Dakotagebouw had ook de keuken een ongebruikelijk hoog plafond. Uiteindelijk stond hij aan het eind van een tweede gang, voor een tweede onschuldig ogende deur. Daarachter lag de plek waar hij heen wilde: het derde appartement, het heilige der heiligen, waar zelfs miss Ishimura maar zelden kwam.

Hij opende de deur naar een tweede hokje op kastformaat. Ditmaal was er geen deur in de achterwand, maar een *shoji*: een schuifdeur van hout met rijstpapieren panelen. Pendergast trok de deur achter zich dicht, deed een stap naar voren en schoof voorzichtig de shoji opzij.

Daarachter lag een verstilde tuin. Geluiden van vriendelijk kabbelend water en vogelgezang vulden de lucht, die zwaar was van de geuren van pijnboom en eucalyptus. Er heerste een schemerig, indirect licht met de kleurschakering van een late namiddag, misschien het begin van de avond. Ergens in het dichte groen koerde een duif.

Voor hem lag een smal pad van platte stenen, dat zich tussen groenblijvende planten en struiken door slingerde, aan weerszijden geflankeerd door stenen lantaarns. Pendergast trok de shoji dicht, stapte over de kiezelrand heen en liep het stenen pad op. Dit was een *uchi-roji*, de binnentuin van een theehuis. De intens besloten, bijna geheime plek ademde rust uit en stimuleerde een contemplatieve kijk op de dingen. Pendergast leefde hier al zo lang mee dat hij al bijna niet meer besefte hoe bijzonder dit was: een complete, afgesloten tuin, diep in het hart van een enorm appartementencomplex in Manhattan.

Een eindje verderop werd, achter struiken en dwergbomen, een laag houten gebouwtje zichtbaar, simpel en zonder opsmuk. Pendergast liep langs het formele wasbekken naar de ingang van het tuinhuis en schoof langzaam de shoji open.

Daar lag de theekamer zelf, Spartaans maar elegant ingericht. Pendergast bleef even op de drempel staan en liet zijn blik over de opgerolde wandversiering in de nis glijden, de formele *chabana*-bloemarrangementen, de planken met de schone gardes, theeschepjes en andere benodigdheden. Toen schoof hij de deur dicht, ging in *seiza*-houding op de tatami zitten en begon met de minutieuze rituelen van de ceremonie zelf.

De theeceremonie is niets meer en niets minder dan een ritueel van gratie en perfectie, de manier om thee te serveren aan een klein aantal gasten. Hoewel Pendergast alleen was, voerde hij het ceremonieel toch uit voor een gast: voor iemand die er niet bij kon zijn.

Behoedzaam vulde hij de pot, mat de poederthee af, klopte die met een garde tot exact de juiste textuur en schonk de drank toen in twee schitterende zeventiende-eeuwse theekommen. Een zette hij voor zichzelf neer; de andere plaatste hij aan de andere kant van de mat. Hij bleef even zitten kijken naar de damp die in ragfijne krullen uit zijn kom oprees. Toen bracht hij de kom langzaam en peinzend naar zijn lippen.

Terwijl hij van de thee nipte, liet hij bepaalde herinneringen plaatjes vormen in zijn gedachten, een voor een, en bij elk stond hij een tijdje stil voordat hij naar het volgende overging. Het onderwerp van de herinneringen was steeds gelijk. William Smithback jr. die hem hielp tijdens een race tegen de klok om de deuren van het Graf van Senef open te blazen en de mensen die daar vastzaten, te redden. Smithback, die vol afgrijzen op de achterbank van een geconfisqueerde taxi lag terwijl Pendergast door het verkeer heen laveerde om te ontkomen aan zijn broer Diogenes. En verder terug in de tijd: Smithback die vol woede en ontzetting toekeek hoe Pendergast het recept voor het Arcanum in brand stak bij het graf van Mary Greene. En nog verder terug: weer Smithback, aan zijn zijde tijdens de vreselijke strijd met de eigenaardige bewoners van de Duivelszolder, de bovenste laag van de ondergrondse wereld diep onder de straten van New York City.

Tegen de tijd dat de theekom leeg was, waren er geen herinneringen meer om te overpeinzen. Pendergast zette de kom terug op de mat en sloot even zijn ogen. Toen opende hij ze weer en richtte zijn blik op de andere kom, nog vol, die tegenover hem stond. Hij zuchtte even, en sprak.

'*Waga tomo yasurakani*,' zei hij. 'Vaarwel, mijn vriend.'

8

Twaalf uur. Voor de zoveelste keer drukte D'Agosta met een onderdrukte vloek op de liftknop. Hij keek op zijn horloge. 'Negen minuten. Zonder overdrijving: négen minuten staan we hier al.'

'Je moet leren je vrije tijd optimaal te benutten, Vincent,' mompelde Pendergast.

'O ja? Ik heb anders de indruk dat jij je ook behoorlijk verveelt.'

'Integendeel. De afgelopen negen minuten heb ik, en met groot genoegen, staan filosoferen over Miltons invocatie in het derde boek van *Paradise lost*; verder heb ik de Latijnse zelfstandige naamwoorden van de tweede declinatie nog eens doorgenomen; bepaalde paradigma's zijn bijna een fulltimebezigheid! En tot slot heb ik in gedachten een uitgelezen brief opgesteld die ik wil sturen aan de technici die deze lift ontworpen hebben.'

Een krakend gedruis kondigde de komst van de lift aan. Kreunend gleden de deuren open en het volgepakte interieur braakte zijn inhoud uit: artsen, verpleegkundigen en, als laatste, een lijk op een brancard. Ze stapten in, en D'Agosta drukte op de knop voor B2.

Na een lange wachttijd schoven de deuren dicht. De lift ging zo traag omhoog dat er geen enkele beweging merkbaar was. Na nog een schijnbaar eindeloze tijd kraakten de deuren open en werd er een betegelde ondergrondse gang zichtbaar, die baadde in groenig tl-licht. Er hing een geur van formaldehyde en dood. Een bewaker achter een glazen schuifdeur hield de wacht over een gesloten, dubbele deur van staal.

D'Agosta liep erheen en pakte zijn badge. 'Inspecteur D'Agosta, NYPD Moordzaken, en special agent Pendergast, FBI. We willen dokter Wayne Heffler even spreken.'

'Documenten in de lade,' klonk de laconieke stem.

Ze legden hun badges in het schuifvakje. Even later kregen ze ze terug, samen met twee pasjes. De stalen deuren sprongen met een metalige klik open. 'Gang door, tweede zijgang, bij de t-splitsing links. Melden bij de secretaresse.'

De secretaresse had het druk, en het duurde nog eens twintig minuten eer ze de arts konden spreken. Tegen de tijd dat de deur eindelijk openging en ze uitgenodigd werden het fraaie kantoor te betreden, kookte D'Agosta's bloed bijna. En zodra hij het arrogante, verveelde gezicht van de tweede man binnen de New Yorkse pathologische dienst zag, wist hij dat hier ruzie van ging komen.

De lijkschouwer stond op achter zijn bureau en bood hun nadrukkelijk geen stoel aan. Een knappe man, wat ouder, mager en ascetisch ogend, gekleed in wit overhemd met vlinderdas en een trui. Over de rugleuning van zijn stoel hing een tweedjasje. Hij had een hoog voorhoofd en had zijn dunne zilveren haar achterovergekamd over zijn kalende schedel. Zijn ogen waren blauw en kil als ijs achter het hoornen brilletje. Er hingen jachtprenten aan de houten wanden, samen met een verzameling vlaggetjes van zeilraces in een grote vitrine. *Een zelfbenoemde landjonker*, dacht D'Agosta geïrriteerd.

De arts steunde met zijn handen op het bureau en informeerde met een strak gezicht: 'Wat kan ik voor u doen?'

Met een nadrukkelijk gebaar ging D'Agosta zitten. Hij schoof zijn stoel heen en weer voordat hij plaatsnam en nam er ruim de tijd voor. Pendergast vouwde zich in een stoel naast hem. D'Agosta pakte een document uit zijn aktetas en schoof dat over het meters brede bureau heen.

De man keurde het geen blik waardig. 'Inspecteur... eh, D'Agosta, praat u me even bij. Ik heb het momenteel te druk om rapporten te gaan zitten lezen.'

'Het gaat om de sectie op Colin Fearing. Daarbij had u de leiding. Weet u nog?'

'Natuurlijk. Lijk gevonden in de Harlem. Zelfmoord.'

'Ja,' zei D'Agosta. 'Nou, ik heb vijf betrouwbare getuigen die zeggen dat hij de dader was bij die moord gisteravond op West End Avenue.'

'Dat kan niet.'

'Wie heeft het lichaam geïdentificeerd?'

'De zus.' Ongeduldig bladerde Heffler door een open dossier op zijn bureau. 'Carmela Fearing.'

'Geen verdere familie?'

Weer werd er rusteloos gebladerd. 'Alleen nog een moeder. *Non compos mentis*, in een verpleegtehuis op het platteland.'

D'Agosta wierp Pendergast een blik toe, maar die zat met zichtbare afkeer de jachtprenten te bestuderen en leek het gesprek niet gevolgd te hebben.

'Herkenningstekenen?' vroeg hij.

'Fearing had een zeer ongebruikelijke tatoeage van een hobbit op zijn linkerschouder en een moedervlek op zijn rechterenkel. Die eerste hebben we nagetrokken bij de tatoeëerder; het was een recente aanwinst. De moedervlek is gecontroleerd aan de hand van het geboortecertificaat.'

'Gebitsgegevens?'

'Hebben we niet kunnen vinden.'

'Waarom niet?'

'Colin Fearing is opgegroeid in Engeland. Voordat hij naar New York kwam, heeft hij in San Antonio, Texas, gewoond. Zijn zus verklaarde dat hij altijd in Mexico naar de tandarts ging.'

'En u hebt dus niet naar de klinieken in Mexico of Londen gebeld? Hoe lang duurt het om een stel röntgenfoto's te scannen en te e-mailen?'

De lijkschouwer slaakte een diepe, geïrriteerde zucht. 'Moedervlek, tatoeage, identificatie door een betrouwbare bloedverwant, onder ede en in bijzijn van een notaris... We hebben ruimschoots aan de juridische verplichtingen voldaan, inspecteur. Ik zou nooit door mijn werk heen komen als we voor iedere buitenlander die zich in New York van kant maakt internationale gebitsgegevens moesten opvragen.'

'Hebt u monsters bewaard van weefsel of bloed van Fearing?'

'Wij maken alleen röntgenfoto's en we bewaren alleen monsters en bloed als de zaak vragen oproept. Dit was een overduidelijk geval van zelfmoord.'

'Hoe weet u dat?'

'Fearing is van de draaibrug tegenover Spuyten Duyvil in de rivier de Harlem gesprongen. Een politieboot heeft zijn lichaam in de Spuyten Duyvil gevonden. Bij de val waren zijn longen gescheurd en is zijn schedel gebroken. En bovendien had hij een afscheidsbrief achtergelaten op het pad. Maar dat weet u allemaal, inspecteur.'

'Ik heb het in het dossier gelezen. Dat is niet hetzelfde als wéten.'

De arts was blijven staan, en nu sloeg hij nadrukkelijk het dossier op zijn bureau dicht. 'Dank u, heren; was dat alles?' Hij keek op zijn horloge.

Daarop kwam Pendergast eindelijk in beweging. 'Aan wie hebt u het lijk vrijgegeven?' Zijn stem klok traag, bijna slaperig.

'Aan de zus, uiteraard.'

'Wat voor identiteitspapieren hebt u daarbij gecontroleerd? Een paspoort?'

'Ik meen me te herinneren dat het een rijbewijs van de staat New York was.'

'Hebt u daar een kopie van bewaard?'

'Nee.'

Pendergast slaakte een discrete zucht. 'Waren er getuigen van die zelfmoord?'

'Niet dat ik weet.'

'Is er forensisch onderzoek verricht naar het briefje om te controleren of het inderdaad Colin Fearings handschrift was?'

Een aarzeling. Het dossier ging weer open. De lijkschouwer las het vluchtig door. 'Zo te zien niet.'

D'Agosta nam de ondervraging over. 'Wie had het briefje gevonden?'

'De politie, toen ze het lijk vonden.'

'En die zus – hebt u die ondervraagd?'

'Nee.' Heffler wendde zich van D'Agosta af, ongetwijfeld in de hoop hem daarmee het zwijgen op te leggen. 'Meneer Pendergast, mag ik vragen waarom de FBI zoveel belangstelling heeft voor deze zaak?'

'Nee, dat mag u niet, dokter Heffler.'

D'Agosta vervolgde: 'Kijk, dokter. We hebben Bill Smithbacks lijk bij u in het mortuarium liggen, en willen we verder met ons onderzoek, dan moet daar sectie op verricht worden, en wel op zeer korte termijn. Verder hebben we DNA-tests nodig op bloed- en haarmonsters, eveneens op zeer korte termijn. En een DNA-test van Fearings moeder als vergelijkingsmateriaal, aangezien u vergéten bent om monsters van de sectie te bewaren.'

'En op wat voor termijn wou u dat allemaal hebben?'

'Vier dagen, op z'n hoogst.'

Er gleed een smal glimlachje van neerbuigende triomf over de lippen van de arts. 'Het spijt me, inspecteur, maar dat is onmogelijk. We zitten hier tot over onze oren in het werk en ook al was dat niet het geval, vier dagen is volslagen ondenkbaar. De sectie zelf zal minstens tien dagen, maar misschien wel drie weken op zich laten wachten. Wat betreft de DNA-uitslagen, daar ga ik niet over. U zult met een gerechtelijk bevel moeten komen om bloed van de moeder af te nemen, en dat kan maanden duren. En gezien de achterstanden bij het DNA-lab mag u van geluk spreken als u de uitslag binnen een halfjaar krijgt.'

Pendergast nam het weer over. 'Uitermate vervelend.' Hij richtte zich tot D'Agosta. 'Dan zal er weinig anders op zitten dan te wachten. Tenzij dokter Heffler bereid is een... hoe noemde je dat ook weer... een *haastklus* van die sectie te maken.'

'Als ik voor iedere FBI-agent of inspecteur van Moordzaken die daarom vraagt een haastklus deed – en daar vragen ze allemaal om – dan had ik daar een dagtaak aan.' Hij schoof het document terug over het bureau. 'Het spijt me, heren. Als u me dan nu wilt excuseren?'

'Uiteraard,' zei Pendergast. 'Sorry dat we uw kostbare tijd in beslag hebben genomen.'

D'Agosta keek Pendergast ongelovig aan terwijl deze opstond om weg te gaan. Moesten ze die flauwekul slikken en zich laten afpoeieren?

Pendergast draaide zich om en liep naar de deur. Daar bleef hij even staan aarzelen. 'Typisch eigenlijk dat het bij Fearing zo efficiënt ging. Hoeveel dagen heeft dat in beslag genomen?'

'Vier. Maar dat was een overduidelijk geval van zelfmoord. We zitten hier met ruimtegebrek.'

'O, prima! Gezien uw ruimtegebrek willen we de sectie op Smithback graag binnen vier dagen verricht zien.'

Een korte lach. 'Meneer Pendergast, u hebt kennelijk niet geluisterd. Ik laat u weten wanneer ik de sectie kan inplannen. En als u me dan nu...'

'Dan maakt u er maar drie dagen van, dokter Heffler.'

De arts keek hem verbluft aan. 'Pardon?'

Pendergast draaide zich naar hem om. 'Dríé dagen, zei ik.'

Heffler kneep zijn ogen iets samen. 'Wat een onbeschaamdheid.'

'En dat gebrek aan ethische principes van u, is dat soms géén onbeschaamdheid, dokter Heffler?'

'Waar hebt u het in vredesnaam over?'

'Het zou niet best zijn als alom bekend werd dat u en uw medewerkers de hersenen van armlastige doden verkopen.'

Het bleef een hele tijd stil voordat de lijkschouwer reageerde. Met ijskoude stem informeerde hij: 'Agent Pendergast, is dat een dreigement?'

Pendergast glimlachte. 'Knap gezien, dokter.'

'Ik neem aan dat u doelt op een volkomen legitieme praktijk. We doen dit voor een waardig doel: voor medisch onderzoek. We verwijderen álle organen van lijken die niet opgehaald worden, niet alleen de hersenen. Deze organen redden levens en zijn van cruciaal belang voor de medische wetenschap.'

'Ik had het over verkópen. Tienduizend dollar per brein – is dat niet zo'n beetje de gangbare prijs? Wie had kunnen denken dat een brein zoveel geld waard kon zijn?'

'In godsnaam, wij verkópen geen organen, meneer Pendergast. We vragen om een tegemoetkoming in de onkosten. Het kost geld om organen te verwijderen en te bewaren.'

'Een onderscheid dat de lezers van de *Washington Post* misschien niet naar behoren zullen kunnen inschatten.'

De man trok bleek weg. 'De *Post*? Die zijn toch niet over deze toestand aan het schrijven?'

'Nog niet. Maar ik zie de koppen al voor me; u ook?'

Het gezicht van de arts betrok en zijn vlinderdas beefde van woede. 'U weet donders goed dat dit soort activiteiten niemand ook maar enige schade berokkent. Het geld wordt keurig beheerd en wordt aangewend ter ondersteuning van ons werk hier. Mijn voorganger deed hetzelfde, evenals de lijkschouwer vóór hem. De enige reden waarom we dit niet in de openbaarheid brengen, is dat mensen zich er onbehaaglijk bij zouden voelen. Serieus, meneer Pendergast, met dit dreigement gaat u werkelijk te ver. Véél te ver.'

'Aha. Drie dagen, dus?'

De lijkschouwer keek hem met harde, glinsterende ogen aan.

Een korte knik. 'Twee dagen.'

'Dank u, dokter Heffler. Ik ben u zeer erkentelijk.' En Pendergast richtte zich tot D'Agosta: 'Dan moeten we nu werkelijk niet meer tijd in beslag nemen van dokter Hefflers drúkke dag.'

Toen ze het gebouw verlieten en First Avenue opliepen, waar de Rolls met stationair draaiende motor stond te wachten, vroeg D'Agosta grinnikend: 'Hoe kwam je daar nou op?'

'Ik heb geen idee hoe het komt, Vincent, maar sommige mensen met machtsposities vinden het prettig om anderen dwars te zitten. En ik vrees dat ik er zelf een al even bedenkelijk genoegen in schep om in zo'n geval de verzenen tegen de prikkels te slaan. Een slechte gewoonte, ik weet het, maar op mijn leeftijd valt het niet mee om dit soort kwalijke gebruiken af te wennen.'

'Dokter Heffler was in ieder geval behoorlijk geprikkeld!'

'Ik vrees echter dat hij het bij het rechte einde had wat betreft die DNA-uitslagen. Dat proces kan hij, of ik trouwens, onmogelijk versnellen, zeker omdat er een gerechtelijk bevel voor nodig is. We moeten dus een andere manier vinden. Dus gaan we vanmiddag op bezoek in Willoughby Manor, Kerhonkson, om ons medeleven te betuigen aan ene Gladys Fearing.'

'Waarom? Dat mens dementeert.'

'Evenzogoed, beste Vincent, heb ik het gevoel dat mevrouw Fearing wel eens verbazingwekkend welbespraakt kon zijn.'

9

Zachtjes trok Nora Kelly de deur van haar antropologische laboratorium in het souterrain dicht en bleef er even met gesloten ogen tegenaan staan leunen. Haar hoofd bonsde en haar keel voelde ruw en droog aan.

Het was nog veel erger geweest dan ze zich voorgesteld had: al haar collega's met hun goedbedoelde condoleances, hun bedroefde blikken, hun aanbod om te helpen, suggesties dat ze een paar dagen vrij moest nemen. Een paar dagen vrij? En wat dan: naar de flat gaan waar haar echtgenoot was vermoord, en daar dan gaan zitten, alleen met haar gedachten? Ze was regelrecht vanuit het ziekenhuis naar het museum gegaan. Ondanks wat ze tegen D'Agosta gezegd had, kon ze het niet aan naar huis te gaan; althans, niet meteen.

Ze deed haar ogen open. Het lab lag er nog net zo bij als ze het twee dagen geleden achtergelaten had. En toch zag het er zo anders uit. Alles leek anders sinds de moord. Het leek alsof de hele wereld was veranderd – volkomen veranderd.

Boos probeerde ze die nergens toe leidende gedachtestroom uit haar hoofd te zetten. Ze keek op haar horloge: twee uur. Het enige wat haar nu kon redden, was onderdompeling in het werk. Volledige, totale onderdompeling.

Ze deed de deur van het lab dicht en zette haar Mac aan. Zodra die opgestart was, opende ze de database met haar potscherven. Ze trok een la vol bakken uit en opende er een waarin tientallen plastic zakjes vol genummerde potscherven zaten. Ze maakte het eerste zakje open, legde de scherven op het vilten tafelblad en begon ze te categoriseren op type, datum en locatie. Het was saai, dom werk – maar dat was precies wat ze momenteel nodig had: dom werk.

Na een halfuur hield ze even op. In het ondergrondse lab heerste een stilte als in het graf, afgezien van het zachte sissen van de luchtverwarming, dat als een onophoudelijk gefluister in de duisternis klonk. De nachtmerrie in het ziekenhuis had haar de stuipen op het lijf gejaagd, zo echt was die droom geweest. De meeste dromen vervagen mettertijd, maar deze leek er alleen maar helderder op te worden. Ze schudde haar hoofd, geërgerd door die neiging van haar geest om eindeloos rond dezelfde angstaanjagende zaken te blijven rondcirkelen. Met meer kracht dan nodig was tikte ze op de toetsen van haar computer. Toen ze klaar was met het invoeren van de huidige serie gegevens sloeg ze het bestand op en begon ze de scherven weg te bergen om de tafel vrij te maken voor de volgende zakvol.

Er klonk een zachte klop op de deur.

Niet wéér iemand die z'n deelneming komt betuigen, dacht Nora. Ze keek naar het ruitje in de deur, maar het was zo schemerig op de gang dat ze niets zag. Ze stond op, liep naar de deur en legde haar hand op de klink. Zo bleef ze even staan.

'Wie is daar?'

'Primus Hornby.'

Met een gevoel van ontzetting opende Nora de deur. Daar stond de kleine, tonronde conservator van de afdeling Antropologie, met het opgevouwen ochtendblad onder een van zijn dikke armpjes; met het andere mollige handje streek hij nerveus over zijn kale plek. 'Goed dat ik je hier tref. Mag ik even?'

Onwillig deed Nora een stap opzij om de conservator binnen te laten. Het verfomfaaide mannetje stapte snel naar binnen en draaide zich om. 'Nora, wat vreselijk, vréselijk erg voor je.' Met zijn hand bleef hij zenuwachtig over zijn kale kruin wrijven. Nora zei niets – ze kon niets zeggen. Ze wist niet wat ze moest zeggen of hoe ze het moest zeggen.

'Fijn dat je weer aan het werk bent. Werk heelt alle wonden, zeg ik altijd maar.'

'Dank je voor je medeleven.' Misschien ging hij dan nu weg. Maar hij zag eruit alsof hij iets op zijn lever had.

'Ik ben een paar jaar geleden mijn vrouw verloren, toen ik veldwerk deed in Haïti. Ze kwam terwijl ik weg was om het leven bij een auto-ongeluk in Californië. Ik weet wat je nu doormaakt.'

'Dank je, Primus.'

Hij liep verder het lab in. 'Potscherven, zie ik. Wat een mooie. Een voorbeeld van de menselijke behoefte om ook de meest alledaagse dingen te verfraaien.'

'Inderdaad.' Wanneer kraste hij nou eens een keertje op? Plotseling voelde Nora zich schuldig over haar reactie. Op zijn manier probeerde hij aardig te doen. Maar dit was nu eenmaal niet haar manier van rouwen, al dat gepraat en dat medelijden en die opbeurende woorden.

'Sorry dat ik het zeg, Nora...' Hij aarzelde. 'Maar ik moet het vragen. Ben je van plan je man te begraven, of laat je hem cremeren?'

Het was zo'n bizarre vraag dat Nora even niet wist hoe ze het had. Dit was een vraag waar ze bewust niet over nagedacht had, maar ze wist dat ze binnenkort een beslissing moest nemen.

'Dat weet ik nog niet,' zei ze, iets bitser dan ze bedoeld had.

'Aha.' Hornby keek eigenaardig ontzet. Nora vroeg zich af wat er nu kwam. 'Zoals ik al zei, ik heb mijn veldwerk in Haïti gedaan.'

'Ja.'

Hornby leek nog geagiteerder te worden. 'In Dessalines, waar ik woonde, gebruikten ze soms formalasen als balsemvloeistof in plaats van de gebruikelijke formule van formaline, ethanol en methanol.'

Het gesprek begon een onwerkelijke wending te nemen. 'Formalasen,' herhaalde Nora.

'Ja. Dat is veel giftiger en moeilijker te verwerken, maar om... bepaalde redenen geven ze er de voorkeur aan. Soms maken ze het spul nog giftiger door er rattengif in op te lossen. In bepaalde, ongebruikelijke gevallen, als de dode op een bepaalde manier is gestorven, vragen ze de begrafenisondernemer ook nog om de mond dicht te naaien.' Weer aarzelde hij. 'En in zulke gevallen begraven ze de dode met het gezicht omlaag en de mond in de aarde, met een lang mes in één hand. Soms vuren ze nog een kogel af of steken ze een ijzeren staak in het hart van het lijk om het... tja, om het nogmaals te doden.'

Sprakeloos keek Nora de bejaarde conservator aan. Ze had altijd wel geweten dat hij lichtelijk excentriek was, dat hij een beetje al te zeer opging in de eigenaardigheden van zijn werk, maar dit was zo gruwelijk misplaatst dat ze haar oren amper kon geloven. 'Interessant,' wist ze uit te brengen.

'Ze kunnen in Dessalines soms heel zorgvuldig te werk gaan bij het begraven van hun doden. Ze houden zich aan heel strikte regels; dat kost ze vaak een vermogen. Een correcte begrafenis kan wel twee of drie jaarsalarissen kosten.'

'Aha.'

'Zoals ik al zei, ik vind het heel vreselijk voor je.' En met die woorden vouwde hij de krant open die hij onder zijn arm had gehad, en legde hem op tafel. Het was een exemplaar van de *West Sider* van die ochtend.

Met open mond las Nora de kop.

VERSLAGGEVER *THE TIMES* GEDOOD DOOR ZOMBIE?

Met een mollige vinger tikte Hornby op de kop. 'Dit was mijn werk.

45

Voodoo. Obeah. Zombii's – correct gespeld met een dubbele i, uiteraard, niet zoals ze het hier spellen. Natuurlijk kunnen ze bij de *West Sider* nóóit iets goed opschrijven.' Hij snoof laatdunkend.

'Wat?' Sprakeloos bleef Nora naar de krant staan kijken.

'Dus als je besluit je echtgenoot te begraven, dan hoop ik dat je mijn woorden in het achterhoofd houdt. Als je nog vragen hebt, Nora: ik ben er voor je.'

En met een laatste, verdrietige glimlach verdween het mannetje. De krant liet hij liggen.

10

De Rolls-Royce zoefde door het vervallen plaatsje Kerhonkson, gleed over een asfaltweg vol scheuren langs een dichtgetimmerd Borscht Belt-hotel en vervolgde zijn route over een kronkelweggetje met druipende bomen aan weerszijden, een sombere riviervallei in. Een laatste steile bocht, en toen werd er een verweerd, oud huis zichtbaar, naast een laagbouwcomplex van bakstenen gebouwtjes waar een metalen omheining omheen stond. Een bord dat in de late middagschaduw baadde, liet weten dat ze momenteel Zorgvoorziening Willoughby Manor op reden.

'Jezus,' zei D'Agosta. 'Het lijkt wel een gevangenis.'

'Dit is een van de slechter bekendstaande dumpplekken voor oude of zieke mensen in de staat New York,' zei Pendergast. 'Hun dossier bij Volksgezondheid is een halve meter dik, alleen al vanwege de aanklachten tegen de medewerkers.'

Ze reden het open hek door, langs een onbemand poortwachtershuisje, en kwamen op een uitgestrekt, verlaten parkeerterrein waar onkruid door een web van scheuren heen woekerde. Proctor stopte bij de hoofdingang en D'Agosta hees zich naar buiten. Hij stond nog maar amper op het plaveisel of hij betreurde het al dat hij de zachte bekleding van de auto achter zich had gelaten. Pendergast volgde hem. Via een dubbele deur van vlekkerig plexiglas liepen ze de instelling binnen en kwamen in een lobby waar het naar muffe vloerbedekking en oude aardappelpuree rook. Op een handgeschreven bordje op een houten standaard midden in de lobby stond:

Bezoekers dienen zich te melden!

Een getekende pijl wees naar een hoek, waar een vrouw aan een bureau de *Cosmopolitan* zat te lezen. Zo te zien moest ze zowat honderdvijftig kilo wegen.

D'Agosta pakte zijn politiebadge. 'Inspecteur D'Agosta, special agent...'

'Bezoek van tien tot twee,' zei de vrouw van achter haar tijdschrift.

'Het spijt me, wij zijn van de politie.' D'Agosta was niet van plan zich met een kluitje in het riet te laten sturen, niet bij dit onderzoek.

Eindelijk legde ze het blad neer en keek hem aan.

D'Agosta liet haar even naar zijn badge kijken en borg die toen weer weg. 'We komen voor mevrouw Gladys Fearing.'

'Oké.' De vrouw drukte op een intercomknop en riep in de microfoon: 'Politie hier voor Fearing!' Ze keek hem weer aan met een gezicht dat niet meer stomverveeld stond maar waarop een onverwacht gretige blik was verschenen. 'Wat is er gebeurd? Een misdaad?'

Pendergast leunde naar haar over en zei op vertrouwelijke toon: 'Inderdaad, ja.'

Ze sperde haar ogen open.

'Móórd,' fluisterde Pendergast.

De vrouw hapte naar adem en sloeg haar hand voor haar mond. 'Waar? Hier?'

'In New York.'

'De zoon van mevrouw Fearing?'

'Colin Fearing, bedoelt u?'

D'Agosta keek naar Pendergast. Waar was die gast mee bezig?

Pendergast rechtte zijn rug en trok zijn das glad. 'Kent u Colin goed?'

'Niet echt.'

'Maar hij kwam regelmatig op bezoek, neem ik aan? Bijvoorbeeld vorige week nog?'

'Volgens mij niet.' De vrouw pakte een registerboek en bladerde erdoorheen. 'Nee.'

'Dan moet het de week daarvoor zijn geweest.' Pendergast leunde voorover om in het boek te kijken.

Ze bladerde er verder doorheen, en Pendergast speurde met zijn zilvergrijze ogen de pagina's af. 'Nee. De laatste keer dat hij op bezoek kwam was in... februari. Acht maanden geleden.'

'Dat meent u niet!'

'Kijk zelf maar.' Ze draaide het boek om, zodat Pendergast kon lezen. Hij bekeek de hanenpotige handtekening en begon naar het begin van het boek te bladeren. Iedere pagina werd aan een onderzoek onderworpen. Hij rechtte zijn rug. 'Zo te zien kwam hij niet vaak langs.'

'Hier komt niemand vaak langs.'

'En haar dochter?'

'Ik wist niet eens dat ze een dochter had. Die is nooit geweest.'

Pendergast legde een vriendelijke hand op haar zware schouder. 'Om nog even terug te komen op uw vraag: ja, Colin Fearing is dood.'

Ze zweeg en keek hem met grote ogen aan. 'Vermoord?'

'Hoe híj aan zijn eind is gekomen, weten we nog niet. Zijn moeder weet het dus nog niet?'

'Nee. Volgens mij wist niemand het hier. Maar...' Ze aarzelde. 'U bent niet gekomen om het haar te vertellen, is het wel?'

'Niet direct.'

'Dat kunt u dan misschien beter niet doen. Waarom zou u de laatste paar maanden van haar leven nog vergallen? Hij kwam toch al amper langs, en hij bleef nooit lang. Ze zal hem niet missen.'

'Wat voor iemand was het?'

Ze trok een gezicht. 'Zo'n zoon zou ík niet hoeven.'

'O? Verklaar u nader?'

'Onbeschoft. Een vlerk. Dikke Bertha, noemde hij me.' Ze bloosde.

'Schandalig! En hoe heet u echt?'

'Jo-Ann.' Ze aarzelde. 'U zegt niet tegen mevrouw Fearing dat hij dood is, belooft u dat?'

'Dat is heel meelevend van je, Jo-Ann. Mogen we dan nu naar mevrouw Fearing toe?'

'Waar is die verpleeghulp?' Ze wilde nogmaals op de knop drukken, maar bedacht zich. 'Ik breng u er zelf wel heen. Kom maar mee. Maar ik moet u waarschuwen: mevrouw Fearing ziet het allemaal niet meer zo scherp.'

'Aha,' zei Pendergast. 'Goed om te weten.'

De vrouw verhief zich uit haar stoel, blij dat ze hun van dienst kon zijn. Achter haar aan liepen ze een lange, schemerige gang met een linoleumvloer door, waar de olfactorische aanvallen elkaar snel opvolgden: menselijke uitwerpselen, doodgekookt eten, braaksel. Bij elke deur die ze passeerden hoorden ze weer andere geluiden: gemompel, gekreun, wanhopig en luid praten, snurken.

Bij een open deur bleef de vrouw staan. Ze klopte aan: 'Mevrouw Fearing?'

'Ga weg,' kwam het zwakke antwoord.

'Een stel heren om u te spreken, mevrouw Fearing!' riep Jo-Ann met gemaakt vrolijke stem.

'Ik wil niemand spreken,' klonk de stem vanuit de kamer.

'Bedankt, Jo-Ann,' zei Pendergast met zijn meest zoetgevooisde stem. 'Verder kunnen we het zelf wel af. Je bent een schat.'

Ze stapten de drempel over. Het was een klein kamertje met een minimum aan meubilair en persoonlijke bezittingen. Midden op de linoleumtegels op de vloer stond een ziekenhuisbed met daaromheen enige loopruimte. Soepel glipte Pendergast in een stoel naast het bed.

'Ga weg,' zei de vrouw nogmaals; haar stem klonk zwak en zonder overtuiging. Ze lag in bed, met ongekamd haar als een sneeuwwitte stralenkrans om haar hoofd. Haar ooit blauwe ogen waren nu bijna wit, haar huid was teer en doorschijnend als perkament. D'Agosta zag de glanzende bolling van haar hoofdhuid door de dunne haardos heen. Vuile vaat van de lunch, uren geleden, stonden op een dienwagentje.

'Hallo, Gladys,' zei Pendergast, terwijl hij haar hand pakte. 'Hoe gaat het?'

'Beroerd.'

'Mag ik een persoonlijke vraag stellen?'

'Nee.'

Pendergast gaf een kneepje in haar hand. 'Herinner jij je je eerste teddybeer nog?'

De vale ogen keken hem begriploos aan.

'Je eerste knuffeldier. Weet je daar nog iets van?'

Een traag hoofdknikken, een vragende blik.

'Hoe heette hij?'

Een lange stilte. Toen kwam het antwoord: 'Molly.'

'Mooie naam. Wat is er met Molly gebeurd?'

Weer een lange pauze. 'Weet ik niet.'

'Van wie had je Molly gekregen?'

'Van papa. Voor Kerstmis.'

D'Agosta zag iets opflakkeren in de matte blik. Niet voor het eerst vroeg hij zich af waar Pendergast in vredesnaam heen wilde met die bizarre ondervragingstactiek van hem.

'Wat een schitterend cadeau moet dat geweest zijn,' zei Pendergast. 'Vertel eens wat meer over Molly.'

'Molly was gemaakt van sokken die aan elkaar genaaid waren, met lappen erin. Ze had een opgeschilderde vlinderdas. Ik was dol op mijn beer. Elke avond moest ze mee naar bed. Als zij bij me was, dan was ik veilig. Dan kon niemand me iets doen.' Op het gezicht van de oude vrouw brak een stralende glimlach door. Er welde een traan op, en die rolde langs haar wang.

Snel gaf Pendergast haar een papieren zakdoekje uit een pakje dat hij uit zijn zak haalde. Ze pakte het aan, bette haar ogen en snoot haar neus. 'Molly,' herhaalde ze met ijle stem. 'Wat zou ik er niet voor geven om die rare ouwe beer nog eens in mijn armen te hebben.' Voor het eerst keek ze Pendergast aan. 'Wie bent u?'

'Een vriend,' zei Pendergast. 'Ik kom even praten.' Hij stond op van zijn stoel.

'Moet u alweer weg?'

'Ik vrees van wel.'

'Kom dan nog eens terug. Ik mag u wel. U bent een prettig jongmens.'

'Dank u. Ik zal het proberen.'

Op weg naar buiten gaf Pendergast zijn kaartje aan Jo-Ann. 'Als er verder nog iemand bij mevrouw Fearing op bezoek komt, laat je me dat dan weten?'

'Natuurlijk!' Met iets van eerbied nam ze het kaartje aan.

Even later stonden ze buiten op het trieste, verlaten parkeerterrein, en kwam de Rolls aanglijden om hen op te halen. Pendergast hield het portier open voor D'Agosta en een kwartier later zaten ze op de Interstate 87, op weg terug naar New York.

'Zag je dat oude schilderij op de gang bij mevrouw Fearings kamer?' vroeg Pendergast. 'Volgens mij was dat een originele Bierstadt; eentje die hoognodig eens schoongemaakt moet worden.'

D'Agosta schudde zijn hoofd. 'Ga je me nog vertellen waar dit allemaal op sloeg, of vind je het wel prettig als ik in het duister tast?'

Met een glinstering van plezier in zijn ogen haalde Pendergast een reageerbuisje uit zijn jaszak. Daarin zat een nat zakdoekje.

D'Agosta keek er sprakeloos naar. Hij had niet eens gezien dat Pendergast de gebruikte zakdoek had opgeraapt. 'Voor DNA?'

'Natuurlijk.'

'En die toestand met die teddybeer?'

'Iedereen heeft ooit een teddybeer gehad. Waar het om ging, was haar zover te krijgen dat ze haar neus snoot.'

D'Agosta keek geschokt. 'Wat een vuige streek.'

'Integendeel.' Hij stak het buisje weer in zijn jaszak. 'Dat waren vreugdetranen. We hebben mevrouw Fearings dag wat opgevrolijkt, en op haar beurt heeft zij ons een dienst bewezen.'

'En nu maar hopen dat we dat nog vóór sint-juttemis geanalyseerd krijgen.'

'Ook nu zullen we weer creatief te werk moeten gaan. Bijzonder creatief.'

'En dat betekent...?'

Maar Pendergast zweeg, met een raadselachtig lachje op zijn lippen.

11

'Nora, ik vind het zo vreselijk erg voor je!' Met een zwaai opende de conciërge de deur, en ze voelde zich omgeven door een wolk van haarwater en aftershave. 'Alles is klaar in je woning. Nieuwe sloten. Alles opgeruimd. Ik heb de nieuwe sleutel. Ik bied je mijn oprechte medeleven. Mijn oprechte medeleven.'

Nora voelde dat er een koude, platte sleutel in haar hand werd gedrukt.

'Als ik iets voor je kan doen, hoef je het maar te zeggen.' Met echt verdriet in zijn smeltende bruine ogen keek hij haar aan.

Nora slikte. 'Dank voor je medeleven, Enrico.' Die zin sprak ze langzamerhand bijna werktuiglijk uit.

'Ik ben er voor je. Voor alles. Je belt maar, en dan kom ik.'

'Dank je.' Ze ging op weg naar de lift, aarzelde en liep weer verder. Ze moest dit doen zonder er al te veel bij na te denken.

De liftdeuren sloten met een klik en soepel rees het gevaarte op naar de vijfde verdieping. Toen ze open gleden, bleef Nora stokstijf stilstaan. En net op het moment dat ze weer dicht wilden schuiven, stapte ze snel de gang in.

Het was doodstil op de gang. Van achter een deur klonk gedempt een strijkkwartet van Beethoven, en achter de andere deur was een zacht gesprek hoorbaar. Ze deed een stap en aarzelde opnieuw. Voor zich, vlak voor de bocht in de gang, zag ze de deur van hun... van háár appartement. Met een messing nummerplaatje waarop 612 stond.

Langzaam liep ze de gang door tot ze voor de deur stond. Het kijkgaatje was zwart, binnen was het licht uit. Het cilinderslot en het sleutelplaatje waren gloednieuw. Ze opende haar hand en keek naar de sleutel: glanzend, pas gesneden. Hij leek niet echt. Niets van dit alles leek echt. *Jamais vu* – het tegenovergestelde van déjà vu. Het leek wel of ze alles voor het eerst zag.

Langzaam stak ze de sleutel in het slot en draaide hem om. Het slot klikte en ze voelde de deur losspringen in het kozijn. Ze duwde ertegen en hij zwaaide soepel open op pas geoliede scharnieren. Binnen was het donker. Ze stak haar hand uit naar de lichtknop, tastte rond, kon hem niet vinden. Waar zat dat ding? Ze stapte de duisternis in, nog steeds met haar hand langs de muur glijdend, en plotseling begon haar hart te bonzen. Het rook er naar schoonmaakmiddel, boenwas en... en iets anders.

De deur begon achter haar dicht te vallen en sloot het licht uit de gang buiten. Met een gedempte kreet reikte ze achter zich, greep de deurknop, smeet de deur weer open, stapte de gang in en trok de deur dicht. Ze leunde er met gebogen hoofd en hevig schokkende schouders tegenaan en probeerde haar snikken te onderdrukken.

Binnen enkele minuten had ze zichzelf min of meer in de hand. Ze keek om zich heen in de gang, dankbaar dat er net even niemand langsgekomen was. Ze voelde een mengeling van gêne over haar huilbui en angst voor de storm van emoties die ze al die tijd had onderdrukt. Het was stom geweest om te denken dat ze gewoon zomaar naar huis had kunnen gaan, waar haar echtgenoot nog maar twee etmalen geleden was vermoord. Ze zou naar Margo Green gaan, een paar dagen bij haar logeren; maar plotseling herinnerde ze zich weer dat Margo tot januari met studieverlof was.

Ze moest hier weg. Ze nam de lift naar de begane grond en liep op rubberen benen de lobby door. De concièrge opende de deur. 'Als je wat nodig hebt, dan bel je Enrico maar,' zei hij, terwijl ze hem zowat voorbij rénde.

Over 92nd Street liep ze naar Broadway. Het was een koele oktoberavond, maar het was niet koud; op straat wemelde het van de mensen die op weg waren naar restaurants, de hond uitlieten of gewoon op weg naar huis waren. Nora zette er flink de pas in; door die frisse lucht werd haar hoofd wel weer helder, dacht ze. Vlug liep ze richting het centrum, tussen de menigte door laverend. Hier, op straat, te midden van al die mensen, kreeg ze haar gedachten weer een beetje onder controle en kon ze met kritische afstandelijkheid kijken naar wat er zojuist gebeurd was. Stom om zo te reageren: ze moest toch een keer terug naar huis, en hoe sneller hoe beter. Al haar boeken, haar werk, haar computer, zíjn spullen: alles was thuis.

Even wilde ze dat haar ouders nog leefden, dat ze hun warme omhelzing in kon vluchten. Maar dat was een nog zinlozer gedachtegang.

Ze vertraagde haar pas. Misschien moest ze terug. Dit was exact het soort emotionele reactie dat ze had willen vermijden.

Ze bleef staan en keek om zich heen. Naast haar stond een rij mensen te wachten tot ze de Waterworksbar in konden. In een portiek stond een stelletje te zoenen. Een stel Wall Street-types liep voorbij, een en al donkere pakken en aktetassen. Haar aandacht werd getrokken door een dakloze man die al een tijdje langs de gevels van de gebouwen schuifelde met ongeveer dezelfde snelheid als zijzelf. Nu bleef ook hij staan, en plotseling draaide hij zich om en liep de andere kant uit.

Door die steelse beweging, de manier waarop hij zijn gezicht afgewend hield, sloeg haar grotestadsinstinct meteen alarm.

Ze keek hem na; in zijn smerige kleren maakte hij zich haastig uit de voeten, en het leek wel of hij probeerde te vluchten. Had hij net iemand beroofd? Terwijl ze hem nakeek kwam hij aan bij de hoek van 88th Street. Daar bleef hij even staan voordat hij uit het zicht verdween, maar hij keek nog heel even om.

Nora's hart sloeg over. Het was Fearing! Ze wist het bijna zeker: datzelfde smalle gezicht, diezelfde magere bouw, die dunne lippen, dat wilde haar en dan die gemene grijns van hem.

Ze voelde een verlammende angst opkomen, maar algauw maakte die plaats voor een razende woede.

'Hé, jij daar!' gilde ze, en ze zette het op een rennen. Ze drong zich tussen de menigte door, en kon niet verder bij de rij voor Waterworks. Met haar ellebogen baande ze zich een pad.

'Ho eens even!'

'Gaat het een beetje?'

Ze was vrij: ze begon te rennen, struikelde, krabbelde weer overeind en hervatte de achtervolging, de bocht om. 88th Street strekte zich in oostelijke richting uit, lang en schemerig, met aan weerszijden rijen ginkgobomen en donkere gebouwen, tot aan het eind de fonkelende lichten van Amsterdam Avenue, met zijn trendy bars en eethuisjes, te zien waren.

Een donkere gestalte liep net de hoek om, Amsterdam Avenue op, in de richting van het centrum.

Ze holde de straat door, holde zo hard ze kon, en vervloekte haar zwakte en haar trage reacties na de hersenschudding en de bedrust. Ze sloeg de hoek om en speurde Amsterdam Avenue af, waar het krioelde van het uitgaanspubliek.

Daar had je hem: snel, en plotseling doelbewust, liep hij verder, een meter of honderd voor haar uit.

Ze duwde een jonge man opzij en zette het weer op een hollen. Ze begon hem in te halen. 'Hé! Jij daar!'

De gestalte liep verder.

Ze dook tussen voetgangers door en strekte haar arm uit. 'Staan blijven!'

Net voordat ze 87th Street bereikte, haalde ze hem in. Ze greep het smerige textiel op zijn schouder en draaide hem rond. Op onvaste benen kwam de man overeind, en hij staarde haar met grote, angstige ogen aan. Nora liet zijn T-shirt los en deed een stap achteruit.

'Wat heb jij nou?' Dat was beslist niet Fearing. Gewoon een junk.

'Sorry,' stamelde Nora. 'Ik dacht dat je iemand anders was.'

'Laat me met rust.' Hij draaide zich om, mompelde 'kutwijf' en wankelde verder.

Wild keek Nora om zich heen, maar de echte Fearing, als die er al geweest was, was verdwenen. Met knikkende knieën stond ze te midden van de mensenmassa. Ze vermande zich en wist met grote moeite haar ademhaling onder controle te krijgen.

Haar blik viel op de dichtstbijzijnde bar, de Neptune Room: een rumoerig, opzichtig visrestaurant waar ze nog nooit geweest was. Nooit had willen zijn. Nooit verwacht had ooit binnen te gaan.

Ze liep de bar in en ging op een kruk zitten. Meteen kwam de barkeeper aangelopen. 'Wat mag het zijn?'

'Een Beefeater-martini, extra droog, rustig aan met de martini, en een citroenschil.'

'Komt voor elkaar.'

Terwijl ze van het grote, ijskoude glas nipte, sprak ze zichzelf streng toe. Ze had zich idioot aangesteld. De droom was maar een droom, en die dakloze man was niet Fearing. Ze was geschokt; ze moest tot zichzelf komen, kalmeren, en haar leven weer zo goed en zo kwaad als het ging op de rails zien te krijgen.

Ze leegde haar glas. 'Mag ik even afrekenen?'

'Krijg je van mij. Toen je hier binnenkwam, zag je eruit alsof je de duivel in eigen persoon had aanschouwd; dus ik hoop,' zei de barkeeper met een knipoog, 'dat die intussen weg is.'

Ze bedankte hem en stond op. De drank had inderdaad een rustgevend effect. De duivel, had de barkeeper gezegd. Ze moest haar eigen duivel onder ogen zien, en wel nú. Ze was aan het doordraaien, ze zag dingen die er niet waren, en dat kon echt niet. Dat was niets voor haar.

Na een wandeling van een paar minuten stond ze weer bij de ingang van haar eigen gebouw. Snel liep ze de gang in, doorstond de barrage van goedbedoelde opmerkingen van de conciërge en ging de lift in. Even later stond ze voor haar voordeur. Ze stak de sleutel in het slot, draaide die om en tastte om de hoek naar de lichtknop, die ze onmiddellijk te pakken had.

Ze draaide de sleutel tweemaal om, schoof de pas geïnstalleerde grendel voor de deur en keek om zich heen. Alles was keurig schoon, opgepoetst, geschilderd. Snel maar nauwgezet doorzocht ze het hele appartement en keek in de kasten en onder het bed. Toen opende ze de gordijnen van de woonkamer en de slaapkamer en knipte het licht uit. De gloed van de stad filterde naar binnen en hulde het appartement in een zacht waas.

Hier kon ze vannacht wel blijven, wist ze nu; ze was sterk genoeg om de strijd met haar duivels aan te gaan.

Zolang ze maar nergens naar hoefde te kijken.

12

De dienster bracht de bestelling: een roggebroodje pastrami met Russische dressing voor D'Agosta, een broodje gezond met bacon voor Laura Hayward.

'Jij nog een koffie?' vroeg ze.

'Graag.' D'Agosta keek terwijl de overwerkt ogende dienster zijn kop bijschonk. Toen richtte hij zich weer tot Hayward. 'En zo staat het er momenteel voor,' besloot hij.

Hij had hoofdinspecteur Hayward uitgenodigd om haar bij te praten over het onderzoek tot nu toe. Hayward werkte niet meer bij Moordzaken: ze was naar een andere afdeling overgeplaatst en werkte nu op het kantoor van de hoofdcommissaris, waar haar een schitterende promotie wachtte. Als iemand het verdiend had, dacht hij spijtig, dan was Laura het wel.

'En,' zei hij, 'heb je het gelezen?'

Ze keek naar de krant die hij had meegebracht. 'Ja.'

D'Agosta schudde zijn hoofd. 'Kun jij je voorstellen dat ze dit soort ellende drukken? Nu krijgen we allerhande idioten die bellen dat ze hem gezien hebben, anonieme brieven die moeten worden nagetrokken, telefoontjes van helderzienden en tarotlezers...

Je weet hoe het hier gaat zodra er een raar verhaal de kop opsteekt. Dit is exact het soort waanzin waar ik momenteel geen enkele behoefte aan heb.'

Er gleed een glimlachje over Haywards lippen. 'Dat snap ik.'

'En dat de mensen zoiets ook echt geloven...' Hij schoof de krant opzij en nam nog een slok koffie. 'Nou... wat vind jij ervan?'

'Je hebt vier ooggetuigen die zweren dat Fearing de moordenaar is?'

'Vijf – inclusief de echtgenote van het slachtoffer.'

'Nora Kelly.'

'Die ken jij toch?'

'Ja. En Bill Smithback kende ik ook. Een beetje onorthodox in zijn werkwijze, maar een goede verslaggever. Wat een tragedie.'

D'Agosta nam een hap van zijn broodje. Magere pastrami, warme dressing... precies goed. Het leek wel of hij altijd te veel ging eten wanneer hij zich opwond over een onderzoek.

'Tja,' vervolgde ze. 'Of het is Fearing, of het is iemand die zich als hem heeft vermomd. Hij is dood, of hij is het niet. Zo simpel is het. Is de uitslag van het DNA-onderzoek al binnen?'

'Er is bloed van twee mensen gevonden op de plaats-delict. Van Smithback en van een tot nu toe onbekende. We hebben DNA-monsters van Fearings moeder, en die worden momenteel vergeleken met het onbekende bloed.' Hij zweeg even en vroeg zich af of hij haar moest vertellen over de ongebruikelijke manier waarop ze de DNA-tests lieten uitvoeren, maar het leek hem beter van niet. Misschien was het niet legaal, en hij wist dat Hayward een pietje-precies was als het op regels en voorschriften aankwam. 'Maar dan vraag ik me af: als het Fearing niet was, waarom zou iemand dan de moeite nemen om zich voor te doen als Fearing?'

Hayward nam een slok water. 'Goede vraag. Wat denkt Pendergast ervan?'

'Wie weet ooit wat die denkt? Maar ik kan je één ding zeggen: hij heeft meer belangstelling voor die voodoo-zooi die we op de plaats-delict hebben gevonden dan hij laat doorschemeren. Uren is hij daarmee bezig.'

'Je bedoelt dat spul waarover ze het in de krant hebben?'

'Ja. Lovertjes, een bosje veren, een perkamenten zakje vol stof.'

'Gris-gris,' mompelde Hayward.

'Wat zeg je?'

'Voodoo-amuletten, om het kwaad af te weren. Of soms om het op te roepen.'

'Toe nou. We hebben hier te maken met een psychopaat. Het was een bespottelijk slordig geplande en uitgevoerde moord. Op de bewakingsvideo's ziet die vent eruit alsof hij stoned is.'

'Wil je weten wat ik ervan vind, Vinnie?'

'Ja, je weet dat ik jouw mening altijd graag wil horen.'

'Je moet Fearings lijk opgraven.'

'Gebeurt al.'

'En ik zou kijken of Smithback de laatste tijd nog iemand tegen de haren in gestreken heeft met zijn artikelen.'

'Wordt aan gewerkt. Zo te zien joeg hij met ál zijn artikelen wel iemand op de kast. Ik heb een lijst met zijn recentste opdrachten van zijn redacteur bij *The Times* gekregen, en daar zijn mijn mensen momenteel mee bezig.'

'Goed bezig, Vinnie. Ik zou daar alleen aan willen toevoegen dat de moord misschien niet zo "slordig" was als jij denkt; misschien was dit allemaal bijzonder zorgvuldig gepland en uitgevoerd.'

'Volgens mij niet.'

'Hé – geen overhaaste conclusies.'

'Sorry.'

'En nog één ding.' Hayward aarzelde. 'Weet je nog dat ik zei dat ik, voordat ik die baan hier aannam, anderhalf jaar in New Orleans had gewerkt?'

'Tuurlijk.'

'Pendergast komt uit New Orleans.'

'Nou en?'

Hayward nam nog een slok water. 'Daarnet zei ik dat Fearing óf dood was, óf niet. Nou, bij de politie van New Orleans zitten mensen die daar anders over denken. Die van mening zijn dat er een derde mogelijkheid is.'

'Laura, ga me nou niet vertellen dat jij in die zombii-onzin gelooft.'

Hayward at haar broodje half op en schoof het bord toen van zich af. 'Ik hoef niet meer. Wil jij de rest?'

'Nee, bedankt. Je hebt mijn vraag niet beantwoord.'

'Ik "geloof" nergens in. Maar praat er eens over met Pendergast. Hij weet een heleboel meer over dat... onderwerp dan jij of
ik ooit weten zullen. Ik wil alleen maar zeggen: trek niet te snel
een conclusie. Dat is een van jouw fouten, Vinnie. En dat weet je
zelf ook.'

D'Agosta zuchtte. Ze had gelijk, zoals gebruikelijk. Hij keek om
zich heen: naar de druk af en aan lopende diensters, naar de andere gasten die met de krant voor hun neus of hun mobiele telefoon aan hun oor zaten, of met hun disgenoten praatten. Hij dacht
terug aan eerdere keren dat hij met Laura uit eten was geweest, in
andere restaurants. Met name hun eerste borrel samen stond in
zijn geheugen gegrift. Dat was een dieptepunt in zijn bestaan geweest, maar tegelijkertijd was dat het moment geweest waarop hij
had beseft hoezeer hij zich tot haar aangetrokken voelde. Ze vormden een goed team. Zij stelde de juiste vragen, en ze werkten goed
samen. De ironie van de hele situatie was te pijnlijk voor woorden: hij had de zaak voor de tuchtcommissie gewonnen en zijn
baan behouden, maar hij leek Laura te zijn kwijtgeraakt.

Hij schraapte zijn keel. 'Vertel eens over die promotie van je?'

'Die heb ik nog niet.'

'Kom op, ik hoor de geruchten. Het is alleen nog een kwestie
van formaliteiten.'

Ze nam een slokje water. 'Het gaat om een speciaal team dat ze
willen oprichten. Een proefperiode van een jaar. Een paar mensen
van het kantoor van de commissaris moeten contact gaan houden
met de burgemeester over de reactie op terroristische aanslagen,
de kwaliteit van het leven, dat soort zaken. Dingen die leven in de
maatschappij.'

'Word je daardoor bekend bij het grote publiek?'

'Nou en of.'

'Wauw. Een zoveelste pluim op je hoed. Wacht maar, binnen een
paar jaar ben jij commissaris.'

Laura glimlachte. 'Die kans lijkt me gering.'

D'Agosta aarzelde even. 'Laura. Ik mis je verschrikkelijk.'

De glimlach vervaagde. 'Ik jou ook.'

Over de tafel heen keek hij haar aan. Ze was zo mooi dat zijn
hart er bijna van brak, met haar bleke huid en haar haren die zo
zwart waren dat ze bijna blauw opglansden. 'Zullen we het dan

59

nog eens proberen? Opnieuw beginnen?'

Ze wachtte even en schudde toen haar hoofd. 'Daar ben ik nog niet aan toe.'

'Waarom niet?'

'Vinnie, ik vertrouw niet veel mensen. Maar jou vertrouwde ik. En je hebt me pijn gedaan.'

'Dat weet ik, en het spijt me. Heel erg. Maar dat heb ik uitgelegd. Ik had geen keus, dat zie je nu toch ook wel in?'

'Natuurlijk had je een keus. Je had me de waarheid kunnen vertellen. Je had me kunnen vertrouwen. Zoals ik jou vertrouwde.'

D'Agosta zuchtte. 'Luister, het spijt me.'

Er klonk een luide pieptoon toen zijn mobiele telefoon overging. Het piepen hield aan, en Laura zei: 'Misschien kun je maar beter opnemen.'

'Maar...'

'Toe maar. Neem maar op.'

D'Agosta stak zijn hand in zijn zak en klapte de telefoon open. 'Ja?'

'Vincent,' klonk een honingzoete zuidelijke stem. 'Bel ik ongelegen?'

Hij slikte. 'Nee, niet echt.'

'Uitstekend. We hebben een afspraak met een zekere heer Kline.'

'Ik kom eraan.'

'Mooi. O, en nog iets: ga je morgenochtend mee, een eindje rijden?'

'Waarheen?'

'Naar het mausoleum van Whispering Oaks. Het gerechtelijk bevel voor de opgraving is binnen. Morgen om twaalf uur maken we Fearings crypte open.'

13

Digital Veracity Inc. was gevestigd in zo'n reusachtige glazen kantoortorenflat aan de Avenue of the Americas. D'Agosta trof Pendergast in de hoofdlobby, en na een kort oponthoud bij Bewaking begaven ze zich op weg naar de zesendertigste verdieping.

'Heb je een kopie van de brief bij je?' vroeg Pendergast.

D'Agosta klopte op de zak van zijn jasje. 'Weet jij verder nog iets over Kline dat ik moet weten?'

'Jazeker. Onze Lucas Kline groeide op in een arm gezin aan Avenue J in Brooklyn. Doodnormale jeugd, prima cijfers op school, altijd als laatste gekozen bij gym, een "lieve jongen". Hij studeerde aan de universiteit van New York en kreeg een baan als journalist; voor zover ik gehoord heb, lag daar zijn hart. Maar dat liep niet goed af. Iemand anders jatte een belangrijke primeur van hem; oneerlijk, natuurlijk, maar is journalistiek ooit een eerlijk spel geweest? En hij werd ontslagen. Hij rommelde wat in de marge tot hij uiteindelijk computerprogrammeur werd bij een bank aan Wall Street. Kennelijk had hij daar talent voor: een paar jaar later begon hij een eigen bedrijfje, en daar lijkt hij behoorlijk succes mee te hebben.' Hij keek even naar D'Agosta. 'Zit jij te denken aan een huiszoekingsbevel?'

'Eerst maar eens kijken hoe dit gesprek verloopt.'

De liftdeuren schoven open en er werd een fraai aangeklede lobby zichtbaar, met een stel banken in zwart leer en antieke Serapikleden. Een handvol grote Afrikaanse sculpturen, krijgers met imposante hoofdtooi en grote maskers met duizelingwekkend complexe patronen, sierden het vertrek.

'Zo te zien heeft de heer Kline meer dan "behoorlijk succes",' merkte D'Agosta met een blik om zich heen op.

Ze meldden zich bij de balie en namen plaats. D'Agosta zocht tevergeefs naar een fijn roddelblaadje, maar het enige wat hij vond was *Computerworld* en *Database Journal*. Er verstreken vijf minuten, tien minuten. Net toen D'Agosta op het punt stond om stennis te gaan maken, klonk er op het bureau van de receptioniste een zoemer.

'De heer Kline kan u nu ontvangen,' zei ze. Ze stond op en ging hun voor door een deur zonder opschrift.

Ze liepen een lange gang met gedempt licht door, die uitkwam bij een tweede deur. De receptioniste liep voor hen uit, een kantoorruimte door waar een weelderig uitgevoerde secretaresse achter een computer zat te typen. De vrouw wierp een vluchtige blik op de bezoekers voordat ze zich weer op haar werk richtte. Ze had de gespannen, ietwat angstige manier van doen van een geslagen hond.

Na het kantoor gaf een dubbele deur toegang tot een uitgestrekte ruimte. Twee glazen wanden boden een schitterend uitzicht op Sixth Avenue. Een man van een jaar of veertig stond achter een bureau met vier pc's met zijn rug naar hen toe voor het raam in een draadloze telefoonhoofdset te praten.

D'Agosta keek vorsend om zich heen: ook hier weer zwartleren banken en Afrikaanse kunst aan de muren. De heer Kline was kennelijk een verzamelaar. In een blinkende vitrine stonden enkele stoffige voorwerpen: meerschuimen pijpen en een stel gespen en verwrongen stukjes ijzer, die volgens de etiketten afkomstig waren van de oorspronkelijke Hollandse nederzetting Nieuw-Amsterdam. Een paar boekenkasten in nissen bevatten boeken over financiën en programmeertalen: een scherp contrast met de grijnzende, ietwat verontrustende maskers.

Toen het telefoongesprek afgelopen was, verbrak de man de verbinding en draaide zich naar hen om. Hij had een smal, opvallend jeugdig gezicht waarop de sporen van zijn strijd met de acne uit zijn puberteitsjaren nog te zien waren. D'Agosta zag dat hij tamelijk klein van stuk was, hoogstens een meter vijfenzestig. Het haar op zijn achterhoofd stond overeind, net als bij een kind. Alleen zijn ogen waren oud; oud, en kil.

Hij keek van Pendergast naar D'Agosta en terug. 'Ja?' vroeg hij met een zachte stem.

'Ja, ik ga graag even zitten, dank u,' zei Pendergast, terwijl hij plaatsnam en het ene been over het andere sloeg. D'Agosta volgde prompt zijn voorbeeld.

'Lucas Kline?' vroeg D'Agosta. 'Ik ben inspecteur D'Agosta van de NYPD.'

'Ik wist dat u D'Agosta moest zijn.' Kline keek naar Pendergast. 'Dan bent u dus de special agent. U weet al wie ik ben. Wat kan ik voor u doen? Ik heb het nogal druk.'

'O?' zei D'Agosta op vragende toon. Met een plezierig gekraak van leder zakte hij onderuit op de bank. 'En waarmee hebt u het dan wel zo druk, meneer Kline?'

'Ik ben algemeen directeur van DVI.'

'Dat zegt mij niet veel.'

'Als u mijn van-krantenjongen-tot-miljonairverhaal wilt lezen, kijkt u daar maar in.' Kline wees op een handvol identieke boeken die naast elkaar op een van de planken stonden. 'Hoe ik van eenvoudige databasebeheerder directeur van mijn eigen bedrijf werd. Verplichte kost voor al mijn medewerkers: een briljant werkje vol inzicht, waarvoor ze vijfenveertig dollar mogen neertellen.' Hij schonk hun een laatdunkende glimlach. 'U kunt op weg naar buiten bij mijn secretaresse afrekenen. Contant of per cheque.'

'Databasebeheerder?' vroeg D'Agosta. 'Wat houdt dat in?'

'Ooit was het mijn taak om databases te masseren, om ze gezond te houden. In mijn vrije tijd heb ik toen een programma geschreven om grote financiële databases te normaliseren.'

'Normaliseren?' echode D'Agosta.

Kline wuifde even met zijn hand. 'Dat wilt u niet weten. Hoe dan ook, mijn programma werkte uitstekend. Meer dan uitstekend. En er bleek een enorme markt te zijn voor normalisatie van databases. Ik heb heel wat andere beheerders werkloos gemaakt. En daarbij heb ik dit alles in het leven geroepen.' Hij hief zijn kin en er lag een zelfgenoegzame glimlach rond zijn roze meisjeslippen.

D'Agosta's haar stond rechtovereind van dit egomaniakale gedoe. Wat een hinderlijk kereltje! Dit kon leuk worden. Nonchalant leunde hij achterover in zijn stoel, wat tot nog meer protestgeluiden van duur leer leidde. 'Nou, eerlijk gezegd zijn we meer geïnteresseerd in uw buitenschoolse activiteiten.'

Kline keek hem argwanend aan. 'Zoals?'

'Zoals uw tendens om mooie jonge vrouwen aan te nemen als secretaresse, die zozeer te intimideren dat ze met u naar bed gaan om ze vervolgens door dreigementen of met geld tot zwijgen te dwingen.'

De blik op Klines gezicht veranderde niet. 'Ah. U bent hier dus niet vanwege de moord op Smithback.'

'U hebt uw machtspositie misbruikt om die vrouwen naar uw pijpen te laten dansen. Ze waren zo bang voor u, zo bang hun baan kwijt te raken, dat ze niets durfden te zeggen. Maar Smithback was niet bang. Die heeft de hele geschiedenis wereldkundig gemaakt.'

'Smithback heeft niets wereldkundig gemaakt,' zei Kline. 'Hij heeft een aantal beschuldigingen geuit, maar er is niets bewezen, en als er al regelingen bestonden, dan zitten die voorgoed in de doofpot. Jammer voor u en voor Smithback, maar er is nooit officieel een klacht ingediend.'

D'Agosta schokschouderde even, alsof hij zeggen wilde: *doet er niet toe, de aap is uit de mouw.*

Pendergast ging even verzitten. 'Na de publicatie van Smithbacks artikel zijn de aandelenkoersen van uw bedrijf met vijftig procent gekelderd. Dat kan niet plezierig geweest zijn.'

Kline bleef hem gelijkmatig aankijken. 'U weet hoe dat gaat. De markt is wispelturig. We zitten alweer bijna op het niveau van voorheen.'

Pendergast vouwde zijn handen. 'U bent nu algemeen directeur, en niemand kan meer zand in uw gezicht schoppen of u uw lunchgeld afpakken. Als er tegenwoordig nog iemand is die u kleineert, dan komt hij er niet zonder kleerscheuren af, is het wel, meneer Kline?' Pendergast glimlachte vriendelijk en keek naar D'Agosta. 'Heb jij dat briefje bij je?'

D'Agosta stak zijn hand in zijn zak, pakte de brief en begon voor te lezen.

Hoe lang het ook moet duren en wat het ook zal kosten, ik zweer je dat je spijt zult krijgen van dat artikel. Je hebt geen idee wat ik van plan ben, of wanneer, maar één ding kan ik je verzekeren: ik ben iets van plan.

Hij keek op. 'Hebt u dat geschreven, meneer Kline?'

'Ja,' antwoordde Kline. Op zijn gezicht was geen enkele emotie te lezen.

'En hebt u dat aan William Smithback gestuurd?'

'Inderdaad.'

'Hebt u...?'

Kline onderbrak hem. 'Inspecteur, u bent verschrikkelijk saai. Ik zal zelf de vragen wel stellen, dat scheelt ons allemaal tijd. Meende ik dat? Jazeker. Heb ik zijn dood op mijn geweten? Misschien. Ben ik blij dat hij dood is? Dolblij, kan ik u verzekeren.' Hij knipoogde.

'U...' begon D'Agosta.

'Waar het om gaat,' onderbrak Kline hem, 'is dat u dat nooit zult weten. Ik heb de beste advocaten van heel New York. Ik weet precies wat ik wel en niet kan zeggen. U kunt me niets maken.'

'We kunnen u opbrengen,' zei D'Agosta. 'Dat kunnen we hier en nu doen.'

'Natuurlijk kunt u dat doen. En dan blijf ik zwijgend zitten waar u me neerzet, tot mijn advocaat arriveert en dan ben ik weg.'

'We kunnen u inrekenen op verdenking van moord.'

'Dat zijn grote woorden, inspecteur.'

'Die brief is onmiskenbaar een dreigement.'

'Ik heb een waterdicht alibi voor het moment van de moord. De scherpste juridische breinen in het land hebben die brief goedgekeurd. Er staat niets in waarmee u ook maar iets kunt aanvangen.'

D'Agosta grijnsde. 'Jemig, Kline, daarom kunnen we toch nog wel een lolletje hebben? We slaan u in de boeien en laten u door een compleet team de lobby beneden uit begeleiden, nadat we eerst de pers hebben getipt.'

'Tja, dat lijkt me uitstekende reclame. Ik zit binnen het uur weer op kantoor, u blameert zich, en mijn vijanden zien dat ik onaantastbaar ben.' Kline glimlachte weer. 'U mag één ding niet vergeten, inspecteur: ik ben gekwalificeerd programmeur. Het is altijd mijn taak geweest om lange, complexe scripts te schrijven waarin foutloze logica van het grootste belang was. Dat is het eerste wat je als programmeur leert, het allerbelangrijkste. Je moet álles doordenken, van voor naar achter en terug. Je moet zorgen voor oplossingen bij onverwachte resultaten. En je mag geen gaten openlaten. Niet één.'

D'Agosta voelde zich zachtjes zieden. Het werd stil in het grote kantoor. Kline bleef met over elkaar geslagen armen naar D'Agosta zitten kijken.

'Gestoord,' zei D'Agosta. Als hij niets anders kon uitrichten, zou hij toch tenminste die zelfgenoegzame grijns van het smoel van die hufter vegen.

'Pardon?'

'Als het niet zo walgelijk was, zou ik bijna medelijden met je hebben. De enige manier waarop jij kans maakt bij de vrouwen is om met geld en macht om je heen te zwaaien. Met intimidatie en macht. Vind je dat zelf ook niet gestoord? Nee? Een ander woord dan: zielig. Dat meisje daarbuiten, in je kantoor; wanneer was je van plan haar in te ruilen voor het model van dit jaar?'

'Een schop voor je hol,' was het antwoord.

D'Agosta kwam overeind. 'Dat is dreigen met geweld, Kline. Een dreiging geuit tegen een politieambtenaar.' Hij legde zijn handen op de armleuning. 'Jij vindt jezelf zo slim, maar je bent zojuist te ver gegaan.'

'Een schop voor je hol, D'Agosta,' klonk de stem weer.

D'Agosta besefte dat het niet Kline was. De stem klonk net iets anders, en kwam niet van achter het bureau, maar van achter een deur in de tegenoverliggende muur vandaan.

'Wie is dat?' zei D'Agosta. Hij was zo snel zo boos geworden dat hij ervan stond te trillen.

'Dat?' antwoordde Kline. 'O, dat is Chauncy.'

'Haal hem binnen. Nu.'

'Dat gaat niet.'

'Wat?' gromde D'Agosta met opeengeklemde kaken.

'Hij is bezig.'

'Een schop voor je hol,' klonk Chauncy's stem nogmaals.

'Bézig?'

'Ja. Hij krijgt zijn middageten.'

Zonder nog iets te zeggen liep D'Agosta met grote passen naar de deur en smeet die open.

Daarachter lag een kamertje dat amper groter was dan een garderobekast. Het was kaal, afgezien van een houten paal met een dwarsbalk erop. Daarop zat, op borsthoogte, een reusachtige, zalmroze papegaai. In een klauw hield hij een paranoot. De vogel keek hem vriendelijk aan; zijn grote snavel hield hij schuchter verborgen achter zijn wangveren, de kam op zijn kop was in een vragend gebaar iets overeind gezet.

'Inspecteur D'Agosta, dit is Chauncy,' zei Kline.

'Een schop voor je hol, D'Agosta,' zei de papegaai.

D'Agosta deed een stap naar voren. De papegaai slaakte een snerpende kreet, liet de noot vallen, spreidde beide, brede vleugels en bedolf D'Agosta onder een regen van veren en schilfers. De kam golfde wild overeind.

'Kijk nou eens wat u gedaan hebt,' zei Kline licht verwijtend. 'U hebt hem bij het eten gestoord.'

Zwaar ademend deed D'Agosta een stap achteruit. Plotseling drong tot hem door dat hij niets, maar dan ook niets kon doen. Kline had geen wetten overtreden. Wat moest hij, een Molukse kaketoe in de boeien slaan en afvoeren? Op het bureau zouden ze niet meer bijkomen van het lachen. Dat lulletje had niets aan het toeval overgelaten. Zijn hand sloot zich rond de brief en verfrommelde het papier. Hij werd bijna gek van frustratie.

'Hoe komt het dat hij mijn naam kent?' informeerde hij, terwijl hij een veer van zijn jasje sloeg.

'O,' zei Kline. 'Nou, Chauncy en ik, eh... hadden het net nog over u gehad.'

Toen ze de lift in stapten om weer naar de lobby te gaan, keek D'Agosta even naar Pendergast. De special agent leek een hevig binnenpretje te hebben. Met gefronste wenkbrauwen wendde D'Agosta zich af. Na enige tijd had Pendergast zich voldoende in de hand en schraapte hij zijn keel.

'Volgens mij, beste Vincent,' zei hij, 'moest je dat huiszoekingsbevel maar met de grootst mogelijke spoed aanvragen.'

14

Caitlyn Kidd manoeuvreerde haar auto voorzichtig een parkeerplaats voor autobussen op, pal tegenover het New York Museum voor Natuurlijke Historie. Voordat ze uitstapte, legde ze de *West Sider* van de vorige dag, met de kop en haar naam demonstratief naar boven gekeerd, op het dashboard. De krant en haar persbordje zouden misschien genoeg zijn om een tweede parkeerbon binnen evenzovele dagen te vermijden.

Energiek stak ze Museum Drive over, terwijl ze de frisse herfstlucht opsnoof. Het was kwart voor vijf, en zoals ze al vermoed had, kwam een stel mensen doelbewust een zijdeur uit lopen. Ze hadden boodschappen- en aktetassen bij zich: medewerkers, geen bezoekers. Tussen hen door baande ze zich een weg naar de deur. Daarachter lag een smalle gang die naar een bewakingshokje leidde. Een paar mensen lieten hun museumpasjes zien en werden door een stel verveeld ogende bewakers voorbij gewuifd. Caitlyn rommelde in haar tas en haalde haar perskaart tevoorschijn.

Ze liep naar het hokje toe en liet de kaart aan de bewaker zien. 'Alleen personeel,' zei die.

'Ik ben van de *West Sider*,' antwoordde ze. 'Ik schrijf een artikel over het museum.'

'Hebt u een afspraak?'

'Ja, ik heb dadelijk een interview met...' Ze keek naar de badge van een conservator die zojuist het hokje passeerde. Het zou minstens een paar minuten duren eer hij achter zijn bureau zat. 'Met doctor Prine.'

'Momentje.' De bewaker keek in een telefoonboek, lichtte de hoorn van de haak, koos een nummer en liet het toestel een paar maal overgaan. Toen keek hij haar met slaperige ogen aan. 'Die is er niet. U zult hier even moeten wachten.'

'Mag ik even gaan zitten?' Ze wees naar een bank die een meter of tien verderop stond.

De bewaker aarzelde.

'Ik ben zwanger. Ik mag niet zo lang staan.'

'Neemt u plaats.'

Ze ging zitten, vlijde een been over het andere, sloeg een boek open en hield het bewakershokje in de gaten. Er kwam een grote groep museummedewerkers aanlopen, die rond de ingang samendromden; schoonmakers zo te zien, die arriveerden voor de nachtdienst. Terwijl de bewakers volledig opgingen in de controle van badges en het checken van namen op de personeelslijsten, stond Caitlyn snel op en voegde zich in de stroom medewerkers die al door de controle heen waren.

De kamer waarnaar ze op zoek was, lag in het souterrain. Een zoektocht van vijf minuten op het internet had een lijst met medewerkers en een plattegrond van het museum opgeleverd, maar het hele museum was één grote wirwar van eindeloze, elkaar kruisende gangen. Niemand vroeg evenwel wat zij daar te zoeken had of leek haar zelfs maar op te merken, en na een paar vragen belandde ze eindelijk in een lange, schemerige gang met wanden waarin om de zeven meter een matglazen raam zat. Langzaam liep Caitlyn de gang door en keek naar de naambordjes op de deuren. Er hing een vaag onaangename geur die ze niet goed kon thuisbrengen. Door een aantal openstaande deuren zag ze laboratoria, bomvolle kantoorruimtes en, tot haar verbazing, flessen met dieren op sterk water en opgezette, woest ogende beesten.

Bij een deur met het opschrift KELLY, N. bleef ze staan. De deur stond op een kier en Caitlyn hoorde stemmen. Eén stem slechts, bedacht ze even later: Nora Kelly was aan het telefoneren.

Ze deed een voorzichtig stapje dichterbij om te luisteren.

'Skip, dat gaat niet,' zei de stem. 'Ik kan momenteel onmogelijk naar huis.'

Het bleef even stil. 'Nee, dat is het niet. Als ik nu terugging naar Santa Fe, dan blijf ik daar misschien wel voorgoed. Snap je dat dan niet? Bovendien wil ik erachter komen wat er echt gebeurd is, Bills moordenaar opsporen. Dat is het enige wat me momenteel op de been houdt.'

Dit was te persoonlijk. Caitlyn duwde de deur verder open en schraapte haar keel. Ze zag een klein, maar ordelijk lab. Op een werktafel naast een laptop lag een handvol potscherven. In een hoek zat een vrouw met een telefoon in de hand, die naar haar opkeek. Ze was slank, knap, met bronskleurig haar dat tot over haar schouders viel en een gekwelde blik in haar lichtbruine ogen.

'Skip,' zei de vrouw. 'Ik bel nog. Ja. Oké, vanavond.' Ze hing op en stond van het bureau op. 'Kan ik iets voor u doen?'

Caitlyn haalde diep adem. 'Nora Kelly?'

'Inderdaad.'

Caitlyn haalde haar perskaart uit haar tas en hield hem Nora voor. 'Ik ben Caitlyn Kidd, van de *West Sider*.'

Nora Kelly werd rood. 'Dus u hebt dat walgelijke artikel geschreven?' Haar stem klonk scherp van woede en verdriet.

'Mevrouw Kelly...'

'Een fraai stukje werk. Nog één zo'n proeve van bekwaamheid en u kunt zó terecht bij de rioolpers. Ik adviseer u te vertrekken voordat ik Bewaking bel.'

'Hebt u mijn artikel echt gelezen?' wist Caitlyn haastig uit te brengen.

Er gleed een blik van onzekerheid over Nora's gezicht. Caitlyn had goed gegokt: ze had het niet gelezen.

'Het was een goed verhaal, op feiten gebaseerd en objectief. Ik schrijf de koppen niet, ik meld alleen het nieuws.'

Nora deed een stap naar voren en intuïtief deinsde Caitlyn achteruit. Even bleef Nora met flitsende ogen naar haar staan kijken. Toen draaide ze zich weer om naar het bureau en pakte de telefoon op.

'Wat doet u?' vroeg Caitlyn.

'Ik bel Bewaking.'

'Mevrouw Kelly, doe dat alstublieft niet.'

Nora had het nummer gedraaid en stond te wachten tot er opgenomen werd.

'Hiermee doet u alleen uzelf tekort. Want ik kan u helpen de moordenaar van uw man te vinden.'

'Ja?' zei Nora in de telefoon. 'Nora Kelly hier, van antropologie.'

'We willen allebei hetzelfde,' fluisterde Caitlyn. 'Geef me de kans u te laten zien hoe ik u kan helpen. Geef me die kans.'

Stilte. Nora keek naar haar en zei toen in de microfoon: 'Sorry. Verkeerd nummer.' Langzaam legde ze de hoorn op de haak.

'Twee minuten,' zei ze.

'Oké. Nora... mag ik Nora zeggen? Ik kende jouw man. Heeft hij dat misschien verteld? We kwamen elkaar wel eens tegen bij evenementen, persconferenties, een plaats-delict, dat soort dingen. Soms zaten we achter hetzelfde verhaal aan, maar... tja, als jongste verslaggever van een vod als *West Sider* kon ik natuurlijk niet opboksen tegen de *Times*.'

Nora zei niets.

'Bill was een prima vent. En zoals ik al zei, jij en ik hebben een gezamenlijk doel: we willen allebei zijn moordenaar vinden. We hebben beiden een aantal unieke bronnen tot onze beschikking, en die moeten we gebruiken. Jij kent hem beter dan wie dan ook. En ik heb een krant. We kunnen onze talenten samenvoegen, elkaar helpen.'

'Ik wacht nog steeds op nadere uitleg.'

'Dat verhaal waar Bill mee bezig was, over dierenrechten? Daar had hij het een paar weken geleden over.'

Nora knikte. 'Dat heb ik al tegen de politie gezegd.' Ze aarzelde. 'Denk jij dat het daarmee te maken heeft?'

'Intuïtief zou ik zeggen: ja. Maar ik heb nog onvoldoende informatie. Kun jij me daar meer over vertellen?'

'Het ging over die proefdieren in Inwood. Daar is een hele hoop over te doen geweest, en plotseling was de storm geluwd. Maar Bill bleef ermee rondlopen. Het hele verhaal ging op een zacht pitje terwijl hij op zoek was naar nieuwe invalshoeken.'

'Heeft hij daar veel over verteld?'

'Ik kreeg alleen het gevoel dat niet iedereen enthousiast was over zijn belangstelling voor het onderwerp, maar goed, dat is niets nieuws. Niets deed hem meer plezier dan mensen tegen de haren in strijken. Vooral als het onaangename mensen waren. En er was niets wat hij zozeer haatte als iemand die dieren misbruikt.' Ze keek op haar horloge. 'Nog dertig seconden. Je hebt me nog steeds niet verteld hoe je me kunt helpen.'

'Ik ben onvermoeibaar als ik onderzoek doe. Vraag maar aan mijn collega's. Ik weet hoe ik de politie moet aanpakken, ziekenhuizen, bibliotheken, het mortuarium... ik bedoel, het mortuarium van de krant. Met mijn perskaart open ik deuren die voor jou gesloten blijven. Ik kan hier zeven dagen en zeven nachten per week aan wijden. En inderdaad, ik ben op een verhaal uit. Maar ik wil ook achterhalen wat er met Bill gebeurd is.'

'Je twee minuten zijn voorbij.'

'Oké, ik ben al weg. Maar doe me één plezier, niet alleen voor mijn bestwil maar ook voor de jouwe.' Caitlyn tikte op haar hoofd. 'Zoek de aantekeningen voor dat stuk op. Dat stuk over dierenrechten. En laat die aan mij zien. Vergeet niet: als verslaggevers zijn wij uitermate loyaal tegenover onze collega's. Ik wil dit tot op de bodem uitzoeken, en dat wil ik bijna even graag als jij. Help me daarbij, Nora.'

En na die woorden glimlachte ze even, gaf Nora haar kaartje, draaide zich om en liep de deur uit.

15

De Rolls reed door een poort in een namaakbakstenen ommuring, overwoekerd met plastic klimop die hier en daar aan de façade was vastgeniet. Een bordje te midden van de klimop liet bezoekers weten dat ze waren aangekomen op begraafplaats en mausoleum Whispering Oaks. Achter de muur lag een uitgestrekt, groen gazon, omzoomd door een nieuwe aanplant van eikjes die overeind werden gehouden met tuidraden. Alles zag er nieuw uit, rauw zelfs. Het kerkhof zelf was zo goed als leeg, en D'Agosta zag de naden waar de graszoden waren uitgerold. In een van de hoeken dromde een handvol reusachtige grafstenen van gepolijst graniet samen. In de verte rees midden op het gazon een mausoleum op, krijtwit, met strakke lijnen en zonder enige charme.

Proctor stuurde de Rolls het asfalt van de oprit op en stopte voor het gebouw. Voor het mausoleum lag een bloemperk vol bloeiende planten, ondanks het late seizoen. Bij het uitstappen porde D'Agosta met zijn schoen tegen een van de bloemen.

Plastic.

Op het parkeerterrein bleven ze even om zich heen staan kijken. 'Waar zitten ze allemaal?' vroeg D'Agosta met een blik op zijn horloge. 'Die vent zou hier om twaalf uur zijn.'

'Heren?' Als een spookverschijning was van achter uit het mausoleum een man opgedoken. D'Agosta schrok even van zijn uiterlijk: slank, met een goed gesneden pak aan en een onnatuurlijk bleke huid. Met zijn handen gedienstig voor zich geklemd snelde de man hun kant uit, recht op Pendergast af. 'Wat kan ik voor u doen, meneer?'

'We zijn hier in verband met het stoffelijk overschot van Colin Fearing.'

'Ah, ja, die onfortuinlijke jongeman die we... wat zal het zijn, twee weken geleden begraven hebben?' Stralend nam de man Pendergast van top tot teen op. 'U bent een collega! Dat zie ik meteen, daar heb ik een neus voor!'

Langzaam stak Pendergast een hand in zijn zak.

'Ja, inderdaad,' ging de man verder. 'Die begrafenis staat me nog helder voor de geest. De stumper, alleen zijn zus en de dominee waren erbij. Ik stond ervan versteld: meestal is er bij zo'n jong sterfgeval een enorme menigte. Nu ja! Van welk mortuarium komt u zelf, en wat kan ik voor u doen?'

Eindelijk had Pendergast een leren foedraal uit zijn zak gehaald, dat hij open klapte en de man voorhield.

Die staarde ernaar. 'Wat... wat is dit?'

'Helaas, wij zijn geen "collega's" zoals u het zo charmant formuleert.'

De man werd nog bleker dan hij al was en deed er het zwijgen toe.

D'Agosta deed een stap naar voren en gaf hem een envelop. 'We zijn hier in verband met het gerechtelijk bevel om Colin Fearings overschot op te graven. Hierin zitten alle papieren.'

'Opgraven? Daar weet ik niets van.'

'Ik heb er gisteravond met ene heer Radcliffe over gesproken,' zei D'Agosta.

'Daar heeft hij me niets over verteld. Hij vertelt me nóóit wat,' meldde de man op verontwaardigde en klaaglijke toon.

'Jammer dan,' zei D'Agosta. De pokkenstemming waarin hij sinds de moord verkeerde, was de kop weer aan het opsteken. 'Aan de slag dan maar.'

De man schrok zichtbaar. Even stond hij op zijn benen te zwaaien. 'We... dit soort dingen hebben we nog nooit bij de hand gehad.'

'Er is altijd een eerste keer, meneer...?'

'Lille. Maurice Lille.'

Intussen kwam de zwaar gebutste bestelwagen van de lijkschouwer, te midden van een grote wolk blauwe walm, de oprit op rijden. Hij nam de bocht te snel – D'Agosta vroeg zich af waarom die lui er zo'n doldrieste rijstijl op na hielden – en kwam krijsend tot stilstand, waarna het voertuig even op zijn belabberde vering heen en weer bleef staan deinen. Er stapte een stel technici in witte overals uit, die een brancard naar buiten reden waarop een lege lijkzak lag. De brancard voor zich uit duwend kwamen ze over het parkeerterrein aanrijden.

'Waar is de dooie?' riep de magerste al uit de verte, een jongen nog, met sproeten en rood haar.

Stilte.

'Meneer Lille?' vroeg D'Agosta na een tijdje.

'De... dóóie?'

'Ja,' zei de man. 'Het lijk. We hebben niet de hele dag.'

Lille vermande zich. 'Ja. Ja, natuurlijk. Als u mij even wilt volgen, het mausoleum in?'

Hij ging hun voor, de deur door. Hij toetste een code in een cijferblokje en de namaakbronzen deur klikte open. Daarachter werd een hoge, witte ruimte zichtbaar met in alle vier de ruimtes nissen, van vloer tot plafond. Uit twee gigantische gipsen urnen in Italiaanse stijl puilden reusachtige plastic bloemarrangementen. Slechts een paar nissen waren voorzien van zwarte opschriften die naam en datum aangaven. D'Agosta kon zich niet inhouden: hij snoof even om te zien of hij de welbekende geur rook. Maar de lucht was schoon, fris, geparfumeerd. Ja, beslist geparfumeerd. *Op dit soort plekken*, dacht hij, *moeten ze wel een enorme luchtverversingsinstallatie hebben.*

'Sorry. Colin Fearing, zei u?' Ondanks de overdreven airco stond Lille te zweten.

'Inderdaad.' Geïrriteerd keek D'Agosta naar Pendergast, die met zijn handen op zijn rug en getuite lippen aan het rondslenteren was en zijn ogen de kost gaf. Die vent verdween ook altijd op het verkeerde moment.

'Momentje, graag.' Lille liep de glazen deur naar zijn kantoor door en kwam terug met een klembord in de hand. Hij keek naar de hoge muur vol nissen; zijn lippen bewogen alsof hij stond te tellen. Even later hield hij op.

'Daar hebben we hem. Colin Fearing.' Hij wees naar een van de gemarkeerde cryptes en deed een stap achteruit. Hij grimaste in een poging om te glimlachen.

'Meneer Lille?' zei D'Agosta. 'De sleutel?'

'De sleutel?' Er verscheen een blik van paniek. 'Wou u dat ik hem ópenmaakte?'

'Dat is normaal bij een opgraving, lijkt u ook niet?' merkte D'Agosta op.

'Maar, eh... daartoe heb ik geen toestemming. Ik ben maar gewoon verkoper.'

D'Agosta ademde hoorbaar uit. 'Alle benodigde documenten zitten in die envelop. Het enige wat u hoeft te doen, is de bovenste pagina ondertekenen. Daarna kunt u ons de sleutel geven.'

Lille keek omlaag en ontdekte, alsof hij hem nu voor het eerst zag, de bruine envelop die hij in zijn hand had.

'Maar dat mag ik niet doen. Daar moet ik de heer Radcliffe voor bellen.'

D'Agosta rolde met zijn ogen.

Lille liep het kantoor weer in en liet de deur open. D'Agosta luisterde. Het gesprek begon op gedempte toon, maar binnen de kortste keren echode Lilles schrille stem door het mausoleum als de kreten van een hond die een trap krijgt. De heer Radcliffe was zo te horen niet erg genegen tot medewerking.

Lille kwam weer naar buiten. 'De heer Radcliffe komt eraan.'

'Hoe lang gaat dat duren?'

'Een uur.'

'Geen denken aan. Ik heb dit allemaal al aan de heer Radcliffe uitgelegd. Maak open, die crypte. Nú.'

Met vertrokken gezicht stond Lille te handenwringen. 'O, hemel. Ik... dat gaat écht niet.'

'Wat je daar in je hand hebt, is een gerechtelijk bevel, maat. Geen verzoek om toestemming. Als je die crypte niet onmiddellijk opent, slinger ik je op de bon omdat je een politiefunctionaris belemmert bij de uitoefening van zijn ambt.'

'Maar dan word ik ontslagen!' jammerde Lille.

Pendergast was klaar met zijn wandeling en kwam op zijn dooie akkertje weer aanslenteren. Hij liep naar de voorzijde van Fearings nis en las hardop: 'Colin Fearing, achtendertig. Jammer, zo jong nog, vindt u ook niet, meneer Lille?'

Lille leek hem niet te horen. Met een bijna liefkozend gebaar legde Pendergast zijn hand op het marmer. 'En er was niemand op de begrafenis, zei u?'

'Alleen zijn zus.'

'Wat droevig. En wie heeft de rekening betaald?'

'Eh... dat weet ik niet zeker. De zus heeft de rekening betaald, volgens mij uit het kapitaal van de moeder.'

'Maar die moeder is niet toerekeningsvatbaar.' De agent wendde zich tot D'Agosta. 'Ik vraag me af of die zus een volmacht had. Dat moeten we nagaan.'

'Goed idee.'

Pendergasts witte vingers bleven over het marmer bewegen tot er een verborgen plaatje zichtbaar werd, waarachter een slot zat. Zijn andere hand verdween in zijn borstzak en kwam tevoorschijn met iets wat nog het meest op een kam leek, met een paar korte tanden aan het ene uiteinde. Dat stak hij in het slot en bewoog het even heen en weer.

'Pardon, wat bent u eigenlijk...?' begon Lille, maar zijn stem stierf weg toen de deur van de nis op geoliede scharnieren geluidloos openzwaaide. 'Nee, wacht, dat mag u...'

De technici schoven de brancard naar voren en krikten hem op naar de hoogte van de nis. Er verscheen een lantaarntje in Pendergasts hand en daarmee scheen hij de duisternis in, zodat hij naar binnen kon turen.

Even bleef het stil. Toen zei Pendergast: 'Ik denk niet dat we de brancard nodig zullen hebben.'

Onzeker bleven de twee technici staan.

Pendergast rechtte zijn rug en draaide zich om naar Lille. 'Vertelt u mij eens. Wie bewaart de sleutels van die nissen hier?'

'De sleutels?' De man stond te trillen op zijn benen. 'Ik.'

'Waar?'

'In mijn kantoor, achter slot en grendel.'

'En de reservesleutels?'

'Die heeft de heer Radcliffe in beheer, maar niet hier. Waar ze wel zijn, weet ik niet.'

'Vincent?' Pendergast deed een stap achteruit en gebaarde naar de open crypte.

D'Agosta liep erheen en tuurde de donkere nis in. Zijn blik volgde de smalle lichtbundel van de lantaarn.

'Krijg nou wat! Hij is leeg,' was zijn commentaar.

'Dat kan niet,' sprak Lille met bevende stem. 'Ik heb met eigen ogen gezien dat ze het lichaam erin legden...' Hij kon niet verder, en greep naar zijn das.

De jongen met het peenhaar tuurde naar binnen om zelf te kijken wat er aan de hand was. 'Godsammekrake,' zei hij.

'Niet helemáál leeg, Vincent.' Pendergast trok een latex handschoen aan en stak zijn hand naar binnen. Behoedzaam pakte hij iets beet en liet dat op zijn uitgestrekte handpalm aan de anderen zien. Het was een miniatuurdoodskistje, in elkaar geflanst van papier-maché en stukjes textiel, met een papieren deksel dat op een kier stond. Daarin lag een grijnzend skelet van wit geschilderde tandenstokers.

'Er heeft inderdaad een soort begrafenis plaatsgevonden,' zei hij met zijn welluidende stem.

Er hapte iemand naar adem, en daarna klonk een zachte plof. D'Agosta draaide zich om. Maurice Lille was flauwgevallen.

16

Middernacht. Met energieke tred liep Nora Kelly door het donkere hart van de museumkelder; haar hakken klikten over de gladde stenen vloer. De verlichting in de gang stond op de nachtstand en vanuit open deuren gaapten de schaduwen. Er was niemand meer: zelfs de meest fanatieke conservatoren waren uren geleden al naar huis gegaan en de rondes van de meeste bewakers besloegen alleen de openbare ruimtes van het museum.

Ze bleef staan voor een roestvrijstalen deur met het opschrift PCR LAB. Zoals ze gehoopt had, was het van gewapend glas voorziene ruitje in de deur donker. Ze keek naar het toetsenblokje op de muur en tikte een reeks cijfers in. Een led in het blok sprong van rood op groen.

Ze duwde de deur open, dook naar binnen, knipte het licht aan en bleef even om zich heen staan kijken. Ze was maar een paar keer onofficieel op bezoek in het lab geweest, als ze monsters voor onderzoek kwam brengen. De PCR-machine stond, in plastic gehuld, op een smetteloze roestvrijstalen tafel. Ze liep erheen, trok het plastic weg, vouwde het op en legde het weg. De machine, een Eppendorf Mastercycler 5330, was gemaakt van witte kunststof, een lelijk, primitief ogende behuizing waarbinnen een uitermate geavanceerd stukje technologie schuilging. Ze zocht in haar tas en haalde er een geprint document uit, dat ze had gedownload: instructies voor het gebruik van het apparaat.

Achter haar was de deur automatisch in het slot gevallen. Ze haalde diep adem en tastte met één hand achter de machine tot ze de schakelaar had gevonden en hem kon aanzetten. Volgens de handleiding zou het een kwartier duren voor het apparaat opgewarmd was.

Ze zette haar tas op tafel, haalde er een beker van piepschuim uit, nam het deksel eraf en haalde er zorgvuldig een aantal smalle reageerbuisjes uit, die ze in een rek plaatste. In een van de buisjes zat een beetje haar, in een andere een vezel, in een derde een stukje van een papieren zakdoek en in een vierde een stel gevriesdroogde korreltjes bloed: allemaal van Pendergast gekregen.

Ze streek met haar hand over haar voorhoofd en merkte dat haar vingers beefden. Ze probeerde nergens aan te denken, behalve aan het labwerk. Lang vóór zonsopgang moest ze klaar en weg zijn. Haar hoofd bonkte; ze was uitgeput, ze had geen oog dichtgedaan sinds ze twee dagen tevoren naar huis was teruggegaan. Maar haar woede en verdriet gaven haar energie, voedden haar, hielden haar op de been. Pendergast had die DNA-uitslagen zo snel mogelijk nodig. Ze was dankbaar voor de kans om iets, wat dan ook, te kunnen doen als bijdrage aan de zoektocht naar Bills moordenaar.

Uit een koelkast haalde ze een strook met acht PCR-buisjes: kleine, kogelvormige, verzegelde plastic buisjes die vooraf gevuld waren met bufferoplossing, Taq-polymerase, dNTP's en andere reagentia. Met de grootste zorg hanteerde ze een gesteriliseerd pincet, waarmee ze minuscule monstertjes van het biologische materiaal uit haar reageerbuisjes overbracht naar de PCR-buisjes, waarna ze die snel weer afsloot. Tegen de tijd dat de machine piepte als teken dat ze klaar voor actie was, had Nora tweeëndertig buisjes gevuld: meer kon de machine niet aan.

Ze stak een paar extra buisjes in haar zak voor later, en las de instructies voor de derde keer door. Ze opende de machine, schoof de reageerbuisjes op hun plek, sloot de machine en vergrendelde haar. Ze koos de juiste instellingen en drukte voorzichtig op START.

De PCR-reactie zou veertig thermische cycli, elk van drie minuten, in beslag nemen. Twee uur. Daarna moest ze elektroforese toepassen op de resultaten om het DNA te kunnen identificeren.

Er klonk een zacht belletje van de machine, en op een scherm verscheen de melding dat de eerste thermische cyclus werd uitgevoerd. Nora leunde achterover en ging zitten wachten. Nu pas besefte ze hoe dodelijk stil het in het lab was. Ze hoorde niet eens het gebruikelijke suizen van lucht door het luchtverversingssysteem. Het rook naar stof, schimmel en de weeïge geur van paradichlorobenzeen uit de aangrenzende opslagruimtes.

Ze keek op de klok: vijf voor halfeen. Ze had een boek mee

moeten nemen. Daar zat ze, in het stille lab, alleen met haar gedachten. En het waren vreselijke gedachten.

Ze stond op en begon te ijsberen. Ze liep naar de tafel, ging zitten en stond meteen weer op. Ze zocht in de kasten naar leesvoer, maar vond alleen handleidingen. Ze overwoog of ze naar haar eigen kantoor zou gaan, maar dan had ze kans iemand tegen het lijf te lopen en te moeten uitleggen waarom ze zo laat nog in het museum was. Ze had geen toestemming voor het PCR-lab. Ze had er niet voor getekend en ze had haar naam niet in het logboek gezet. En al had ze dat wel gedaan, dan nog had ze geen enkel recht om die machine...

Plotseling bleef ze als aan de grond genageld met gespitste oren staan luisteren. Ze had iets gehoord, of meende iets gehoord te hebben. Bij de deur.

Ze keek naar het ruitje, maar daar was niets te zien, afgezien van de schemerige gang waar alleen een kale peer in een metalen korf brandde. De led in het toetsenblok bij de deur brandde nog rood: de deur zat nog op slot.

Kreunend balde ze haar vuisten. Het was hopeloos: keer op keer zag ze de afgrijselijke beelden die ongenood en zonder waarschuwing haar bewustzijn binnendrongen. Ze kneep haar ogen dicht en balde haar vuisten nog harder, probeerde aan iets anders te denken dan die eerste blik... *iets anders, maakt niet uit wat...*

Haar ogen schoten weer open. Daar was dat geluid weer, en ditmaal herkende ze het: een zacht geschuifel langs de deur van het lab. Snel keek ze op, en ving nog net een glimp op van een vorm achter het ruitje. Ze had het onmiskenbare gevoel dat er net iemand bij haar naar binnen had geloerd.

Een van de nachtwakers? Dat kon. Met een steek van ongerustheid vroeg ze zich af of haar overtreding gemeld zou worden. Maar ze schudde haar hoofd. Als ze iets vermoedden, dan waren ze wel binnengekomen om haar daarop aan te spreken. Hoe konden zij nou weten dat zij zich op verboden terrein bevond? Tenslotte had ze haar badge bij zich en was ze onmiskenbaar een van de conservatoren. Het waren haar eigen hersenen die spelletjes met haar speelden. Dat was al zo sinds... Ze wendde haar blik van het raampje af. Misschien was ze echt gek aan het worden.

Daar was het geluid weer, en haar blik schoot naar de deur. Ditmaal zag ze het donkere, deinende silhouet van een hoofd in de gang, in tegenlicht en onduidelijk. Het gezicht bewoog naar het ruitje toe, werd tegen het glas gedrukt tot het licht uit het lab op de gelaatstrekken scheen.

Ze hapte naar adem, knipperde met haar ogen en keek opnieuw naar de deur.

Het was Colin Fearing.

17

Met een kreet sprong Nora achteruit. Het gezicht verdween.

Ze voelde dat haar hart begon te bonzen, te dreunen in haar borst. Ditmaal was er geen twijfel mogelijk. Dit was geen droom.

Geschrokken deinsde ze achteruit en keek wanhopig om zich heen waar ze zich verstoppen kon. Uiteindelijk hurkte ze achter een onderzoektafel, waar ze naar adem happend bleef zitten.

Het bleef stil. In het lab en op de gang daarachter heerste een doodse stilte. Dit is bespottelijk, dacht ze. De deur zit op slot. Hij kan er niet in. Er verstreek een minuut. En terwijl ze daar op haar hurken zat, ademhalend als een stoomlocomotief, gebeurde er iets typisch. De angst die haar instinctief had gegrepen, smolt weg en maakte geleidelijk aan plaats voor woede.

Langzaam stond ze op. Nog steeds was er niets te zien voor het ruitje.

Haar hand gleed over het tafelblad, greep een pyrexglazen erlenmeyer en tilde die uit zijn standaard. Met een korte tik sloeg ze hem tegen de rand van de standaard en versplinterde de bovenrand. Snel liep ze naar de deur en probeerde met trillende vingers de code in te toetsen. Bij de derde poging lukte het. Ze smeet de deur open en stapte de gang in.

Voorbij de hoek van de gang klonk het geluid van een dichtslaande deur.

'Fearing!' brulde ze.

Ze zette het op een rennen en holde zo snel ze kon de gang door, de hoek om. Aan weerszijden lagen deuren, maar er was er maar één in de buurt van de splitsing. Ze greep de hendel, merkte dat de deur niet op slot zat en rukte hem open.

Ze tastte langs de muur, voelde de rij lichtschakelaars en mepte daar tweemaal tegenaan om ze allemaal over te zetten.

Voor haar lag een ruimte waarvan ze gehoord had, maar die ze nog nooit gezien had, een van de meest legendarische opslagruimtes van het museum. Ooit was hier de energiecentrale van het museum gehuisvest; nu was in deze enorme kelder de verzameling walvisskeletten ondergebracht. De enorme botten en schedels, sommige zo groot als een autobus, hingen aan kettingen aan het plafond; op de grond zouden ze door hun eigen gewicht zijn ingezakt en kapotgegaan. Elk van de bungelende geraamtes was gehuld in plastic lakens die als lijkwades bijna tot de grond hingen, als een mobile van omhulde botten. Ondanks de enorme aantallen tl-balken aan het plafond was het niet echt licht in de ruimte en hing er een dromerige sfeer, bijna als in een landschap onder water.

Met haar geïmproviseerde wapen in de hand keek ze om zich heen. Iets naar links hingen de draperieën te deinen, alsof er kortgeleden iets of iemand langsgekomen was.

'Fearing!'

Haar stem echode eindeloos door de holle ruimte. Ze rende naar de dichtstbijzijnde gordijnen en glipte ertussendoor. De grote skeletten wierpen bizarre schaduwen in het vale licht en de smerige en stijve plastic lakens vormden een doolhof van gordijnen die haar verhinderden meer dan een meter of twee voor zich uit te kijken. Ze hijgde bijna van spanning en woede.

Ze stak haar hand uit en rukte een vel plastic opzij. Niets.

Ze deed een stap naar voren, trok een tweede laken opzij, en een derde. Nu hingen de lappen om haar heen wild te zwaaien, alsof de enorme skeletten daaronder tot een rusteloos leven waren gekomen.

'Klootzak! Kom tevoorschijn!'

Een geritsel – en toen zag ze een schaduw snel tegen het plastic bewegen. Wild met het glas om zich heen maaiend dook ze naar voren.

Niets.

Plotseling kon ze er niet meer tegen en rende ze met een kreet naar voren. Het ene na het andere laken duwde ze opzij, tot ze vastraakte in het zware plastic en zich los moest vechten. Toen dat voorbij was, deed ze nog een paar stappen en bleef vervolgens staan luisteren. Eerst hoorde ze alleen haar eigen gehijg, maar na een tijdje hoorde ze duidelijk rechts van zich iets schuifelen. Ze rende eropaf, hakkend en meppend, en ze voelde diep in zichzelf een gebrul opkomen.

Maar plotseling bleef ze staan. De stem van de redelijkheid begon door haar rode waas van woede heen te dringen. Dit was stom – op zijn zachtst gezegd. Haar woede had het even gewonnen van de ratio.

Ze bleef weer staan om te luisteren. Een schrapend geluid, een voorbijflitsende schaduw, meer heen en weer zwaaiende lakens. Ze draaide zich ernaar om. Tot ze als aan de grond genageld stond en aan haar droge lippen likte. In de schemering, omringd door talloze reusachtige, in lakens gehulde skeletten, vroeg ze zich af: wie was hier de jager, en wie de prooi?

Abrupt vervloog haar angst, om plaats te maken voor een toenemende ongerustheid. In het afgesloten laboratorium had Fearing niet bij haar kunnen komen. Dus had hij haar naar buiten gelokt. En nu was zij in de val gelopen.

Plotseling werd een plastic laken vlak bij haar met een mes doorkliefd. Iemand begon zich door de scheur te werken. Nora wervelde om haar as en haalde met de scherpe rand van haar erlenmeyer uit, waarbij ze even contact maakte. Maar de gestalte mepte met zijn mes haar geïmproviseerde wapen weg, zodat de glazen buis op de vloer viel.

Zonder haar blik van hem af te wenden deinsde ze achteruit.

Fearings kleren waren aan flarden, ze stonken en stonden stijf van het bloed. Met één bloeddoorlopen oog staarde hij haar aan; het andere was wittig en zag er doods uit. De mond was opengesperd en onthulde een mond vol zwarte, verrotte tanden. Zijn haar zat vol zand en blaadjes, zijn huid was bleek en rook naar het graf. Met een vochtig, ronkend geluid deed hij een stap naar voren en haalde met het mes naar haar uit. Het mes, dat ze maar al te goed kende, beschreef een glinsterende boog.

Nora smeet zich opzij toen het wapen langs haar heen schoot, verloor haar evenwicht en viel op de grond. De gestalte kwam naderbij terwijl zij een grote scherf opraapte en achteruitdeinsde.

'Ga weg!' schreeuwde ze, terwijl ze met de scherf om zich heen sloeg en overeind kwam.

De gestalte wankelde naar voren en probeerde met onbeholpen bewegingen op haar in te hakken. Nora deed een stap achteruit, draaide zich om en sloeg op de vlucht, tussen de hangende lappen plastic door op weg naar de achterkant van het vertrek. Daar zou vast en zeker een deur zitten. Achter zich hoorde ze hoe de gestalte zich een weg door het plastic heen hakte, waarbij het mes bijna krijste als het de hangende beenderen raakte.

Shhchrrooogggggnnn. De gestalte maakte afgrijselijke geluiden terwijl hij stokkend en rochelend ademhaalde. Ze gilde van angst en ontzetting, en haar stem echode door de holle schemering.

Ze was haar richtinggevoel volledig kwijt, ze had geen idee of ze de goede kant uit liep. Ze baande zich een weg tussen de plastic lakens door, vocht om adem, raakte weer verstrikt in het materiaal, wierp zich uiteindelijk op de grond en kroop wanhopig onder de ritselende, opbollende lijkwades door. Ze was volkomen verdwaald.

Shhchrrooogggggnnn, klonk het afgrijselijke, zuigende geluid achter haar.

In haar wanhoop stond ze op onder het plastic laken van een laaghangend skelet, stak haar hand uit en greep de rib van een walvis beet. Ze hees zich omhoog en kroop de ribbenkast in alsof het een monsterachtig speeltoestel was. Koortsachtig klom ze tussen de rondbungelende, op elkaar kletterende botten omhoog tot ze de bovenste rib had bereikt. Hier zat een spleet tussen twee ribben die zo breed was dat ze erdoorheen kon glippen. Ze hakte met haar scherf een gat in het plastic en hees zich tussen de botten door, de opening door en de ruggengraat van het skelet op. Onwillekeurig bleef ze even zitten, verstard bij de bizarre aanblik: een zee van walvisskeletten aan haar voeten, groot en klein, zo dicht opeengepakt dat ze elkaar raakten.

Het skelet onder haar voeten kwam weer in beweging. Fearing zat onder haar en klom het klimrek van botten in.

Kreunend van angst rende ze zo snel ze durfde over de ruggenwervels, hurkte en sprong over naar het volgende skelet. Dat begon hevig te zwaaien, en ze greep zich vast voordat ze over de tweede ruggengraat holde en naar een derde skelet oversprong. Daarvandaan kon ze de deur achter in de zaal zien.

Als die nu maar niet op slot zat.

De afzichtelijke gestalte verscheen boven op een skelet, door de scheur in het plastic heen. Hij krabbelde naar voren en sprong van het ene geraamte op het andere. Nora zag dat hij ondanks zijn onbeholpen bewegingen leniger was dan ze gedacht had. Hij verkeerde in het voordeel, zo boven op de skeletten.

Ze sneed een nieuw gat in het plastic onder haar voeten, klom weer naar beneden en liet zich op de grond zakken. Daar kroop ze zo snel ze durfde naar de achterwand van de opslagruimte. Achter zich hoorde ze Fearing, en de afgrijselijke, zuigende geluiden klonken steeds dichterbij.

Plotseling was ze tussen de massa geraamtes vandaan. Daar, slechts een paar meter voor haar, was de deur: zwaar en ouderwets, zonder cijferblok. Ze rende erop af en greep de hendel.

Op slot.

Met een snik van ontzetting draaide ze zich om, leunde met haar rug tegen de deur en greep haar scherf stevig beet, klaar om zich nog één keer te verdedigen.

De skeletten hingen knersend te bungelen aan hun kettingen, de plastic lakens veegden rusteloos over de grond. Ze wachtte en bereidde zich zo goed mogelijk voor op de eindstrijd.

Er verliep een minuut. En nog een. Fearing was nergens te bekennen. Langzaamaan stierven het geritsel en de deining van de geraamtes weg. Het werd stil in het magazijn.

Huiverend haalde ze een paar maal diep adem. Had hij de achtervolging gestaakt? Was hij weg?

Aan de andere kant van de opslagruimte hoorde ze een deur knersend opengaan, schuifelende voetstappen, en toen stilte.

Nee, nee. Hij was niet weg.

'Wie is daar?' klonk een stem die licht beefde van amper onderdrukte angst. 'Kom tevoorschijn!'

Het was een nachtwaker. Nora snikte bijna van opluchting. Fearing moest geschrokken zijn van de naderende voetstappen. Maar ze hield haar adem in. Ze kon zich nog niet vertonen; niet voordat haar DNA-analyse klaar was.

'Is daar iemand?' riep de bewaker, die kennelijk geen zin had het woud van walvisskeletten in te lopen. De vage lichtbundel van een lantaarn scheen door de schemerige ruimte.

'Ik vraag het nog één keer, en dan gaat de deur op slot.'

Dat maakte Nora niet uit. Als conservator had ze de bewakingscode voor de voordeur.

'Oké, dan moet je het zelf maar weten.'

Geschuifel, het licht ging uit, en de deur sloeg met een klap dicht.

Langzaam kwam Nora's ademhaling tot rust. Ze liet zich op haar knieën vallen en tuurde om zich heen bij het schemerlicht dat door het ruitje in de deur naar binnen viel.

Zat hij hier nog ergens, net als zij? Zat hij te wachten tot hij haar kon overrompelen? Wat wilde hij, het werk afmaken dat bij haar thuis mislukt was?

Op handen en knieën kroop ze onder het nu stil hangende plastic door, langzaam, zo onhoorbaar mogelijk, op weg naar de deur. Om de paar minuten bleef ze even stilzitten om te kijken en te luisteren. Maar er was niets te horen en ze zag geen schaduw; alleen de enorme, hangende walvisbeenderen in hun lijkwades.

Halverwege de deur bleef ze staan. Ze zag de glinstering van glasscherven. De resten van haar in stukken gebroken geïmproviseerde wapen. In het halfdonker bespeurde ze vaag een donkerder streep langs de glinsterende rand van een grote scherf. Ze had Fearing dus inderdaad geraakt met het glas; ze had hem verwond. Dat was bloed... zíjn bloed.

Ze haalde een keer diep adem, en nog een keer, en probeerde zo helder mogelijk na te denken. Met trillende vingers pakte ze een van de reservereageerbuisjes die ze in haar zak had gestoken. Voorzichtig verbrak ze de steriele verzegeling; ze pakte een scherfje, liet het in de bewaarvloeistof vallen en deed de stopper terug op het buisje. Pendergast had haar al DNA-monsters gegeven van Fearings moeder, en het mitochondriaal DNA van moeder en zoon is identiek. Nu kon ze zijn DNA testen en rechtstreeks vergelijken met het onbekende DNA dat op de plaats-delict was gevonden.

Ze stak het buisje weer in haar zak en liep onhoorbaar, behoedzaam, naar de deur. Die reageerde op de code, en sprong open. Snel sloot ze hem achter zich en deed hem op slot, en daarna liep ze met knikkende knieën terug naar het PCR-lab. Fearing was nergens meer te bekennen. Ze toetste de code in het toetsenblok, glipte het lab in en deed het plafondlicht uit. Ze maakte haar werk wel af bij het schijnsel van de instrumenten.

De PCR-machine was halverwege de eerste cyclus. Met bonzend hart zette Nora het buisje met het bloed van haar agressor naast de andere, klaar voor de volgende run.

Morgenavond wist ze of Fearing inderdaad de moordenaar van haar echtgenoot was, en of hij het was die haarzelf nu voor de tweede maal had willen ombrengen.

18

Zorgvuldig door zijn mond ademend ging D'Agosta de wachtkamer voor het bijgebouw van het mortuarium in. Pendergast volgde hem, nam met een snelle blik de kamer in zich op en gleed soepel als een kat naar een van de lelijke kunststof stoelen langs de wand, naast een tafel die bezaaid lag met beduimelde tijdschriften. Hij pakte het minst verfomfaaide blad, bladerde er even in en begon te lezen.

D'Agosta liep de hele wachtruimte door. En nog een keer. Aan het stadsmortuarium kleefden voor hem een massa afgrijselijke herinneringen, en hij wist dat daar nu een ervaring aan toegevoegd zou worden die hij niet uit zijn hoofd zou kunnen krijgen; misschien wel de ergste van allemaal. Pendergasts bovennatuurlijke kalmte irriteerde hem. Hoe kon hij zo nonchalant doen? Hij keek, en zag dat de FBI'er met zichtbare belangstelling in de *Mademoiselle* zat te lezen.

'Waar lees je dat nou weer voor?' vroeg D'Agosta geprikkeld.

'Er staat een leerzaam artikel in over eerste afspraakjes. Het doet me denken aan een onderzoek dat ik ooit deed: een bijzonder ongelukkig verlopen eerste afspraakje dat eindigde in een moord plus zelfmoord.' Bij de herinnering schudde Pendergast zijn hoofd, en hij las verder.

D'Agosta sloeg zijn armen over elkaar en liep een zoveelste rondje door de ruimte.

'Vincent, ga in vredesnaam zitten. Gebruik je tijd constructief.'

'Wat een vreselijke plek. Het stinkt hier. Het ziet er niet uit.'

'Ik ben het helemaal met je eens. Het concept van sterfelijkheid is hier... hoe zal ik het zeggen... moeilijk te ontkennen. Gedachten die vaak te diep voor tranen liggen, zoals William Wordsworth al zei.'

De pagina's ritselden, Pendergast las verder. Er verstreken een paar gruwelijke minuten voordat de deur naar het mortuarium eindelijk openging. Een van de pathologen, Beckstein, stond op de drempel. Goddank, dacht D'Agosta. Ze hadden Beckstein getroffen voor de autopsie. Een van de besten en, en dat was verbazend, bijna een normaal menselijk wezen.

Beckstein trok zijn handschoenen uit, nam zijn mondkapje af en liet het in een vuilnisbak vallen. 'Inspecteur. Meneer Pendergast.' Hij knikte ter begroeting, zonder zijn hand uit te steken. Handen schudden was iets wat je niet deed in het mortuarium. 'Ik sta tot uw beschikking.'

D'Agosta nam het initiatief. 'Dokter Beckstein,' zei hij, 'fijn dat u tijd voor ons vrijmaakt.'

'Geen dank.'

'Kunt u ons vertellen wat u gevonden hebt, maar dan graag zonder al te veel vakjargon?'

'Jazeker. Wilt u het stoffelijk overschot zien? De lijkschouwer is er nog mee bezig. Soms helpt het om met eigen ogen...'

'Nee, dank u,' zei D'Agosta op besliste toon.

Hij voelde Pendergasts blik. Jammer dan, dacht hij halsstarrig.

'Zoals u wilt. Het lijk vertoonde veertien gehele en gedeeltelijke messteken die vóór de dood waren toegebracht; sommige aan de handen en armen, een aantal in de onderrug en een laatste, ook van achter toegebracht, die door het hart heen gegaan is. Ik kan u met alle genoegen een diagram geven...'

'Dat zal niet nodig zijn. Zijn er ná de dood nog verwondingen ontstaan?'

'Nee. Na die laatste, fatale steek door het hart is het slachtoffer bijna meteen overleden. Het mes is horizontaal binnengedrongen tussen de tweede en derde posterieure rib, onder een neerwaartse hoek van circa tachtig graden, en heeft het linkeratrium doorboord, de longslagader geraakt en de conus arteriosis boven aan het rechterventrikel gespleten, waardoor een hevige bloeding ontstond.'

'Aha.'

'Juist.'

'Vindt u dat de moordenaar heeft gedaan wat nodig was om het slachtoffer te doden en dat hij het daarbij gelaten heeft?'

'Die conclusie lijkt me in overeenstemming met de feiten.'

'Wapen?'

'Een mes, vijfentwintig centimeter lang, vijf centimeter breed, bijzonder stijf, waarschijnlijk een goed keukenmes of een duikersmes.'

D'Agosta knikte. 'Verder nog bijzonderheden?'

'Bloedonderzoek wees een alcoholpromillage uit dat onder het wettelijke maximum ligt. Geen drugs of andere stoffen. De maaginhoud...'

'Dat hoef ik niet te weten.'

Beckstein aarzelde, en D'Agosta zag iets in zijn blik. Onzekerheid, onbehagen.

'Ja?' vroeg hij. 'Was er nog iets?'

'Ja. Ik heb nog geen rapport opgesteld, maar er was één ding, iets vreemds, dat het forensisch team niet had opgemerkt.'

'En dat was?'

De patholoog-anatoom aarzelde nogmaals. 'Het liefst zou ik u dat zelf laten zien. We hebben het nog niet weggehaald.'

D'Agosta slikte moeizaam. 'Wat was het dan?'

'Het liefst heb ik dat u zelf komt kijken. Ik... tja, ik kan het niet goed omschrijven.'

'Uiteraard,' zei Pendergast, en hij deed een stap naar voren. 'Vincent, als jij soms liever hier wacht?'

D'Agosta voelde zijn kaken strak trekken. 'Ik ga mee.'

Achter de technicus aan liepen ze een dubbele, roestvrijstalen deur door, het groene licht van een grote betegelde ruimte binnen. Ze deden mondkapjes op en pakten handschoenen en steriele pakken van de stapel. Zo uitgedost liepen ze verder, een van de autopsiekamers in.

Het eerste wat D'Agosta zag, was een lijkschouwer die over het stoffelijk overschot heen gebogen stond. Het janken van de elektrische zaag in zijn handen klonk als een razende mug. Niet ver daarvandaan stond een assistent tegen de muur geleund een bagel met zalm te verorberen. Een tweede snijtafel lag vol gelabelde organen. D'Agosta slikte nogmaals, met meer moeite ditmaal.

'Hé,' zei de assistent tegen Beckstein. 'Net op tijd. We gingen net met de darmen beginnen.'

Met een waarschuwende blik legde Beckstein de man het zwijgen op. 'Sorry. Ik wist niet dat je gasten had.' Hij grijnsde, en nam met zijn rubberachtige lippen nog een hap van zijn ontbijt. Er hing een geur van formaline, vis en ontlasting.

Beckstein wendde zich tot de lijkschouwer. 'John, ik wil inspecteur D'Agosta en special agent Pendergast graag het, eh... het voorwerp laten zien dat we gevonden hebben.'

'Geen probleem.' De zaag werd uitgezet en de lijkschouwer liep weg. Met de grootst mogelijke tegenzin liep D'Agosta langzaam verder, tot hij neerkeek op het stoffelijk overschot.

Het was erger dan hij ooit voor mogelijk gehouden had. Erger dan in zijn ergste nachtmerries. Bill Smithback: naakt, dood, open. Zijn hoofdhuid was achterovergeklapt, het bruine haar in een bos onderaan, de bloederige schedel bloot, verse zaagsporen in een halve cirkel rond de bovenkant. De lichaamsholte een gapend gat, de ribben uiteengeduwd, de organen verwijderd.

Hij boog zijn hoofd en sloot zijn ogen.

'John, wil jij een spreider in de mond zetten?'

'Natuurlijk.'

D'Agosta hield zijn ogen dicht.

'Zo.'

Hij opende zijn ogen. De mond werd nu opengehouden met een stuk roestvrij staal. Beckstein richtte de lamp boven de tafel zodat het licht in de holte viel. Vastgehaakt in Smithbacks tong zat een vishaak met veren eraan, als een stuk visaas. Onwillekeurig boog D'Agosta zich voorover om beter te kunnen kijken. Aan de haak zat een knoop van lichtgekleurd touw, en op die knoop was een piepklein, grijnzend doodshoofd geschilderd. Aan het rechte eind van de haak zat een klein zakje, zo groot als een pil.

D'Agosta keek even naar Pendergast. Die stond met een blik van zeldzame intensiteit naar de open mond te kijken. En D'Agosta kreeg de indruk dat er meer dan intensiteit in die blik lag. Verdriet, zag hij; en ongeloof, bezorgdheid en... onzekerheid. Pendergasts schouders zakten zichtbaar omlaag. Het leek wel of hij tegen beter weten in gehoopt had ongelijk te hebben... om nu tot zijn ontzetting te zien dat hij het bij het rechte eind had gehad.

Minutenlang bleef het stil. Na een tijd wendde D'Agosta zich tot Beckstein. Plotseling voelde hij zich heel erg oud en heel erg moe. 'Ik wil hier foto's van, en het moet naar het lab. Verwijder het met tong en al, zonder het los te halen. Zeg tegen het lab dat ze dat ding analyseren, het buideltje openmaken en mij vertellen wat erin zit.'

De assistent tuurde met volle mond over D'Agosta's schouder. 'Zo te zien loopt er hier ergens een psychopaat rond. Kun je nagaan wat de *Post* daarvan zou maken!' Een luid gekraak, gevolgd door kauwgeluiden.

D'Agosta draaide zich naar hem om. 'Als de *Post* hierachter komt,' snauwde hij, 'dan zorg ik er hoogstpersoonlijk voor dat jij de rest van je leven achter de balie van een broodjeszaak doorbrengt.'

'Hé, sorry, hoor. Ietwat lichtgeraakt, lijkt me?' De man deinsde achteruit.

Pendergast keek D'Agosta aan. Hij rechtte zijn rug en liep weg van de tafel. 'Vincent, ik bedenk plotseling dat ik in geen tijden bij tante Cornelia ben langsgegaan. Heb jij soms zin om mee te gaan?'

19

Nora draaide de sleutel in het slot en duwde de deur van haar appartement open. Het was twee uur 's middags. Het zonlicht viel in schuine banen door de jaloezieën en verlichtte genadeloos de laatste fragmenten van haar leven met Bill. Boeken, schilderijen, kunstvoorwerpen, zelfs nonchalant rondslingerende tijdschriften: alles bracht een vloedgolf met zich mee van ongewenste, pijnlijke herinneringen. Ze draaide de sleutel van het voordeurslot tweemaal om en liep met neergeslagen blik door de woonkamer naar de slaapkamer.

Haar werk met de PCR-machine was klaar. De DNA-monsters die ze van Pendergast had gekregen waren miljoenen malen vermenig-

vuldigd en ze had de reageerbuisjes achter in de laboratoriumkoel-
kast gezet, waar ze niemand zouden opvallen. Vervolgens had ze
een behoorlijk aantal uren in het antropologielab doorgebracht.
Niemand vond het erg dat ze wat vroeg vertrok. Vannacht om één
uur zou ze terugkeren voor de tweede, laatste stap: de elektrofo-
resetest. Maar eerst moest ze hoognodig slapen.

Ze liet haar tas op de grond ploffen, viel languit neer op het bed
en trok de kussens over haar hoofd heen. Maar hoewel ze roerloos bleef liggen, kon ze de slaap niet vatten. Er verstreek een uur,
twee uur, en uiteindelijk gaf ze het op. Ze had evengoed in het museum kunnen blijven. Misschien kon ze maar beter teruggaan.

Nora keek naar haar antwoordapparaat: tweeëntwintig berichten. Nog meer uitingen van medeleven, nam ze aan. Ze kon het
niet meer aan. Met een zucht drukte ze op PLAY, en zodra ze een
beller op bezorgde toon hoorde spreken, verwijderde ze het bericht.

Het zevende bericht was echter iets anders. Dat was van de *West
Side*-verslaggever.

'Doctor Kelly? Met Caitlyn Kidd. Ik vroeg me af of u al iets
meer weet over die artikelen over dierenrechten waar Bill mee bezig was. Ik heb gelezen wat hij tot nu toe gepubliceerd had. Snoei-
harde stukken. Ik vroeg me dus af of hij nog nieuwe dingen gevonden had, dingen die hij niet meer heeft kunnen publiceren; of
waarvan mensen misschien niet wílden dat hij ze zou publiceren.
Belt u me even?'

Toen het volgende bericht begon, drukte Nora op de stopknop.
Bedachtzaam bleef ze even naar het apparaat zitten kijken. Toen
stond ze op van haar bed, liep terug naar de woonkamer, ging achter haar bureau zitten en startte haar laptop. Ze kende Caitlyn
Kidd niet en had niet al te veel vertrouwen in haar. Maar ze zou
met de duivel zelf meewerken als die haar kon helpen om te achterhalen wie er achter Bills dood zat.

Ze keek naar het scherm en haalde diep adem. Snel, voordat ze
zich kon bedenken, logde ze in op Bills account bij *The New York
Times*. Het wachtwoord werd geaccepteerd: het account was nog
niet opgeheven. Even later zat ze te kijken naar een lijst met artikelen die hij het afgelopen jaar had geschreven. Ze nam ze in chro-
nologische volgorde door, klikte een paar maanden terug en be-

gon de titels een voor een door te nemen. Opmerkelijk veel van die titels klonken haar onbekend in de oren, en ze had bittere spijt dat ze niet meer belangstelling had getoond voor zijn werk.

Het eerste onderzoeksartikel over dieroffers dateerde van een maand of drie geleden. Het bevatte voornamelijk achtergrondinformatie over dieroffers; die vormden geen praktijk uit het verre verleden, maar werden nog steeds, zij het in het geheim, uitgeoefend. Ze ging verder. Er waren nog enkele artikelen: een interview met ene Alexander Esteban, woordvoerder voor Mensen en Andere Dieren; een onderzoeksverslag over hanengevechten in Brooklyn. En toen kwam Nora bij het meest recente artikel, dat van twee weken geleden dateerde: 'Nog dagelijks dieroffers in Manhattan'.

Ze opende de tekst en las hem cursorisch door. Eén alinea in het bijzonder trok haar aandacht.

De hardnekkigste verhalen over dieroffers komen uit Inwood, de meest noordelijke punt van Manhattan. Hier hebben politie en instellingen voor dierenbescherming een aantal klachten ontvangen: aan Indian Road en West 214th Street hebben buurtgenoten geluiden gehoord die duiden op dieren in nood. Deze kreten, volgens de bewoners afkomstig van geiten, kippen en schapen, zijn naar verluidt afkomstig uit een voormalig kerkgebouw midden in een afgelegen leefgemeenschap in Inwood Hill Park, algemeen bekend onder de naam 'de Ville'. Pogingen om in gesprek te raken met inwoners van de Ville en de leider van de gemeenschap, Eugene Bossong, hebben tot nu toe niets opgeleverd.

Met deze ontdekking had Bill kennelijk toestemming van de krant gekregen om de zaak verder te onderzoeken, want het artikel besloot met de volgende, cursief geplaatste opmerking:

Dit artikel maakt deel uit van een serie artikelen over dieroffers in New York City.

Nora leunde achterover. Nu ze erover dacht, herinnerde ze zich dat Bill een week of zo geleden bij thuiskomst helemaal opgetogen was geweest over een primeur, een kleine doorbraak in zijn onderzoek naar dieroffers.

Misschien was die doorbraak dus bij nader inzien niet zo klein geweest.

Met gefronste wenkbrauwen keek Nora naar het scherm. Rond die tijd was het begonnen met die kleine frutseltjes in hun brievenbus, en die rare zandtekens voor hun voordeur.

Ze sloot het artikelenregister en startte de software voor gegevensbeheer. Daar zocht ze naar de aantekeningen die hij altijd bijhield voor toekomstige publicaties en naar de meest recente informatie.

kijk met name naar de Ville – meer info in volgend artikel. zijn dit echt dieroffers? bewijs nodig – niet alleen het beschuldigende vingertje. Politiedossiers doornemen. ZELF gaan kijken.

Interview Pizzetti uitwerken. Andere buren ook geklaagd? Tweede interview met Esteban, dierenactivist? Plaatselijke afdeling Dierenbescherming, enz.

Waar halen ze de dieren vandaan?

Wat zit achter de Ville? Wat voor mensen? Zoek in archief *Times* naar achtergrond Ville. Ook: geruchten zombies/cult enz.

Suggestie titel: *Vileine Ville?* Nee, komt er nooit door.

*Trouwdag – niet vergeten reservering Café des Artistes en tickets voor *The Man Who Came to Dinner* zaterdagavond!!!!

Die laatste aantekening was zo onverwacht, zo heel anders dan de andere, dat Nora heel even weerloos was; de tranen sprongen haar in de ogen. Meteen sloot ze het programma af en stond op van het bureau.

Ze ijsbeerde even door de woonkamer en keek op haar horloge: kwart over vier. Als ze op de kruising van 96th en Central Park West de trein nam, kon ze over drie kwartier in Inwood zijn. Ze startte een nieuw programma op de computer, typte even, keek op het scherm en stuurde een document naar de printer. Haastig liep ze naar de slaapkamer, griste haar tas van de vloer, keek snel even om zich heen en ging op weg naar de voordeur.

Een kwartier tevoren had ze zich nog stuurloos gevoeld, doelloos ronddobberend. Nu wist ze plotseling wat haar te doen stond.

20

D'Agosta had een complete gevechtseenheid meegenomen: twaalf bewapende agenten in uniform, en het was dan ook eivol in de lift. Hij drukte op de knop voor de zesendertigste verdieping en richtte zijn blik op de verlichte cijfers boven de deur. Hij voelde zich kalm en koel. Nee, dat klopte niet: hij voelde zich koud. IJskoud.

Hij was van mening dat hij in wezen een eerlijk mens was. Als iemand hem met enig respect bejegende, dan deed hij dat ook. Maar als iemand hem als oud vuil behandelde, dan werd het een ander verhaal. En Lucas Kline had hem als oud vuil behandeld. Als tuig van de richel, als uitschot. Dus nu zou hij leren dat het geen goed idee was om de politie tegen zich in het harnas te jagen.

Hij richtte zich tot zijn mensen. 'Dus voor alle duidelijkheid,' zei hij, 'dit moet grondig. Grondig en smerig. Werk altijd met je maat; ik heb geen zin in problemen over de geldigheid van bewijsmateriaal. En als je ook maar een strobreed in de weg gelegd wordt, dan druk je het verzet meteen de kop in. Snel en hardhandig.'

Er ging een geroezemoes door de groep, gevolgd door een koor van klikgeluiden terwijl lantaarns werden nagekeken en accu's in snoerloze schroevendraaiers werden geschoven.

De liftdeuren gingen open en ze zagen de uitgestrekte lobby van Digital Veracity. Het was laat in de middag, halfvijf, maar D'Agosta zag dat er nog een stel klanten op leren sofa's op z'n afspraak zat te wachten.

Mooi zo.

Hij stapte de lift uit, de lobby in, en het team waaierde achter hem uit. 'Ik ben inspecteur D'Agosta van de NYPD,' zei hij luid en duidelijk. 'Ik heb een huiszoekingsbevel, en ik kom de burelen doorzoeken.' Hij wierp een blik op de klanten in de wachtruimte. 'Als ik u was zou ik later maar eens terugkomen.'

Snel en met witte gezichten stonden ze op. Ze pakten hun colberts en hun aktetassen en haastten zich dankbaar naar de lift. D'Agosta wendde zich tot de receptioniste. 'Als jij nou eens beneden een lekker kopje koffie ging halen?'

Vijftien seconden later was de lobby verlaten, afgezien van D'Agosta en zijn patrouille. 'Dit hier wordt ons magazijn,' zei hij. 'Zet de kisten voor bewijsmateriaal hier neer, en dan gaan we aan de slag.' Hij wees naar de brigadiers. 'Drie van jullie komen met mij mee.'

Binnen een minuut stonden ze in het kantoor van Klines secretaresse. D'Agosta keek naar de vrouw, die hem geschrokken aanstaarde. 'Vandaag kom je toch nergens meer aan toe,' zei hij met een vriendelijke glimlach. 'Ik zou maar eens vroeg naar huis gaan.'

Hij wachtte tot ze vertrokken was. Toen opende hij de deur naar Klines kantoor. Kline was weer aan het telefoneren, zittend, met zijn voeten op zijn bureau. Toen hij D'Agosta en de uniformen zag, knikte hij alsof hij daar niet van opkeek. 'Ik bel zó terug,' zei hij in de hoorn.

'Pak alle computers in,' zei D'Agosta tegen zijn mensen. En tegen de softwareontwikkelaar: 'Ik heb hier een huiszoekingsbevel.' Hij hield het voor Klines neus en liet het op de grond vallen. 'O, sorry. Daar ligt het; lees het maar als je zover bent.'

'Ik dacht wel dat je terug zou komen, D'Agosta,' zei Kline. 'Ik heb mijn advocaat al gesproken. In dat huiszoekingsbevel moet precies staan waarnaar je op zoek bent.'

'Dat staat er ook. We zijn op zoek naar bewijzen dat jij de moord op Bill Smithback hebt gepland, gepleegd of misschien gefinancierd.'

'En waarom zou ik zoiets plannen, plegen of financieren?'

'Vanwege een maniakale woede tegen succesvolle journalisten; zoals degene die jou heeft laten ontslaan toen je je eerste baantje bij een krant had.'

Kline kneep heel even zijn ogen dicht.

'Die informatie kan in elk van deze ruimtes verborgen zitten,' vervolgde D'Agosta. 'We moeten dus het hele kantoor doorzoeken.'

'Ze kan overal liggen,' antwoordde Kline. 'Bijvoorbeeld bij mij thuis.'

'Daar gaan we straks naartoe.' D'Agosta ging zitten. 'Maar je hebt gelijk, het kan overal zitten. Daarom moet ik alle cd's, dvd's, vaste schijven, palmtops en alles waar je informatie op kunt bewaren in beslag nemen. Heb jij een BlackBerry?'

'Ja.'

'Dat is dan bij dezen bewijsmateriaal geworden. Geef maar hier.'

Kline stak zijn hand in zijn zak, pakte het toestel en legde het op zijn bureau.

D'Agosta keek om zich heen. Een van zijn mensen stond schilderijen van de kersenhouten wanden te halen. Zorgvuldig bestudeerde hij de achterkant van de panelen voordat hij ze op de grond zette. Een ander haalde boeken van de planken. Hij hield ze bij de rug, schudde ze uit en liet ze op een groeiende hoop vallen. De derde stond de dure vloerkleden op te rollen, zocht eronder en liet ze opgefrommeld in een hoek liggen. Toen D'Agosta daar zo naar zat te kijken, bedacht hij hoe bijzonder goed het uitkwam dat de wet je niet verplichtte om na een huiszoeking de boel op te ruimen.

Uit andere kantoren verderop in de gang hoorde hij laden dichtslaan, dingen die versleept werden, gejammer, mensen die met stemverheffing protesteerden. De brigadier was klaar met de tapijten en begon aan de dossierkasten. Hij opende ze, haalde de bruine mappen eruit, bladerde erdoorheen en dumpte de documenten op de grond. De brigadier die de olieverfschilderijen had onderzocht was intussen bezig de pc's op het bureau los te koppelen.

'Die heb ik nodig voor mijn werk,' merkte Kline op.

'Nu zijn ze van mij. Ik hoop dat je back-ups hebt gemaakt.' Dat deed D'Agosta ergens aan denken; iets wat Pendergast had geadviseerd. 'Zou je misschien je das even los willen maken?' vroeg hij.

Kline fronste zijn wenkbrauwen. 'Wat?'

'Doe nou maar.'

Kline aarzelde, maar bracht langzaam zijn handen omhoog en trok zijn das omlaag.

'Nu graag de bovenste overhemdknoop losmaken en de kraag opentrekken.'

'Wat ben jij van plan, D'Agosta?' vroeg Kline, maar hij gehoorzaamde.

D'Agosta tuurde naar de magere nek. 'Dat koord – trek dat eens naar boven.'

Nog langzamer stak Kline zijn hand in de kraagopening en trok het koord omhoog. En ja hoor: aan het uiteinde bungelde een USB-stick.

'Geef die maar hier.'

'Hij is versleuteld,' zei Kline.

'Dat maakt niet uit.'

Kline wierp hem een blik toe. 'Hier krijg je spijt van, inspecteur.'

'Je krijgt hem weer terug.' En D'Agosta stak zijn hand uit. Kline haalde het koord over zijn hoofd en legde de stick op het bureau, naast de BlackBerry. Aan zijn uitdrukking of zijn manier van doen viel niets op te merken. Het enige teken van wat er in zijn hoofd omging was een vaagroze blos op zijn pokdalige wangen.

D'Agosta keek om zich heen. 'We zullen ook een aantal van die Afrikaanse maskers en beelden mee moeten nemen.'

'Waarom?'

'Die kunnen te maken hebben met zekere, eh... exotische elementen van het onderzoek.'

Kline opende zijn mond, bedacht zich, maar sprak toch: 'Dat zijn uitzonderlijk waardevolle kunstwerken, inspecteur.'

'We maken niks kapot.'

De inspecteur was klaar met de boeken en stond leidingen aan het plafond los te schroeven. D'Agosta stond op, liep naar de kast en opende de deur. Chauncy was er vandaag niet. Over zijn schouder keek hij naar Kline. 'Heb jij een kluis?'

'In het laatste kantoor.'

'Dan gaan we daar maar eens heen.'

Tijdens de wandeling door de gang zagen ze een handvol vernietigingstaferelen. Beeldschermen werden losgeschroefd, kasten bij lantaarnlicht doorzocht, laden uit bureaus getrokken. Klines medewerkers hadden zich in de lobby verzameld, waar een ras aangroeiende stapel papieren naast de kisten voor bewijsmateriaal stond. Kline keek met geloken ogen om zich heen. De rozige tint van zijn gezicht had zich iets verdiept. 'Vincent D'Agosta,' zei hij onderweg. 'Je vrienden zeggen zeker Vinnie?'

'Sommigen wel, ja.'

'Vinnie, volgens mij hebben wij een aantal gemeenschappelijke vrienden.'

'Dat lijkt me sterk.'

'Nou, degene die ik bedoel is nog geen echte vriendin. Maar ik heb het gevoel dat ik haar al ken. Laura Hayward.'

Het kostte D'Agosta al zijn wilskracht om gewoon door te lopen.

'Want zie je, ik heb heel wat onderzoek gedaan naar die vriendin van jou, of ex-vriendin moet ik eigenlijk zeggen. Wat is er aan de hand, werkt de viagra niet meer?'

D'Agosta bleef strak voor zich uit kijken.

'Maar volgens mijn bronnen waren jullie behoorlijk close. En wat maakt dat mens een carrière! Als ze het slim aanpakt, wordt ze nog eens commissaris...'

Eindelijk bleef D'Agosta staan. 'Ik kan u één ding zeggen, meneer Kline. Als u denkt dat u mevrouw Hayward kunt bedreigen of intimideren, dan vergist u zich jammerlijk. Ze kan u als een kakkerlak vermorzelen. En als ze in haar oneindige goedertierenheid besluit om u te sparen, dan kunt u erop rekenen dat ík dat niet zal doen. Als u me dan nu naar de kluis wilt brengen?'

21

Nora stapte de metro uit bij halte 207th Street. Ze liep naar de noordkant van het perron en nam de trap naar straathoogte, waar ze uitkwam op een driesprong: Broadway, Isham Street en West 211th. Dit was een buurt waar ze nog nooit geweest was, het noordelijkste puntje van Manhattan, en ze keek nieuwsgierig om zich heen. De gebouwen deden haar denken aan Harlem: architectuur van voor de oorlog, trappenhuizen, mooi en solide gebouwd. Ze zag een paar duurdere appartementencomplexen, en verder stonden discountwinkels en kroegjes zij aan zij met nagelsalons, trendy eethuisjes en ambachtelijke bakkerijen. Niet ver daarvandaan, wist ze, stond Dyckman House, de laatste koloniale Hollandse boerenwoning in Manhattan. Daar had ze ooit met Bill heen gewild, op een zonnige zondagmiddag.

Die gedachte verdrong ze. Ze keek op het papier dat ze voor haar vertrek had geprint, een satellietfoto van de buurt waarop de namen van de straten stonden aangegeven, oriënteerde zich en ging in noordwestelijke richting op pad over Isham Street en naar Seaman Avenue, de ondergaande zon tegemoet.

Ze stak de brede, drukke Seaman Avenue over en liep verder over een asfaltpad. Links lagen tennisbanen, rechts was een groot honkbalveld. Ze bleef even staan. Recht voor haar, aan de overkant van de sportterreinen, lag iets wat nog het meest op een oerwoud leek. Op de kaart was een uitloper te zien van Indian Road, die door het noordelijke uiteinde van Inwood Hill Park heen liep en de verbinding vormde met een kleine, dichtbebouwde buurtschap die naar ze aannam de Ville moest zijn. Het weggetje was een meer rechtstreekse en, meende ze, veiliger route. Het liep tussen de sportvelden door en verdween in de donkere massa rode eiken en tulpenbomen, die hun schaduwen wierpen over de stenige bodem. Het loof gloeide van de herfstkleuren, oranjerood en geel, met hier en daar een spetter bloedrood. Een bijna ondoordringbare muur. Ze had wel eens gehoord dat dit het laatste stukje ongerepte natuur in Manhattan was, en daar zag het dan ook beslist naar uit.

Nora keek op haar horloge: halfzes. Het werd nu snel donker en het was bijna winters kil. Ze deed een stap vooruit en bleef met een onzekere blik op het donkere woud staan. Ze was nog nooit in Inwood Hill Park geweest; ze kende niet eens mensen die daar geweest waren. En ze had geen idee hoe veilig het in het donker was. Was hier niet een paar jaar geleden een jogger vermoord?

Vastberaden klemde ze haar kaken op elkaar. Ze was niet dat hele eind gekomen om onverrichter zake terug te keren. Het was nog licht zat. Met een ongeduldig hoofdschudden zette ze zich in beweging en liep op de bomenwand af alsof die het niet moest wagen, haar te willen tegenhouden.

Het pad maakte een flauwe bocht naar rechts langs een grasveldje en dook toen tussen de eerste, enorme stammen. Snel liep Nora verder. Ze voelde de schaduw van de enorme takken over zich heen vallen. Het pad splitste zich, en nog eens, en na die twee-de splitsing verschenen er in het asfalt steeds meer gaten waar on-kruid welig tierde. Het pad lag vol dorre bladeren en was slecht begaanbaar door de overhangende takken van de struiken aan weerszijden. Hier en daar stonden gaslantaarns, ooit fraaie orna-menten, nu roestig en allang niet meer in gebruik. Tussen de eiken en tulpenbomen, waarvan sommige stammen hadden met een doorsnee van minstens anderhalve meter, groeiden kornoeljes en ginkgo's. Op sommige plekken zag ze rotspunten als de punt van een mes door de bosbodem heen steken.

Algauw veranderde het plaveisel in een zandpad dat zich steil omhoog tussen de bomen door slingerde. Door een opening tus-sen de bomen zag Nora een helling die afdaalde naar een vijver met modderig water, waar een grote troep meeuwen zat te krijsen. Hun kreten bleven in haar oren klinken terwijl ze verder door het dorre blad het slingerpad opliep.

Na een kwartiertje kwam ze aan bij de restanten van een oude, vervallen ommuring. Ze bleef staan; het gebulder van Manhattan klonk amper luider meer dan het gefluister van wind in de bomen. De zon was onzichtbaar achter de helling verdwenen en de lucht was doortrokken van een onvriendelijke, oranje gloed. De kilte van de nacht bekroop Nora, en ze keek om zich heen naar de reus-achtige stammen, de uitstekende rotsblokken en de gaten in het wegdek. Het leek bijna onmogelijk dat midden op het dichtst be-volkte eiland ter wereld zo'n ondoordringbaar bos kon bestaan. Niet ver van waar ze stond, wist ze, lag de ruïne van de voorma-lige Straus-villa. Isidor Straus was een vooraanstaand politicus ge-weest, en mede-eigenaar van warenhuis Macy's. Nadat hij en zijn vrouw om het leven waren gekomen bij de ramp met de *Titanic* was hun landhuis in Inwood Hill Park geleidelijk aan vervallen. Misschien had dit muurtje hier wel deel uitgemaakt van hun land-goed.

Het pad liep in westelijke richting verder, steeds verder weg van haar bestemming. Bij het laatste daglicht tuurde ze op haar plat-tegrond. Ze aarzelde slechts heel even en zette toen koers naar het noorden, dwars door de bush heen. Ze verliet het pad en begon zich een weg door het struikgewas heen te banen.

Het terrein liep hier steil omhoog, en bij tijd en wijle zag ze richels kale gneis omhoogsteken. Ze krabbelde de helling op, houvast zoekend aan struiken en dunne boompjes. Haar vingers voelden nu ijskoud aan en het speet haar dat ze geen handschoenen aangetrokken had. Ze gleed uit en viel op een scherpe rotsrand. Met een vloek krabbelde ze overeind, klopte de blaadjes van zich af, slingerde haar tas over haar schouder en bleef staan luisteren. Er was niets te horen: geen vogelgeluiden of geritsel van eekhoorns, niets dan het zachte ruisen van de wind. Het rook naar dood loof en vochtige aarde. Na een tijdje trok ze verder, met een steeds sterker gevoel van eenzaamheid in de stilte van het bos.

Dit was bespottelijk. De duisternis viel veel sneller in dan ze verwacht had en de lichten van Manhattan hadden het laatste daglicht al verdrongen. Aan de horizon was een griezelige gloed te zien; de zwarte silhouetten van de half kale bomen tekenden zich ertegen af met de onwerkelijke sfeer van een schilderij van Magritte: licht aan de bovenkant met een donkere onderzijde. Een eind vooruit, boven aan de glooiing, zag Nora de rotsrichel, bespikkeld met spookachtige bomen. Ze versnelde haar pas en begaf zich half hollend, half struikelend naar de top. Daar aangekomen bleef ze even staan om op adem te komen. Een oude, roestige omheining liep van oost naar west, maar omdat het hek zo verwaarloosd was vertoonde het gaten en hiaten, zodat Nora algauw een los stuk had gevonden waar ze moeiteloos onderdoor kon kruipen. Ze deed een paar stappen voorwaarts, liep om een stel enorme rotsblokken heen en bleef plotseling opnieuw stilstaan.

Voor haar lag een adembenemend panorama. De rotsbodem liep steil af, en in de diepte klotste water. Ze had de uiterste punt van Manhattan bereikt. Ver onder haar stroomde het zwarte water van de rivier de Harlem, in westelijke richting rond Spuyten Duyvil naar de wijde monding van de Hudson, die in de laatste resten daglicht de kleur van donker staal had: een uitgestrekte watervlakte, beschenen door een pas opgekomen halvemaan. Voorbij de Hudson staken de hoge klippen van de Jersey Palisades scherp af tegen de laatste stralen van de zonsondergang; daarvoor liep de Henry Hudson Parkway in een sierlijke boog over de Harlem, kaarsrecht de Bronx in. Op de weg was een ononderbroken stroom gele koplampen te zien: forensen die vanuit het hart van de stad massaal naar huis terugkeerden. Recht tegenover haar, aan de andere oever, lag Riverdale, bijna even dicht bebost als Inwood Hill Park zelf. En verder naar het oosten, voorbij de rivier de Harlem, lagen de rokerige flanken van de Bronx, doorboord door een tiental bruggen, bespikkeld met miljoenen lichtjes. Het was een verwarrend, bizar en schitterend toonbeeld van geologische majesteit: een uitgestrekte hoogvlakte van oer- en stadslandschap, grillig samengebald in de loop van eeuwen van stedelijke groei.

Maar Nora bleef niet lang staan om het uitzicht te bewonderen. Want toen ze haar blik weer omlaag richtte zag ze, enkele tientallen meters lager en een kilometer verderop, een groepje vuil uitgeslagen bakstenen gebouwen liggen, half verborgen tussen dicht opeen staande bomen, vanwaar een vaal geel licht naar buiten scheen. De huizen stonden op een stuk vlak land, halverwege een smerig, met vuilnis bezaaid kiezelstrand langs de Harlem en haar eigen uitkijkpost boven op de richel. Vanwaar zij stond was de plek niet bereikbaar; ze kon zelfs niet eens zien hoe je er überhaupt kon komen, hoewel ze tussen de bomen door een asfaltlint zag lopen dat, meende ze, doorliep tot aan Indian Road. Terwijl ze daar stond te kijken, besefte ze dat de gemeenschap onder bijna alle hoeken onzichtbaar moest zijn dankzij de bomen die eromheen stonden: vanaf de weg rond het park, vanaf de oever en vanaf de rotsen aan de overkant viel niets te zien. Midden in de bebouwing stond een groter bouwsel, zo te zien een oude kerk waar keer op keer zonder overleg stukken aan gebouwd waren tot het geheel geen enkele architectonische samenhang meer had. Daar vlak omheen stond een aantal kleine vakwerkhuisjes, met smalle stegen ertussen.

De Ville: doelwit van Bills laatste artikel. De plek die Bill had beschouwd als het middelpunt van dieroffers in New York. Met een mengeling van afschuw en fascinatie keek ze ernaar. Het enorme gebouw in het hart leek bijna even oud als Manhattan zelf: vreselijk vervallen, deels baksteen en deels chocoladebruin hout, met een stompe, grofgebouwde kerktoren die van achter de grote dakvlakken oprees. De onderste ramen waren dichtgemetseld, maar achter de gebarsten ruiten van de hogere verdiepingen flakkerde een bleke gele gloed die, zo meende ze, niets anders dan kaarslicht kon zijn. De plek lag schijnbaar te dommelen in het zilveren maanlicht, nu en dan in een diepere duisternis ondergedompeld als er een wolk voorbijtrok.

Terwijl ze naar het flakkerende licht stond te kijken, drong de waanzin van haar daad tot haar door. Waarom was ze in vredesnaam hierheen gekomen: om naar een stel gebouwen te gaan staan kijken? Wat dacht ze nou eigenlijk in haar eentje te bereiken? Hoe kwam het dat ze zo zeker wist dat hét geheim achter die muren school, het geheim van de moord op haar echtgenoot?

De Ville bleef in stilte gehuld liggen, en een kille nachtbries ritselde door het loof.

Nora huiverde. Ze trok haar jas dichter om zich heen, draaide zich om en begon zo snel mogelijk door het donkere bos heen aan de terugtocht, terug naar de gastvrij geopende armen van de stad.

22

'Gek, het lijkt wel of het hier altijd mistig is,' merkte D'Agosta op terwijl de grote Rolls over de smalle weg door Little Governor's Island zoemde.

'Zal wel door de moerassen komen,' mompelde Pendergast.

D'Agosta keek uit het raampje. Het moeras leek zich inderdaad tot in de duisternis uit te strekken en asemde miasmatische dampen uit die in dunne slierten tussen het riet en de kattenstaarten door krinkelden. Op de achtergrond rees, in bizar contrast, de skyline van Manhattan op. Ze passeerden een rij dode bomen en kwamen aan bij een ijzeren poort met een glanzend nieuwe bronzen plaquette.

MOUNT MERCY KLINIEK
VOOR FORENSISCHE PSYCHIATRIE

Bij het bewakershuisje minderde de auto vaart. Er stapte een man in uniform naar buiten. 'Goedenavond, meneer Pendergast,' zei hij, kennelijk niet verbaasd over het late uur. 'U komt voor mevrouw Cornelia?'

'Goedenavond, meneer Gott. Ja, inderdaad. We hebben een afspraak.'

Er klonk een gerommel, en de poort begon open te zwenken. 'Dan wens ik u veel genoegen,' zei de bewaker.

Proctor stuurde de auto tussen de hekken door naar het hoofdgebouw toe: een immens bouwwerk van bruine baksteen in neogotische stijl, als een grimmige schildwacht te midden van de dikke pijnbomen met takken die doorbogen onder hun eigen, decennia oude, gewicht.

Proctor reed het parkeerterrein voor bezoekers op. Nog geen tien minuten later liep D'Agosta achter een arts aan door de lange, betegelde gangen van het ziekenhuis. Mount Mercy was ooit het grootste tbc-sanatorium van New York geweest. Nu was het omgebouwd tot een zwaarbeveiligde inrichting voor moordenaars en andere plegers van ernstige geweldsdelicten die niet konden worden veroordeeld omdat ze ontoerekeningsvatbaar waren.

'Hoe is het met haar?' vroeg Pendergast.

'Hetzelfde,' luidde het kortaangebonden antwoord.

Twee bewakers voegden zich bij hen, en samen liepen ze door de galmende gangen tot ze bleven staan voor een stalen deur met een tralieruitje. Een bewaker opende het slot, en ze kwamen de kleine 'stilteruimte' daarachter binnen. D'Agosta herinnerde zich het vertrekje van zijn eerste bezoek hier, afgelopen januari, samen met Laura Hayward. Dat leek jaren geleden, maar in de ruimte zelf was niets veranderd: het aan de vloer vastgeschroefde kunststof meubilair, de groene muren zonder enige wandversiering.

De twee verpleeghulpen verdwenen door een zware, metalen deur achter in de kamer. Een minuut of wat later hoorde D'Agosta een vaag piepen dat steeds dichterbij klonk, tot een van de bewakers een rolstoel naar binnen duwde. De oude dame was ouderwets gekleed, in diepe rouw, in een zwarte tafzijden jurk met zwart kant dat bij iedere beweging ritselde. Maar onder al dat zwart zag D'Agosta het wit van een vijfpunts dwangband van canvas.

'Sla mijn sluier op,' klonk de onvriendelijke stem bevelend. Een van de assistenten gaf aan het verzoek gehoor. Er werd een opvallend rimpelig gezicht met een uitdrukking van pure boosaardigheid zichtbaar. D'Agosta werd opgenomen door twee zwarte kraaloogjes die hem op de een of andere manier deden denken aan een slang, en daarop volgde een korte, sardonische glimlach van herkenning. Daarna viel de glinsterende blik op Pendergast.

Die deed een stap naar voren.

'Meneer Pendergast?' klonk de geprikkelde stem van de arts. 'Ik hoef u neem ik aan niet te herinneren aan de te bewaren afstand?'

Bij het horen van die naam leek de oude dame op te schrikken. 'Nee maar!' riep ze met een opeens krachtige stem. 'Diogenes, jongen toch, hoe is het met jou? Wat een charmante verrassing!' Ze richtte zich tot de dichtstbijzijnde verpleeghulp en zei met schrille stem: 'Haal de beste amontillado uit de kelder. Diogenes is op bezoek.' Ze draaide zich om en glimlachte breed; haar gezicht was één groteske rimpeling. 'Of heb je liever thee, lieve jongen?'

'Ik hoef niets, dank u,' antwoordde Pendergast koel. 'En het is Aloysius, tante Cornelia, niet Diogenes.'

'Nonsens! Diogenes, kleine ondeugd, je mag een oude vrouw niet zo plagen. Dacht je dat ik mijn eigen neefje niet kende?'

Pendergast aarzelde even. 'Ik heb u nooit voor het lapje kunnen houden, tante. We waren in de buurt, dus we dachten kom, we gaan even langs.'

'Wat lief van je. En ik zie dat je mijn broer Ambergris hebt meegenomen.'

Pendergast wierp een korte blik op D'Agosta voordat hij knikte.

'Over een paar minuten moet ik beginnen met de voorbereidingen voor het diner. Je weet hoe het tegenwoordig gesteld is met het personeel. Eigenlijk zou ik ze allemaal moeten ontslaan en het zelf doen.'

'Dat is zo.'

D'Agosta wachtte, terwijl Pendergast en zijn tante een eindeloos lijkend gesprek voerden over koetjes en kalfjes. Langzaamaan bracht Pendergast het gesprek echter op zijn eigen kinderjaren in New Orleans.

'Ik vroeg me af of u zich die, eh... onaangename toestand herinnerde met Marie LeBon, een van de dienstmeisjes,' zei hij op het laatst. 'Miss Marie, noemden wij haar.'

'Dat gratenpakhuis? Die heb ik nooit gemogen. De griezels kreeg ik van dat mens.' En tante Cornelia huiverde gelukzalig bij de herinnering.

'Die is toch op een dag dood aangetroffen?'

'Het is altijd bijzonder onplezierig wanneer het personeel een schandaal veroorzaakt. En Marie was wel de ergste van het stel. Behalve natuurlijk die afgrijselijke, afschúwelijke monsieur Bertin.' Vol afkeer schudde de oude vrouw haar hoofd, en ze mompelde binnensmonds iets onverstaanbaars.

'Kunt u me vertellen wat er eigenlijk aan de hand was met miss Marie? Ik was nog maar een kind.'

'Marie kwam uit de *bayou*, een overspelige vrouw zoals zovelen van dat moerasvolk. Een mengeling van Frans-Accadisch en Micmac-indiaans bloed, plus wie weet wat verder nog. Ze kreeg wat met de stalknecht, die getrouwd was. Weet je nog, Diogenes, die stalknecht met die opgedraaide snor, die zichzelf het heertje vond? Een doodordinaire vent.'

Ze keek om zich heen. 'Waar blijft mijn glas? Gaston!'

Een van de verpleeghulpen bracht een plastic beker naar haar mond, en met getuite lippen zoog ze even aan het rietje. 'Ik heb natuurlijk liever gin, dat weet je.'

'Jazeker, mevrouw,' zei de man met een grijns naar zijn partner.

'En toen?' vroeg Pendergast.

'De vrouw van de stalknecht, God hebbe haar ziel, vond het niet plezierig dat Marie LeBon het met haar man hield. Dus nam ze wraak.' Cornelia lachte kakelend. 'Ze regelde de zaak met een hakbijl. Ik had nooit geweten dat ze het in zich had.'

'Madame Ducharme, zo heette die jaloerse echtgenote.'

'Madame Ducharme! Een dragonder van een vrouw, met armen als Iberische hammen. Die wist van wanten met die hakbijl!'

'Meneer Pendergast?' zei de arts. 'Ik heb u al eerder gewaarschuwd dat u dit soort gesprekken niet dient te voeren.'

Pendergast negeerde hem. 'Was er niet iets vreemds aan de hand met het... lijk?'

'Vreemds? Hoezo, wat bedoel je?'

'Die... voodoodingen.'

'Voodoo? Diogenes toch! Dat was geen voodoo, dat was obeah. Er ís verschil, hoor. Ja, natuurlijk weet je dat. Beter dan je broer, nietwaar? Hoewel die er ook het nodige van af weet, of niet soms?' De oude vrouw begon onaangenaam te kakelen.

'We hadden het over het lijk...' moedigde Pendergast haar aan.

'Daar was inderdaad iets mee aan de hand, nu je het zegt. Er zat een stukje gris-gris aan haar tong geprikt – *oanga*.'

'Oanga? U lijkt heel wat te weten over obeah, tante Cornelia.'

Plotseling keek tante Cornelia achterdochtig. 'Je vangt wel eens wat op van het personeel. En bovendien, dat moet jíj nodig zeggen. Dacht je soms dat ik jouw... laten we zeggen, experimentje... vergeten was? En de onfortuinlijke reactie daarop van het *mobile vulgus...*'

'Vertel eens wat meer over die oanga,' onderbrak Pendergast haar, na een heel korte blik op D'Agosta.

'Vooruit dan maar. Die oanga, werd er gezegd, was een fetisj van een skelet of kadaver dat had liggen weken in bouillon gemaakt van de as van Aswoensdag, gal van een zeug, water van een smederij waarmee staal was gehard, bloed van een maagdelijke muis en alligatorvlees.'

'En het doel daarvan was...?'

'Om de ziel van de dode te extraheren, hem tot slaaf te maken. Een zombii. Uitgerekend jíj zou dat toch moeten weten, Diogenes!'

'Toch vind ik het prettig om het uit uw mond te horen, tante Cornelia.'

'Als het lijk is begraven moet het terugkomen als slaaf van degene die de oanga heeft geplaatst. En zal ik jou eens wat zeggen? Zes maanden later, toen die knaap aan Iberville Street doodging, gestikt in een dichtgeknoopte zak, toen zeiden ze dat het de zombii van miss Marie was, omdat die jongen ooit het wasgoed van madame Ducharme van de lijn had getrokken. En toen ze in miss Maries graf gingen kijken was het leeg, althans dat werd beweerd. Het spreekt vanzelf dat de Ducharmes ontslagen werden. Dat kun je niet hebben, als het personeel je huis in opspraak brengt.'

'Uw tijd zit erop, meneer Pendergast.' Met een vastberaden gezicht stond de arts op. De verpleeghulpen veerden overeind en namen plaats aan weerszijden van de rolstoel. Op een knikje van de arts begonnen ze de stoel te keren op weg naar de deur in de achterwand.

Plotseling draaide tante Cornelia haar hoofd naar hen om en richtte haar blik op D'Agosta. 'Jij was vandaag wel heel erg stil, Ambergris. Tong ingeslikt? Volgende keer zal ik zorgen voor een stapel van die heerlijke sandwiches met waterkers. Daar waren jullie altijd dol op.'

D'Agosta knikte zwijgend. De arts opende de deur voor de rolstoel.

'Fijn om jou weer eens gesproken te hebben, Diogenes,' zei tante Cornelia over haar schouder. 'Je bent altijd mijn lievelingetje geweest, dat weet je. Goed dat je eindelijk iets aan dat afgrijselijke oog van je gedaan hebt.'

Tegen de tijd dat ze de poort door waren en de koplampen van de Rolls de rondzwevende mistbanken doorkliefden, hield D'Agosta het niet langer. 'Sorry, Pendergast, maar ik móét het vragen: dat gedoe met die oanga en die zombii's, dat geloof je toch niet echt?'

'Mijn beste Vincent, ik gelóóf niets. Ik ben geen priester. Ik doe aan bewijsmateriaal en kansberekening, niet aan geloof.'

'Ja, dat weet ik. Maar ik wil maar zeggen: de nacht van de levende doden? Kom nou.'

'Dat is een nogal ongenuanceerde uitspraak.'

'Maar...'

'Maar wat?'

'Het is overduidelijk dat we te maken hebben met iemand die ons wil misleiden met die voodoo-onzin, iemand die ons het bos in stuurt.'

'Overduidelijk?' herhaalde Pendergast met één licht opgetrokken wenkbrauw.

'Luister,' reageerde D'Agosta ten einde raad, 'ik wil alleen maar weten of jij dénkt dat het in de verste verte mogelijk is dat we echt met zombii te maken hebben. Meer niet.'

'Ik zeg liever niet wat ik denk. Maar er is een regel uit Hamlet die je je maar beter in de oren kunt knopen.'

'En die regel luidt...?'

' "Er is meer tussen hemel en aarde, Horatio..." Moet ik verdergaan?'

'Nee.' D'Agosta leunde achterover in de zachte leren kussens en bedacht dat het soms beter was om Pendergast aan zijn onbekende gedachten over te laten dan om te proberen daarin door te dringen.

23

De volgende ochtend om negen uur liep Nora met snelle passen en neergeslagen blik door de lange gang op de vierde verdieping van het museum, langs de deuren van haar collega's. Het was zoiets als spitsroeden lopen, maar ze kwamen tenminste niet meer allemaal tegelijk de gang op hollen, zoals de afgelopen dagen.

Bij haar eigen kamer aangekomen draaide ze de sleutel om en ging snel naar binnen, waarna ze de deur achter zich dichttrok en hem op slot deed. Ze draaide zich om en daar, tegen het venster afgetekend, stond special agent Pendergast nonchalant door een artikel te bladeren. In een fauteuil in de hoek zat D'Agosta, met donkere kringen onder zijn ogen.

De FBI'er keek op. 'Onze excuses dat we zomaar uw kantoor zijn binnengedrongen, maar ik hang liever niet in de museumgang rond. Gezien mijn achtergrond met deze instelling voelen bepaalde mensen zich misschien op de tenen getrapt als ze me hier aantreffen.'

Ze liet haar rugzak op het bureau vallen. 'Ik heb de uitslag.'

Langzaam liet Pendergast het artikel zakken. 'Je ziet er bijzonder moe uit.'

'Dat zal best.' Na haar excursie naar Inwood had ze kans gezien een paar uur weg te dommelen, maar ze had in het holst van de nacht moeten opstaan om de elektroforese van het DNA af te maken.

'Mag ik?' Pendergast gebaarde naar een tweede, onbezette stoel.

'Ga uw gang.'

Pendergast nam plaats. 'Wat heb je gevonden?'

Nora haalde een dossiermap uit haar rugzak en legde die op tafel. 'Voordat ik je dit geef, moet ik je iets vertellen. Iets belangrijks.'

Pendergast neeg even zijn hoofd.

'Eergisternacht, toen ik bezig was met het eerste PCR-werk, liet Fearing zijn gezicht zien achter het laboratoriumraam. Ik ben hem door de gang achternagegaan, een van de opslagruimtes in.'

Pendergast keek haar met doordringende blik aan. 'Weet je zeker dat het Fearing was?'

'Ik kan het bewijzen.'

'Je bent dus achter hem aan gegaan,' merkte hij gis op. 'Dat was niet bepaald slim. Wat is er gebeurd?'

'Ik weet het, het was oerstom van me. Een instinctieve reactie, ik heb er geen moment over nagedacht. Hij lokte me het lab uit. Hij had een mes, en hij heeft me door die opslagruimte achternagezeten. Als er geen bewaker langsgekomen was...' Ze maakte de zin niet af.

D'Agosta was van zijn stoel opgestaan alsof er plotseling een veer onder spanning losgelaten werd. 'De smeerlap,' zei hij laatdunkend.

'En dat bewijs?' informeerde Pendergast.

Ze glimlachte grimmig. 'Ik heb hem met een stuk glas verwond, en meteen maar een bloedmonster onderzocht. Het is Fearing wel degelijk.' Ze opende de map, pakte de elektroforeseplaatjes en hield die Pendergast voor. 'Kijk maar eens.'

Pendergast nam de profielen en begon erdoorheen te bladeren.

'Samenvattend,' zei Nora, 'ik heb bloed gevonden van twee mensen in de monsters die je gevonden hebt bij... bij mij thuis. Ten eerste van mijn man. Ten tweede van iemand die ik x zal noemen. Monster x kwam perfect overeen met het mitochondriaal DNA van Fearings moeder. En monster x was ook identiek aan degene die mij door de opslagruimte achterna heeft gezeten. Conclusie: x is Fearing.'

Pendergast knikte langzaam.

'Net wat ik de hele tijd al zei,' reageerde D'Agosta. 'Die vuilak leeft nog. Die zus heeft zich vergist of, wat mij waarschijnlijker lijkt, ze heeft gelogen toen ze het lijk moest identificeren. Geen wonder dat ze verdwenen is. En de lijkschouwer heeft zitten blunderen.'

Zwijgend keek Pendergast naar de profielen.

'Die mag je wel houden,' zei Nora. 'Ik heb ze tweemaal afgedrukt. En ik heb de monsters achter in de koelkast in het PCR-lab gezet voor als je nog iets nodig hebt. Met misleidende etiketten, uiteraard.'

Pendergast borg de documenten weer in de map. 'Nora, dit is bijzonder behulpzaam van je. Ik verwijt mezelf dat ik je zo in gevaar heb gebracht. Deze aanval had ik niet verwacht, zeker niet in het museum, en ik vind het heel erg. Van nu af aan hou jij je niet meer met het onderzoek bezig. Wij handelen het verder af. Zolang de moordenaar niet is opgepakt, moet jij heel erg uitkijken. Niet meer 's avonds laat blijven werken.'

Nora keek in de zilvergrijze ogen van de FBI'er. 'Ik heb nog meer informatie voor u.'

Eén wenkbrauw werd vragend opgetrokken.

'Ik heb Bills laatste artikelen doorgenomen. Hij was bezig met een serie over dierenmishandeling in New York: hanengevechten, hondengevechten... en dieroffers.'

'O?'

'In Inwood ligt een kleine gemeenschap met de naam de Ville. Diep in het hart van Inwood Hill Park, afgesneden van de rest van de stad. Kennelijk had een stel inwoners van Indian Road de laatste tijd geklaagd over geluidsoverlast vanuit de Ville: er zouden dieren gemarteld worden. Er kwam meteen een groep dieractivisten in actie; hun woordvoerder, ene Esteban, is meer dan eens in het nieuws geweest. De politie heeft vluchtig onderzoek gedaan, maar er viel niets te bewijzen. Maar goed, daar was Bill mee bezig. Hij had één artikel geschreven en was bezig aan een vervolg. Kennelijk was zijn... tja, zijn laatste interview met een inwoner van Inwood, een van de mensen die geklaagd hadden. Een zekere Pizzetti.'

D'Agosta stond aantekeningen te maken.

Aan de bijna gretige glinstering in Pendergasts ogen zag ze dat dit nieuws met grote belangstelling werd ontvangen. 'De Ville,' herhaalde hij.

'Zo te horen moesten we nog maar een huiszoekingsbevel aanvragen,' prevelde D'Agosta.

'Ik ben er gisteravond heen gegaan,' zei Nora.

'Jezus, Nora!' riep D'Agosta uit. 'Dit soort dingen moet je niet op eigen houtje doen. Dat moet je aan ons overlaten.'

Alsof ze hem niet gehoord had, hervatte Nora: 'Ik ben niet de commune zelf in gegaan. Die lijkt maar één toegangsweg te hebben. Ik ben er vanuit het zuiden heen gelopen, via een richel in het park. Daar had ik uitzicht op de Ville.'

'Wat heb je gezien?'

'Niets, alleen een kluitje vervallen huizen. Geen teken van leven, afgezien van een paar lichtjes. Een griezelige plek.'

'Ik zal de zaak nader onderzoeken, en ik ga met die Pizzetti praten,' zei D'Agosta.

'Maar goed, achteraf bezien besefte ik dat die rare spullen die we thuis afgeleverd kregen, kleine fetisjen, laagjes zand met vreemde tekens erin... dat die begonnen rond de tijd dat Bill zijn eerste artikel over de Ville had gepubliceerd. Ik heb geen idee hoe of waarom, maar volgens mij hebben zij hier iets mee te maken.'

'Die vermeende zelfmoord van Fearing was ook daar in de buurt,' zei D'Agosta. 'Aan die draaibalk bij Spuyten Duyvil, niet ver van Inwood Hill Park.'

'Dit is bijzonder belangrijke informatie, Nora,' zei Pendergast, terwijl hij haar strak aankeek. 'Maar nu moet je even luisteren. Ik verzoek je met klem om verder onderzoek te staken. Je hebt meer dan genoeg gedaan. Ik heb een vreselijke vergissing begaan door je hulp in te roepen bij het DNA-werk – kennelijk heeft de dood van jouw echtgenoot mijn verstand aangetast.'

Nora beantwoordde zijn blik. 'Het spijt me, maar het is véél te laat om mij nog tegen te houden.'

Pendergast aarzelde. 'We kunnen niet jou beschermen en tegelijkertijd de moordenaar van je man vinden.'

'Ik kijk heus wel uit.'

'Volg mijn advies op, ik smeek het je. Met Bill ben ik al een vriend verloren – ik wil er niet nóg een kwijtraken.'

Hij bleef haar nog even aankijken. Toen bedankte hij haar nogmaals voor de DNA-uitslag, knikte ten afscheid en liep achter D'Agosta aan de deur uit.

Bij haar bureau bleef Nora staan luisteren naar de wegstervende voetstappen. Een tijdje stond ze afwezig met haar potlood op het fineer van haar bureaublad te tikken. Toen pakte ze de telefoon op haar bureau en koos het nummer van Caitlyn Kidd. 'Met Nora Kelly,' zei ze toen de journalist opnam. 'Ik heb informatie voor je. Kom om middernacht naar de kruising van Indian Road en West 214th Street.'

'214th?' kwam het antwoord. 'Wat is daar dan te vinden?'

'Ik heb materiaal voor een artikel. Een primeur.'

24

D'Agosta liet zich in de diepe leren zetel van de Rolls zakken, en Proctor reed Museum Drive uit, in noordelijke richting via Central Park West. Pendergast haalde iets uit de zak van zijn zwarte colbert, en tot zijn verbazing zag hij dat het een iPhone was.

'Christus, jij ook al?'

De agent begon snel te typen met zijn lange, bleke vingers. 'Ik vind het een verbazend handig ding.'

'Wat moeten we aan met Nora?' vroeg D'Agosta. 'Het lijkt me duidelijk dat ze absoluut niet gaat doen wat jij haar gevraagd hebt.'

'Dat besef ik. Een uitermate vastberaden type.'

'Ik snap niet waarom die vent, of het Fearing nu is of niet, achter Nora aan zit. Hij is tenslotte al één keer ontkomen na de moord op Smithback. Waarom neemt hij dat risico nog een keer?'

'Kennelijk was Fearing van plan hen beiden te vermoorden. De boodschap lijkt me duidelijk: bemoei je met onze zaken, en we vermoorden niet alleen jou maar ook je gezin.' Hij leunde in de richting van de bestuurdersstoel. 'Proctor? East 127th Street nummer 244, graag.'

'Waar gaan we naartoe?' vroeg D'Agosta. 'Dat is Spanish Harlem.'

'We gaan iets aan Nora doen.'

D'Agosta gromde even. 'We zijn begonnen met het Kline-spul.'

'Aha,' zei Pendergast. 'En?'

'Dat levert heel wat op. Al dat Afrikaanse gedoe dat we uit zijn kantoor hebben gesleept, blijkt achttiende- en negentiende-eeuws Yoruba te zijn; het is een vermogen waard. En bovendien: het heeft allemaal te maken met een uitgestorven religie die Sevi Lwa heette. Een rechtstreekse voorloper van de voodoo die de slaven uit West-Afrika meenamen.'

Pendergast reageerde niet. Even gleed er een verbaasde uitdrukking over zijn gezicht voordat de bestudeerd neutrale blik terugkeerde.

'En er is meer. De commissaris toont belangstelling voor ons onderzoek naar die hufter. Hij wil me vanmiddag spreken.'

'Aha.'

'Wat nou "Aha"? Het betekent dat Kline alles weet over voodoo; als hij tenslotte miljoenen heeft besteed aan voodookunst. Dat is het verband!'

'Zo, zo,' zei Pendergast afwezig.

Geïrriteerd leunde D'Agosta achterover in zijn stoel. Tien minuten later was de Rolls van Lenox Avenue afgeslagen naar 127th Street, in de richting van East River. Hij hield stil voor een klein zaakje met een handbeschilderd uithangbord in schrille kleuren, met daarboven de afbeelding van een starend oog.

BLANCHE DE GRIMOIRE LA MAGIE

Daaronder hing aan haken een aantal houten bordjes.

LES POUPÉES VAUDOU

MAGIE NOIR

MAGIE ZWARTE, MAGIE ROUGE

SORCELLERIE, HEXEREI MAGIE

RITUEL DE PROSPÉRITÉ FORMULES ET POTIONS MAGIQUES

De smerige etalageruit van het nerinkje vertoonde een enorme barst, die met tape was gerepareerd. De rest ging bijna volledig schuil onder een massa bizarre, bungelende voorwerpen: bundeltjes haar, huid, veren, canvas, stro en meer obscure en gemeen ogende materialen.

D'Agosta nam het geheel in zich op. 'Dat meen je toch zeker niet?'

'Na jou, mijn beste Vincent.'

D'Agosta stapte uit en Pendergast volgde hem. De deur naar de winkel ging met een gekners van roestige scharnieren open en er begon een stel belletjes te rinkelen. Meteen sloeg er een wolk van geuren over D'Agosta heen: wierook, sandelhout, kruiden en gedroogd vlees. Een oude, zwarte man keek op van achter de toonbank. Zodra hij Pendergast met zijn zwarte pak in de gaten kreeg, veranderde zijn gezichtsuitdrukking alsof er een deur dichtsloeg. Hij had een dicht aaneengesloten bos grijs haar en zijn gezicht was pokdalig en opvallend rimpelig.

'Kan ik u helpen?' Met zijn vlakke toon en holle blik wist hij zijn woorden exact de tegenovergestelde bedoeling te geven.

'Bent u monsieur Ravel, de obeahman?'

De man gaf geen antwoord.

'Ik ben Aloysius Pendergast, van de Pendergasts uit New Orleans. Het doet me genoegen kennis te maken.' Hij liep met uitgestrekte hand op de man af en sprak met zijn rijkste zuidelijke accent.

De winkelier keek naar de uitgestoken hand maar toonde zich nog niet in het minst toeschietelijk.

'Pendergast, van het voormalige Maison de la Rochenoire aan Dauphine Street,' vervolgde de FBI'er. Hij bleef met uitgestoken hand staan. Het verbaasde D'Agosta hoe snel Pendergast een volledig nieuwe persoonlijkheid kon aannemen. Momenteel had hij alles weg van een vriendelijke, excentrieke aristocraat uit New Orleans.

'Maison de la Rochenoire?' Er verscheen een glimpje herkenning in de bloeddoorlopen ogen. 'Die villa die in '71 afgebrand is?'

Nu leunde Pendergast over de toonbank heen en zei op gedempte toon: '*Oi chusoi Dios aei enpiptousi.*'

Een lange stilte, waarna Ravel een reusachtige hand ophief. Pendergast klemde hem in de zijne.

'Welkom.'

'En dit is mijn associé, de heer D'Agosta.'

De man knikte naar hem.

'De anderen, dat zijn oplichters,' zei Pendergast. 'Dieven en bandieten. Maar u, u bent anders. Ik weet dat ik uw wortels en koopwaar kan vertrouwen.'

De man knikte instemmend en zweeg, maar D'Agosta zag dat het compliment hem tegen wil en dank plezier deed.

'Mag ik?' Met een ivoorblanke hand gebaarde Pendergast naar de winkelwaren.

'Kijken wel, maar komt u alstublieft nergens aan.'

'*Naturellement.*'

Terwijl Pendergast op zijn gemak en met zijn handen achter zijn rug ineengeklemd door de winkel begon te neuzen, keek ook D'Agosta om zich heen. Het hele plafond hing vol bundeltjes; er stonden kasten met honderden kleine laatjes; blikken en doosjes; planken vol glazen flessen met kruiden, gekleurd poeder, vloeistoffen, kronkelige wortels en gedroogde insecten. Alles was voorzien van miniatuuretiketten, keurig in het Frans beschreven.

Pendergast wendde zich weer tot de winkelier: 'Bijzonder indrukwekkend. En nu, monsieur Ravel, wil ik iets kopen. Een ietwat onfortuinlijke aanschaf. Een vriend van mij lijkt doelwit te zijn geworden van *magie noire*, en ik moet een tegengif bereiden, een *arrêt*.'

'Als u me zegt wat de ingrediënten zijn, dan zal ik ze voor u pakken.' Ravel zette een dicht geweven mandje op de toonbank.

'Blad van een *bois-caca*.'

De man liep om de toonbank heen, stak een hand uit naar een la boven in een kast, trok die open, pakte er een rimpelig *Goupia glabra*-blad uit en legde dat in de mand. Het verspreidde een afgrijselijke stank.

'Gebeente van een witte jonge haan en het vlees van een sierhaan, geplet met de veren.'

Weer een snelle greep in een duistere hoek van de winkel.

D'Agosta keek het geheel met stijgend ongeloof aan. Pendergast deed wel een beetje vreemd. Hij vroeg zich af of dit iets te maken had met Pendergasts uitgebreide reis naar Tibet van vorige zomer, of met de zware zeereis die hij daarna had moeten maken. Of misschien was dit een zoveelste verborgen aspect van Pendergasts persoonlijkheid, waarvan hij nu voor het eerst een glimp opving.

'Alligatortand en *champagne verte*.'

Er werd een klein flesje in de mand gelegd.

'Verpulverd mensenbot.'

Bij die woorden aarzelde Ravel; maar even later liep hij naar achteren, kwam terug met een keukentrap, reikte naar de bovenkant van een kast en kwam terug met een *ziplock*-zakje, van het soort dat drugsdealers gebruiken. Daarin zat een ivoorwit poeder. Zonder zijn blik van Pendergast af te wenden legde hij het in de mand.

'Water waarmee een lijk is gewassen.'

Een langere pauze, en daarna kwam Ravel terug met het verzochte.

'Wijwater.'

Nu bleef Ravel als aan de grond genageld naar Pendergast staan kijken. Vervolgens ging hij naar achter in de winkel en kwam terug met een ampul. 'Dat is het dan, hoop ik?'

'Nog één ding.'

Ravel wachtte.

'Een gewijde hostie.'

Een lange, harde blik. 'Monsieur Pendergast, volgens mij heeft uw vriend... te maken met iets dat wel iets gevaarlijker is dan zwarte magie zonder meer.'

'Klopt.'

'Misschien gaat dit mijn bekwaamheden te boven, monsieur.'

'En ik had nog wel zo gehoopt dat u me kon helpen. Mijn vriend verkeert in gevaar. In levensgevaar.'

Ravel keek Pendergast verdrietig aan. 'U bent zich bewust van de gevolgen voor uzelf, monsieur, als u de *envoi morts arrêt* gebruikt?'

'Daar ben ik me terdege bewust van.'

'Dat moet dan wel een heel goede vriend zijn.'

'Eerlijk gezegd is het geen vriend maar een vriendin.'

'Een vriendin... aha. Die... hostie die u wilt hebben, die wordt bijzonder prijzig.'

'Geld speelt geen rol.'

Ravel sloeg zijn blik neer en leek een hele tijd na te denken. Toen draaide hij zich met een lange zucht om en verdween door een zijdeur. Een paar minuten later kwam hij terug met een glazen schijfje, gemaakt van twee grote horlogeglazen die op elkaar waren bevestigd en verzegeld met een zilveren rand. Daartussen lag één enkel ouweltje. Eerbiedig legde hij het in de mand.

'Dat wordt dan twaalfhonderdtwintig dollar, monsieur.'

Vol ongeloof keek D'Agosta toe; Pendergast stak zijn hand in zijn binnenzak, haalde er een dikke stapel knisperende bankbiljetten uit en telde het bedrag af.

Zodra ze weer in de Rolls zaten, Pendergast met het mandje met boodschappen op zijn schoot, barstte D'Agosta los. 'Wat was dat in godsnaam?'

'Voorzichtig, Vincent, kijk uit voor de boodschappen.'

'Onvoorstelbaar dat je zojuist duizend ballen hebt neergeteld voor die woewoe-flauwekul.'

'Daar zijn vele redenen voor, en als je je emoties kon ontstijgen, dan zou je dat zelf inzien. Ten eerste hebben we monsieur Ravel getoond dat we te goeder trouw zijn; en hij zou in de toekomst wel eens een belangrijke bondgenoot kunnen blijken. Ten tweede is de kans groot dat de persoon die achter Nora aan zit in obeah gelooft, en in dat geval kan de arrêt die we nu gaan maken, als afweermiddel werken. Tot slot,' en hier dempte hij zijn stem, 'kon onze arrêt wel eens écht werken.'

'Wérken? Bedoel je als er een echte zombii achter Nora aan zit?' Ongelovig schudde D'Agosta zijn hoofd.

'Ik noem het liever een envoi mort.'

'Je zegt het maar. Een bespottelijk idee.' D'Agosta keek Pendergast aan. 'Je zei tegen die vent dat je huis in New Orleans is afgebrand. Je tante Cornelia zei ook al zoiets. Heb je daar soms geleerd over die voodoo en obeah? Had jij met die onzin te maken toen je klein was?'

'Daar geef ik liever geen antwoord op. Maar ik wil jou wel iets vragen: heb jij ooit gehoord van Pascals weddenschap?'

'Nee.'

'Iemand die zijn leven lang atheïst is geweest, ligt op zijn sterfbed. Plotseling vraagt hij om een priester, zodat hij kan biechten en absolutie krijgt. Is dat rationeel gedrag?'

'Nee.'

'Integendeel: het maakt niet uit wat hij gelooft. De atheïst beseft dat hij, als er ook maar de geringste kans bestaat dat hij het verkeerd ziet, moet doen alsof God wel bestaat. Als God bestaat, dan gaat hij liever naar de hemel dan naar de hel. En als God niet bestaat, is er niets verloren.'

'Dat klinkt nogal berekenend.'

'Het is een weddenschap met eindeloze voordelen en zonder nadelen. En, zou ik daaraan willen toevoegen, het is een weddenschap die ieder mens moet aangaan. Weigeren is geen optie. Pascals weddenschap – het is onberispelijke logica.'

'Wat heeft dat te maken met Nora en zombii's?'

'Ik weet zeker dat je het logische verband vanzelf gaat inzien als je er lang genoeg over nadenkt.'

D'Agosta trok zijn voorhoofd in rimpels, dacht erover na en bekende na een tijdje grommend: 'Hm, zit iets in.'

'In dat geval: uitstekend. Normaal gesproken verklaar ik me nooit nader, maar voor jou maak ik soms een uitzondering.'

D'Agosta keek uit het raampje naar het voorbijglijdende Spanish Harlem. Even later stelde hij nog een vraag.

'Wat was dat wat je daarnet zei?'

'Sorry?'

'Tegen die winkelier. Je zei iets tegen hem in een vreemde taal.'

'O, dat. Oi chusoi Dios aei enpiptousi – Gods dobbelstenen zijn altijd onzuiver.' En met een klein glimlachje leunde hij achterover.

25

Rocker had meteen tijd voor D'Agosta, nog geen minuut nadat hij zich had gemeld bij de secretaresse van de commissaris op de bovenste verdieping van One Police Plaza. D'Agosta vatte de oproep op als een goed teken. De moord op Smithback kreeg veel publiciteit, bijzonder veel zelfs, en hij twijfelde er niet aan dat Rocker het onderzoek met belangstelling volgde. Terwijl hij Rockers assistente voorbijliep, Alice, een grootmoederlijke vrouw met een grote bos grijs haar, wierp hij haar een knipoog en een glimlach toe. Ze glimlachte niet terug.

Hij liep het grote bureau in en nam de parafernalia van de macht in zich op: het enorme mahoniehouten bureau met het groenleren blad, de eikenhouten lambrisering, het Perzische tapijt, alles even solide en traditioneel. Net als Rocker.

Rocker stond al bij het raam, en bleef met zijn rug naar de deur toe staan toen D'Agosta binnenkwam. In tegenstelling tot zijn normale manier van doen nodigde hij D'Agosta ook niet uit om plaats te nemen in een van de fauteuils in de zithoek tegenover zijn bureau.

D'Agosta wachtte even en zei toen voorzichtig: 'Commissaris?'

Rocker draaide zich om, zijn handen achter zijn rug geklemd. Bij het zien van Rockers donkerrode gezicht werd D'Agosta plotseling lichtelijk onwel.

'Wat is dat voor gedoe met die Kline?' vroeg de commissaris abrupt.

D'Agosta stelde zich snel op de onverwachte situatie in. 'Eh... dat heeft te maken met de moord op Smithback...'

'Dat snap ik,' snauwde de commissaris. 'Maar waarom moest dat zo van dik hout zaagt men planken? Klines kantoor is finaal naar de filistijnen.'

D'Agosta haalde diep adem. 'Commissaris, de heer Kline had rechtstreekse bedreigingen geuit aan Smithbacks adres, kort voor diens dood. Hij is een van onze hoofdverdachten.'

'Waarom gooi je het dan niet op een aanklacht wegens bedreiging?'

'De dreigementen waren heel zorgvuldig geformuleerd en vielen nog net binnen de wet.'

De commissaris keek hem ongelovig aan. 'En dat is het enige wat je tegen Kline hebt? Vage dreigementen aan het adres van een journalist?'

'Nee, commissaris.'

Met zijn armen over elkaar geslagen bleef Rocker staan wachten.

'Tijdens de inval hebben we beslag gelegd op Klines verzameling West-Afrikaanse kunst; kunst die we rechtstreeks in verband kunnen brengen met een oude, voodooachtige religie. Vergelijkbaar met de objecten die we op de plaats-delict en op het lijk van het slachtoffer hebben gevonden.'

'Vergelijkbaar? Ik dacht dat dat maskers waren.'

'Maskers, ja, maar uit dezelfde traditie. We laten ze momenteel onderzoeken door een expert van het museum.'

De commissaris keek hem aan met vermoeide, roodomrande ogen. Het was niets voor hem om zo bruusk te doen. Jezus, dacht D'Agosta. Kline heeft Rocker in de tang. Op de een of andere manier heeft hij hem klem gemanoeuvreerd.

Na een tijdje zei Rocker: 'Ik vroeg je iets: dat is alles?'

'Kline heeft dreigementen geuit en verzamelt voodoo-items. Dat lijkt me meer dan genoeg om mee te beginnen.'

'Genoeg? Inspecteur, ik zal u vertellen wat u hebt. U hebt niks.'

'Commissaris, met alle respect, dat ben ik niet met u eens.' D'Agosta was niet van plan in te binden. Zijn hele team stond achter hem.

'Begrijpt u dan niet dat we hier te maken hebben met een van de rijkste mensen in Manhattan, bevriend met de burgemeester, alom bekend filantroop, iemand die zitting heeft in de raad van bestuur van wel tien of twaalf grote bedrijven? Je kunt niet zomaar, zonder gegronde reden, zo iemands kantoor ruïneren!'

'Commissaris, dit is nog maar het begin. Volgens mij hebben we genoeg om voortzetting van het onderzoek te rechtvaardigen, en dat ben ik dan ook vast van plan.' D'Agosta probeerde zijn stem een milde, neutrale, maar vastberaden klank te geven.

De commissaris keek hem strak aan. 'Eén ding wil ik je zeggen: zolang die man niet op heterdaad betrapt wordt, en dan bedoel ik dus ook echt héterdaad, gebeurt er helemaal niets. Die huiszoeking sloeg nergens op. Dat was pure intimidatie. En doe maar niet zo onschuldig. Ik heb ook ooit bij Moordzaken gezeten, net als jij. Ik weet waarom zijn kantoor het moest ontgelden, en ik keur zulke methodes niet goed. Dat soort drugsinvallen doe je niet bij bekende, gerespecteerde stadgenoten.'

'Die vent deugt van geen kanten.'

'Die houding, D'Agosta. Dat is nou precies wat ik bedoel. Luister, ik hoef jou niet te vertellen hoe je een moordonderzoek doet, maar ik waarschuw je: als je nog eens een keer iets dergelijks met Kline wilt uithalen, bedenk je dan eerst nog eens goed.' Hij bleef D'Agosta hard en onverzettelijk aankijken.

'Dat is duidelijk, commissaris.' D'Agosta had zijn zegje gedaan. Het was nergens voor nodig om de commissaris verder nog te provoceren.

'Ik haal je niet van het Smithback-onderzoek. Nog niet. Maar ik hou je in de gaten, D'Agosta. Ik hoop dat je niet weer zo idioot gaat doen.'

'Juist, commissaris.'

Rocker wuifde met zijn hand en draaide zich weer om naar het raam. 'Maak dat je wegkomt.'

26

Hoewel de openbare bibliotheek van New York al zo'n anderhalf uur geleden dichtgegaan was, had special agent Pendergast bijzondere bezoekrechten en liet hij zich nooit dwarsbomen door officiële openingstijden. Goedkeurend keek hij om zich heen naar de verlaten rijen tafels in de holle leeszaal; hij knikte naar de suppoost die in de deuropening zat, verdiept in *Mont Saint Michel en Chartres*, en daarna liep hij naar de inleverbalie en vandaar een steile metalen trap af. Vier verdiepingen lager kwam hij uit in een keldergewelf met een lage zoldering dat zich eindeloos leek uit te strekken en van de vloer tot aan het plafond volgepakt was met stapels en stapels boeken op gietijzeren planken. Hij liep een dwarsgang door en opende een smoezelige, grijze deur zonder opschrift. Daarachter leidde een nieuwe trap, smaller en nog steiler dan de vorige, verder de diepte in.

Nog drie trappen af, en hij kwam aan in een bizar puinlandschap van boeken. In het schemerige licht zochten stapels oude en half vergane boeken steun bij elkaar. Overal in het rond stonden tafels vol ongebonden boeksignaturen, scheermessen, potten met drukkerslijm en andere attributen voor operatieve ingrepen op boeken. Aan alle kanten verdwenen bergen van drukwerk in peilloze verten; het was een doolhof van literatuur. Er heerste een intense stilte. De bedompte lucht rook naar stof en bederf.

Pendergast legde het pakketje dat hij bij zich had op een stapel in de buurt en schraapte zijn keel.

Even bleef de stilte ongerept. Toen klonken er, ergens in de verte, haastige voetstappen, die langzaamaan luider werden. Uiteindelijk dook er tussen twee zuilen van boeken een oud mannetje op, klein en angstaanjagend mager. Boven op een wilde bos wit haar balanceerde een mijnwerkershelm.

De man stak een hand omhoog en knipte de lamp boven zijn voorhoofd uit. '*Hypocrite lecteur*,' zei hij met een stem zo ijl en droog als berkenbast. 'Ik verwachtte u al.'

Pendergast maakte een lichte buiging. 'Interessant modeaccessoire, Wren,' merkte hij op met een gebaar naar de helm. 'Schijnt helemaal ín te zijn in West Virginia, heb ik me laten vertellen.'

De oude man lachte geluidloos. 'Ik ben... laten we zeggen, op onderzoek geweest in de spelonken. En hier bij de antipoden zijn werkende gloeilampen soms een schaars goed.'

Of Wren nu werkelijk in dienst van de openbare bibliotheek was dan wel of hij op een dag simpelweg besloten had hier in de onderste kelders zijn intrek te nemen, was niemand duidelijk. Wat daarentegen als een paal boven water stond, was zijn unieke talent voor esoterisch onderzoek.

Met een hongerige blik keek Wren naar het pakketje. 'Wat heb je vandaag voor me meegenomen?'

Pendergast pakte het op en overhandigde het. Gretig stak Wren zijn hand uit, scheurde het papier eraf en trof drie boeken aan.

'Vroege titels van Arkham House,' snoof hij. 'Ik vrees dat ik nooit veel opgehad heb met dit soort geschifte verhalen.'

'Kijk nog eens. Dit zijn echt héél zeldzame collector's items.'

Een voor een nam Wren de boeken op. 'Hm. Een vooruitgave van *Buitenstaander* met bijbehorende groene stofomslag. *Altijd komt de avond*' – hij plukte de stofomslag weg om de staat van de boekrug te kunnen bekijken – 'met de afwijkende rug. En een in leer gebonden *Gemeden huis*... met Barlows handtekening op de titelpagina. Gedateerd in Mexico City, niet lang voor zijn zelfmoord. Een opmerkelijk en zeldzaam exemplaar.' Met opgetrokken wenkbrauwen legde Wren de boeken behoedzaam neer. 'Ik heb te haastig gesproken. Dit is inderdaad een nobel geschenk.'

Pendergast knikte. 'Fijn dat het je goedkeuring kan wegdragen.'

'Sinds je telefoontje heb ik alvast wat eerste onderzoek kunnen plegen.'

'En?'

Wren wreef zich in de handen. 'Ik had geen idee dat Inwood Hill Park zo'n interessante geschiedenis kende. Wist jij bijvoorbeeld dat het in wezen een oerbos is gebleven sinds de Amerikaanse Revolutie? Of dat het ooit de plek was waar Isidor Straus zijn zomerhuis had, tot hij en zijn vrouw omkwamen op de *Titanic*?'

'Dat heb ik me laten vertellen.'

'Wat een verhaal. De oude Straus weigerde de reddingboot in te gaan voordat alle vrouwen en kinderen van boord waren, en mevrouw Straus weigerde haar echtgenoot te verlaten. Ze heeft haar dienstmeid in haar plaats de boot in laten gaan, en het echtpaar is samen verdronken. Na hun dood is het "zomerhuisje" in Inwood vervallen. Maar volgens mijn onderzoek was er enkele jaren tevoren een opzichter vermoord, en ook andere onfortuinlijke gebeurtenissen zorgden ervoor dat het echtpaar Straus eigenlijk maar zelden...'

'En de Ville?' onderbrak Pendergast hem vriendelijk.

'De Ville des Zirondelles.' Wren grimaste even. 'Een duisterder, geheimschrijveriger stelletje kun je je amper indenken. Ik vrees dat mijn onderzoek naar hen nog in de kinderschoenen staat. En gezien de omstandigheden weet ik niet eens of ik ooit echt veel te weten zal komen.'

Pendergast maakte een nonchalant handgebaar. 'Vertel maar gewoon wat je tot nu toe ontdekt hebt, als je wilt.'

'Uitstekend.' Wren legde de punt van een benige wijsvinger tegen de andere, alsof hij de belangrijkste punten ging aftellen. 'Het schijnt dat het eerste gebouw van de Ville, zoals het tegenwoordig bekendstaat, kort na 1740 is neergezet door een religieuze sekte die Engeland ontvlucht was omdat ze daar vervolgd werden. Ze kwamen terecht in de noordelijke punt van Manhattan, in wat tegenwoordig het bewuste park is. Zoals zo vaak beschikte dit stelletje pelgrims over meer idealisme dan praktisch inzicht. Het waren stadsmensen – schrijvers, onderwijzers, een bankier – en ze hadden geen idee hoe je van het land moest leven. Het schijnt dat ze eigenaardige opvattingen over leefgemeenschappen hadden. Ze vonden dat de hele gemeenschap als één individu moest leven en werken, en ze lieten de scheepstimmerlieden dus een enorm gebouw optrekken van steen en hout uit de omgeving. Dat was deels woonruimte, deels werkruimte, deels kerk, deels burcht.'

Hij tikte de volgende vinger af. 'Maar de landtong die ze voor hun nederzetting hadden uitgekozen was rotsachtig en ongeschikt voor landbouw of veeteelt; zelfs mensen die verstand hadden van dit soort zaken konden er niets mee beginnen. Er waren geen indianen meer om hun advies te geven: de Weckquaesgeek en de Lenape waren er allang vandoor, en de dichtstbijzijnde Europese nederzetting lag aan het andere uiteinde van Manhattan, twee dagreizen ver. De nieuwe pioniers bleken matige vissers te zijn. Er waren een paar boeren in de omtrek die de beste akkers al hadden uitgezocht, en hoewel die bereid waren om hun opbrengst tegen forse prijzen te verkopen, voelden ze geen enkele aandrang om gratis eten en drinken te verzorgen voor een complete leefgemeenschap.'

'De dwaasheid van het plan werd dus algauw duidelijk,' mompelde Pendergast.

'Precies. Algauw overheersten teleurstelling en onderlinge twist. Binnen een tiental jaren werd de kolonie opgeheven en trokken de bewoners naar elders in New England of keerden terug naar Europa, zodat het bouwsel onbewoond achterbleef: een testament van misplaatste hoop. De leider, zijn naam heb ik niet kunnen achterhalen, maar hij was degene die het schip had geregeld en het perceel had gekocht, trok naar het zuiden van Manhattan en werd herenboer.'

'Ga verder,' zei Pendergast.

'We maken een sprong van honderd jaar. Rond 1858 of 1859 kwam er vanuit het zuiden een gesjochten gezelschap in New York aan. Volgens verslagen uit die tijd was het een groep zeer uiteenlopende types. Het middelpunt was een charismatische priester uit Baton Rouge, ene dominee Misham Walker, die een klein aantal Frans-creoolse ambachtslieden rond zich had verzameld. Die werden om redenen die ik nog niet heb ontdekt door hun eigen gemeenschap gemeden. Verder was er een stel slaven van de westkust van India. Onderweg hadden zich anderen bij de groep aangesloten: Cajuns, een paar Portugese ketters en een stel bayou-inwoners die uit Bretagne waren gevlucht omdat ze daar voor heidenen, druïden en heksen werden aangezien. Dit was geen voodoo of obeah in de traditionele zin van het woord. Nee, het scheen een volkomen nieuw geloof te zijn, opgebouwd uit diverse aspecten van wat eraan voorafging. De reis vanuit het diepe zuiden naar New York was niet meegevallen. Waar ze zich maar wilden vestigen maakten de plaatselijke inwoners bezwaar tegen hun religieuze rituelen; herhaalde malen werden ze van hun plek verjaagd. Er deden akelige geruchten de ronde: dat de groep baby's roofde, dieroffers bracht, doden tot leven wekte. Het was toch al geen bijzonder open groep, maar door deze behandeling zonderden ze zich nog meer af. Walker en zijn volgelingen ontdekten uiteindelijk de afgelegen kerk annex woonruimte die de religieuze pelgrims een eeuw tevoren hadden verlaten en namen daar hun intrek. Ze metselden de ramen dicht en versterkten de muren. Er werd over gesproken dat ze er met een hele troep op af moesten, maar daar kwam niets van terecht, afgezien van een paar eigenaardige confrontaties waarover in de plaatselijke pers verwarde berichten verschenen. Naarmate de jaren verstreken, raakte de Ville steeds meer op zichzelf aangewezen.'

Pendergast knikte langzaam. 'En de afgelopen tijden?'

'Er wordt al jaren geklaagd over dieroffers.' Wren zweeg even, en wat later verscheen er een droog glimlachje rond zijn lippen. 'Het schijnt dat de gemeenschap het celibaat kende – of kent. Net als de shakers.'

Pendergasts wenkbrauwen schoten verbaasd omhoog. 'Celibaat? En toch houden ze zich in stand.'

'Niet alleen houden ze zich kennelijk in stand, maar ze zijn ook altijd met even velen: honderdvierenveertig. Allemaal mannen, allemaal volwassen. Er wordt aangenomen dat die door ronselen verkregen worden. Desnoods met geweld, en altijd bij nacht. Er wordt gezegd dat ze mikken op mensen die ongelukkig zijn; mentaal labiel, randfiguren: ideale kandidaten voor intimidatie. Wanneer één lid van de groep doodgaat, moet er een ander worden gevonden. En dan waren er natuurlijk de geruchten.' Wrens donkere ogen glinsterden.

'Geruchten waarover?'

'Een moordlustig wezen dat 's nachts rondwaarde. Een zombii, werd wel beweerd.' Hij floot even tevreden tussen zijn tanden door.

'En de geschiedenis van het land en de gebouwen?'

'Het omringende land is in 1916 aangekocht door de Parkencommissie van de stad New York. Een paar andere bouwvallige huisjes in het park zijn gesloopt maar de Ville is aan de slopershamer ontkomen. Kennelijk had de commissie weinig trek om de zaak op de spits te drijven.'

'Aha.' Met een eigenaardige blik op zijn gezicht keek Pendergast even naar Wren. 'Dank je. Dat is een uitstekend begin. Ik hoop dat je hiermee verdergaat.'

Wren beantwoordde de blik; zijn donkere ogen fonkelden van nieuwsgierigheid. 'Wat is er precies aan de hand, hypocrite lecteur? Vanwaar die belangstelling voor deze hele toestand?'

Pendergast gaf niet meteen antwoord. Even leek hij heel ver weg te zijn. Toen schudde hij zichzelf wakker. 'Het is nog te vroeg om het daarover te hebben.'

'Zeg me dan tenminste dit: heeft die belangstelling van jou te maken met... het kwade?'

Pendergast maakte nog een kleine buiging. 'Laat me alsjeblieft weten wanneer je meer weet.' En daarmee draaide hij zich om en begon aan de lange klim terug naar de bewoonde wereld.

27

Nora voerde nog een laatste gegeven in in haar database met monsters, sloot het programma af, verzegelde de zak met scherven en legde hem weg. Ze rekte zich uit en keek op haar horloge. Bijna tien uur, en er heerste een afwachtende stilte in de museumkantoren.

Ze keek om zich heen in haar kantoor: naar de planken met artefacten, de dossiers en papieren, de afgesloten deur. Vandaag had ze zich voor het eerst weer een beetje kunnen concentreren, had ze enig werk kunnen doen. Deels kwam dat doordat de stroom medelevenden die aan haar deur kwamen kloppen eindelijk aan het afnemen was. Maar het was meer. Het kwam doordat ze wist dat ze iets aan het ondernemen was, iets concreets, om het raadsel van Bills dood te ontsluieren. Het DNA-onderzoek voor Pendergast was een begin geweest. Maar nu, vanavond, zou ze de vijand op eigen terrein gaan bestrijden.

Ze haalde diep adem en blies langzaam uit. Vreemd dat ze helemaal niet bang was. Het enige wat ze voelde was een grimmige vastberadenheid: ze zou dit tot op de bodem uitzoeken en althans een zekere mate van orde en rust herstellen in haar verbrijzelde wereld.

Ze pakte de zak met scherven en legde die terug in het rek. Eerder die middag was ze langsgegaan bij haar nieuwe baas, Andrew Getz, hoofd van de afdeling Antropologie. Ze had een schriftelijke garantie gevraagd, en gekregen, voor financiering van haar expeditie naar Utah in de zomer. Ze wilde een langetermijnplan klaar hebben, iets om haar op de been te houden tijdens de lange, donkere winter die haar wachtte.

In de verte hoorde ze iets wat klonk als de kreet van een kind door de gangen galmen. Het museum bood tegenwoordig de mogelijkheid dat kinderen op zaterdagavond in een aantal zwaarbewaakte zalen mochten overnachten. Ze schudde haar hoofd: kennelijk was tegenwoordig alles mogelijk, als het maar geld opbracht.

Terwijl de echo wegstierf, hoorde ze iets anders: iemand klopte eenmaal op haar deur.

Ze verstarde en draaide zich om naar het geluid. Verbazingwekkend hoe snel haar hart begon te bonzen. Maar bijna meteen hield ze zich voor: Fearing zou niet geklopt hebben.

Er werd nogmaals geklopt. Ze schraapte haar keel. 'Wie is daar?'

'Pendergast.'

Het was inderdaad zijn stem. Snel liep ze naar de deur en draaide de sleutel om. Op de gang stond de FBI'er tegen de deursponning geleund, met een zwarte kasjmieren jas over zijn gebruikelijke zwarte pak heen. 'Mag ik binnenkomen?'

Ze knikte en deed een stap achteruit. Pendergast liep naar binnen en nam met zijn bleke ogen snel het lab op voordat hij zich weer tot haar wendde. 'Ik wilde je even bedanken voor je hulp.'

'Graag gedaan. En als er nog iets is wat ik kan doen om de moordenaar voor het gerecht te krijgen?'

'Daar wilde ik het net met je over hebben.' Hij sloot de deur en keek haar aan. 'Ik neem aan dat ik je op geen enkele manier kan overhalen om op te houden met je eigen onderzoek.'

'Precies.'

'Een serieus verzoek om het aan de professionals over te laten, of een herinnering dat je je eigen leven in ernstig gevaar brengt, is waarschijnlijk aan dovemansoren gericht.'

Ze knikte.

Hij keek haar even vorsend aan. 'In dat geval moet je iets voor me doen.'

'Wat dan?'

Pendergast stak een hand in zijn zak, diepte daar iets uit op en drukte haar dat in de hand. 'Dit moet je dag en nacht om je nek dragen.'

Ze keek ernaar. Het was een soort hangertje van veren en een lapje suède, tot een balletje opgerold en vastgenaaid, aan een fijn gouden kettinkje. Ze kneep voorzichtig in het suède: het voelde alsof er iets poederachtigs in zat.

'Wat is dit?' vroeg ze.

'Een arrêt.'

'Een wat?'

'In huis-tuin-en-keukentaal: een amulet om vijanden te verdrijven.'

Ze keek hem aan. 'Dat meen je niet.'

'Bijzonder effectief, behalve tegen naaste bloedverwanten. En ik heb nog iets.' Hij stak zijn hand in een andere zak en viste daar een zakje van rood flanel uit op, vastgebonden met een koord van meerdere kleuren garen. 'Draag dit altijd bij je, in je zak of in je tas.'

Ze fronste haar wenkbrauwen. 'Pendergast...' Ze schudde haar hoofd. Ze had geen idee wat ze hierop zeggen moest. Pendergast had haar altijd een onwankelbare rots van logica en praktisch denken geleken. En híj wilde haar al die amuletten geven?

Hij keek haar aan, en even flitste er iets in zijn blik alsof hij haar gedachten las. 'Jij bent antropoloog,' zei hij. 'Dan moet jij neem ik aan Victor Turner gelezen hebben, *The Forest of Symbols?*'

'Nee.'

'En Émile Durkheim dan, *Elementary Forms of Religious Life?*'

Ze knikte.

'Dan weet je dat bepaalde zaken goed te analyseren of in hokjes onder te brengen zijn, en andere niet. En jij als antropoloog kent toch zeker het begrip fenomenologie wel?'

'Ja, maar...' Ze viel stil.

'Doordat onze geest vastzit in ons lichaam, kunnen we de ultieme waarheid niet achterhalen. Of de onwaarheid. We kunnen hoogstens beschrijven wat we zien.'

'Ik volg je niet helemaal...'

'Er is een soort wijsheid op aarde, Nora, die mysterieus is, en oeroud, en waar we niet tegen in moeten gaan. Berust die wijsheid op waarheid? Is het nonsens? Dat komen we niet te weten. Zul je dus doen wat ik je vraag? Zul je deze amuletten altijd op je lichaam dragen?'

Ze keek naar de buideltjes in haar hand. 'Ik weet niet wat ik hierop zeggen moet.'

'Zeg ja. Ik smeek het je. Want dat is het enige antwoord dat ik accepteer.'

Langzaam knikte ze.

'Uitstekend.' Hij draaide zich om, maar hield vlak voor hij wegging zijn pas even in en keek naar haar om. 'En doctor Kelly?'

'Ja?'

'Het volstaat niet om die dingen alleen maar te bezitten. Je moet erin gelóven.'

'Waarin geloven?'

'Geloven dat ze werken. Want de mensen die jou kwaad willen doen, geloven er beslist in.' En met die woorden glipte hij het kantoor uit. Hij trok de deur zachtjes achter zich dicht.

28

Middernacht. Op de hoek van Indian Road en 214th Street bleef Nora staan om op de kaart te kijken. De lucht was koel en geurde naar herfst. Achter de lage flatgebouwen rezen de donkere boomkruinen van Inwood Hill Park zwart op tegen de verlichte nachthemel. Ze was licht in het hoofd van slaapgebrek en voelde zich bijna alsof ze een stevige slok op had.

Terwijl ze over de kaart gebogen stond, keek Caitlyn Kidd nieuwsgierig over haar schouder.

Nora stopte de kaart weer in haar zak. 'Volgende zijstraat.'

Ze liepen verder over Indian Road, een rustige straat in een woonwijk, badend in geel natriumlicht, met aan weerszijden sobere, ietwat streng ogende bakstenen gebouwen. Langzaam passeerde er een auto, met koplampen die door het donker heen priemden. Op het kruispunt van Indian Road en 214th Street vertakte de weg zich in een straat zonder naambordje, amper meer dan een verlaten oprit, die in westelijke richting tussen een flatgebouw en een dichtgetimmerde stomerij doorliep. De weg was afgesloten door middel van een roestige ijzeren ketting tussen twee oude ijzeren palen aan weerszijden van het pad. Nora keek het weggetje af. Het liep langs een stel honkbalvelden en verdween de duisternis in. Het asfalt zat vol barsten; brokstukken van het wegdek staken schots en scheef omhoog en in de openingen groeide gras, en er waren zelfs hier en daar een paar jonge boompjes opgeschoten. Ze keek nogmaals op de kaart die ze die avond geprint had; haar eerdere expeditie had haar wel geleerd dat dat de beste benadering was.

'Hier moeten we zijn.'

Ze bukten zich onder de ketting door. Een eind verderop, voorbij de sportvelden, liep de oude weg over een stuk braakliggend terrein en verdween vervolgens het bos van Inwood Hill Park in. Er stonden nog maar een paar gietijzeren lantaarnpalen, zonder verlichting; toen Nora opkeek, meende ze kogelgaten in de glazen kappen te zien zitten.

Ergens in het donker voor hen lag de Ville.

Ze zette zich in beweging, en Caitlyn moest zich haasten om haar bij te houden. Het geplaveide pad werd steeds smaller, de bomen groeiden steeds dichter bij elkaar. Er hing een geur van nat loof in de lucht.

'Jij hebt toch wel een lantaarn bij je?' vroeg Caitlyn.

'Ja, maar die gebruik ik liever niet.'

Het pad liep omhoog: eerst langzaam, maar vervolgens steeds steiler, tot ze op een heuvel stonden met uitzicht op de Henry Hudson Parkway en het Baker Field van Columbia. Even bleven ze staan om zich te oriënteren. Voor hen daalde het pad af naar een uitham in de rivier de Harlem. Toen ze verder liepen, zag Nora tussen de bomen door, een paar honderd meter verderop, een paar lichtpuntjes glanzen.

Caitlyn porde haar even in haar zij. 'Is dat het?'

'Volgens mij wel. Kom, dan gaan we kijken.'

Na een korte aarzeling liepen ze verder de heuvel af. Het pad maakte een bocht met de helling mee; het bos werd steeds dichter tot de lichtgloed van de stad niet meer te zien was. Het gonzen van het verkeer over de ringweg stierf weg. Het pad maakte nog een bocht, en plotseling doemde er voor hen iets donkers op: een oud hek van draadstaal, gehavend en gebutst, dat hun de weg versperde. Een groot gat in het hekwerk was met een maaswerk van ijzerdraad dichtgemaakt, en in het midden hing een bord met in grove hanenpoten het opschrift:

'Het is hier anders wel mooi de openbare weg,' zei Nora. 'Dat bord mag daar helemaal niet hangen. Zet dat maar in je artikel.'

'Nou, een echte weg kun je het amper noemen,' antwoordde Caitlyn. 'Maar goed, de hele toestand heeft weinig legaals. Dit zijn krakers.'

Nora bekeek het hek. Het was van smeedijzer, met afbladderende zwarte verf. Het metaal daaronder was gehavend en zat onder het roest. Langs de bovenrand zat een rij scherpe punten, maar de helft daarvan was afgebroken of er afgevallen. Het zag er eeuwen-oud uit, maar Nora zag dat de scharnieren goed geolied waren en dat de ketting en het hangslot zo goed als nieuw oogden. Geen geluid kwam tussen de bomen door drijven.

'We kunnen makkelijker over het hek heen klimmen dan over de poort,' merkte ze op.

'Ja.'

Beiden bleven ze staan.

'Denk je echt dat dit een goed idee is?' informeerde Caitlyn.

Voordat Nora zich kon bedenken, had ze het initiatief genomen, het roestige hekwerk met beide handen vastgegrepen en haar tenen in de mazen gezet. Zo hees ze zich zo snel mogelijk omhoog. De omheining was zo'n drie meter hoog. Haken langs de bovenrand wezen erop dat er ooit rollen prikkeldraad bovenop hadden gezeten, maar dat was tijden geleden al verdwenen.

Binnen een halve minuut was ze de schutting over. Hijgend liet ze zich op de zachte bosbodem vallen. 'Nu jij,' zei ze.

Caitlyn greep de mazen beet en volgde Nora's voorbeeld. Ze was bij lange na niet zo goed in vorm als Nora, maar uiteindelijk zag ze kans zich over de omheining heen te hijsen. Met een zacht gerinkel van metaal liet ze zich aan de andere kant op de grond zakken. 'Jemig,' zei ze, terwijl ze dor blad en roest van zich af klopte.

Nora tuurde de duisternis in. 'Volgens mij kunnen we beter door het bos dan over de weg,' fluisterde ze.

'Lijkt mij ook.'

Voorzichtig, zo stil mogelijk, sloop Nora de weg af naar rechts, waar een donkere greppel tussen de eiken door heuvelafwaarts liep naar de rand van een open plek. Achter zich hoorde ze Caitlyn op haar tenen lopen. Algauw liep de greppel steil omlaag, en van tijd tot tijd bleef Nora even staan om uit te kijken. Het was aardedonker in het bos, maar ze wist dat ze de lantaarn niet moest gebruiken. Ze had gegronde redenen om aan te nemen dat de inwoners van de Ville alert waren op indringers en op onderzoek uit zouden gaan als ze licht tussen de bomen door zagen schijnen.

Geleidelijk aan werd het terrein vlakker naarmate ze de vlakte aan de rand van een veld rond de Ville zelf bereikten. Plotseling waren ze het bos uit en strekte zich een doodse vlakte voor hen uit, die doorliep tot aan de achterzijde van de gigantische, eeuwenoude kerk met zijn lukraak aangebouwde verzameling bijgebouwtjes. Er woei een kille wind over het veld en Nora hoorde het dorre gras ritselen.

'Mijn god,' mompelde Caitlyn naast haar.

Ditmaal was Nora uit tegenovergestelde richting naar de Ville gekomen. Nu ze er dichterbij stond, zag ze dat het bizarre bouwwerk nog slordiger in elkaar zat dan ze gedacht had. Het leek wel of de hele kerk overeind gehouden werd door de vele uitbouwen. In de bleke gloed die door de nachthemel weerkaatst werd kon ze de schaafsporen op de enorme balken die de ribben van de burcht vormden, bijna zien. De meeste ramen zaten hoog in de wanden. Vensters die niet dichtgemetseld waren, bevatten ruiten van oud scheepsglas, bleekgroen, hoewel sommige leken te zijn afgedekt met wasdoek of vetvrij papier. Van zo dichtbij was de indruk dat achter de ramen kaarsen flakkerden onmiskenbaar. Eén raam, een klein rechthoekje, zat op ooghoogte, alsof het daar voor hen geplaatst was.

'Onvoorstelbaar dat zo'n plek nog bestaat, midden in Manhattan,' zei ze.

'Onvoorstelbaar dat zoiets waar dan ook nog bestaat. Wat nu?'

'Even wachten. Misschien is er iemand in de buurt.'

'Hoe lang?'

'Tien minuten, een kwartiertje. Als er een nachtwacht rondloopt, is die in die tijd voorbijgekomen. En dan kunnen we eropaf. Schrijf vooral alles op wat je ziet. De lezers van *West Sider* moeten het als het ware zelf meebeleven.'

'Ja,' zei Caitlyn. Haar stem beefde, maar ze klemde haar notitieboekje stevig in haar hand.

Nora maakte zich op om te wachten. Ze liet zich op de grond zakken, ging even verzitten en voelde het amulet langs haar hals schuren. Ze trok het uit de halsopening van haar blouse en keek ernaar. Het was net zoiets vreemds als de fetisjen die ze op de gang bij haar voordeur had gevonden: plukjes veren, een suède buideltje. Pendergast had het haar in de hand gedrukt, had haar met de hand op het hart laten beloven dat ze het zou dragen, had haar bezworen het flanellen zakje altijd bij zich te hebben. Oké, hij kwam dan misschien uit New Orleans, maar hij had haar nooit een type geleken om in voodoo te geloven. Had ze dat verkeerd gezien? Ze liet het buideltje los. Ze voelde zich ietwat dwaas en was blij dat de verslaggever het niet gezien had.

Een zacht geluid deed haar haar oren spitsen. Het kwam vanuit het donker, een lage zeurtoon alsof er monsterlijk grote krekels zaten te tsjilpen, en het duurde even eer ze doorhad dat het uit de kerk kwam. Het werd luider en herkenbaarder: een diep gezang, op bastonen. Nee, het was geen zingen, het was eerder alsof er een tekst gescandeerd werd.

'Hoor je dat?' vroeg Caitlyn met een klein stemmetje.

Nora knikte.

Het geluid zwol aan, klonk steeds harder en kreeg tegelijkertijd een dieper timbre. Het beefde, rees en daalde in een complex ritme. Nora zag Caitlyn huiveren en haar jasje dichter om haar schouders trekken.

Terwijl ze gespannen zaten te luisteren, werd het gezang sneller, intenser. Het begon stukje bij beetje hoger te klinken.

'O shit, ik vind dit helemaal niets,' zei Caitlyn.

Nora sloeg een arm om de schouders van de journalist. 'Gewoon rustig blijven zitten. Niemand weet dat we hier zijn. In het donker kunnen ze ons niet zien.'

'Ik had nooit moeten komen. Dit was geen goed idee.'

Nora voelde de vrouw beven. Ze stond verbaasd over haar eigen onbevreesdheid. Dat kwam door Bills dood. Ze was niet echt onbevreesd; ze kon simpelweg geen angst meer voelen. Hij was er niet meer; iets ergers kon haar niet overkomen. Haar eigen dood zou in zekere zin een bevrijding zijn.

Het gezang klonk steeds indringender, steeds sneller. En plotseling klonk er iets nieuws: het blaten van een geit.

'O, nee,' mompelde Nora. Ze trok Caitlyn dichter tegen zich aan.

Weer dat klaaglijke geblaat. Het gezang klonk nu hoog en snel, bijna als een machine, het zoemen van een reusachtige dynamo.

Nog tweemaal klonk een angstig gemekker boven het gezang uit: hoger, bang. Nora wist wat er komen ging; het liefst had ze haar handen voor haar oren geslagen, maar ze wist dat dat niet kon.

'Dit moet iemand zien.' Ze begon overeind te krabbelen.

Caitlyn greep haar beet. 'Nee. Wacht, toe nou.'

Nora trok zich los. 'Hier zijn we voor gekomen.'

'Toe nou. Straks zien ze je nog.'

'Niemand krijgt mij te zien.'

'Wacht...!'

Maar Nora holde al gebukt over het veld. Het gras voelde nat en glibberig aan onder haar voeten. Ze drukte zich tegen de achterwand van de oude kerk, sloop langs de muur naar het geel verlichte raampje, bleef even staan en keek toen met bonzend hart naar binnen.

Een porseleinen gootsteen, bruin van ouderdom. Een gebarsten kamerpot. Een toiletmeubel van versplinterd hout. Een oud, verlaten privaat.

Verdomme. Ze liet zich met haar gezicht tegen het kille, ruwe hout omlaag glijden. De materie zelf leek een ongebruikelijke geur uit te wasemen: muskusachtig, met iets van rook. Nu ze zo dichtbij was, klonk het geluid vanbinnen een stuk harder. Ze drukte haar oor tegen de muur en luisterde ingespannen.

Naast het gezang hoorde ze nu iets wat als het pletsen van blote voeten klonk, snel en ritmisch. Eén stem klonk boven het koor uit: bevend, schril, toonloos, maar onmiskenbaar deel uitmakend van het ritueel.

Weer een lang, angstig geblaat: hoog, doodsbang. Met daarna een plotselinge, volslagen stilte.

Toen klonk de kreet. Hij snerpte door de lucht, een pure, dierlijke uiting van verrassing en pijn. Bijna meteen werd het geluid afgekapt door een gorgelend gerochel, gevolgd door een lang aangehouden reutelen. Daarna stilte.

Ook zonder het gezien te hebben wist Nora precies wat er gebeurd was.

Even plotseling werd het gezang hervat, snel, jubelend, met de stem van wat beslist een soort priester moest zijn boven alles uit rijzend, joelend van een soort zieke vreugde. En daardoorheen iets anders: een hijgerig, vochtig grommen.

Nora werd misselijk. Ze hapte naar adem. Het geluid had haar tot op het merg geraakt, en had haar plotseling weer teruggevoerd naar dat vreselijke moment waarop ze haar man roerloos in een steeds grotere plas bloed midden op haar huiskamervloer had zien liggen. Ze was als verlamd. De aarde tolde om haar heen en ze zag vlekken voor haar ogen. Caitlyn had gelijk: dit was géén goed idee. Die mensen, wie het ook waren, zouden niet positief reageren op indringers. Even bleef ze steun zoeken bij de muur, tot de duizeling voorbij was, en toen besefte ze dat ze daar weg moesten. Nú.

Toen ze zich omdraaide, ving ze een glimp op van iets wat zich in het donker verplaatste, bij de hoek van het verste gebouw. Een strompelende, onvaste beweging; een streep bleke huid in het spookachtige maanlicht, die meteen weer was verdwenen.

Met een huivering van afgrijzen knipperde ze met haar ogen en sperde ze weer open. Alles was stil en donker, het gezang was opgehouden. Had ze echt iets gezien? Net toen ze tot de conclusie was gekomen dat haar ogen haar bedrogen hadden, zag ze het weer: een bleek glanzende, vreemd gezwollen gestalte, in flarden van kleding gehuld. Met wankele maar tegelijkertijd doelbewuste tred kwam het wezen haar kant uit.

Nora werd onweerstaanbaar herinnerd aan het monster dat haar twee nachten tevoren door de zaal vol walvisskeletten achterna had gezeten. Met een snik van angst sprong ze overeind en rende het veld over.

'Caitlyn!' hijgde ze, toen ze met brandende longen over de verslaggever struikelde en haar bij haar jasje greep. 'Weg hier!'

'Wat is er?' Ze schrok zich een ongeluk van Nora's angst en dook ineen op de grond.

'Rénnen!' Nora greep haar bij haar blouse en hees haar met geweld overeind. Caitlyn struikelde, en Nora ving haar op.

'O, god,' zei Caitlyn, plotseling als verlamd na een blik over haar schouder. 'Grote god.'

Nora keek om. Het ding, met zijn pafferige en misvormde gezicht, onherkenbaar in het schemerlicht, kwam nu met afgrijselijke slingerpassen op hen af.

'Caitlyn!' krijste Nora, en ze draaide haar om. 'Rennen!'

'Wat...?'

Maar Nora holde de donkere greppel al in, de verslaggever bij de arm meetrekkend. Caitlyn leek verlamd van angst. Voortdurend struikelde ze over het dorre blad, viel, en keer op keer keek ze over haar schouder.

Het ding kwam nu sneller achter hen aan, met een soort hollende tred die vol sinistere doelbewustheid leek. Ze hoorde de slobberende, gretige ademhaling.

'Hij komt eraan,' zei Caitlyn. 'Hij komt ons achterna.'

'Mond dicht en hollen!'

O god, dacht Nora al rennende. O mijn god. Dit kan Fearing niet zijn. Dat kan toch niet?

Maar ze wist het vrijwel zeker.

Ze kwamen op de heuveltop aan. Vlak voor hen lagen de omheining en het hek.

'Vooruit!' riep Nora toen Caitlyn uitgleed en bijna onderuitging. Ze snikte en hapte naar adem. Achter hen kwam het geluid van voetstappen in het donker steeds dichterbij. Nora hees Caitlyn overeind.

'O, jezus...'

Nora greep naar het hekwerk, trok Caitlyn achter zich aan, smeet haar tegen de omheining en zeulde haar uit alle macht omhoog. De verslaggever krabbelde tegen de mazen op, kreeg houvast en hees zich de lucht in. Nora volgde haar. Ze kropen over de rand, lieten zich in het dorre loof vallen en zetten het weer op een hollen.

Achter hen dreunde er iets tegen de schutting aan. Nora bleef staan en draaide zich om. Ondanks het bonzen van haar hart moest ze het weten. Ze móést het weten.

'Wat doe je?' gilde Caitlyn, die zo hard ze kon verder holde.

Nora stak haar hand in haar schoudertas, greep haar lantaarn, knipte hem aan en scheen ermee op de omheining...

... Niets. Behalve een bolling in het roestige staal waar het ding tegen het hek geklapt was, en een lichte beweging waar het metaal nog zachtjes natrilde, heen en weer knersend, tot het stil werd. Het ding was verdwenen.

Ze hoorde Caitlyn hollen; haar voetstappen klonken steeds verder weg op het oude pad.

Nora volgde haar op een sukkeldrafje en haalde de ademloze, uitgeputte verslaggever al snel in. Buiten adem stond Caitlyn dubbel geklapt te hijgen, en even later moest ze overgeven. Nora hield haar schouders vast en wachtte tot het voorbij was.

'Wie... wat was dát?' wist Caitlyn uiteindelijk uit te brengen.

Zwijgend hielp Nora haar overeind. Tien minuten later liepen ze in Manhattan, over Indian Road, vertrouwd en wel, maar met een onwillekeurig gebaar naar het amulet om haar hals besefte Nora dat ze het gevoel van afgrijzen niet van zich af kon zetten. Afgrijzen voor het ding dat hen achterna had gezeten en voor de doodsreutel van de ten dode opgeschreven geit. Eén afschuwelijke gedachte kon ze niet van zich afzetten, een irrationele, nutteloze, misselijkmakende gedachte: had het ook zo geklonken toen Bill doodging?

29

Inspecteur D'Agosta zat in zijn hokkerige kantoortje aan Police Plaza naar de gloed van zijn computerscherm te kijken. Hij was schrijver, hij had twee boeken uitgebracht. Die boeken waren enthousiast ontvangen. Waarom vond hij het dan zo moeilijk om een voortgangsrapport te schrijven? Zijn oren brandden nog van het standje dat hij de afgelopen middag van de hoofdcommissaris had gekregen. Kline had hem te grazen genomen, dat was duidelijk.

Hij wendde zijn blik van het scherm af en wreef zich in de ogen. Door het enige raampje van zijn kantoor scheen vaag ochtendlicht in het snippertje van de hemel dat hij zien kon. Hij nam een grote slok van zijn derde kop koffie en probeerde zijn gedachten op een rijtje te zetten. Er kwam altijd een moment waarop hij van koffie alleen maar nog slaperiger werd.

Was het echt al een week geleden dat Smithback was vermoord? Hij schudde zijn hoofd. Momenteel had hij in Canada moeten zitten om zijn zoon weer eens te zien en om de scheidingspapieren te ondertekenen. In plaats daarvan zat hij vastgeketend aan New York en aan een onderzoek dat met de dag bizarder leek te worden.

De telefoon op zijn bureau rinkelde. Welja, dat kon er nog wel bij: een zoveelste afleiding. Met een inwendige zucht greep hij de hoorn. 'Moordzaken, met D'Agosta.'

'Vincent? Met Fred Stolfutz.'

Stolfutz was de hulpofficier van justitie die hem hielp het huiszoekingsbevel voor de Ville op te stellen. 'Ha, Fred. Wat vind jij?'

'Als je daar naar binnen wilt op zoek naar bewijs in een moordzaak, dan heb je pech. Het bewijsmateriaal is te spaarzaam, niet één rechter zal het bevel ondertekenen. Vooral niet na die toestand met Kline gisteren.'

'Jezus, hoe weet jíj daar nou van?'

'Vinnie, dat weet iedereen. En ook dat de commissaris...'

D'Agosta onderbrak hem ongeduldig. 'Dus wat zijn de opties?'

'Nou, je zei toch dat die plek diep in het bos ligt?'

'Ja.'

'Dan kunnen we dus ook geen ooggetuigen opvoeren: je kunt er niet dicht genoeg bij komen om delicten te constateren, of om bijvoorbeeld hasj te ruiken. En er zijn ook geen acute omstandigheden, bijvoorbeeld kreten om hulp of zo.'

'Er zijn daar heel wat kreten te horen – van dieren.'

'Precies, daar zat ik ook aan te denken. Je komt er nooit binnen voor een moordonderzoek, maar ik kan waarschijnlijk wel iets regelen met dierenmishandeling. Dat krijgen we er wel door. Als je daarheen gaat met een inspecteur van Dierenwelzijn, kun je intussen uit je doppen kijken of je iets anders gewaarwordt.'

'Interessant. Zou dat lukken?'

'Denk ik wel.'

'Fred, je bent een genie. Bel me terug als je meer weet.' D'Agosta hing op en richtte zich weer op zijn probleem.

Oppervlakkig bezien was het niet ingewikkeld. Goede getuigen, uitstekende getuigen zelfs, hadden Fearing het gebouw zien in- en uitlopen. En hoewel de uitslagen niet officieel waren en niet voor de rechtbank gebruikt konden worden, was Fearings DNA op de plaats-delict aangetroffen. De crypte was leeg, er was geen lijk. Dat was het bewijs enerzijds.

En het bewijs anderzijds? Een overwerkte, slordige klootzak van een lijkschouwer die niet kon toegeven dat hij een fout gemaakt had. Een tatoeage en een moedervlek die beide vervalst konden zijn of verkeerd gezien nadat het lijk tijdenlang in het water had gelegen. De identiteitspapieren van een zus, maar er waren wel eens eerder valse papieren overlegd als een familielid te overstuur was of als het lijk te zeer was aangetast. Misschien was het een geval van verzekeringsfraude, waar die zus aan meedeed. Het was behoorlijk verdacht dat ze meteen daarna verdwenen was.

Nee: Colin Fearing leefde, daar was D'Agosta zeker van. En niet als zombii. Zat Kline daarachter, of de Ville? Hij zou beiden onder druk blijven zetten.

D'Agosta pakte zijn koffie, keek ernaar en goot de kop leeg in de prullenbak. Het bekertje zelf ging erachteraan. Hij had genoeg van die troep op. Hij dacht aan het misdrijf zelf. Voor zijn gevoel was dit geen mislukte verkrachting. En die vent had recht de camera in gekeken toen hij naar binnen ging. Hij wist dat hij werd opgenomen, en het maakte hem geen fluit uit.

Pendergast had gelijk. Dit was geen willekeurige moordzaak, hier zat een plan achter. Maar wat voor plan? Hij vloekte binnensmonds.

De telefoon rinkelde weer.

'D'Agosta.'

'Vinnie? Met Laura. Heb jij de *West Sider* van vandaag al gezien?'

'Nee.'

'Dan zou ik je aanraden er een te gaan kopen.'

'Wat staat erin?'

'Doe nou maar. En...'

'En wat?'

'En zet je schrap voor een telefoontje van de commissaris. Zeg niet dat ik je al ingeseind had, maar zet je schrap.'

'Shit, niet wéér.' D'Agosta legde de hoorn neer. Hij stond op en liep naar de dichtstbijzijnde lift. Waarschijnlijk kon hij wel bij iemand anders een exemplaar lenen, maar als Laura gelijk had, was hij voordat de commissaris zou bellen wel even bezig met het verwerken van wat daar ook in mocht staan.

Het belletje van de lift klonk, en de deuren schoven open. Een paar minuten later liep D'Agosta naar de kiosk in de lobby. Hij zag de *West Sider* als gebruikelijk op een opvallende plek linksboven hangen. Hij legde zijn twee muntjes op de toonbank, pakte een krant van de stapel en stak die onder zijn arm. Hij liep de Starbucks aan de overkant van de lobby in, bestelde een espresso, liep daarmee naar een tafeltje en sloeg het blad open. Meteen trof de kop hem als een slag in het gezicht.

DIEROFFERS!

Rituele offers in de Ville
Mogelijk verband met voodoo en moord op Smithback

Door Caitlyn Kidd

D'Agosta staarde naar zijn espresso, amper genoeg om de bodem van het papieren bekertje te bedekken. Wat was er gebeurd met de voorverwarmde *demitasses* waarin ze vroeger koffie serveerden? Hij sloeg de inhoud achterover, proefde amper wat hij dronk, sloeg de krant uit en begon te lezen.

Hij moest toegeven dat het voor een artikel waar bijna niets in stond, behoorlijk goed geschreven was. De verslaggever was 's nachts samen met Nora Kelly naar de Ville gegaan, was over het hek geklommen en had de hele toestand gehoord. Daarna waren ze weggejaagd, door wie of wat bleef vaag, maar de verslaggever suggereerde dat het wezen veel had weg gehad van een zombii. Vervolgens speculeerde de journalist over de vraag waarom het gemeentebestuur had toegestaan dat er een openbare weg was afgesloten en of hier wetten inzake dierenbescherming werden geschonden. Smithbacks artikel over de Ville werd geciteerd, en er waren beschrijvingen van de *vévé* die voorafgaand aan de moord bij zijn voordeur waren achtergelaten, en van het rare spul dat op de plaats-delict was aangetroffen. Ook werd een gepeperde uitspraak aangehaald van het hoofd van een groepering ter bevordering van dierenwelzijn. De verslaggever maakte geen rechtstreekse toespelingen op een verband tussen de Ville en de moord op Smithback, maar de teneur van het artikel was onmiskenbaar: Smithback was begonnen met zijn serie over dieroffers en hij had meer willen publiceren over dit onderwerp. En tot slot was er een regel waarin hij bij naam genoemd werd, typisch iets voor dit soort rioolpers: 'Inspecteur Vincent D'Agosta, hoofd van het onderzoek inzake de moord op Smithback, was ondanks herhaalde pogingen tot contact niet beschikbaar voor commentaar.'

Herhaalde pogingen. Zijn mobieltje stond nondeju dag en nacht aan en na werktijd stond zijn nummer op het bureau automatisch doorgeschakeld naar zijn mobiel. Nu hij erbij stilstond had dat mens, Kidd, hem misschien inderdaad een- of misschien zelfs tweemaal gebeld, maar wie heeft er nou tijd om iedereen terug te bellen? Herhaalde pogingen, m'n reet. Tweemaal, hoogstens. Oké, vooruit dan: driemaal. Meer niet.

Nu wist hij precies waarom Laura Hayward gebeld had.

Dat vorige artikel, over voodoo, had kant noch wal geraakt. Maar dit hier had meer om het lijf, en die deerniswekkende beschrijving van het blatende dier dat gedood werd, was bijzonder doeltreffend. Dierenliefhebbers zouden door het lint gaan, wist hij.

De begintonen van de filmmuziek van *The Good, the Bad and the Ugly* klonken door de koffieshop. D'Agosta greep zijn mobiel, klapte hem open en liep de gang in.

De commissaris.

'Zo spreken we elkaar nog eens,' zei de commissaris.

'Inderdaad.'

'Ik neem aan dat je dat stuk in de *West Sider* gelezen hebt?'

'Inderdaad, commissaris.' Hij probeerde respect in zijn toon te leggen, alsof het gesprek van de vorige dag nooit plaatsgevonden had.

'Zo te zien heb je met Kline de verkeerde te grazen genomen, nietwaar, inspecteur?'

'Voorlopig houd ik bij dit onderzoek alle opties open.'

Een gegrom. 'Wat denk jij? Ville of Kline?'

'Zoals ik al zei, beide aanwijzingen worden nagetrokken.'

'Die toestand is behoorlijk uit de hand aan het lopen. De burgemeester maakt zich zorgen. Ik ben net gebeld door de *News* en de *Post*. Die opmerking dat jij niet beschikbaar was voor commentaar... Kijk eens, je moet je beschikbaar houden. Je moet mensen geruststellen, vragen beantwoorden.'

'Ik zal een persconferentie regelen.'

'Goed idee. Twee uur lijkt me een geschikte tijd. Richt je op de Ville. En laat Kline erbuiten.' Een geknetter, en de verbinding was verbroken.

D'Agosta liep de Starbucks weer in. 'Een vierdubbele espresso,' zei hij. 'Om mee te nemen.'

30

D'Agosta had het toch al niet zo op persconferenties, maar ditmaal was het een extra zware klus. Er viel weinig te vertellen, en wat er te zeggen was, klonk volslagen ongeloofwaardig. Terwijl hij door de openstaande deur de vergaderzaal in keek, waar alle stoelen bezet waren en verslaggevers, fotografen en ambtenaren door elkaar heen zaten te tetteren, kwam hoofdcommissaris Rocker naast hem staan. 'Bent u zover met uw verklaring, inspecteur?'

'Jazeker, commissaris.' D'Agosta wierp hem een blik toe. Rocker had zijn gebruikelijke donkere pak aan, met een NYPD-speldje op een van de revers. De commissaris beantwoordde zijn blik. Zijn ogen stonden nog vermoeider dan anders.

'Je weet wat ik gezegd heb: geen woord over Kline.'

D'Agosta slikte moeizaam. Die koffie haalde geen bal uit: een dubbele whisky, daar had hij behoefte aan. Hij was sowieso niet van plan geweest Klines naam te noemen. Hij had geen zin om te worden aangeklaagd wegens smaad.

Toen ze de zaal in liepen en het podium betraden, leek het geroezemoes nog luider te worden. Lichtexplosies knalden door de kamer toen een tiental camera's flitsten. De commissaris liep naar de lessenaar en hief zijn handen in een verzoek om stilte. Het duurde een halve minuut voordat men zweeg. Toen schraapte de commissaris zijn keel.

'Inspecteur D'Agosta, die de leiding heeft over het onderzoek naar de moord op Smithback, zal kort iets zeggen over de voortgang van zijn onderzoek. Daarna is er gelegenheid tot het stellen van vragen. Voordat ik inspecteur D'Agosta het woord geef, wil ik u echter met klem verzoeken over deze zaak op verantwoordelijke wijze te berichten. Dit is een uitzonderlijk sensationeel misdrijf en de sfeer in New York is dus toch al gespannen. Extra onrust kan alleen maar verdere schade aanrichten. En als ik u dan nu het woord mag geven, inspecteur?'

'Dank u.' Met knikkende knieën liep D'Agosta op de microfoon af. Hij keek naar de zee van gezichten en slikte moeizaam. 'Zoals u allen weet,' begon hij, 'is er een week geleden een moord gepleegd. Op William Smithback, een inwoner van Upper West Side. Een politieteam onder mijn leiding is bezig met een grootschalig onderzoek. In het kader daarvan hebben we een aantal onderzoekslijnen geopend. We volgen meerdere aanwijzingen, en we hebben er alle vertrouwen in dat de daders zeer binnenkort zullen worden gevonden en aangehouden. Intussen verzoeken we eenieder die waardevolle informatie kan geven, onmiddellijk contact op te nemen met de NYPD.' Hij zweeg even. 'En dan is er nu tijd voor vragen.'

Meteen begon het geroezemoes weer. D'Agosta hief zijn handen in een gebaar om orde. 'Stilte, graag!' zei hij in de microfoon. 'Stilte!' Hij deed een stap achteruit en wachtte tot de rust hersteld was. 'Dank u. U daar, vooraan.' Hij knikte naar een vrouw van middelbare leeftijd met een gele blouse aan.

'Wat kunt u ons over die Ville vertellen? Doen ze daar werkelijk aan dieroffers?'

'Er zijn rond die locatie diverse klachten binnengekomen over van dieren afkomstige geluiden. Dit is een van de terreinen die we momenteel aan het onderzoeken zijn. Ik wil hieraan toevoegen dat we geen rechtstreeks verband hebben gevonden tussen de Ville en de zaak-Smithback.'

'Nu we het toch over Smithback hebben,' vervolgde de vrouw, 'zijn de resultaten van de lijkschouwing al binnen? Wat was de doodsoorzaak?'

'De doodsoorzaak was een steekwond in het hart.'

Hij liet zijn blik over de menigte waren: de opgestoken handen, de lichten en camera's en digitale recorders. Het was vreemd om

Smithback niet onder die enthousiaste gezichten te zien, roepend en gebarend, zijn kuif wuivend op zijn hoofd.

'Ja,' zei hij tegen een man op de derde rij, met een grote, kleurige vlinderdas om.

'Weet u al wie de moord op Smithback heeft gepleegd? Was het zijn buurman, Fearing?'

'Fearing was zijn buurman niet. Hij woonde in hetzelfde gebouw. We zijn nog bezig met het onderzoek, maar voorlopig wijst alles erop dat Fearing inderdaad onze bijzondere aandacht verdient. Momenteel is hij op vrije voeten en wordt hij beschouwd als voortvluchtig.' *Als een mogelijke dooie tenminste voortvluchtig kan zijn.*

'Wat is het verband tussen Fearing en de Ville?'

'We hebben nog geen verband gelegd tussen Fearing en de Ville.'

Dit ging beter dan hij gehoopt had: gezien de omstandigheden leek de pers beheerst, bijna respectvol. Hij knikte naar een andere opgestoken hand.

'En die doorzoeking van Klines kantoor. Is Kline een van de verdachten?'

'Kline wordt momenteel niet verdacht.' D'Agosta meed zorgvuldig Rockers blik. Jezus, hoe kwam het toch dat de pers altijd alles wist?

'Vanwaar dan die huiszoeking?'

'Sorry, op dat aspect van het onderzoek kan ik niet ingaan.'

Hij begon een andere journalist aan te wijzen, maar plotseling klonk er een stem boven de anderen uit. Met gefronste wenkbrauwen draaide D'Agosta zich die kant uit. Op een van de voorste rijen was een man opgestaan: lang, nogal ballerig zo te zien, met kort, donkerblond haar, een conservatieve stropdas en een kuil in zijn kin waar je een fiets in kon parkeren.

'Ik wil wel eens weten wat er voor échte vooruitgang is geboekt,' zei hij met luide stem. De vraag was zo vaag maar tegelijkertijd zo agressief dat D'Agosta even met zijn mond vol tanden stond.

'En u bent...?' vroeg hij.

'Bryce Harriman,' zei de man. 'Van *The Times*. Een collega, iemand uit het journalistenkorps van New York, mijn goede vriend Bill Smithback, is op brute wijze vermoord. Een week geleden. Ik zal mijn vraag anders formuleren: waarom is er nog maar zo weinig echte voortgang geboekt?'

Er ging een geroezemoes op. Een paar hoofden knikten instemmend.

'We hébben echte voortgang geboekt. Ik kan hier uiteraard niet alle details bespreken.' D'Agosta wist hoe slap dat klonk, maar meer kon hij er niet van maken.

Harriman luisterde niet eens. 'Dit was een aanval op een journalist die niets meer deed dan zijn werk,' beweerde hij met aplomb. 'Een aanval op ons, op ons beroep.'

Het instemmende geprevel nam toe. D'Agosta wilde iemand anders aanwijzen, maar Harriman weigerde zich het zwijgen te laten opleggen. 'Wat is er aan de hand in de Ville?' wilde hij weten.

'Zoals ik al zei, er is geen enkel bewijs dat de Ville...'

Harriman onderbrak hem. 'Waarom mogen ze daar gewoon doorgaan met openlijke marteling van, en moord op, dieren? En wie weet of ze het bij dieren laten? Inspecteur, u moet zich er toch van bewust zijn dat een boel New Yorkers met dezelfde vraag worstelen: waarom onderneemt de politie helemaal níéts?'

En meteen was er opschudding in de zaal en stond hij tegenover een boze, gesticulerende, roepende massa. Terwijl de verslaggevers een voor een overeind kwamen, ging Harriman weer zitten. Er lag een zelfgenoegzame blik op zijn aristocratische gezicht.

31

De Rolls reed een breed, wit hek door en vervolgde zijn pad over een met kinderkopjes geplaveide oprit met aan weerszijden een rij eeuwenoude eiken, tot ze plotseling uitkwamen bij een enorme villa met een stel bijgebouwen: een koetshuis, een tuinhuisje, een kas en een joekel van een roodgeschilderde houten schuur, gebouwd op oude stenen fundamenten. Daarachter liep een uitgestrekt gazon door tot aan het water van Long Island Sound, dat in het ochtendlicht lag te glinsteren.

D'Agosta floot even. 'Jezus, niet slecht.'

'Zeker niet. En hiervandaan zien we niet eens het personeels-huis, de landingsplaats voor de helikopter en de forellenvijver.'

'Vertel me nog even wat we hier ook alweer doen?' vroeg D'Agosta.

'De heer Esteban heeft nogal luidkeels geklaagd over de Ville. Ik zou zijn gevoelens over die plek graag uit zijn eigen mond op-tekenen.'

Op Pendergasts aanwijzing bracht Proctor het voertuig tot stil-stand voor de schuur. De schuurdeuren stonden wijd open, en zon-der iets te zeggen stapte de FBI'er snel uit en verdween de enorme ruimte in.

'Hé, het huis is die kant...' D'Agosta's stem viel weg. Hij keek nerveus om zich heen. Wat was Pendergast nu weer van plan?

Hij hoorde het geluid van houthakken. Het lawaai hield op en even later kwam er een man van achter de houtopslag vandaan, met een bijl in zijn hand. Tegelijkertijd dook Pendergast op van-uit de donkere schuur.

Zonder de bijl neer te leggen kwam de man naar de auto toe lopen.

'Daar hebben we de landjonker in eigen persoon,' mompelde D'Agosta toen Pendergast naast hem stond.

Het was een boomlange man, met een kort peper-en-zoutkleu-rig baardje, lang haar dat tot over zijn kraag viel, en een kale plek bovenop. Afgezien van zijn haar had hij een levende reclame kun-nen zijn voor een duur kledingmerk: slank en fit ogend, kaki broek keurig in de plooi, geruit overhemd, werkhandschoenen aan. Hij veegde een paar houtkrullen van zijn overhemd, slingerde de bijl over zijn schouder en trok een handschoen uit om hun de hand te schudden.

'Wat kan ik voor u doen?' vroeg hij met een welluidende stem.

Pendergast hield hem zijn badge voor. 'Special agent Pendergast, Federal Bureau of Investigation, en inspecteur Vincent D'Agosta, NYPD, afdeling Moordzaken.'

De man kneep zijn ogen samen en tuurde met getuite lippen naar het identiteitsbewijs. Na een tijdje keek hij op, en zijn blik viel op de Rolls. 'Aardige surveillancewagen, moet ik zeggen.'

'Er wordt nogal gesneden in het budget,' antwoordde Pender-gast. 'Maar we behelpen ons.'

'Aha.'

'U bent Alexander Esteban?' informeerde D'Agosta.

'Inderdaad.'

'Dan willen we u graag een paar vragen stellen, als u een momentje hebt?'

'Hebt u een gerechtelijk bevel?'

'We willen uw hulp inroepen bij het onderzoek naar de moord op William Smithback, de journalist van *The New York Times*,' zei Pendergast. 'Ik zou het op prijs stellen als u antwoord zou geven op onze vragen.'

De man knikte en streek over zijn baard. 'Smithback, die kende ik wel. Zegt u het maar.'

'U produceert films, nietwaar?' vroeg Pendergast.

'Vroeger, ja. Tegenwoordig ben ik voornamelijk bezig met goede doelen.'

'Ik las het artikel over u in *Mademoiselle* waarin u de "moderne Cecil B. DeMille" wordt genoemd.'

'Geschiedenis is mijn passie.' Esteban lachte even met valse bescheidenheid.

Plotseling schoot het D'Agosta te binnen: Esteban was die vent van die kakelbonte, melodramatische spektakelfilms. De laatste daarvan had hij samen met Laura Hayward gezien: *Breakout Sing Sing*, over de beruchte uitbraak van drieëndertig gevangenen, begin jaren zestig. Ze hadden er geen van beiden veel aan gevonden. En er was er nog een die hij zich vaag herinnerde: *De laatste dagen van Marie Antoinette*.

'Maar waar wij meer naar op zoek zijn, is de organisatie die u tegenwoordig runt. Mensen voor Andere Dieren, als ik me niet vergis?'

Hij knikte. 'MAD, inderdaad. Hoewel ik voornamelijk de spreekbuis ben, zeg maar. Een bekende naam die zich inzet voor de zaak.' Hij glimlachte. 'Rich Plock heeft de leiding.'

'Aha. En u had contact met de heer Smithback over die serie die hij wilde schrijven over de Ville des Zirondelles, in de volksmond de Ville genaamd?'

'Onze organisatie maakt zich zorgen over verhalen dat daar dieroffers plaatsvinden. Dat is al een hele tijd gaande, en er wordt niets aan gedaan. Ik heb met alle dagbladen contact opgenomen, waar-

onder de *Times*, en uiteindelijk heeft de heer Smithback me terug-
gebeld.'

'Wanneer was dat?'

'Eens kijken... als ik me niet vergis was dat zo'n beetje een week
voordat zijn eerste artikel in de krant stond.'

Pendergast knikte en leek verder geen vragen meer te hebben.
D'Agosta nam het over. 'Kunt u daar iets meer over vertellen?'

'Smithback belde me en vroeg of ik hem in de stad wilde treffen. Wij hadden wat informatie over de Ville: klachten van buurt-
bewoners, ooggetuigenverslagen van levende dieren die daar werden afgeleverd, verkoopbonnen, dat soort zaken. Daarvan heb ik
hem kopieën gegeven.'

'Was daar echt bewijs bij?'

'Massa's! Al jarenlang horen inwoners van Inwood dat daar dieren worden gemarteld en gedood. En de gemeente doet daar niets
aan, vanwege een of andere politiek correcte opvatting over vrijheid
van godsdienst of dat soort onzin. Begrijp me niet verkeerd, ik ben
een groot voorstander van vrijheid van godsdienst, maar niet als dat
inhoudt dat er dieren gemarteld en om zeep gebracht worden.'

'Heeft Smithback bij uw weten vijanden gemaakt met de publicatie van dat eerste artikel over dieroffers?'

'Daar ben ik wel zeker van. Net als ikzelf trouwens. Het is een
stel fanaten, daar in de Ville.'

'Hebt u daar ook specifieke informatie over? Iets wat iemand
tegen hem gezegd heeft, dreigtelefoontjes of e-mails aan u of aan
hem gericht, iets in die trant?'

'Ik heb één keer iets per post ontvangen, een soort amulet of zo.
Dat heb ik weggegooid. Geen idee of dat afkomstig was van de
Ville, hoewel het pakketje een poststempel van Upper Manhattan
had. Die mensen zijn nogal op zichzelf. Een uitermate vreemd stel.
Eenzelvig en eigenaardig, en dat is dan nog mild uitgedrukt. En ze
zitten sinds jaar en dag op dat stuk grond daar.'

D'Agosta wreef met zijn voet over de keitjes en vroeg zich af
wat hij verder nog kon vragen. Esteban had nog niet veel gezegd
dat ze niet allang wisten.

Plotseling deed Pendergast zijn mond weer open. 'Schitterend
landgoed hebt u hier, meneer Esteban. Houdt u ook paarden?'

'Geen sprake van. Ik doe niet aan dierenslavernij.'

'Honden?'

'Dieren horen in het wild te leven. Die moet je niet vernederen in dienst van de mens.'

'Bent u vegetariër, meneer Esteban?'

'Uiteraard.'

'Bent u getrouwd? Kinderen?'

'Gescheiden, geen kinderen. Kijk eens even...'

'Waarom bent u vegetariër?'

'Omdat het onethisch is om dieren te doden, enkel en alleen om onze vraatzucht te bevredigen. Bovendien is het slecht voor de planeet, is het een verspilling van energie en is het een moreel schandaal zolang er miljoenen mensen verhongeren. Net als die walgelijke auto van u – sorry, het is niet bedoeld als belediging, maar er is geen enkel excuus voor dit soort voertuigen.' Esteban kneep afkeurend zijn lippen samen, en even deed zijn gezicht D'Agosta denken aan een van de nonnen, die hem vroeger op school altijd op de vingers tikte als hij tijdens de les had gepraat. Hij vroeg zich af hoe Pendergast dit zou opvatten, maar diens gezicht bleef volledig onaangedaan.

'Er zijn heel wat mensen in New York die een godsdienst aanhangen waarin dieroffers kunnen plaatsvinden,' zei hij. 'Vanwaar die concentratie op de Ville?'

'Dat is het meest flagrante en hardnekkige voorbeeld. We moeten ergens beginnen.'

'Hoeveel mensen zitten er bij uw organisatie?'

Esteban keek even gegeneerd. 'Eh... Rich kan u de exacte aantallen geven, maar volgens mij zijn het er een paar honderd.'

'Hebt u de recente artikelen in de *West Sider* gelezen, meneer Esteban?'

'Jazeker.'

'Wat vindt u ervan?'

'Volgens mij is die verslaggever iets op het spoor. Zoals ik al zei: die mensen zijn gestoord. Voodoo, obeah... Ik heb me laten vertellen dat ze daar niet eens mógen zitten, dat het eigenlijk krakers zijn. De gemeente zou ze moeten laten uitzetten.'

'Waar moeten ze dan heen?'

Esteban lachte even. 'Wat mij betreft gaan ze regelrecht naar de hel.'

'U vindt het dus in orde om mensen in de hel te martelen, maar niet om dat met dieren op aarde te doen?'

De lach bestierf op Estebans gezicht. Vorsend keek hij de agent aan. 'Dat is gewoon een zegswijze, meneer...?'

'Pendergast.'

'Meneer Pendergast. Zijn we dan nu klaar?'

'Volgens mij niet.'

Met verbazing hoorde D'Agosta de plotselinge irritatie in Pendergasts stem.

'Nou, ík ben wel klaar.'

'Gelooft u in *vôdou*, meneer Esteban?'

'Wilt u weten of ik geloof dat mensen aan voodoo doen, of wilt u weten of ik erin geloof?'

'Beide.'

'Volgens mij doen die idioten daar in de Ville aan voodoo. Denk ik dat ze mensen opwekken uit de dood? Wie zal het zeggen? Dat maakt mij niet uit. Ik wil ze gewoon weg hebben.'

'Wie financiert uw organisatie?'

'Het is mijn organisatie niet. Ik ben gewoon lid. We krijgen een groot aantal kleine donaties, maar om de waarheid te zeggen ben ik de grootste bron van inkomsten.'

'Is dit een organisatie met vrijstelling van belastingafdracht?'

'Ja.'

'Hoe komt u aan uw geld?'

'Ik heb goed geboerd in de filmbusiness – maar eerlijk gezegd zie ik niet in wat u daarmee te maken hebt.' Esteban liet de bijl van zijn schouder glijden. 'Uw vragen hangen als los zand aan elkaar en komen me zinloos voor, meneer Pendergast, en ik begin er genoeg van te krijgen. Wilt u dus zo vriendelijk zijn in dat benzineslurpende monster van u te klimmen en van mijn terrein te verdwijnen?'

'Met het grootste genoegen.' Pendergast maakte een halve buiging en klom met een vage glimlach op zijn gezicht de Rolls in. D'Agosta volgde zijn voorbeeld.

Op weg terug naar de stad ging D'Agosta even verzitten en trok een gezicht. 'Wat een zelfgenoegzame lamlul. Ik wil wedden dat hij maar wat graag een enorme biefstuk verorbert als niemand het ziet.'

Pendergast had in gedachten verdiept uit het raampje zitten kijken. Bij deze woorden draaide hij zich om. 'Vincent, volgens mij is dat de slimste opmerking die ik je vandaag heb horen maken.' Hij haalde een piepschuimen bakje uit zijn zak, haalde het deksel eraf en gaf het aan D'Agosta. Er zat een bloederig stukje absorberend papier in, tweemaal dubbelgevouwen, met een etiketje op een stuk afgescheurd verpakkingsplastic. Het rook naar ranzig vlees.

D'Agosta deinsde achteruit en gaf het snel terug. 'Wat is dat in godsnaam?'

'Dat heb ik in de vuilnisbak in de schuur gevonden. Volgens dit etiket heeft hier ooit een stuk lamszadel in gezeten, twaalf negenennegentig per pond.'

'Dat meen je niet.'

'Uitermate betaalbaar voor zo'n stuk lam. Ik had hem bijna gevraagd waar hij zijn vlees betrekt.' En met die woorden deed Pendergast het bakje weer dicht, zette het op de leren bekleding tussen hen in, leunde achterover en ging weer naar het voorbijschietende landschap zitten kijken.

32

Met een angstig voorgevoel sloeg Nora Kelly bij Fifth Avenue de hoek om en liep ze West 53rd Street op. Voor haar wervelde bruin en geel loof langs de ingang van het museum voor moderne kunst. Het was al schemerig en de lucht had iets fris, een voorbode van de komende winter. Ze had vanuit haar eigen museum een omslachtige route genomen: eerst een stadsbus door het park, daarna de metro – in de krankzinnige hoop dat er iets zou gebeuren, panne of een file, dat haar een excuus zou bezorgen om niet naar de ophanden zijnde bezoeking te gaan. Maar het openbaar vervoer was akelig efficiënt geweest.

En nu was ze nog maar enkele passen van haar bestemming verwijderd.

Op eigen initiatief vertraagden haar voeten en bleven ze staan. Ze opende haar tas en haalde de roomwitte envelop eruit, met de hand geadresseerd aan WILLIAM SMITHBACK JR. EN GAST. Ze pakte de kaart en las die misschien wel voor de honderdste keer.

U bent van harte uitgenodigd voor de
honderdzevenentwintigste uitreiking
van de jaarlijkse persprijs van de
Gotham Press Club
25 West 53rd Street, New York City
15 oktober, 19.00 uur

Ze was bij talloze van dergelijke gelegenheden aanwezig geweest – zo'n avond verliep altijd volgens hetzelfde stramien: sloten drank, veel geroddel en het gebruikelijke gesnoef van journalisten onder elkaar. Ze had er nooit iets aan gevonden. En ditmaal zou het nog erger zijn dan anders, veel en veel erger. Kneepjes in haar hand, gefluisterd medeleven, blikken van mededogen... ze werd al beroerd als ze eraan dacht. In het museum had ze er alles aan gedaan om precies dit soort dingen te vermijden.

Maar ze moest het doen. Bill kreeg een eervolle vermelding voor een van de prijzen. Of die had hij zullen krijgen. En hij was dol op dit soort drankfestijnen onder collega's. Het leek een gebrek aan respect om ditmaal niet te gaan. Ze haalde diep adem, borg de uitnodiging weer in haar tas en beende verder. Ze was nog steeds geschokt door het bezoek aan de Ville van twee avonden tevoren: het afgrijselijke blaten van de geit, het gevaarte dat hen achterna had gezeten. Was dat Fearing geweest? Omdat ze daar niet zeker van was, had ze niets tegen D'Agosta gezegd. Maar de herinnering liet haar niet los, bezorgde haar nog steeds de zenuwen. Misschien was dit precies wat ze nodig had: een avondje uit, mensen zien, de zaak achter zich laten.

De Gotham Press Club, de persclub van de stad New York, was gevestigd in een smal gebouw dat werd geplaagd door een gevel van overdreven barok marmerwerk. Nora liep de trap op, de bronzen deuren door. Ze gaf haar jas af bij de garderobe en kreeg een nummertje in ruil. Een eind verderop, in de Horace Greeley Banketzaal, hoorde ze muziek, gelach en gerinkel van glazen. Het gevoel van angst nam toe. Ze hees haar tas steviger over haar schouder, liep het dikke rode tapijt over en ging de zaal in.

De avond was een uur geleden van start gegaan, en de enorme ruimte was bomvol. Het rumoer van stemmen was oorverdovend, want iedereen probeerde de anderen te overstemmen om te garanderen dat er geen *bon mot* onopgemerkt bleef. Langs de muren was minstens een handvol bars opgesteld: dit soort journalistieke evenementen stonden bekend als ware bacchanalen. Langs de rechterwand was een tijdelijk podium opgericht, gepavoiseerd met een rij microfoons. Ze manoeuvreerde zich tussen de menigtes door, weg van de deur naar de andere kant van de zaal. Als ze zich in een afgelegen hoekje kon parkeren, kon ze het geheel misschien vreedzaam gadeslaan zonder dat ze aan de lopende band...

Alsof het afgesproken werk was, onderstreepte iemand in de menigte zijn opmerking met een breed armgebaar, waarbij hij haar in de ribben porde. Hij draaide zich om en keek haar even boos aan, maar herkende haar bijna meteen. Het was Fenton Davies, Bills baas bij de *Times*. In een halve kring om hem heen stond een stelletje collega's van Bill.

'Nora!' riep hij uit. 'Wat goed dat je gekomen bent. We vinden het allemaal zo vreselijk, zo ontzéttend erg voor je. Bill was een van de besten: een uitmuntend journalist en een fantastisch mens.'

Daar stemde de kring van verslaggevers van harte mee in.

Nora keek naar de meelevende gezichten. Ze kon amper de neiging onderdrukken om weg te hollen. Ze dwong zich tot een glimlach. 'Dank je. Goed om te horen.'

'Ik heb geprobeerd je te bellen. Heb je mijn berichten gekregen?'

'Ja, sorry. Er valt momenteel zo verschrikkelijk veel te regelen...'

'Natuurlijk, natuurlijk! Dat begrijp ik. Er is geen haast bij. Het is alleen...' Hier dempte Davies zijn stem, boog zich naar haar over en zei in haar oor: '... de politie is bij ons langs geweest. Ze schijnen te denken dat het iets te maken had met zijn werk. Als dat zo is, dan moeten wij bij de *Times* dat weten.'

'Ik zal je zeker bellen als... als ik het allemaal iets beter aankan.'

Davies rechtte zijn rug en vervolgde op normale toon: 'Verder hebben we het gehad over iets om Bills nagedachtenis in ere te houden. De William Smithback-prijs, of iets in die richting. Ook daar willen we het met je over hebben, zodra je zover bent.'

'Uitstekend.'

'We zetten het idee hier en daar in de week, we proberen sponsors te vinden. Misschien kan het zelfs deel gaan uitmaken van dit jaarlijkse evenement.'

'Geweldig. Dat zou Bill zeer gewaardeerd hebben.'

Davies voelde even aan zijn kale plek en knikte met een tevreden gezicht.

'Ik haal even wat te drinken,' zei Nora. 'Ik spreek jullie dadelijk nog.'

'Zal ik even...' begon een koor van stemmen.

'Nee, dank je. Tot zo.' En met een laatste glimlach glipte Nora de menigte in.

Ze zag kans de achterwand te bereiken zonder verder nog iemand tegen het lijf te lopen. Bij de bar probeerde ze op adem te komen. Ze had nooit moeten komen. Net toen ze iets te drinken wilde bestellen, voelde ze een hand op haar arm. Ontzet draaide ze zich om, maar het was Caitlyn Kidd.

'Ik had geen idee of je zou komen,' zei de verslaggever.

'Ben je van de schrik bekomen?'

'Tuurlijk.' Maar Caitlyn zag er niet direct uit alsof ze van de schrik bekomen was: ze zag bleek en haar gezicht stond ietwat betrokken.

'Ik mag de eerste prijs uitreiken, namens de *West Sider*,' zei Caitlyn. 'Dus ik moet nu het podium op. Laten we proberen elkaar even te spreken voor je weggaat. Ik heb een idee voor onze volgende zet.'

Nora draaide zich weer om naar de barkeeper, bestelde een drankje en trok zich terug naar een plek bij de boekenkasten die de achterwand bedekten. Daar, tussen een buste van Washington Irving en een gesigneerde foto van Ring Lardner, keek ze naar de rumoerige menigte terwijl ze een slokje van haar cocktail nam.

Ze keek naar het podium. Interessant dat de *West Sider* een van de prijzen uitloofde. Ongetwijfeld probeerden ze de status van roddelblad te ontgroeien en een iets serieuzere reputatie op te bouwen. Trouwens ook interessant dat Caitlyn de prijs mocht overhandigen...

Boven het rumoer uit hoorde ze iemand haar naam roepen. Met gefronst voorhoofd speurde ze de menigte af. Daar kwam het geluid vandaan: een man van een jaar of veertig die naar haar stond te wuiven. Even had ze geen flauw idee. Maar plotseling herinnerde ze zich de aristocratische trekken en de yuppenoutfit van Bryce Harriman, de gezworen vijand van haar man tijdens Bills jaren bij de *Post* en *The Times*. Er stonden tientallen mensen tussen hen in, en het zou hem ettelijke minuten kosten om zich een weg naar haar toe te banen.

Ze was tot veel bereid, maar er waren grenzen. Ze zette haar halflege glas op een tafeltje, dook weg achter een gezette man die niet ver van haar vandaan stond en liep de menigte in, zodat Harriman haar uit het oog verloor.

Op dat moment werden de lichten gedimd en liep er iemand het podium op. De muziek zweeg en het geroezemoes stierf weg.

'Dames en heren!' riep de man, en hij greep met zijn handen de lessenaar. 'Welkom op de ceremonie van de jaarlijkse prijsuitreikingen van de Gotham Press Club. Mijn naam is McGeorge Oddon en ik ben dit jaar voorzitter van de voordrachtscommissie. Het doet me enorm plezier u hier allen te zien. We hebben een geweldige avond voor u in petto.'

Nora zette zich schrap voor een ellenlange introductie vol anekdotes over hemzelf en flauwe grappen.

'Ik zou hier maar al te graag misplaatste moppen gaan staan tappen en over mezelf praten,' zei Oddon. 'Maar we hebben vanavond een massa prijzen uit te reiken, dus laten we maar meteen beginnen!' Hij viste een kaartje uit de zak van zijn jasje en las dat snel. 'Onze eerste prijs wordt dit jaar voor het eerst uitgereikt: de Jack Wilson Donohue-prijs voor onderzoeksjournalistiek, gesponsord door de *West Sider*. En deze prijs, een geldbedrag van vijfduizend dollar, zal namens de *West Sider* worden uitgereikt door het toonbeeld van gemeenschapsjournalistiek in eigen persoon: Caitlyn Kidd!'

Caitlyn klom het podium op onder een koor van applaus, rauwe kreten en een paar snerpende fluitjes. Ze schudde Oddon de hand en plukte een van de microfoons van zijn standaard. 'Dank je, McGeorge,' zei ze. Ze leek iets nerveus ten overstaan van zo'n menigte, maar haar stem klonk helder en sterk. 'De *West Sider* is even jong als deze club oud is,' begon ze. 'Volgens sommigen té jong. Maar ik moet zeggen, onze krant is echt ontzéttend blij deel uit te mogen maken van deze avond. En met deze nieuwe prijs geven we aan hoezeer we dat menen!'

Een waterval van gejuich.

'Er zijn heel wat onderscheidingen voor uitstekend journalistiek werk,' vervolgde ze. 'De meeste daarvan concentreren zich op de kwaliteit van het gedrukte woord. Of misschien op het vermogen, op het juiste moment met de juiste publicaties te komen. Of, als ik zo vrij mag zijn, op de politiek correcte inhoud.'

Gejoel, gekreun, boegeroep.

'Maar wat te denken van een beloning voor pure moed? Voor de moed om te blijven doen wat nodig is tot het verhaal rond is; om het zo snel mogelijk zo goed mogelijk op te schrijven. Voor het feit dat iemand, om het zo maar eens te zeggen, klóten aan zijn lijf heeft.'

Ditmaal schudde de zaal van het geroep en applaus.

'Want daar gaat het bij *West Sider* om. Inderdaad, wij zijn een nieuwe krant. Maar dat maakt ons des te enthousiaster.'

Terwijl het laatste gejuich wegstierf, ontstond er verderop in de zaal opnieuw commotie.

'En het is dus niet meer dan terecht dat juist de *West Sider* deze nieuwe beloning uitlooft!'

Er rimpelde een eigenaardige huivering, iets als een ademloos kreunen, door de zaal. Nora fronste haar wenkbrauwen en keek boven de zee van kruinen uit. Ergens bij de ingang deinsde de menigte achteruit, zodat er een pad vrijkwam. Er werd naar adem gehapt, hier en daar klonken kreten van ontzetting.

Wat was er in vredesnaam aan de hand?

'En met die woorden wil ik...' Caitlyn onderbrak zichzelf halverwege een zin toen ook zij het opmerkte. Ze keek naar de ingang. 'Eh... momentje graag...'

De eigenaardige rimpeling in de mensenmassa dijde uit, en er ontstond een open pad in de richting van het podium. Het middelpunt werd gevormd door iets waar mensen van leken te schrikken. Gegil, onsamenhangende kreten. Tot de zaal plotseling, en dat was nog het allervreemdste, stilviel.

In de stilte zei Caitlyn Kidd: 'Bill? *Smithback?*'

De gestalte strompelde voorwaarts, op het podium af. Met open mond keek Nora ernaar, tot ze plotseling overweldigd werd door een fysiek ongeloof.

Het was Bill. Hij had een loshangend groen ziekenhuishemd aan, open op de rug. Zijn huid was afgrijselijk bleek, en zijn gezicht en handen zaten onder het aangekoekte bloed. Hij was afzichtelijk, afgrijselijk, veranderd: een verschijning vanuit het onbekende, een verschijning die tot haar ontzetting sprekend leek op datgene wat haar uit de Ville verjaagd had. Maar die kuif die overeind stak vanuit het klitterige haar dat op zijn hoofd vastkleefde... die was onmiskenbaar, evenals de lange, magere armen en benen.

'God,' hoorde Nora zichzelf kreunen. 'O, god...'

'Smithback!' krijste Caitlyn met schelle stem.

Nora stond als aan de grond genageld. Caitlyn gilde, een kreet die als een scheermes door de zaal heen sneed. 'Jíj bent het!' riep ze.

De gestalte klom het podium op. Hij bewoog zich schuifelend, onzeker. Zijn handen hingen slap langs zijn zijde. In een daarvan had hij een zwaar mes; het lemmet was amper zichtbaar onder een dikke laag aangekoekt vuil.

Caitlyn deinsde achteruit en krijste nu van puur afgrijzen.

Verstard zag Nora hoe de gestalte van haar echtgenoot de laatste trede op klom en over het podium heen wankelde.

'Bill!' zei Caitlyn, en ze kromp ineen tegen de lessenaar, haar stem amper hoorbaar boven het toenemende rumoer van de zaal uit. 'Wacht! Mijn god, nee! Ik niet! Néé...!'

De hand met het mes aarzelde, bleef even bevend in de lucht hangen. Maar daarna dook hij omlaag, Caitlyns borst in, omhoog weer, en stak weer toe, zodat er een plotselinge fontein van bloed opspoot over de smerige arm die op en neer ging, op en neer. Na een tijdje draaide de gestalte zich om en vluchtte het podium af. Nora voelde haar knieën knikken. Duisternis sloeg als een vloedgolf over haar heen tot ze niets meer zag of hoorde, en bewusteloos neerzeeg.

33

Op de galerij rook het naar katten. D'Agosta liep door tot hij flat 5D had gevonden. Hij drukte op de belknop en luisterde naar het luide gegons aan de andere kant van de deur. Er klonk een geschuifel van pantoffels, en even later kleurde het kijkgaatje donker toen er een oog tegenaan gedrukt werd.

'Wie is daar?' klonk een bevende stem.

'Inspecteur Vincent D'Agosta.' Hij hield zijn badge voor het kijkgat.

'Hou eens dichterbij, ik kan het niet lezen.'

Hij hield zijn badge vlak voor het gat.

'Kom eens dichterbij staan, dan kan ik u bekijken.'

D'Agosta ging recht voor het kijkgaatje staan.

'Wat wilt u?'

'Mevrouw Pizzetti, u en ik hebben elkaar al eerder gesproken. Ik doe onderzoek naar de moord op William Smithback.'

'Ik heb niets te maken met moordenaars.'

'Dat weet ik, mevrouw Pizzetti. Maar u had afgesproken dat u mij zou vertellen over de heer Smithback. Die heeft u een tijdje geleden geïnterviewd voor de *Times*, weet u nog?'

Een hele tijd niets. Daarna de geluiden van één, twee, drie schuifsloten die voor de deur werden weggeschoven, een ketting die werd losgemaakt en een hendel die werd weggetrokken. De deur ging op een kier open, tegengehouden door een tweede ketting.

D'Agosta hield zijn badge weer op, en een stel kraaloogjes gleed bij iedere regel van links naar rechts.

Met een geratel werd de laatste ketting weggehaald, en de deur ging open. Het oude dametje dat D'Agosta in gedachten voor zich had gezien, stond op de drempel, frêle als een antiek porseleinen theekopje, met één blauw dooraderde hand een badmantel strak om zich heen getrokken, de lippen opeengeperst. Met donkere kraalogen, zwart schitterend als die van een muis, nam ze hem van top tot teen op.

Hij stapte snel de drempel over om te voorkomen dat de deur voor zijn neus zou worden dichtgeslagen. Het was een ouderwetse flat, tropisch warm gestookt, groot en rommelig, met fauteuils waar enorme antimakassars op lagen, lampenkappen met franje, bibelots en bric-à-brac. En katten. Massa's katten.

'Mag ik?' D'Agosta wees naar een van de fauteuils.

'Wie houdt u tegen?'

D'Agosta koos de minst bol ogende stoel, maar toch zonk zijn achterwerk weg alsof hij in drijfzand was gaan zitten. Meteen sprong er een kat op de armleuning, die met gekromde rug oorverdovend begon te spinnen.

'Ga daar af, Rakker, laat die meneer met rust.' Mevrouw Pizzetti sprak met een plat New Yorks accent waarvan je de tranen in de ogen sprongen.

Uiteraard sloeg de kat geen acht op haar woorden. D'Agosta hield niet van katten. Hij gaf het dier een duwtje met zijn elleboog. Het beest begon alleen maar nog harder te spinnen in de overtuiging dat het gebaar als liefkozing bedoeld was.

'Mevrouw Pizzetti,' zei D'Agosta, terwijl hij zijn notitieboekje pakte en probeerde de kat te negeren, die uitbundig over zijn gloednieuwe, dure pak aan het verharen was. 'Als ik het goed heb, hebt u William Smithback gesproken op...' Hij keek in zijn aantekeningen. 'Op 3 oktober.'

'Ik weet niet meer wanneer het was.' Ze schudde haar hoofd. 'Het wordt allemaal steeds erger.'

'Kunt u me vertellen waar u het over gehad hebt?'

'Het had niets te maken met een moord.'

'Dat weet ik. En u bent ook beslist niet verdacht. Maar, dat gesprek met de heer Smithback...?'

'Hij had wat voor me meegebracht. Eens even kijken...' Ze begon in de flat rond te lopen, tot haar bevende hand uiteindelijk op een klein porseleinen beeldje van een poes bleef liggen. Ze bracht het naar D'Agosta en mikte het op zijn schoot. 'Dit had hij meegenomen. Chinees. Kun je op Canal Street kopen.'

D'Agosta draaide het beeldje om in zijn hand. Dit was een kant van Smithback die hij niet gekend had: cadeautjes meenemen voor oude dametjes, ook als het van die zuurpruimen waren als Pizzetti. Het was hem er natuurlijk om begonnen een interview los te peuteren.

'Mooi.' Hij zette het op een bijzettafeltje. 'Waar hebt u het met hem over gehad, mevrouw Pizzetti?'

'Over die afschuwelijke dierenmoordenaars, daarzo.' Ze gebaarde naar het raam. 'Daar in de Ville.'

'Wat hebt u hem verteld? Kunt u me dat zeggen?'

'Nou! 's Nachts hoor je dat gekrijs, als de wind deze kant uit waait. Afgrijselijke geluiden van beesten die aan stukken worden gehakt, die de hals wordt afgesneden!' Haar stem klonk luider, en in de laatste woorden klonk een zeker welbehagen door: 'Ze zouden die lui zélf de hals af moeten snijden!'

'Was er iets in het bijzonder, een bepaald voorval?'

'Ik heb hem verteld over die bestelwagen.'

Bij die woorden versnelde D'Agosta's hartslag. 'Bestelwagen?'

'Iedere week op donderdag. Je kunt er de klok op gelijkzetten. Om vijf uur vertrekt hij, en om negen uur 's avonds komt hij weer terug.'

'Vandaag is het donderdag. Hebt u hem vandaag gezien?'

'Jazeker, net als iedere donderdagavond.'

D'Agosta stond op en liep naar het raam. Dat keek uit op het westen, over de achtergevel van het gebouw. Hij had er zelf gelopen om voorafgaand aan het gesprek de buurt even te verkennen. Er was een oude weg te zien, langs de sportvelden, die tussen de bomen verdween en kennelijk naar de Ville leidde.

'Vanuit dit raam hier?' vroeg hij.

'Welk raam dacht u dan? Natúúrlijk uit dat raam.'

'Heeft die bestelwagen een opschrift of iets in die trant?'

'Niet dat ik zien kan. Gewoon, een witte bestelwagen.'

'Model, merk?'

'Van dat soort dingen heb ik geen verstand. Een witte, smerige, oude bestelwagen. Een rammelbak.'

'Hebt u de bestuurder gezien?'

'Hoe kan ik hiervandaan nou zien wie er binnen in zit? Maar als het raam 's nachts openstaat, hoor ik soms geluiden uit die wagen komen. Daardoor viel hij me in eerste instantie op.'

'Geluiden? Wat voor geluiden?'

'Geblaat. Gemekker.'

'Dierengeluiden?'

'Jazeker, dierengeluiden.'

'Mag ik?' Hij knikte naar het raam.

'Zodat die kou binnenkomt? Ik stook niet voor de hele buurt, hoor!'

'Heel even maar.' Zonder op antwoord te wachten schoof hij het raam omhoog – het liep soepel in de sponning – en leunde naar buiten. De herfstlucht was koel en stil. Het was aannemelijk dat ze geluiden uit de bestelwagen kon horen, als die geluiden hard genoeg klonken.

'Kijk eens even, als u frisse lucht nodig hebt, doet u dat maar op kosten van iemand anders!'

D'Agosta sloot het raam. 'Hoe is uw gehoor, mevrouw Pizzetti? Hebt u een gehoorapparaat?'

'Hoe is het met uw eigen gehoor, inspecteur?' snauwde ze. 'Met het mijne is niks mis.'

'Hebt u verder nog iets aan Smithback verteld, of weet u verder nog iets over de Ville?'

Ze leek te aarzelen. 'Er wordt wel gezegd dat er soms iets ronddoolt, daar achter dat hek.'

'Iets? Een dier?'

Ze haalde haar schouders op. 'En soms komen ze 's nachts naar buiten. In de bestelwagen. Dan blijven ze de hele nacht weg, en 's ochtends komen ze terug.'

'Gebeurt dat vaak?'

'Een keer of twee, drie per jaar.'

'Enig idee wat ze dan doen?'

'Jazeker. Dan gaan ze nieuwe leden ronselen. Voor hun sekte.'

'Hoe weet u dat?'

'Dat zeggen ze. De mensen die hier al lang wonen.'

'Wat voor mensen met name, mevrouw Pizzetti?'

Ze haalde haar schouders weer op.

'Kunt u me een paar namen geven?'

'O nee, ik ga hier mijn buren niet met de haren bij slepen. Ze zouden me villen.'

D'Agosta begon zijn geduld te verliezen. Wat een lastig oud mens. 'Kunt u me verder nog iets vertellen?'

'Verder weet ik niets. O ja, katten. Hij was dol op katten.'

'Pardon, wie was er zo dol op katten?'

'Die verslaggever. Smithback. Wie dacht u dan?'

Dol op katten. Smithback was goed geweest in zijn werk, hij wist hoe hij het vertrouwen van mensen kon winnen, hoe hij contact moest leggen. D'Agosta herinnerde zich dat Smithback een bloedhekel aan katten had gehad. Hij schraapte zijn keel en keek op zijn horloge. 'Dus die wagen komt over een uur terug?'

'Daar kun je donder op zeggen.'

D'Agosta liep het gebouw uit en haalde een paar maal diep adem in de nachtlucht. Stilte; een geur van dorre bladeren. Amper te geloven dat dit Manhattan Island was. Hij keek op zijn horloge: net acht uur geweest. Een paar huizen verderop had hij een café gezien. Hij zou een kop koffie nemen en gaan zitten wachten.

Exact op tijd arriveerde de bestelwagen, een Chevy Express uit '97, met alleen voorin ramen, donker getint, en een ladder naar het dak. Langzaam sloeg hij vanuit West 214th Street Indian Road op, waar hij de straat uit reed en het pad naar de Ville koos. Bij de ketting bleef hij staan.

D'Agosta telde zijn passen zo af dat hij net achter de bestelwagen liep toen het portier aan de bestuurderskant openging. Er stapte een man uit die naar het hangslot van de ketting liep en dat openmaakte. In de schemering kon D'Agosta hem niet goed zien, maar het leek hem een uitzonderlijk lange vent. Hij had een lange, bijna antiek aandoende jas aan, bijna iets uit een western. Met gebogen hoofd bleef D'Agosta staan om een sigaret te pakken en op te steken. Toen de ketting op de grond lag, kwam de man terug, stapte in de bestelwagen, reed over de ketting heen en stopte weer.

D'Agosta liet zijn sigaret vallen, sprong naar voren en zorgde dat hij achter de bestelwagen bleef, uit het zicht van de man. Hij hoorde hem de ketting weer ophijsen en het slot dichtdoen, waarna hij terugliep naar het portier. D'Agosta glipte achter de wagen vandaan, stapte gebukt op de bumper en greep de ladder beet. Dit was openbaar terrein, eigendom van de gemeente. Er was geen enkele reden waarom een wetsdienaar hier niet binnen mocht gaan, zolang hij maar geen gebouwen in particulier bezit binnenging.

De bestelwagen reed langzaam het pad over; de bestuurder was heel behoedzaam. Ze lieten de glinsterlichtjes van Manhattan achter zich en bevonden zich even later tussen de donkere, zwijgende bomen van Inwood Hill Park. Hoewel de ramen strak dichtzaten, hoorde D'Agosta overduidelijk de geluiden waar mevrouw Pizzetti het over gehad had: een koor van gejank, gemekker, gemiauw, blaffen en tokken en, nog veel afgrijselijker, het angstige hinniken van wat niets anders kon zijn dan een pasgeboren veulen. Bij de gedachte aan die deerniswekkende menagerie aan de andere kant van de laaddeur en aan het lot dat hun zonder enige twijfel wachtte, voelde D'Agosta een withete woede opborrelen.

De bestelwagen reed een heuvel over, daalde aan de andere kant af en stopte. D'Agosta hoorde de bestuurder uitstappen. Hij maakte van dat moment gebruik om van de bumper af te springen. Hij rende het bos in en liet zich in de afgevallen bladeren vallen. Hij rolde door tot hij op zijn hurken zat en keek naar de bestelwagen. De bestuurder stond een oude poort in een omheining open te maken, en heel even was zijn gezicht te zien in het schijnsel van de koplampen. Hij had een bleke huid en zijn trekken hadden iets verfijnds, bijna aristocratisch.

De wagen reed de poort door, en de man kwam weer naar buiten om het slot dicht te maken. Daarna stapte hij weer in en reed verder. D'Agosta kwam overeind en veegde met van woede bevende handen de blaadjes van zijn pak. Nu kon niets hem nog tegenhouden, niet met al die dieren die gevaar liepen. Hij was een dienaar der wet tijdens de uitoefening van zijn ambt. Als inspecteur van Moordzaken droeg hij normaal gesproken geen uniform; hij pakte zijn badge en speldde die op zijn revers, en daarna klom hij over de omheining en liep de weg af, waar de achterlichten van de bestelwagen waren verdwenen. De weg maakte een bocht; verderop zag hij de vage omtrekken van de toren van een groot, lelijk kerkgebouw, omringd door een slordige groep vale lichtjes.

Even later bleef hij midden op de weg staan en draaide zich om. Hij tuurde het donker in: zijn intuïtie vertelde hem dat hij niet alleen was. Hij pakte zijn lantaarn en scheen ermee tussen de bomen en de dode struiken met hun ritselende loof.

'Wie is daar?'

Stilte.

D'Agosta knipte de lantaarn uit en borg hem weer in zijn zak. Hij bleef het donker in staan kijken. De maan was in haar eerste kwartier; bij het vage schijnsel leken de stammen van de beuken in het donker op lange benen vol schrammen. Hij luisterde gespannen. Er wás daar iets. Hij voelde het, en nu hoorde hij het ook. Een zacht geluid van vochtig blad, het knappen van een takje.

Hij greep naar zijn dienstwapen. 'Politie,' riep hij. 'Kom tevoorschijn.' Hij liet de lantaarn uit – zonder dat licht kon hij verder zien.

Nu zag hij, heel vaag, een bleke gestalte die met eigenaardige, onregelmatige passen tussen de bomen door liep. Hij verdween het dichte struikgewas in, en D'Agosta zag hem niet meer. Vanuit het bos kwam een eigenaardig soort kreunen aandrijven, ongearticuleerd en somber, alsof iemand met slappe, wijd open mond stond te weeklagen: *aaaahhhoeoeoeoe...*

Hij haalde de lantaarn uit de holster, knipte hem aan en scheen ermee tussen de bomen. Niets.

Dit was waanzin. Een stelletje misselijke pubers die een spelletje met hem speelden.

Met grote passen liep hij op het struikgewas af en scheen er met zijn lantaarn op. Het was een grote bos uit hun krachten gegroeide azalea's en berglaurier, bijna honderd meter lang en breed. Hij aarzelde even, en liep toen het bosje in.

Meteen hoorde hij geritsel van takken rechts van zich. Hij scheen met de lantaarn die kant uit, maar het felle schijnsel glinsterde op het dichte loof, zodat hij niet dieper tussen de takken kon kijken. Hij knipte het licht weer uit en wachtte tot zijn ogen aan het donker waren gewend. Op rustige toon zei hij: 'Dit is openbaar terrein, en ik ben inspecteur van politie. Kom nú tevoorschijn, anders pak ik je op wegens weerspannig gedrag.'

Er klonk één knappend twijgje, weer van rechts. Hij draaide zich die kant uit en zag een gestalte vanuit de bodembegroeiing overeind komen: een bleke huid met een ziekelijk groenige tint, een slaphangend gezicht vol bloed- en slijmsporen, kleren die in rafels en flarden rond knokige ledematen hingen.

'Hé, jij daar!'

De gestalte wankelde achteruit alsof hij even zijn evenwicht kwijt was en strompelde toen naar voren, op D'Agosta af, met een bijna diabolische gretigheid. Eén oog draaide zijn kant uit en zwenkte meteen weer weg; het andere oog was onzichtbaar onder een dikke korst bloed of modder. *Aaaahhhoeoeoeoe...*

'Jezus christus!' schreeuwde D'Agosta. Hij sprong achteruit, liet de lantaarn vallen en tastte naar zijn dienstwapen, een Glock 19.

Plotseling stond het ding vlak voor hem, raasde het met daverende passen door het struweel; hij hief zijn pistool, maar op datzelfde moment voelde hij een gigantische klap op zijn hoofd. Hij hoorde iets gonzen, en daarna was er niets meer.

34

Monica Hatto's ogen vlogen open en ze rechtte haar rug achter haar bureau, bewoog haar schouders even, probeerde wakker uit haar ogen te kijken. Ze wierp nerveus een blik over haar schouder. Volgens de grote klok aan de tegelwand tegenover haar was het halftien. De vorige nachtportier in de bijruimte van het mortuarium was ontslagen omdat ze tijdens het werk in slaap was gevallen. Ze verschoof een paar papieren op haar bureau, keek nog eens om zich heen en ontspande een beetje. De tl-balken in de ruimte wierpen hun gebruikelijke, sombere licht over de betegelde vloeren en wanden, en er hing als gebruikelijk een geur van chemicaliën. Er heerste een doodse stilte.

Maar ze was érgens wakker van geworden.

Hatto stond op en streek met haar handen over haar flanken, zodat het uniform glad over haar riante zwembandjes viel, en probeerde er netjes, alert en presentabel uit te zien. Ze kon zich niet veroorloven deze baan kwijt te raken. Het salaris was uitstekend en bovendien was ze verzekerd tegen ziektekosten.

Er klonk een gedempt geluid, bijna iets van opschudding. Het kwam van ergens boven. Misschien was er een lijk op komst. Hatto glimlachte even en bedacht dat ze al behoorlijk aan haar taken begon te wennen. Ze haalde een make-upspiegeltje uit haar tas en werkte haar lippen bij. Met een paar handbewegingen streek ze haar haar glad, en daarna inspecteerde ze haar neus: die wilde nog wel eens akelig vettig glimmen.

Ze hoorde weer iets: de vage dreun van een dichtslaande liftdeur. Nog een korte blik in de spiegel, een pufje eau de toilette, en de spiegel verdween de tas weer in, de tas werd over de armleuning van de stoel gehangen, de papieren op het bureau werden nog eens recht geschikt.

Nu klonken er dreunende voetstappen, niet vanuit de gang waar de lift was, maar op de trap. Dat was vreemd.

De voeten kwamen snel dichterbij. Plotseling vloog met een dreun de deur van het trappenhuis open en kwam er een vrouw de gang in vliegen: met een zwarte cocktailjurk aan, op hoge hakken en met koperrood haar dat achter haar aan vloog.

Van verbazing stond Hatto met haar mond vol tanden.

Midden in de gang kwam de vrouw tot stilstand. Haar gezicht zag asgrauw in het naargeestige tl-licht.

'Kan ik u ergens mee...?' begon Hatto.

'Waar is hij?' schreeuwde de vrouw. 'Ik wil hem zien!'

Monica Hatto keek haar niet-begrijpend aan. 'Wie?'

'Het lijk van mijn man. William Smithback!'

Angstig deinsde Hatto achteruit. Dat mens was gek. Terwijl de vrouw snikkend op antwoord stond te wachten, hoorde Hatto het gerommel van de trage, trage lift die in beweging kwam.

'Smithback! Waar ligt die?'

Op het bureau achter haar klonk plotseling een stem vanuit de intercom. 'Bewaking! We hebben een indringer. Hatto, hoor je me?'

Bij het horen van die stem kwam Hatto weer tot zichzelf. Ze drukte de knop in.

'Er is hier...'

De stem door de intercom klonk boven de hare uit. 'Er komt een gek aan. Vrouw, mogelijk gewelddadig. Blijf bij haar uit de buurt! Bewaking komt eraan!'

'Ze staat al...'

'Smithback!' riep de vrouw. 'De vermoorde journalist!'

Onwillekeurig schoot Hatto's blik even naar mortuarium 2, waar ze bezig waren geweest met het kadaver van de beroemde verslaggever. Het was een belangrijke zaak: de hoofdcommissaris van politie had gebeld, en er stonden grote koppen in de kranten.

De vrouw rende op de deur van het mortuarium af: de nacht-ploeg van het schoonmaakbedrijf had hem open laten staan. Te laat besefte Hatto dat ze hem had moeten dichtdoen.

'Wacht, daar mag u niet naar...'

De vrouw verdween de deur door. Hatto stond als aan de grond genageld van paniek. In haar handboek stond niets over de actie die men moest ondernemen in dit soort situaties.

Met een *ping!* schoven de liftdeuren open. Twee gezette bewakers kwamen hijgend de bijruimte in lopen. 'Hé' – *hijg* – 'waar is dat mens gebleven...?' – *hijg*.

Hatto draaide zich om en wees zwijgend naar mortuarium 2.

De twee hijgende bewakers bleven even staan om op adem te komen. Vanuit het mortuarium klonk een klap, gevolgd door gerinkel van metaal, het krijsen van een metalen lade die met kracht opengerukt werd. Er klonk een scheurend geluid, en daarna een kreet.

'O, jezus,' zei een van de bewakers. Ze zetten zich weer in beweging, de bijruimte door in de richting van de openstaande deur van mortuarium 2. Hatto volgde op onwillige benen, gedreven door een soort ziekelijke nieuwsgierigheid.

Het beeld dat op haar netvlies viel, zou ze haar leven lang niet vergeten. De vrouw stond midden in de ruimte, met een totaal verwilderde uitdrukking op haar gezicht, haar tanden ontbloot, met flitsende ogen. Achter haar was een van de laden uitgetrokken. Met een hand schudde ze een lege, bloederige lijkzak heen en weer; in de andere hield ze iets wat nog het meest op een bundeltje veren leek.

'Waar is zijn lijk?' krijste ze. 'Waar is het lijk van mijn man? En wie heeft dít hier achtergelaten?'

35

D'Agosta parkeerde de surveillancewagen onder de overdekte entree van 891 Riverside Drive, stapte uit en bonsde op de zware, houten deur. Een halve minuut later werd die geopend door Proctor, die hem even zwijgend aankeek voordat hij een stap opzij deed.

'U vindt hem in de bibliotheek,' zei hij op gedempte toon.

D'Agosta strompelde de lange eetzaal door, de ontvangstruimte door en de bibliotheek in, terwijl hij een lap stevig tegen de snee in zijn voorhoofd gedrukt hield. Hij trof Pendergast aan samen met de eigenaardige archivaris Wren, gezeten in leren fauteuils aan weerszijden van een knapperend haardvuur. Tussen hen in stond een tafel met stapels papieren en een fles port.

'Vincent!' Haastig stond Pendergast op en liep naar hem toe. 'Wat is er gebeurd? Proctor, pak snel een stoel.'

'Dat kan ik zelf nog wel, bedankt.' D'Agosta ging zitten en depte voorzichtig zijn voorhoofd. Het bloeden was eindelijk gestelpt. 'Een ongelukje bij de Ville,' zei hij gedempt. Hij wist niet waar hij kwader om was: de gedachte aan die dieren die aan stukken gesneden zouden worden, of het feit dat hij een of andere zwerver de kans had gegeven hem neer te slaan. Althans, hij hoopte maar dat het een zwerver was. Hij was niet bereid na te denken over het alternatief.

Pendergast bukte zich om de wond te bekijken, maar D'Agosta wuifde hem weg. 'Een schram, meer niet. Een hoofdwond bloedt nu eenmaal verschrikkelijk.'

'Mag ik je wat te drinken aanbieden? Port, wellicht?'

'Bier. Een Budweiser Light, als je dat hebt.'

Proctor liep het vertrek uit.

Wren zat in zijn fauteuil alsof er niets ongewoons aan de hand was. Met een klein pennenmesje zat hij een potlood te slijpen: hij bestudeerde de punt, blies erop, tuitte zijn lippen, sneed nog wat bij.

Even later arriveerde er een beslagen blikje bier op een zilveren dienblad, samen met een gekoeld glas. D'Agosta negeerde het glas, greep het bier en nam een grote slok. 'Daar was ik wel aan toe,' zei hij. Hij nam nog een slok.

Pendergast was naar zijn eigen stoel teruggekeerd. 'Mijn beste Vincent, wij zijn een en al oor.'

D'Agosta vertelde het verhaal van zijn gesprek met de vrouw aan Indian Road en wat daarna gebeurd was. Hij verzweeg het feit dat hij in zijn woede bijna op eigen houtje de Ville in gelopen was – iets waar hij toen hij van de klap bekomen was, van afgezien had. Pendergast luisterde gespannen. Vincent besloot ook geen melding te maken van het feit dat hij bij de aanval zijn mobiele telefoon én zijn pieper verloren was. Toen hij uitgesproken was, bleef het een tijdlang stil in de bibliotheek. Het haardvuur knapperde en flakkerde.

Na een tijd ging Pendergast verzitten. 'En die... die man? Die bewoog met horten en stoten, zei je?'

'Ja.'

'En hij was van top tot teen smerig en zat onder het bloed?'

'Zo zag het er in het maanlicht wel uit, ja.'

Pendergast zweeg even. 'Zag je enige gelijkenis met de gestalte die we op de bewakingsvideo hebben gezien?'

'Ja.'

Weer een stilte, langer ditmaal. 'Was het Colin Fearing?'

'Nee. Ja.' D'Agosta schudde zijn bonzende hoofd. 'Ik weet niet. Ik kon zijn gezicht niet goed zien.'

Pendergast bleef een tijdje met licht gefronst voorhoofd zitten zwijgen. 'En wanneer is dit precies gebeurd?'

'Een halfuur geleden. Ik ben maar heel even buiten westen geweest. Omdat ik toch in de buurt was, ben ik linea recta hierheen gekomen.'

'Typisch.' Maar Pendergast keek niet of hij de situatie 'typisch' vond. Hij keek eerder verontrust.

Even later wierp hij een blik op de rimpelige oude man. 'Wren zou net gaan vertellen wat hij de afgelopen dagen te weten is gekomen over diezelfde plek waar jij aangevallen bent. Wren, wil je verdergaan?'

'Met alle genoegen,' zei Wren. Twee zwaar dooraderde handen reikten naar de stapel papieren en haalden er zonder aarzeling een bruine map uit. 'Zal ik voorlezen uit de artikelen die ik...?'

'Nee, een beknopte samenvatting, graag.'

'In orde.' Wren schraapte zijn keel, sorteerde de documenten op zijn schoot zorgvuldig en zocht er een uit. 'Hm. Eens even kijken...' Geblader, en turende blikken op het papier; veel gefrons van wenkbrauwen, gegrom en getik. 'Op de avond van 11 juni 1901...'

'Beknopt, graag,' prevelde Pendergast, op niet onvriendelijke toon.

'Ja, ja! Beknopt.' Met veel gerochel schraapte Wren zijn keel. 'Het schijnt dat de Ville al een hele tijd, laten we zeggen, omstréden is. Ik heb een reeks artikelen verzameld uit de *New York Sun*, daterend van rond de eeuwwisseling. De vorige eeuwwisseling, welteverstaan. Daarin is sprake van klachten van omwonenden, die een zekere gelijkenis vertonen met de klachten van de afgelopen tijd. Eigenaardige geluiden en geuren, onthoofde dierenkarkassen in het bos, vreemde activiteiten. Er is een groot aantal onbevestigde verslagen van een "rondwandelende schaduw" in het bos van Inwood Hill.'

De hand met de levervlekken pakte met uiterste zorg een vergeeld krantenknipsel uit de stapel, alsof het een blad van een verlucht manuscript was. Hij las:

Uit betrouwbare bron heeft onze krant vernomen dat deze verschijning, die volgens ooggetuigen een ronddolend, schijnbaar onbezield wezen is, het gemunt heeft op de burgerij van New York; op stadsgenoten die zo ongelukkig of zo onverstandig zijn om zich na zonsondergang in de buurt van Inwood Hill te bevinden. Een groot aantal van deze aanvallen heeft een dodelijke afloop gehad. De lijken zijn aangetroffen in afgrijselijke houdingen en op de meest afzichtelijke wijze verminkt. Anderen zijn simpelweg verdwenen – zonder ooit nog terug te keren.

'Wat voor verminkingen waren dat precies?' informeerde D'Agosta.

'De buikholte leeggehaald, bepaalde vingers en tenen afgehakt; meestal de middelvinger en de middelste teen, volgens de krant. De *Sun* stond niet bekend om zijn waarheidsgetrouwe verslaggeving, inspecteur. Daar komt de benaming "yellow journalism" voor sensatiepers vandaan. Het blad werd namelijk op gelig papier gedrukt, want dat was in die tijd het goedkoopste. Bleken en op maat snijden verhoogt de drukkosten van onze tegenwoordige dagbladen met zo'n twintig procent, en...'

'Bijzonder belangwekkend,' onderbrak Pendergast hem vriendelijk doch beslist. 'Ga verder, Wren.'

Meer geblader en geritsel. 'Als we deze verhalen mogen geloven, heeft dit zogenoemde onbezielde wezen vier moorden gepleegd.'

'Vier moorden? En dat wordt dan afgeschilderd als "de burgerij van New York"?'

'Zoals ik al zei, inspecteur, de *Sun* was een sensatieblaadje. Overdrijving was er aan de orde van de dag. De verslagen moeten met een flinke korrel zout genomen worden.'

'Wie waren de slachtoffers?'

'De eerste, die onthoofd was, is nooit geïdentificeerd. De tweede was een landschapsarchitect, ene Phipps Gormly. De derde was een lid van de parkencommissie, ook een gerespecteerde ingezetene van New York, die kennelijk een avondwandelingetje was gaan maken. Ene Cornelius Sprague. De moord op twee eerbare burgers, zo vlak na elkaar, veroorzaakte grote opschudding. Het vierde slachtoffer, bijna meteen na de derde moord, was opzichter van een landgoed in de buurt: het zomerhuis van de familie Straus op Inwood Hill. Het eigenaardige van die laatste moord was dat de opzichter een paar maanden voordat zijn lijk werd gevonden, verdwenen was. Maar toen ze hem vonden, was hij nog maar pas dood.'

D'Agosta ging verzitten op zijn stoel. 'Darmen eruit? En vingers en tenen afgehakt, zei u?'

'Bij de anderen wel. Maar de opzichter was niet verminkt. Die werd onder het bloed aangetroffen met een mes in zijn borst. Volgens de kranten kon hij de wond zelf toegebracht hebben.'

'Hoe is dat allemaal afgelopen?' informeerde D'Agosta.

'Het schijnt dat de politie een inval in de Ville heeft gedaan en dat er een aantal arrestaties is verricht. Later zijn die mensen weer vrijgelaten wegens gebrek aan bewijs. Bij huiszoekingen werd niets gevonden en de moorden zijn nooit opgelost. Er was geen enkel rechtstreeks verband tussen de moorden en de Ville, afgezien van de ligging van het dorp, zo dicht bij de plaats-delict. Geruchten over ronddolende, onbezielde wezens namen af en er kwamen steeds minder berichten over dieroffers; kennelijk heeft de Ville zich een tijdje gedeisd gehouden. Tot nu toe, uiteraard. Maar iets heel interessants, iets wat ik gevonden heb door een stel andere oude dossiers op te graven: het schijnt dat de familie Straus in 1901 een grote lap grond ten noorden van Inwood Hill wilde ontginnen, zodat ze een beter uitzicht op de rivier kregen. Ze hadden een landschapsarchitect in de arm genomen om de nieuwe beplanting volgens alle regelen der kunst aan te leggen. En raad eens wie dat was?'

Even bleef het stil. 'Toch niet Phipps Gormly?' vroeg Pendergast.

'Hij en geen ander. En zou je misschien ook eens willen raden wie de man van de parkencommissie was die betrokken was bij de verlening van de benodigde vergunningen?'

'Cornelius Sprague.' Pendergast leunde met ineen geklemde handen voorover in zijn stoel. 'Als die plannen om het park te ontginnen doorgang hadden gevonden, had de Ville daar dan last van gehad?'

Wren knikte. 'De Ville ligt midden in het bewuste gebied. Ongetwijfeld zou het hele zaakje gesloopt zijn.'

D'Agosta keek van Pendergast naar Wren en terug. 'Wou u beweren dat de Ville die mensen heeft vermoord om te voorkomen dat Straus die rooiplannen zou doorzetten?'

'Zelf vermoord, of laten vermoorden. De politie heeft nooit enig verband kunnen aantonen, maar de boodschap kwam luid en duidelijk door. Want het plan om het park te renoveren is afgeblazen, dat is duidelijk.'

'Verder nog iets?'

Wren bladerde door zijn papieren. 'In de artikelen is sprake van een "duivelse cultus" in de Ville. De leden zijn celibatair en handhaven hun aantal door daklozen en zwervers te ronselen.'

'Het wordt allemaal steeds vreemder,' mijmerde Pendergast. Hij wendde zich tot D'Agosta. ' "Een onbezielde verschijning"... dat klinkt wel zo'n beetje als het wezen dat jou aangevallen heeft, vind je ook niet?'

D'Agosta vertrok zijn gezicht.

De fraaie, slanke handen balden zich tot vuisten en ontspanden zich terwijl Pendergast diep in gedachten verzonken zat. Ergens in de diepste krochten van de enorme villa klonk het ouderwetse gerinkel van een telefoon.

Pendergast keek op. 'Het zou goed zijn om het stoffelijk overschot van een van die slachtoffers in handen te krijgen.'

D'Agosta gromde even. 'Gormly en Sprague liggen waarschijnlijk in een familiegraf. Daar krijg je nooit toestemming voor.'

'Ah. Maar het vierde slachtoffer, de opzichter van de familie Straus, die vermeende zelfmoord... misschien dat die zijn geheimen gemakkelijker prijsgeeft. In dat geval boffen we. Want van alle lijken is híj het interessantst.'

'Hoezo?'

Pendergast glimlachte even. 'Tja, mijn beste Vincent, waarom zou dát nou zijn?'

Geïrriteerd fronste D'Agosta zijn voorhoofd. 'Verdomme, Pendergast, ik heb koppijn. Ik ben niet in de stemming om voor Sherlock Holmes te spelen!'

Even verscheen er een gepijnigde blik op het gezicht van de FBI-agent. 'Uitstekend,' zei hij na een tijdje. 'Hier zijn de belangrijkste punten. In tegenstelling tot de anderen was bij dit lijk de buikholte niet leeggehaald. Het zat onder het bloed, de kleren waren aan flarden. Misschien was het zelfmoord. En het was het laatste lijk. Nadat dit was gevonden, hield het moorden op. En ik zou erop willen wijzen dat hij enkele maanden voordat de moorden plaatsvonden, verdwenen was. Waar had hij al die tijd gezeten? Misschien wel in de Ville.' Hij leunde achterover in zijn stoel.

D'Agosta voelde behoedzaam aan de buil op zijn hoofd. 'Wat wil je daarmee zeggen?'

'De opzichter was geen slachtoffer – hij was de dader.'

Onwillekeurig voelde D'Agosta een steek van opwinding. 'Ga door.'

'Bij dit soort grote landgoederen was het gebruikelijk dat het personeel en de arbeiders een eigen stuk grond hadden, waar de overledenen werden begraven. Als er bij het zomerhuis van de familie Straus ook zo'n grondstuk is, dan vinden we daar misschien het stoffelijk overschot van de opzichter.'

'Maar dan ga je uitsluitend op een krantenbericht af. Er is geen verband. En met zo'n mager bewijs krijg je beslist geen toestemming voor een opgraving.'

'We kunnen het ook zónder doen.'

'Je gaat me toch hoop ik niet vertellen dat je hem bij nacht en ontij wilt opgraven?'

Een vaag, bevestigend hoofdknikje.

'Ga jij dan nooit volgens het boekje te werk?'

'Slechts zelden, vrees ik. Een slechte gewoonte waar ik maar niet van af kom.'

Proctor verscheen in de deuropening. 'Meneer?' zei hij met een zorgvuldig neutraal gehouden klank in zijn diepe stem. 'Ik heb nieuws van een van onze contactpersonen in de stad. Er zijn nieuwe ontwikkelingen.'

'Vertel maar.'

'Er is een moord gepleegd bij de Gotham Press Club; een verslaggever, Caitlyn Kidd. De dader is verdwenen, maar er zijn talloze ooggetuigen die zweren dat de moordenaar William Smithback was.'

'Smithback!' zei Pendergast, en hij veerde overeind.

Proctor knikte.

'Wanneer?'

'Anderhalf uur geleden. Bovendien ontbreekt Smithbacks stoffelijk overschot in het mortuarium. Zijn vrouw is daar gaan kijken en heeft een scène geschopt toen het er niet bleek te zijn. Kennelijk is er wel een, ehm, voodoo-amulet aangetroffen.' Proctor zweeg en vouwde zijn kolenschoppen van handen voor zijn buik.

D'Agosta voelde zich overmand door afgrijzen en angst. De gebeurtenissen volgden elkaar in hoog tempo op, en hij zat zonder pieper of mobiele telefoon.

'Aha,' mompelde Pendergast; zijn gezicht was plotseling lijkbleek. 'Wat een afgrijselijke ontwikkeling.' Bijna fluisterend voegde hij daar, tegen niemand in het bijzonder, aan toe: 'Misschien is het tijd om de hulp van monsieur Bertin in te roepen.'

36

D'Agosta zag een grauwe dageraad door de gordijnen voor de ramen van de Gotham Press Club kruipen. Hij was uitgeput en zijn hoofd bonsde bij iedere hartslag. De sporenrecherche had haar werk gedaan en was verdwenen; het forensische team was gekomen en vertrokken; de fotograaf was gekomen en vertrokken; de lijkschouwer had het stoffelijk overschot opgehaald; alle getuigen waren ondervraagd of op een lijst voor ondervraging gezet; en nu zat D'Agosta in zijn eentje op de verzegelde plaats-delict.

Hij hoorde het verkeer op 53rd Street, de vroege bestelwagens, de vuilniswagens die bij het krieken van de dag hun rondes maakten, de eerste ploeg taxichauffeurs die aan het werk gingen met het gebruikelijke ritueel van claxonnades en gevloek.

D'Agosta bleef stil in een hoek van de zaal staan. Het was een fraaie ruimte, ingericht in klassieke stijl: wanden met donkere eiken lambrisering, een open haard met een gebeeldhouwde schoorsteenmantel, een zwart-wit geblokte marmeren vloer, een kristallen kroonluchter aan het plafond en hoge ramen met verticale middenstijlen en goudbrokaten draperieën. Er hing een geur van verschaalde rook en hors-d'oeuvres en gemorste wijn. Er lagen bergen eten te midden van de scherven op de vloer: stille getuigen van de paniek op het moment van de moord. Maar verder was er niets te zien, ondanks alle getuigen en alle bewijsmateriaal. De moordenaar had zijn daad gepleegd in bijzijn van meer dan tweehonderd mensen; niet één van die slapjanussen had geprobeerd hem tegen te houden, en vervolgens was hij door de keuken verdwenen, via een reeks deuren die opengezet waren door de cateraars wier bestelwagen in een steeg achter het gebouw stond.

Had de moordenaar dat geweten? Ja. Alle getuigen vertelden dat de moordenaar zich zonder aarzelen – niet snel, maar weloverwogen – in de richting van een van de achterdeuren van de zaal had begeven, een gang af, de keuken door en naar buiten. Hij kende de indeling van het gebouw, wist dat de deuren niet op slot zaten, wist dat het hekwerk voor de steeg open zou zijn en wist dat die steeg naar 54th Street en naar de anonimiteit van de massa leidde. Of naar een vluchtauto. Want dit had alle schijn van een goed gepland misdrijf.

D'Agosta wreef over zijn neus, probeerde langzaam te ademen en het gebons in zijn slapen de baas te worden. Hij kon amper nadenken. Hij zou die hufters in de Ville eens even duidelijk maken dat het een ernstige vergissing was om een politieman aan te vallen. Zij hadden hiermee te maken, hoe dan ook, daar was hij zeker van. Smithback had over hen geschreven en daar duur voor betaald; nu had datzelfde lot Caitlyn Kidd getroffen.

Wat deed hij hier nog? Er viel hier niets nieuws te vinden, niets dat al niet uitgebreid was bekeken, genoteerd, gefotografeerd, uiteengeplozen, bestudeerd, besnuffeld, geobserveerd en geadministreerd. Hij was volledig uitgeput. En toch kon hij zich er niet toe zetten weg te gaan.

Smithback. Daarom bracht hij het niet op om te vertrekken, wist hij.

Alle getuigen zwoeren dat het Smithback geweest was. Zelfs Nora, die hij bij haar thuis had verhoord. Ze zat onder de kalmerende middelen maar was nog behoorlijk helder geweest. Ze had van grote afstand naar hem gekeken, dus haar verhaal was niet helemaal waterdicht, maar er waren anderen die de moordenaar van dichtbij hadden gezien. En die hielden bij hoog en bij laag vol dat het Smithback was. Het slachtoffer zelf had zijn naam geroepen toen hij op haar afkwam. Maar een paar dagen tevoren had D'Agosta met eigen ogen Smithbacks dode lichaam op een brancard zien liggen, de borstkas open en bloot, de organen verwijderd en van etiketten voorzien, het schedeldak opengezaagd.

Smithbacks lichaam verdwenen... Hoe kon er nou zomaar iemand het mortuarium in lopen om een lichaam te stelen? Hoewel, zo vreemd was dat misschien ook weer niet: Nora was zonder meer naar binnen gestormd en niemand had haar tegengehouden. Er was maar één nachtportier, en mensen met zo'n baan willen nog wel eens tijdens hun werk in slaap vallen. Maar Nora was achternagezeten door de bewaking, die haar uiteindelijk ook te pakken had gekregen. En een mortuarium binnenstormen was heel iets anders dan het verlaten met een lijk op sleeptouw.

Tenzij dat lijk op eigen benen naar buiten wandelde...

Waar kwam die gedachte nou opeens vandaan? Er tolde een tiental theorieën door zijn hoofd. Hij had zeker geweten dat de Ville hier op de een of andere manier bij betrokken was. Maar die softwareontwikkelaar, Kline, die Smithback zo openlijk bedreigd had, kon hij ook niet zomaar afschrijven. Zoals hij Rocker had verteld, waren enkele stukken uit zijn Afrikaanse kunstcollectie door experts herkend als voodoo-instrumenten met een bijzonder duistere betekenis. Hoewel dat dan weer de vraag opwierp waarom Kline Caitlyn Kidd zou willen vermoorden. Had Kidd soms ook over hem geschreven? Of had zij iets wat hem herinnerde aan de journalist die ooit zijn pas begonnen carrière had vernietigd? Daar moest hij eens even naar kijken.

En dan die theorie die Pendergast ondanks al zijn ontkenningen serieus leek te nemen: dat Smithback net als Fearing uit de doden was opgestaan.

'Verdómme,' vloekte hij binnensmonds. Hij draaide zich om en liep de zaal uit, de foyer in. De agent bij de voordeur schreef hem uit en hij stapte een kille, grauwe oktoberochtend in.

Hij keek op zijn horloge. Kwart voor zeven. Om negen uur had hij in het centrum met Pendergast afgesproken. Hij liet de surveil-lancewagen op Fifth Avenue staan, liep over 53rd Street naar Madison Avenue, liep een koffieshop in en liet zich in een stoel zakken.

Tegen de tijd dat de dienster naast hem stond, was hij al in slaap gevallen.

37

Om tien over negen die ochtend besloot D'Agosta niet langer op Pendergast te wachten en begaf hij zich vanuit de lobby van het stadhuis naar een anoniem kantoor op een van de bovenste ver-diepingen van het gebouw; na een minuut of tien zoeken had hij het gevonden. Uiteindelijk stond hij dan voor de gesloten deur van het kantoor en las het gegraveerde kunststof bordje.

MARTY WARTEK
ONDERDIRECTEUR
GEMEENTELIJKE HUISVESTING
STADSDEEL MANHATTAN

Hij klopte tweemaal aan.

'Binnen,' riep een ijle stem.

D'Agosta liep naar binnen. Het kantoor was onverwacht ruim en comfortabel ingericht met een bank en twee fauteuils aan de ene kant, een bureau aan de andere en een nis waarin een oude lel van een secretaresse zat. Er was één venster, en dat gaf uitzicht op het woud van wolkenkrabbers dat Wall Street was.

'Inspecteur D'Agosta?' vroeg de man achter het bureau. Hij stond op en wees naar een van de fauteuils. D'Agosta nam op de bank plaats: die zag er gemakkelijker uit.

De man liep om het bureau heen en liet zich in een fauteuil zak-ken. D'Agosta nam hem snel op: klein van stuk, schriel, een slecht zittend bruin pak, schrale plekken van het scheren, een paar pluk-jes dun haar midden op een kale schedel, nerveus heen en weer schietende bruine ogen, kleine, bevende handen, een strakke mond en een air van zelfgenoegzaamheid.

D'Agosta wilde zijn badge pakken, maar Wartek schudde snel zijn hoofd. 'Laat maar. Een kind kan zien dat u van de politie bent.'

'O?' Op de een of andere manier voelde D'Agosta zich op zijn teentjes getrapt. Meteen besefte hij echter dat hij zat te hópen op een belediging. Rustig aan, Vinnie, dacht hij.

Stilte. 'Koffie?'

'Graag. Zwart.'

'Susy, twee koffie, graag. Zwart.'

D'Agosta probeerde zijn gedachten op een rijtje te zetten. Hij kon zich absoluut niet concentreren. 'Meneer Wartek...'

'Zeg toch Marty.' Dat was een poging om vriendelijk te zijn, hield D'Agosta zichzelf voor. Daar hoefde hij niet lullig op te reageren.

'Marty, ik wil het graag met je hebben over de Ville. In Inwood. Ken je dat?'

Een behoedzaam bevestigend knikje. 'Ik heb de artikelen gelezen.'

'Ik wil weten hoe het in godsnaam mogelijk is dat die lui ongestraft openbaar terrein in bezit kunnen nemen en een openbare doorgangsweg versperren.' D'Agosta had niet zo met de deur in huis willen vallen, maar zo kwam het er nu eenmaal uit. En het kon hem niet schelen, ook: hij was veel te moe.

'Tja, ehm.' Wartek leunde voorover. 'Ziet u, inspecteur, de wet kent een clausule met de naam "gewoonterecht" of "verjaring"' – de dubbele aanhalingstekens kriebelde hij met nerveuze vingergebaren in de lucht – 'waarin staat dat als land een tijdlang "openlijk en welbekend" zonder toestemming van de eigenaar door derden is gebruikt, die derden een zeker gebruiksrecht verwerven. In New York is dat een periode van twintig jaar.'

D'Agosta keek hem niet-begrijpend aan. Hij hoorde de woorden, maar hij had geen idee waar het over ging. 'Sorry, ik heb u niet kunnen volgen.'

Een zucht. 'Het schijnt dat de inwoners van de Ville dat stuk land al sinds de Burgeroorlog in gebruik hebben. Het was een verlaten kerk met een aantal bijgebouwen, als ik het goed heb, en die hebben ze simpelweg gekraakt. New York telde in die periode een groot aantal krakers. Central Park zat er vol mee: moestuinen, varkenskotten, schuurtjes en noem maar op.'

'Maar in Central Park zijn die er niet meer.'

'Dat is zo, dat is zo... de krakers zijn Central Park uit gezet toen dat officieel een park werd. Maar de noordelijkste punt van Manhattan is altijd een beetje een niemandsland geweest. Ruig terrein, een rotsbodem, ongeschikt voor landbouw of ontginning. Inwood Hill Park is pas in de jaren dertig aangelegd. Tegen die tijd hadden de inwoners van de Ville gewoonterecht verworven.'

Warteks zeurende, belerende toon begon D'Agosta te irriteren. 'Kijk, ik ben geen jurist. Ik weet alleen dat ze dat terrein niet in bezit hebben en dat ze een openbare weg versperren. Ik zit nog steeds te wachten op een uitleg hoe dat mogelijk is.' D'Agosta sloeg zijn armen over elkaar en leunde achterover.

'Inspecteur, dat probeer ik u nu net uit te leggen. Ze zitten daar al honderdvijftig jaar. Ze hébben dat recht verworven.'

'Het recht om een openbare weg af te zetten?'

'Kan zijn.'

'U bedoelt dus dat ik mijn gang maar kan gaan als ik plotseling zin krijg om Fifth Avenue af te zetten? Dat mag allemaal zomaar?'

'U zou gearresteerd worden. De gemeente zou bezwaar maken. Van gewoonterecht zou geen enkele sprake kunnen zijn.'

'Oké, stel dat ik bij u inbreek terwijl u weg bent, en dat ik twintig jaar blijf zitten zonder huur te betalen; wordt uw huis dan van mij?'

De koffie arriveerde, lauw en met een sloot melk. D'Agosta dronk zijn kop half leeg. Wartek nipte met getuite lippen.

'Inderdaad,' vervolgde hij, 'het zou uw appartement worden, althans als uw bezetting van de flat openlijk en algemeen bekend was en als ik u nooit toestemming had gegeven om daar te bivakkeren. Uiteindelijk zou u dan gewoonterecht verwerven, omdat...'

'Wat is dat nou – is het hier Sovjet-Rusland of hoe zit dat?'

'Inspecteur, ik heb die wet niet opgesteld, maar ik moet zeggen dat het een volslagen redelijk punt is. Zo bent u beschermd als u bijvoorbeeld per ongeluk een zinkput aanlegt die voor een heel klein stukje op de grond van uw buurman komt, en als die buurman daar twintig jaar lang niets over zegt en er niet over klaagt. Vindt u dat u het ding zou moeten opgraven als hij het na al die tijd ontdekt?'

'Een compleet dorp in Manhattan is iets anders dan een zink-put.'

Van de opwinding was Wartek harder gaan praten, en er verspreidde zich een vlekkerig rood over zijn nek. 'Een zinkput of een compleet dorp: het gaat om het principe! Als de eigenaar geen bezwaar maakt of het niet ziet en als je het perceel openlijk gebruikt, dan krijg je nou eenmaal bepaalde rechten. Alsof de eigenaar zijn bezit in de steek heeft gelaten; vergelijk het met het recht op strandjutten.'

'Dus jij wou zeggen dat de gemeente nooit bezwaar heeft gemaakt tegen die Ville?'

Stilte. 'Nou, dat weet ik niet.'

'Ja, nou, misschien heeft de gemeente wél bezwaar gemaakt. Misschien zitten er wel brieven in het archief. Ik wil wedden...'

D'Agosta zweeg toen een in het zwart gehulde gestalte de kamer in gleed.

'Wie ben jij?' vroeg Wartek. Zijn stem schoot uit van schrik. D'Agosta moest toegeven dat Pendergast nogal griezelig oogde als je hem voor het eerst zag: een en al zwart-wit, zijn huid zo bleek dat hij wel dood leek, met zilvergrijze ogen als pas geslagen munten.

'Special agent Pendergast, Federal Bureau of Investigation, aangenaam.' Pendergast maakte een kleine buiging. Hij stak een hand in zijn binnenzak en haalde er een bruine envelop uit, die hij op het bureau legde en openmaakte. Er bleken fotokopieën van oude brieven op het briefpapier van de gemeente New York in te zitten.

'Wat is dit?' vroeg Wartek.

'De brieven.' Hij richtte zich tot D'Agosta. 'Vincent, sorry dat ik zo laat ben.'

'Brieven?' vroeg Wartek met gefronste wenkbrauwen.

'De brieven waarin de stad bezwaar aantekent tegen de Ville. Ze gaan terug tot het jaar 1864.'

'Hoe komt u daaraan?'

'Ik heb een onderzoeker in de bibliotheek zitten. Een uitstekende kracht, ik kan hem u ten zeerste aanbevelen.'

'Nou,' zei D'Agosta. 'Daar hebben we het. Geen recht op bezit, of hoe noemde je dat ook alweer.'

De vlekken in Warteks hals kleurden nog dieper rood. 'Inspecteur, we gaan hier géén uitzettingsprocedure starten tegen die mensen, enkel en alleen omdat u en die FBI-agent van u dat willen. Ik vermoed dat deze kruistocht van u iets te maken heeft met bepaalde religieuze praktijken die u tegenstaan. Welnu, er is ook nog zoiets als vrijheid van godsdienst.'

'Vrijheid van godsdienst... de vrijheid om dieren te martelen en te doden... of erger?' merkte D'Agosta op. 'Om politiemensen tijdens de uitoefening van hun ambt op hun kop te slaan? Om de gemoedsrust van een complete woonwijk te verstoren?'

'Er dient een normale procedure gevolgd te worden.'

'Uiteraard,' kwam Pendergast sussend tussenbeide. 'De normale procedure. En daarom zijn we naar uw afdeling gekomen. Om de normale procedure op te starten. Dat is de reden waarom we hier zijn: om u te verzoeken dat met grote spoed te doen.'

'Voor dit soort beslissingen zijn lange en zorgvuldige overwegingen nodig. Juridisch overleg, stafvergaderingen, archiefonderzoek. Dat kan allemaal niet zomaar.'

'Och, hadden we daar toch maar de tijd voor, meneer Wartek! De openbare opinie keert zich met rassen schreden tegen u. Hebt u vanochtend de krant al gelezen?'

De vlek had zich intussen over het grootste deel van Warteks gezicht verspreid en hij begon te zweten. Hij verhief zich tot zijn volle lengte van een meter zestig. 'Zoals ik al zei, we zullen de zaak bestuderen,' herhaalde hij, terwijl hij hen naar de deur loodste.

Op weg naar beneden, in een lift vol dommelende grijze pakken, wendde Pendergast zich tot D'Agosta en zei: 'Wat een genoegen, mijn beste Vincent, om de bureaucratie van de gemeente New York zo volop, zinderend in actie te zien komen!'

38

De wachtruimte van terminal 8 op de luchthaven John F. Kennedy lag onder aan een enorme rij liften. Pendergast en D'Agosta stonden te wachten in gezelschap van een kluwen gezette mannen in zwarte pakken met bordjes waarop namen van mensen stonden.

'Vertel nou nog eens,' zei D'Agosta. 'Wie is die vent? En wat komt hij hier doen?'

'Monsieur Bertin. Onze huisleraar toen we klein waren.'

'We? Je bedoelt, jij en...'

'Ja. Mijn broer. Monsieur Bertin gaf ons les in zoölogie en natuurlijke historie. Ik was nogal op hem gesteld; een charmante, charismatische kerel. Helaas kon hij niet langer bij ons blijven.'

'Hoezo niet?'

'De brand.'

'Brand? Je bedoelt, toen jullie huis in de fik ging? Had hij daar dan iets mee te maken?'

Een plotselinge, ijzige stilte van de kant van Pendergast.

'Dus die monsieur is gespecialiseerd in... dierkunde? En die roep jij erbij voor een moordonderzoek? Heb ik iets gemist, misschien?'

'Monsieur Bertin was weliswaar aangenomen om ons natte his te onderwijzen, maar hij had ook bijzonder veel verstand van plaatselijk geloof en legendes: vôdou, obeah, hoodoo en conjure.'

'Een veelzijdig iemand. Die jullie meer leerde dan kikkers ontleden.'

'Ik sta liever niet te lang stil bij het verleden. Waar het om gaat is dat monsieur Bertin een soort wandelende encyclopedie is betreffende dit onderwerp. Daarom heb ik hem gevraagd vanuit Louisiana hierheen te komen.'

'Denk jij echt dat dit iets met voodoo te maken heeft?'

'Jij niet dan?' Pendergast richtte zijn zilvergrijze blik op D'Agosta.

'Ik denk dat een of andere klootzak ons wil láten denken dat het met voodoo te maken heeft.'

'Is dat iets anders? Ah, daar is hij.'

D'Agosta draaide zich om en kon een onwillekeurige schrikreactie niet onderdrukken. Een piepklein mannetje met een lange pandjesjas kwam op hen af lopen. Zijn huid was bijna even bleek als die van Pendergast en hij had een slappe, breedgerande witte hoed op. Aan een zware, gouden halsketting bungelde iets wat nog het meest op een miniatuurhoofdje leek. In een hand had hij een oeroud ogende, vlekkerige BOAC-weekendtas; met de andere hield hij een enorme, rijk bewerkte wandelstok voor zich, waarmee hij tastend op de grond voor zich tikte. Het woord wandelstok deed het gevaarte geen recht, besloot D'Agosta; wandelpáál leek er meer op. Of wandelknóts. Hij leek wel een of ander medium van een rondreizend geneeskundig circus, of een van die gestoorde types die door de luchthaventerminal ronddoolden omdat het binnen warmer was dan buiten. Zelfs op een plek als New York City, waar alles al een keer gezien of gedaan was, trok deze halvegare bekijks. In zijn kielzog volgde een kruier met een schrikwekkend aantal koffers.

'Aloysius!' Op zijn vogelpootjes kwam hij aanhippen, en hij kuste Pendergast naar Frans gebruik op beide wangen. '*Quel plaisir!* Je bent geen dag ouder geworden.'

Hij draaide zich om naar D'Agosta en nam hem met een fonkelend zwart oog van top tot teen op. 'Wie is dit?'

'Ik ben inspecteur D'Agosta.' Hij stak zijn hand uit, maar die werd genegeerd.

De man wendde zich weer tot Pendergast. 'De polítie...?'

'Ik ben zelf ook bij de politie, *maître*.' Pendergast leek wel geamuseerd door de kleine man.

'Pah!' De witte hoedrand flapte op en neer van minachting en afkeuring. Er verscheen een pakje cigarillo's in Bertins hand. Hij schudde er een uit en plaatste die in een parelmoeren sigarettenpijpje.

'Het spijt me, maître, maar het is hier verboden te roken.'

'Stelletje barbaren.' Bertin stak het ding in zijn mond zonder het aan te steken. 'Breng me naar de auto.'

Ze liepen naar de stoeprand, waar Proctor stond te wachten.

'Wat, een Rolls-Royce? Ordinair!'

Terwijl de kruier de bagage in de kofferbak onderbracht, zag D'Agosta tot zijn ontzetting dat Pendergast voorin ging zitten, zodat hij de achterbank moest delen met Bertin. Zodra die binnen zat, haalde hij onmiddellijk een gouden aansteker tevoorschijn en stak zijn cigarillo op.

'Pardon... neemt u me niet kwalijk,' zei D'Agosta.

De man richtte zijn kraalogen op hem. 'Ik neem het u wél kwalijk.' Hij inhaleerde diep, draaide met een zijdelingse blik op D'Agosta het raampje een paar centimeter open en blies door getuite lippen een dun straaltje rook uit. Hij leunde voorover. 'Aloysius, ik heb eens zitten kijken naar de informatie die je me gestuurd hebt. Die foto's van de amuletten op de plaats-delict... die zijn *mal*, *très mal*. En dat poppetje van veren en Spaans mos; naalden met zwart garen omwikkeld; die naam op perkament; en dat poeder... salpeter, neem ik aan?'

'Correct.'

Bertin knikte. 'Dan is er geen twijfel mogelijk. Een doods-con-jure.'

'Een doods-conjure?' herhaalde D'Agosta ongelovig.

'Ook wel bekend als een "doodsamulet",' zei Bertin op sonore collegezaaltoon. 'Ordinaire hoodoo, dat was gemakkelijker te ver-helpen geweest. Maar dit... die revenant, die herrezen dode. Dat is kwalijk. Dat is echte vôdou. Vooral' – hier dempte hij zijn stem – 'nu ook het slachtoffer terug is.' Hij keek Pendergast aan. 'Het slachtoffer was getrouwd, zei je?'

'Ja.'

'Dan verkeert zijn vrouw in levensgevaar.'

'Ik heb politiebescherming aangevraagd,' zei D'Agosta.

Bertin snoof verachtelijk. 'Pah!'

'Ik heb een vijand-scheer-u-weg-amulet voor haar gekocht,' zei Pendergast.

'Dat helpt misschien tegen de eerste, maar om hem maak ik me niet zo bezorgd. Dergelijke amuletten halen niets uit tegen familie of bloedverwanten – en echtgenoten.'

'Ik heb ook een amulet voor haar gemaakt en haar bezworen dat bij zich te dragen.'

Bertins gezicht klaarde op. 'Een mojohand! *Très bien.* Zeg eens, wat zit daarin?'

'Beschermolie, wortel van de *Ipomoea jalapa*, verveine en al-sem.'

D'Agosta kon zijn oren amper geloven. Hij keek van Pender-gast naar Bertin en terug.

Bertin leunde achterover. 'Dit gaat pas weg als we de obeahman vinden. En de magie omkeren.'

'Er wordt al gewerkt aan een huiszoekingsbevel voor de Ville. En gisteren hebben we met de gemeente gesproken over eventuele uitzettingsprocedures.'

Bertin mompelde wat in zichzelf en blies nog een straal rook uit. D'Agosta had ooit, en met plezier, sigaren gerookt, maar dat waren normale dingen geweest, op menselijk formaat. De Rolls stond intussen blauw van de walgelijke, naar kruidnagel stinkende rook.

'Ik heb eens gehoord,' begon D'Agosta, 'van een man die ook altijd van die magere stoksigaartjes rookte.'

Bertin wierp hem een zijdelingse blik toe.

'Kanker gekregen. Ze moesten zijn lippen wegsnijden.'

'Wie heeft er nou lippen nodig?' merkte Bertin op.

D'Agosta voelde de zwarte kraaloogjes priemen. Hij opende het raampje aan zijn kant, sloeg zijn armen over elkaar en leunde met gesloten ogen achterover.

Net toen hij bijna sliep, begon zijn nieuwe mobiele telefoon te rinkelen. Hij keek op het schermpje en las het bericht. 'Eindelijk: het huiszoekingsbevel voor de Ville is erdoor,' zei hij tegen Pendergast.

'Uitstekend. Welke gebieden?'

'Niet veel. De openbare zones van de kerk zelf, het altaar en tabernakel, als dat er is; maar niet de sacristie of de overige privévertrekken of de bijgebouwen.'

'Uitstekend. Dat is genoeg om binnen te komen en kennis te maken met de mensen daar. Monsieur Bertin komt met ons mee.'

'En hoe verklaren we zijn aanwezigheid?'

'Ik heb hem aangenomen als speciaal FBI-consultant voor dit onderzoek.'

'Aha.' D'Agosta streek met een hand door het schaarse haar op zijn schedeldak, zuchtte, sloot zijn ogen en leunde weer achterover in de hoop op een paar minuten slaap. Onvoorstelbaar. Wat een onvoorstelbare toestand.

39

Nora lag naar het slaapkamerplafond te kijken. Haar blik reisde heen en weer langs een barst in het stucwerk. Heen en weer, heen en weer volgde ze met haar ogen de meanderende lijnen, zoals je de vertakkingen van een rivier kunt volgen op een landkaart. Ze dacht aan Bills opmerking dat hij die barst wilde opvullen en overschilderen omdat hij er knettergek van werd als hij overdag een dutje wilde doen – wat vaak het geval was, omdat journalisten nu eenmaal regelmatig een hele nacht doorwerken. Zij had gezegd dat dat geldverspilling was, omdat het een huurappartement was. Hij was er nooit meer over begonnen.

En nu werd ze er zelf knettergek van. Ze kon haar ogen er niet van losmaken.

Met grote inspanning draaide ze haar hoofd om en keek uit het raam naast haar bed. Door de ijzeren constructie van de brandtrap heen zag ze de flat aan de andere kant van de steeg, met duiven die over de rand van het houten regenwaterbassin op het dak trippelden. Vanaf de straat een eindje verderop dreef het geluid van het verkeer omhoog: claxons, de knal van een dieselmotor, het knersen van een versnellingsbak. Haar armen en benen waren zwaar, haar zintuigen voelden onwerkelijk aan. Volkomen onwerkelijk. Alles was onwerkelijk geworden. Bills lichaam verdwenen; Caitlyn dood, vermoord door... Even kneep ze haar ogen dicht om de gedachte te verjagen. Ze probeerde allang niet meer te begrijpen wat er aan de hand was.

Ze keek naar de wekker op het nachtkastje. De rode cijfertjes gloeiden haar tegemoet: drie uur. Dit sloeg nergens op, zomaar midden op de dag in bed liggen.

Moeizaam hees ze zich overeind; haar lichaam voelde slap en loodzwaar aan. Ze schudde haar kussen op, leunde ertegenaan en richtte met een zucht haar blik weer op de barst in het plafond.

Buiten klonk een metalig geknars. Ze keek uit het raam, maar zag alleen het heldere licht van een nazomermiddag.

Morgen had Bill begraven zullen worden. De afgelopen dagen had ze haar best gedaan zich voor te bereiden op die beproeving: het zou vreselijk zijn, maar dan werd er tenminste iets afgesloten, dan kon ze misschien een stapje verder komen. En nu was zelfs dat haar ontnomen. Je kon toch geen begrafenis houden zonder lijk? Ze kreunde even en kneep haar ogen dicht.

Een grommende, kelige kreun klonk als een echo van de hare.

Ze sperde haar ogen open. Op de brandtrap vlak buiten haar raam zat een gestalte; groteske vormen, een monster: met aangekoekt haar, grove hechtingen in een lijkbleke huid, de kromme schouders bedekt door een bloederig ziekenhuishemd vol kleverige vlekken en geronnen bloed. Met een pezige hand hield hij een knots vast.

Het gezicht was opgezwollen en vervormd, en zat onder het bloed. Maar het was wel herkenbaar. Nora voelde hoe puur afgrijzen haar keel dichtkneep: dat monster was haar echtgenoot, Bill Smithback.

Er klonk een eigenaardig geluid in de slaapkamer, een zacht, hoog gejammer, en pas na een tijdje besefte ze dat zijzelf dat geluid maakte. Ze was vervuld van afkeer, maar tegelijkertijd van een pervers verlangen. Bill... in leven. Kon dat? Kon dit werkelijk Bill zijn?

Er begonnen witte vlekken voor haar ogen te dansen, en door haar hele lichaam vlamde een vreemd soort hitte op, alsof ze bijna flauwviel of haar greep op de werkelijkheid begon te verliezen. Hij was graatmager en zijn huid zag ziekelijk bleek, bijna zoals dat ding dat haar door het bos bij de Ville achterna had gezeten.

Was dit Bill? Kón dat?

De gestalte wankelde iets naar voren, bleef gehurkt zitten, bracht een hand omhoog en tikte met één vinger op het raam. *Tik, tik, tik.*

Het ding – Bill? – keek haar aan met waterige, bloeddoorlopen ogen. De openhangende mond zakte wijder open, de tong rolde doelloos rond. Er klonken vage, half gevormde woorden.

Probeert hij iets te zeggen? Leeft hij... is dat mogelijk?
Tik, tik, tik.

'Bill?' stamelde ze schor; haar hart hamerde als een moker in haar borstkas.

De gehurkte gestalte huiverde hevig. De ogen werden wijder open gesperd en rolden even omhoog voordat hij haar weer aankeek.

'Kun je iets zeggen?' vroeg ze.

Opnieuw dat geluid: half kreunen, half jammeren. De klauwachtige handen balden zich tot vuisten en ontspanden zich weer, de wanhopige ogen keken haar smekend aan. Als verlamd bleef ze naar hem zitten kijken. Hij was afstotelijk, een wild dier, amper menselijk. Maar toch, onder dat aangekoekte bloed, dat kleverige haar, herkende ze een pafferige karikatuur van haar echtgenoot.

Dit was de man die ze meer dan wie ook ter wereld had liefgehad, de man die haar wederhelft was geweest. Dit was de man die voor haar ogen Caitlyn Kidd had vermoord.

'Zeg iets. Zeg alsjeblieft iets.'

Er kwamen nu nieuwe geluiden uit de rafelige mond, geluiden met steeds grotere intensiteit. De hurkende gestalte bracht zijn handen bijeen en hief ze in een smekend gebaar naar haar op. Ondanks alles voelde Nora haar hart breken bij dat deerniswekkende gebaar, en bij het diepe verlangen en verdriet dat haar overmande.

'O, Bill,' zei ze, en voor het eerst sinds de moord barstte ze openlijk in tranen uit. 'Wat hebben ze met je gedaan?'

De figuur op de brandtrap stiet een gekreun uit. Hij bleef haar even gespannen zitten aankijken, roerloos, op de schokken na die af en toe door zijn ledematen voeren. En toen stak hij, heel langzaam, een van zijn klauwachtige handen uit en greep de onderste rand van het raamkozijn.

En schoof die omhoog.

Nora keek toe; het snikken bedaarde terwijl het raam langzaam, heel langzaam, omhooggleed tot het half openstond. De gestalte bukte zich en kroop onder de rand door. Het ziekenhuishemd bleef haken achter een uitstekende nagel, en scheurde met een scherpe *krak!* open. Die onverwacht soepele beweging had iets dat haar deed denken aan een wolvin die een konijnenhol binnensluipt. Het hoofd en de schouders waren al binnen. De mond gaapte wijder open en aan de onderlip bungelde een sliertje kwijl. Met een van zijn handen graaide hij naar haar.

Intuïtief en zonder er bewust bij na te denken kromp Nora ineen.

De uitgestrekte arm aarzelde. Vanuit zijn positie halverwege het raam keek Smithback naar haar op. Weer klonk er een gekerm uit zijn blubberige mond. Hij hief zijn arm, krachtiger ditmaal.

Bij dat gebaar dreef er een lijkhuislucht op Nora af. Ze voelde de doodsangst opwellen en deinsde achteruit op het bed, trok haar knieën tegen zich aan.

De roodomrande ogen knepen zich samen. Het gejammer veranderde in een laag grommen. En plotseling, met een heftige zet, perste de gestalte zich door het halfopen raam, de kamer in. Er klonk een gekraak van hout, het gerinkel van glas. Met een kreet viel Nora achterover, raakte verstrikt in de lakens en viel op de vloer. Snel maakte ze zich los uit het beddengoed en kwam overeind. Daar stond Bill, bij haar in de kamer.

Hij slaakte een kreet van woede, wankelde op haar af en haalde uit met zijn knuppel.

'Nee,' riep ze. 'Nee, ik ben het, Nora...!'

Het was een onbeholpen zwaai en ze ontweek hem door achteruit te deinzen, de slaapkamer uit. Hij kwam achter haar aan de woonkamer in, strompelde voorwaarts en hief opnieuw zijn knots. Van dichtbij waren zijn ogen melkwit, bewolkt; het oppervlak was droog en rimpelig. Hij sperde zijn mond open tot de lippen barstten, en ademde een afgrijselijke stank uit, vermengd met de scherpe geur van formaline en methylalcohol.

Nnnngghhhaaah!

Ze bleef achterwaarts voor hem uit lopen. Hij sprong op haar af, reikte met één hand naar haar en bewoog krampachtig met zijn vingers. Met horten en stoten zag hij kans steeds iets dichterbij te komen, stapje voor stapje.

Ze deed nog een stap achteruit en voelde dat haar schouderbladen de muur raakten. Het leek wel of de gestalte haar bedreigde en tegelijkertijd smeekte: de linkerhand was uitgestrekt om haar te strelen, terwijl de rechterhand de knots hief om toe te slaan. Hij smeet zijn hoofd achterover, zodat de hals zichtbaar werd: vol lange, verse wonden, die met garen grofweg dichtgenaaid waren, de huid grauw en doods.

Nnnngghhhaaah!

'Nee,' fluisterde ze. 'Nee. Blijf daar.'

Er werd een trillende hand uitgestoken, die haar haar aanraakte en liefkoosde. De geur van de dood omhulde haar.

'Nee,' bracht ze uit. 'Alsjeblieft, niet doen.'

De mond sperde zich verder open en er kwam een stoot walgelijke lucht naar buiten.

'Ga weg!' gilde ze.

De bevende hand strekte een smerige vinger uit, die langs haar wang streelde tot aan haar lippen, die hij even liefkoosde. Ze drukte haar rug tegen de muur.

Nnngah... nnngah... nnngah... De gestalte begon te hijgen terwijl de krampachtig schokkende vinger over haar lippen streek. Even later probeerde hij die vinger in haar mond naar binnen te wurmen.

Kokhalzend wendde ze haar hoofd af. 'Nee...'

Er werd op de deur gebonsd; kennelijk was er iemand op haar roepen af gekomen.

'Nora!' klonk een gedempte stem. 'Hé, is er iets? Nora!'

Als in reactie daarop begon de opgeheven hand met de knots te trillen.

Nnngah! Nnngah! Nnngah! Het hijgen veranderde in een snel, wellustig grommen.

Nora was als verlamd, sprakeloos van afgrijzen.

De rechterhand kwam in één krampachtige boog omlaag, de knots werd op haar schedel geramd – en de wereld hield op te bestaan.

40

D'Agosta zat op de rechtervoorstoel van de surveillancewagen. Zijn sombere bui wilde maar niet afnemen en leek alleen maar erger te worden naarmate ze dichter bij de Ville kwamen. Het enige voordeel was dat hij tenminste niet meer op de achterbank zat met dat hinderlijke creoolse mannetje, of wat die vent ook was. In de binnenspiegel nam hij het kereltje verdekt op, en zijn mond trok strak van de afkeuring. Daar zat hij parmantig op de achterbank; hij leek verdorie wel een chique conciërge in dat pinguïnpak van hem.

De bestuurder hield halt op de overgang van Indian Road naar 214th Street. Ratelend kwam de bestelbus van de sporenrecherche achter hen tot stilstand. D'Agosta keek op zijn horloge: halfvier. De bestuurder drukte op een knop, de kofferbak sprong open en D'Agosta stapte uit. Hij pakte de betonschaar, knipte het hangslot open en liet de ketting op de grond vallen. Hij gooide de betonschaar terug in de bagageruimte, sloeg met een klap de klep dicht en glipte terug in de auto.

'Stelletje gajes,' zei hij tegen niemand in het bijzonder.

De bestuurder gaf plankgas en de Crown Vic sprong met gillende banden naar voren.

'Chauffeur,' zei Bertin, zich vooroverbuigend, 'kunt u iets behoedzamer optrekken, graag?'

De bestuurder, een rechercheur van Moordzaken, rolde met zijn ogen.

Voor de ijzeren poort in de omheining bleven ze weer staan, en D'Agosta knikte nogmaals met genoegen het slot door, dat hij ditmaal het bos in mikte. Daarna knipte hij, gewoon om grondig te werk te gaan, aan beide zijden de scharnieren door, trapte de ijzeren poort omlaag en sleepte de twee helften de weg af. Licht hijgend stapte hij de auto weer in. 'Openbare weg,' zei hij ter verklaring.

Weer sprong de Crown Vic met krijsende banden naar voren, zodat de passagiers flink door elkaar gerammeld werden. De weg steeg en daalde, door een dicht, schemerig bos heen, en kwam uiteindelijk uit op een doodse, open vlakte. Voor hen rees de Ville op, badend in het kristalheldere licht van een late najaarsmiddag. Ondanks het zonlicht zag het complex er donker en misvormd uit, door slierten schaduw omgeven: een onsamenhangend geheel van gevels en daken, als een dorpje uit een luguber stripverhaal. De hele constructie woekerde rond een monsterlijk, half met hout bekleed en onmogelijk oud kerkgebouw. Het voorste deel was omringd door een hoge schutting van houten palen, waarin één eikenhouten poort was aangebracht, verstevigd met ijzeren banden, platen en spijkers.

De auto's reden door naar een ongeplaveid parkeerterrein naast de eiken poort. Er stonden al een paar roestbakken geparkeerd, plus de bestelwagen die D'Agosta al eerder had gezien. Bij de aanblik alleen al voelde hij de woede weer opkomen.

Er leek niemand aanwezig. D'Agosta keek om zich heen en zei tegen de bestuurder: 'Perez, breng de ram en de koevoet mee. Ik neem de kluis voor bewijsmateriaal mee.'

'Goed, inspecteur.'

D'Agosta smeet het portier open en stapte uit. Achter hen was de bestelwagen gearriveerd, en de inspecteur van Dierenwelzijn stapte uit, een timide type met een hele foute blonde snor, een rood aangelopen hoofd, dunne armpjes en een bierbuik. Hij was dood-nerveus, had nog nooit met een huiszoekingsbevel gewerkt. D'Agosta probeerde zich zijn naam te herinneren. Pulchinski.

'Hebben we gebeld om te zeggen dat we op komst zijn?' vroeg Pulchinski met bevende stem.

'Je belt niet als je een huiszoekingsbevel hebt. Het laatste waar-aan je behoefte hebt, is iemand de tijd geven om bewijsmateriaal te verdonkeremanen.' D'Agosta opende de kofferbak en pakte zijn kluisje. 'Heb je de papieren bij je?'

Pulchinski klopte op de grote borstzak van zijn overhemd. Hij stond nu al te zweten.

D'Agosta keek naar Perez. 'En?'

Perez hief de ram. 'Ik ben zover.'

Intussen waren Pendergast en zijn eigenaardige metgezel Bertin ook uit de surveillancewagen gestapt. Aan Pendergasts gezicht was als gebruikelijk niets af te lezen; zijn zilvergrijze ogen waren half geloken en vertoonden geen enkele uitdrukking. Bertin stond, vreemd genoeg, aan een paar bloemen te ruiken. Letterlijk.

'Grote goedheid!' riep hij uit. 'Een schitterend exemplaar van de zeldzame *Agelinis acuta* "Pennel"! Een bedreigde soort! Een heel veld ervan!' Hij nam een bloem in de kom van zijn hand en ademde hoorbaar in.

Perez, die gezegend was met een massieve lichaamsbouw, stel-de zich voor de deur op. Hij pakte de handvatten van de ram, zwaaide die even ter hoogte van zijn heup heen en weer, haalde uit en slingerde hem met een grom van inspanning naar voren. De twintig kilo zware ram sloeg met een holle dreun tegen het eiken-hout en de deur schudde in zijn sponning.

Bertin veerde overeind alsof hij aangeschoten was. 'Wat is dat?' riep hij met schelle stem.

'We voeren een huiszoekingsbevel uit,' antwoordde D'Agosta.

Haastig zocht Bertin zijn toevlucht achter Pendergasts rug, waar hij als een geschrokken kabouter achter vandaan loerde. 'Ik wist niet dat daar geweld bij kwam kijken!'

'Wacht even.' D'Agosta pakte de koevoet en ramde het gevork-te uiteinde onder een klinknagel, die hij eruit wrikte. Krakend schoot het ding los. Zo verwijderde hij er nog vier, voordat hij met een knikje naar de rechercheur een stap achteruit deed.

Keer op keer zwaaide Perez de ram heen en weer, en bij iedere klap versplinterde de zware deur verder. Een van de ijzeren banden sprong los en viel kletterend op de grond. Er opende zich een lange, verticale spleet in het hout en de splinters vlogen in het rond.

'Nog een paar klappen, dan zijn we er,' zei D'Agosta.

Boem! Boem!

Plotseling werd D'Agosta zich bewust van iemand die achter hen stond. Hij draaide zich om. Een paar meter van hen af stond een man naar hen te kijken. Een opmerkelijke gestalte, gehuld in een lange, grijze cape met een fluwelen kraag. Op zijn hoofd had hij een eigenaardige, slappe muts in middeleeuwse stijl met flappen over de oren. Zijn gezicht was in de schaduw gehuld, maar wel was te zien dat hij lang, warrig wit haar had dat hij in een paardenstaart droeg. Hij was minstens twee meter lang en een jaar of vijftig oud. Mager en gespierd, met een verontrustende uitdrukking in zijn starende ogen. Zijn huid was bleek, bijna zo bleek als die van Pendergast, maar de ogen waren zwart als kolen. Hij had scherpe trekken met een smalle adelaarsneus. D'Agosta herkende hem onmiddellijk: dit was de bestuurder van de bestelwagen.

De man keek D'Agosta aan met ogen als zwarte knikkers. Het was een volkomen raadsel waar hij vandaan gekomen was. Zonder een woord te zeggen stak hij zijn hand in zijn zak en pakte een grote, ijzeren sleutel.

D'Agosta zei tegen Perez: 'Zo te zien hebben we de sleutel.'

De sleutel verdween de mantel in. 'Eerst wil ik uw huiszoekingsbevel zien,' zei de man. Met onbewogen gezicht liep hij op hen af. Maar zijn stem klonk honingzoet en voor het eerst van zijn leven hoorde D'Agosta iemand spreken met een accent dat deed denken aan dat van Pendergast.

'Natuurlijk,' zei Pulchinski haastig. Hij stak zijn hand in zijn zak, haalde er een stapel papieren uit en begon daarin te bladeren. 'Alstublieft.'

De man pakte het document met een kolenschop van een hand aan. 'In naam der wet, huiszoekingsbevel,' las hij met welluidende stem. Zijn uitspraak vertoonde grote gelijkenis met Pendergasts manier van spreken, maar was tegelijkertijd heel anders: met iets van Frans en nog iets wat D'Agosta niet kon thuisbrengen.

De man keek naar Pulchinski. 'En u bent...?'

'Morris Pulchinski, Dierenwelzijn.' Nerveus stak hij een hand uit, maar op een kille blik van de onbekende liet hij die weer zakken. 'We zijn hier naar aanleiding van meldingen uit betrouwbare bron over wreedheid tegen dieren, dierenmishandeling en misschien zelfs dieroffers; volgens dit huiszoekingsbevel mogen wij het terrein doorzoeken en bewijsmateriaal confisqueren.'

'Niet het terrein. Volgens dit bevel mag u alleen de kerk zelf doorzoeken. En die anderen?'

D'Agosta zwaaide met zijn badge. 'NYPD Moordzaken. Hebt u een identiteitsbewijs op zak?'

'Daar lopen wij niet mee rond,' zei de man met gortdroge stem.

'Jammer, maar u zult zich toch echt moeten identificeren.'

'Ik ben Étienne Bossong.'

'Hoe schrijf je dat?' D'Agosta pakte zijn notitieboekje en bladerde erdoorheen.

Langzaam en onaangedaan spelde de man zijn naam, waarbij hij iedere letter nadrukkelijk uitsprak alsof hij het tegen een kind had.

D'Agosta noteerde de naam. 'En uw positie hier?'

'Ik ben de leider.'

'Waarvan?'

'Van deze leefgemeenschap.'

'En wat houdt dat precies in, die "leefgemeenschap"?'

Er volgde een lange stilte, waarin Bossong D'Agosta aankeek. 'NYPD Moordzaken? Vanwege een kwestie met Dierenwelzijn?'

'Wij zijn gewoon voor de gezelligheid mee,' zei D'Agosta.

'Deze stormtroepers hier hebben zich nog niet bekendgemaakt.'

'Rechercheur Perez, NYPD Moordzaken,' zei D'Agosta. 'Special agent Pendergast, Federal Bureau of Investigation. En de heer Bertin, consultant voor de FBI.'

Perez en Pendergast lieten hun badge zien, en Bertin bleef met tot spleetjes samengeknepen ogen naar Bossong staan kijken. Bossong vertrok even zijn gezicht, alsof hij Bertin herkende, voordat hij diens blik zonder met zijn ogen te knipperen beantwoordde. Het leek wel of het tweetal een stilzwijgend signaal uitwisselde, iets elektrisch. D'Agosta's nekhaar ging ervan overeind staan.

'Maak die deur open,' zei D'Agosta.

Nog even bleef Bossong gespannen naar Bertin staan kijken, en toen verbrak hij het oogcontact. Hij haalde de zware sleutel uit zijn zak en stak die in het ijzeren slot. Met grote kracht draaide hij hem om; de tuimelaars klikten rumoerig en de gehavende deur zwaaide open.

'Wij zijn niet uit op een confrontatie,' zei hij.

'Mooi zo.'

Achter de deur lag een smalle steeg die een bocht naar rechts maakte. Aan weerszijden stonden houten gebouwtjes met bovenverdiepingen die over de begane grond heen uitstaken, zo oud dat ze schots en scheef tegen elkaar aan leunden. De steile gevels van de bovenverdiepingen raakten elkaar bijna boven de steeg. Er filterde nog wat laatste avondlicht tussen de daken door, maar achter de lege deuropeningen en de vensters van eeuwenoud glas scheen geen lamplicht.

Zwijgend ging Bossong de groep voor, de steeg door. Toen ze de bocht om kwamen, zag D'Agosta de kerk zelf opdoemen, met eindeloze aan- en uitbouwtjes als eendenmossels op een scheepsromp. Vanuit de flanken van het schip staken enorme, eeuwenoude balken uit, vastgemaakt aan nog zwaardere, met krankzinnig beeldhouwwerk versierde verticale staanders die als primitieve steunberen de grond in gedreven waren. Bossong leidde hen tussen twee van die staanders door naar een deur in de buitenmuur van de kerk, waardoor hij naar binnen ging. Terwijl hij over de drempel stapte, riep hij een paar woorden de duisternis in, in een taal die D'Agosta niet herkende.

Voor de deur aarzelde D'Agosta even. Binnen was het aardedonker. Er hing een zure geur van mest, verbrand hout, kaarsvet, wierook, angst en ongewassen mensen. Tussen de hanenbalken boven zijn hoofd klonk een onheilspellend gekraak alsof het hele gebouw op instorten stond.

'Doet u het licht even aan,' zei D'Agosta.

'Er is hier geen elektra,' zei Bossong vanuit de duisternis. 'Wij staan niet toe dat moderne gemakken ons heiligdom ontwijden.'

D'Agosta pakte zijn zaklamp, knipte die aan en scheen ermee om zich heen. Het was een enorme ruimte. 'Perez, haal de halogeenlamp uit de wagen.'

'Ja, inspecteur.'

Hij wendde zich tot de diereninspecteur. 'Pulchinski, je weet waarnaar je op zoek bent, neem ik aan?'

'Nou, eerlijk gezegd...'

'Doe gewoon uw werk, graag.'

D'Agosta keek over zijn schouder. Pendergast, met Bertin aan zijn zijde, stond met zijn eigen lantaarn om zich heen te schijnen.

Perez kwam terug met een halogeenlamp, die via een krulsnoer was aangesloten op een grote accu in een canvas-schoudertas.

'Geef maar hier.' D'Agosta hing de accu over zijn schouder. 'Ik ga voorop. De anderen komen achter mij aan. Perez, neem het kluisje mee. De regels zijn bekend, neem ik aan? We zijn hier wegens een kwestie met dieren.' Zijn stem droop van de ironie.

Hij stapte het donker in en knipte de lamp aan.

En meteen deinsde hij als gestoken achteruit. Langs alle wanden stonden mensen; zwijgend stonden ze naar hem te kijken, allen in grove bruine kleding gehuld.

'Godverdómme!'

Een van de mannen kwam naar voren. Hij was kleiner van stuk dan Bossong, maar even mager. In tegenstelling tot de anderen was zijn bruine pij gedecoreerd met spiralen en complexe witte krullen. Hij had een grof gezicht, alsof de trekken met een hakbijl waren aangebracht, en droeg een zware staf bij zich. 'Dit is gewijde grond,' zei hij op zalvende priestertoon. 'Er wordt hier geen vulgaire taal geduld.'

'Wie bent u?' vroeg D'Agosta.

'Mijn naam is Charrière.' De woorden werden bijna uitgespuwd.

'En wie zijn dit allemaal?'

'Dit is een heiligdom. Dit is onze kudde.'

'Aha, uw kúdde, zegt u. Ik hoef persoonlijk geen limonade na de dienst.'

Pendergast kwam onhoorbaar aanlopen, bleef achter D'Agosta staan en leunde over zijn schouder. 'Vincent?' mompelde hij. 'Volgens mij is de heer Charrière een *hungenikon*-priester. Het lijkt me raadzaam om hem, of de overige aanwezigen, niet erger tegen je in het harnas te jagen dan strikt noodzakelijk.'

D'Agosta haalde diep adem. Het irriteerde hem mateloos als Pendergast hem ongevraagd van advies diende. Hij besefte echter dat hij boos was, en een goed politieman dient nooit boos te worden. Wat was er met hem aan de hand? Het leek wel of hij vanaf het begin van dit onderzoek al kwaad rondliep. Dat moest nu maar eens afgelopen zijn. Hij haalde diep adem en knikte even. Pendergast verdween weer.

Zelfs bij het halogeenlicht was de ruimte zo groot dat hij zich opgeslokt voelde door de duisternis. Die indruk werd nog erger door een soort miasma dat in de lucht hing. De zwijgende gemeente, die tegen de muren aan naar hem stond te kijken, bezorgde hem de kriebels. Er moesten hier wel honderd mensen zijn, misschien nog meer. Allemaal volwassen, uitsluitend mannen: blank, zwart, Aziatisch, Indiaas, Porto Ricaans en alles daartussenin. En allemaal met een matte, starre blik in de ogen. Hij voelde zich niet helemaal op zijn gemak. Ze hadden met meer manschappen moeten uitrukken. Veel meer manschappen.

'Oké mensen, even uw aandacht graag.' Hij sprak luid, zodat iedereen hem kon horen. Hij probeerde zelfverzekerd over te komen toen hij vervolgde: 'Wij hebben een huiszoekingsbevel voor het interieur van deze kerk, en daarin staat dat we het terrein en de fysieke persoon van alle aanwezigen mogen onderzoeken. We hebben het recht alles mee te nemen wat ons van belang lijkt in het kader van ons onderzoek. U krijgt een volledige lijst van alles wat in beslag genomen wordt, en uw eigendommen worden na verloop van tijd terugbezorgd. Is dat duidelijk?'

Hij zweeg, en zijn stem galmde nog even na voordat het geluid wegstierf. Niemand roerde zich. De talloze ogen gloeiden rood op in het licht van de lantaarns, als die van dieren bij nacht.

'Ik verzoek u dus om rustig te blijven staan en ons niet bij het werk te storen. Houd u aan de instructies van onze mensen. Oké? Dan is het allemaal zo snel mogelijk voorbij.'

Hij keek weer om zich heen. Was het inbeelding, of waren ze iets dichterbij gekomen, was de kring kleiner geworden? Het moest inbeelding zijn. Hij had niemand zien of horen bewegen. In de stilte voelde hij de druk van de sombere, eeuwenoude balken die boven zijn hoofd omlaag leken te komen, al krakend en knersend.

De mensen zelf maakten geen enkel geluid. Ze waren volkomen stil. Maar plotseling klonk er een geluidje aan de achterkant van de kerk: het deerniswekkende gemekker van een lam.

'Oké,' zei D'Agosta, 'we beginnen achterin en we werken naar de deur toe.'

Ze liepen het schip van de kerk door. De vloer bestond uit grote, vierkante blokken glad gesleten steen, en er waren geen stoelen of banken. De ceremonies en rituelen – en D'Agosta kon zich met geen mogelijkheid voorstellen wat zich hier afspeelde – moesten staande, of misschien gekniel, worden volvoerd. Hij zag vreemde patronen op de muur geschilderd: krullen en ogen en planten met waaiervormige bladeren, onderling verbonden door middel van een ingewikkeld stelsel van lijnen. Ze deden hem denken aan de versieringen op het habijt van de priester, en meer nog: aan het patroon dat met bloed op de muur bij Smithback thuis was geschilderd.

Hij gebaarde naar Perez. 'Maak een foto van die muurschildering.'

'Oké.'

Pulchinski sprong zowat in de lucht van schrik toen de camera flitste.

Het lam blaatte nogmaals. Honderden ogen volgden hun tocht, en nu en dan meende D'Agosta de glinstering van geslepen metaal onder de plooien van de kleding te zien.

Uiteindelijk kwamen ze achter in het gebouw aan. Waar normaal het koor geweest zou zijn, was hier een stal gemaakt, met een houten hek eromheen en stro op de grond. In het midden stond een paal waaraan een ketting bungelde, en aan die ketting vastgebonden stond een lam. De grond was bedekt met vochtig stro vol donkere vlekken. De wanden zaten onder de opgedroogde bloedspatten, stukjes weefsel en uitwerpselen. De paal moest ooit bewerkt zijn geweest als een totempaal, maar was nu zo overdekt met slachtafval en mest dat het houtsnijwerk onherkenbaar was geworden.

Daarachter stond een gemetseld altaar met daarop waterkannen, glad gepolijste stenen, fetisjen en etenswaren. Op een klein verhoginkje lagen een paar voorwerpen met een vaag nautische uitstraling die D'Agosta niet herkende: metalen spiralen met haken eraan op houten sokkels, bijna een soort levensgrote kurkentrekkers. Ze waren blinkend gepoetst en lagen daar te fonkelen als relieken. Naast het altaar stond een paardenharen kist met een hangslot.

'Fraai,' zei D'Agosta, terwijl hij met zijn lantaarn over het schouwspel scheen. 'Bijzonder fraai.'

'Dit soort vôdou heb ik nog nooit gezien,' zei Bertin met gedempte stem. 'Ik zou het niet eens vôdou willen noemen. O, de basis is er, zeker, maar dit hier is een volslagen andere, gevaarlijker richting in geslagen.'

'Dit is afgrijselijk,' zei Pulchinski. Hij pakte een videocamera en begon te filmen.

Bij de aanblik van het apparaat rees er een schuifelend geluid op uit de menigte, een soort collectief geritsel.

'Dit is een gewijde plek,' zei de hogepriester, en zijn stem galmde door de ruimte. 'En die bent u aan het bezoedelen. U bezoedelt ons geloof!'

'Zorg dat u dit er allemaal op krijgt, meneer Pulchinski,' zei D'Agosta.

Snel als een slang, met plotseling opbollende pij, dook de priester op hem af, haalde uit met zijn staf en sloeg de videocamera uit Pulchinski's handen, zodat het apparaat met een klap op de grond viel. Pulchinski wankelde hinnikend van angst achteruit.

Meteen stond D'Agosta met zijn dienstrevolver in de handen. 'Meneer Charrière, houd uw handen zo dat ik ze zien kan en draai u om – ik zei, draai u om!'

De hogepriester deed niets. Het wapen was op hem gericht, maar hij leek volslagen onbevreesd.

Binnen een seconde stond Pendergast, die snel en efficiënt bezig was geweest monsters van artefacten en altaarobjecten af te schrapen om die in kleine reageerbuisjes te laten vallen, voor D'Agosta's neus. 'Momentje, inspecteur,' zei hij rustig, en daarna draaide hij zich om. 'Meneer Charrière?'

De hogepriester keek hem aan. 'Bezoedelaars!' riep hij uit.

'Meneer Charrière.' Pendergast sprak de naam nogmaals uit, met een eigenaardig soort nadruk ditmaal, en de man zweeg. 'U hebt zojuist een wetsdienaar aangevallen.' Hij keek naar de inspecteur van Dierenwelzijn. 'Gaat het?'

'Ja hoor, niets aan de hand,' antwoordde Pulchinski manmoedig. Zijn knieën knikten zo vreselijk dat ze bijna tegen elkaar sloegen. D'Agosta keek met een onbehaaglijk gevoel om zich heen. Ditmaal was het geen inbeelding: de menigte was inderdaad dichterbij gekomen.

'Dat was een domme zet, meneer Charrière,' vervolgde Pender-gast. Zijn stem klonk niet luid, maar op de een of andere manier toch indringend. 'Nu hebt u zich in onze macht geplaatst.' Hij keek opzij. 'Nietwaar, meneer Bossong?'

Er streek een glimlach over het gezicht van de priester. De meeste mensen worden stralender als ze glimlachen; Charrière daarentegen werd misvormd door zijn glimlach, die littekens zichtbaar maakte die voorheen niet waren opgevallen. 'De enige macht behoort toe aan de goden van deze plek, de macht van de Loa en van hun *hungan*!' Hij dreunde met zijn staf op de grond als om zijn woorden kracht bij te zetten. En even later klonk in de elektriserende stilte van ergens onder hun voeten een gedempt geluid ten antwoord.

Aaaahhoeoeoeoe...

D'Agosta schrok: dit was hetzelfde geluid dat hij de vorige avond in het struikgewas had gehoord. 'Wat was dat in godsnaam?'

Geen antwoord. De menigte leek in gespannen afwachting te verkeren.

'Ik wil onder de grond zoeken.'

Nu deed Bossong, de leider van de gemeenschap, een stap naar voren. Hij had met een ondoorgrondelijk gezicht en op enige afstand naar de confrontatie staan kijken. 'De kelders vallen niet onder uw huiszoekingsbevel,' zei hij.

'Ik heb daar mijn gerede twijfel over. Er zit daar een dier of iets dergelijks.'

Bossong fronste zijn voorhoofd. 'U komt er niet langs.'

'Dat zullen we nog wel eens zien.'

Nu nam de priester, Charrière, de leuze over. Hij draaide zich om en sprak tegen de massa: 'Hij komt er niet langs.'

'Hij komt er niet langs!' scandeerden de aanwezigen ten antwoord. Die plotselinge donderkreet na de lange stilte was bijna angstaanjagend.

'Eerst maken we hier ons werk af,' vervolgde Pendergast rustig. 'Verdere pogingen om ons bij het werk te hinderen worden niet op prijs gesteld. Daar kunnen zelfs sancties op volgen.'

Charrière priemde met een vinger tegen Pendergasts jasje. Zonder de ijzige glimlach van zijn gezicht te halen zei hij: 'U hebt geen macht over mij.'

Pendergast deed een stap achteruit om de aanraking te ontwijken. 'Inspecteur? Zullen we dan maar?'

D'Agosta borg zijn wapen weg. Pendergast had hun op de een of andere manier een minuut of wat extra tijd bezorgd. 'Pulchinski, neem dat schaap en die paal mee. Perez, breek het slot van die kist open.'

Perez hakte het hangslot van de kast open en tilde het deksel op. D'Agosta scheen er met zijn lantaarn in: de hele kist zat vol instrumenten, in lappen leer gewikkeld. D'Agosta pakte een buidel op en rolde hem open. Er zat een gekromd mes in.

'Pak die kist mee, met alles wat erin zit.'

'Ja, inspecteur.'

Er begon een geroezemoes te klinken, en de menigte schuifelde naderbij. Het gezicht van de hogepriester, doormidden gespleten door een grimas, bleef tijdens het werken strak op hen gericht. Zijn lippen waren opgetrokken en bewogen alsof hij in zichzelf stond te mompelen.

Vanuit zijn ooghoek ving D'Agosta een glimp op van Bertin. Hij was het bizarre mannetje al bijna vergeten. Bertin zat rond te wroeten in een hoekje waar tientallen leren stroken met fetisjen eraan aan het plafond bungelden. Daarna liep hij naar een bizarre constructie van stokken, duizenden stokken die vastgebonden waren in een onbeholpen, driedimensionale quincunx, een vierkant met een paal in het midden. Zijn gezicht stond betrokken en bezorgd.

'Die nemen we ook mee,' zei D'Agosta met een gebaar naar een fetisj op de grond. 'En die, en die.' Hij scheen met zijn licht in de hoeken op zoek naar deuren of kasten en probeerde te zien wat er achter de mensenmassa lag.

'Moge de Loa rampspoed doen neerdalen over de onreine *baka* die het heiligdom ontwijden!' riep de hogepriester. Hij had nu een eigenaardig amulet in zijn andere hand, een kleine, donkere ratel met bovenop een verdroogde knop ter grootte van een golfbal. Daarmee schudde hij in de richting van de indringers.

'Pak die fetisjen van het altaar,' zei D'Agosta. 'En die instrumenten daar, en die zooi daarachter. Alles.'

Snel laadde Perez het gevraagde in het kunststof kluisje.

'Dief!' donderde Charrière, en hij schudde met zijn amulet. De menigte drong verder op.

'Rustig maar, je krijgt alles terug,' zei D'Agosta. Ze konden maar beter opschieten en snel nog even beneden gaan kijken.

'Inspecteur, vergeet de objecten op de *caye-mystère* niet.' Pendergast knikte naar een schrijn in een donkere nis met een franje van palmblad, waarop een stel potjes, fetisjen en offerandes in de vorm van voedsel lagen.

'Aha.'

'Baka-zwijn!'

Plotseling klonk er uit de acolietenkring een geluid als van een ratelslang. Eerst kwam het van één bepaalde plek, daarna van een andere, en algauw klonk het van alle kanten. D'Agosta scheen met zijn lantaarn op de kring en zag de mensen, die intussen nog dichterbij gekomen waren, elk met een benen handvat in de hand staan, met daaraan iets wat niets anders kon zijn dan de ratel van een ratelslang.

'Nou, dan hebben we het wel zo'n beetje gehad,' zei D'Agosta geveinsd nonchalant.

'Wellicht,' beaamde Pendergast, 'kan de huiszoeking van het souterrain later plaatsvinden.'

D'Agosta knikte. Jezus, ze moesten echt zien dat ze hier wegkwamen.

'Baka-hondenvreters!' riep de priester met schelle stem.

D'Agosta draaide zich om. De uitgang door het schip van de kerk was volledig geblokkeerd.

'Zo mensen, we zijn klaar. Dus we stappen maar weer eens op.' Pulchinski was zichtbaar blij dat hij weg kon, net als Perez. Pendergast stond weer kleine monstertjes te verzamelen. Maar waar zat Bertin?

Op dat moment brak er in een donker hoekje een rumoerige worsteling uit. D'Agosta draaide zich om en zag Bertin met een kreet op de hogepriester af rennen. Als een wild dier stortte hij zich op de man. Charrière wankelde achteruit en de twee vochten om het amulet dat de hogepriester in zijn hand had.

'Hé!' riep D'Agosta. 'Wat moet dat nou?'

De menigte drong op, en het geratel veranderde in een laag, dreigend brullen.

De twee vechtersbazen vielen op de grond en raakten verstrikt in Charrières habijt. Binnen enkele seconden had Pendergast zich in de strijd geworpen en even later kwam hij boven, met Bertin in een houdgreep.

'Laat me los!' riep Bertin. 'Ik maak hem af! Jij daar, jij gaat eraan, *masisi*!'

Charrière schikte zwijgend zijn pij recht, klopte zich af en liet nog eens die afzichtelijke, verminkende grijns van hem zien. 'Integendeel,' zei hij. 'Jíj gaat eraan. Jij en die vrienden van je.'

Bertin stribbelde uit alle macht tegen, maar Pendergast hield hem vast en fluisterde op dringende toon iets in zijn oor.

'Nee!' riep Bertin. 'Néé!'

Met maniakaal geratel drong de menigte steeds verder op. D'Agosta ving nog een paar maal een glimp op van scherp geslepen staal, verborgen in de donkere plooien van de kledij. Plotseling zweeg Bertin; zijn gezicht was bleek en angstig.

De massa dromde rond hen samen.

D'Agosta slikte. Van een confrontatie kon geen sprake zijn. Met enig geluk konden ze zich al schietend een weg naar buiten banen, gesteld dat niemand van de menigte een vuurwapen had; maar dan zouden ze de rest van hun leven in de rechtszaal doorbrengen. 'Wij gaan ervandoor,' bracht hij uit. Hij draaide zich om naar de anderen. 'Kom op.'

Charrière deed een stap vooruit en versperde hem de weg. De meute klemde hen in een bankschroef.

'Wij zijn niet uit op een gevecht,' zei D'Agosta. Hij liet zijn hand losjes op zijn dienstwapen rusten.

'Daar is het intussen te laat voor,' zei de hogepriester met plotseling krachtiger stem. 'Jullie zijn onrein, jullie zijn smerig. Alleen een volledige zuivering kan deze smet verwijderen.'

'Zuiver de kerk!' riep een stem. 'Zuiver de kerk!' Andere stemmen herhaalden de kreet als een echo.

D'Agosta's vinger maakte het klepje van zijn holster los, en hij maakte snel een hoofdrekensommetje. De Glock 19 had een magazijn met vijftien ronden; dat was genoeg om zich een pad te banen door een normale mensenmassa. Maar deze massa was allesbehalve normaal. Hij greep het wapen steviger beet en haalde diep adem.

Plotseling liep Pendergast naar Charrière toe. 'Wat hebben we hier?' Bliksemsnel schoot zijn hand naar voren en scheurde iets van de mouw van de hogepriester weg. Hij hield het in de hoogte en scheen erop met zijn lantaarn. 'Kijk eens aan! Een arrêt met een valse twijn, uitgevoerd in een omgekeerde spiraal. Het amulet tegen valse vrienden! Monsieur Charrière, u bent de geestelijk leider van uw kudde – vanwaar dan uitgerekend dít amulet? Wat hebt u te vrezen?'

Hij draaide zich om naar de menigte en zwaaide met de gepluimde fetisj. 'Hij vertrouwt jullie niet? Zien jullie wel?'

Hij wendde zich weer tot Charrière. 'Waarom vertrouwt u deze mensen niet?' vroeg hij.

Brullend rende Charrière op hem af, met geheven staf en achter hem opbollend habijt; maar Pendergast deed zo behendig een stap opzij dat de priester in het niets sloeg, waardoor hij zijn evenwicht verloor. Eén snelle trap was genoeg om hem in het stof te doen bijten. Er steeg een boos gebrul op uit de menigte. Snel kwam Bossong tussenbeide; hij legde een kalmerende hand op de schouder van de hogepriester terwijl die overeind krabbelde met een blik van woede en haat op zijn gezicht.

'Smerige hufter,' zei hij tegen Pendergast.

'Inderdaad, tijd om op te stappen,' reageerde die koeltjes.

D'Agosta greep het voorste handvat van de kluis voor bewijsmaterialen, die zo groot was als een doodskist, Perez nam de achterkant en met snelle passen baanden ze zich een weg door de verbaasde menigte, met de kist als een stormram voor zich uit. Met zijn vrije hand pakte D'Agosta de Glock uit de holster en vuurde ermee in de lucht. Het geluid weerkaatste eindeloos door de gewelven. 'Kom op, mensen! Wegwezen!' Hij borg het wapen weg, vatte Bertin letterlijk bij de kraag en sleepte hem mee op de haastige aftocht, waarbij ze links en rechts mensen opzij duwden. Er flitste een mes, maar met een snelle beweging mepte Pendergast de aanvaller tegen de vlakte.

Met de kolkende meute in hun kielzog daverden ze de deur door. D'Agosta vuurde nogmaals in de lucht. 'Achteruit, mensen!'

Tientallen gelovigen hadden nu hun mes getrokken; het staal blonk mat in het laatste avondlicht.

'De auto's in!' riep D'Agosta. 'Nú!'

Haastig werkten ze zich naar binnen, smeten de bewijsmaterialen in de bagageruimte van de bestelwagen en hesen het lam erachteraan, en meteen reed de wagen al met gillende banden weg, nog bijna voordat ze de deuren hadden kunnen dichtslaan. Koud op hun hielen volgde de surveillancewagen, en daarachter holde de krijsende menigte, bedolven onder een regen van opspattend grind. Terwijl ze op topsnelheid wegreden, hoorde D'Agosta iemand kreunen op de achterbank. Hij keek om en zag de fransoos, Bertin, bleek en trillend met Pendergasts revers in zijn hand zitten. Pendergast zelf haalde iets uit de zak van zijn pak: een van de eigenaardige haken die op het altaar hadden gelegen. Die moest hij in het gedrang bij zich gestoken hebben.

'Bent u gewond?' vroeg D'Agosta hijgend aan Bertin. Zijn hart hamerde in zijn borst en hij leek niet op adem te kunnen komen.

'Die hungan, Charrière...'

'Wat?'

'Die heeft monsters genomen...'

'Wát heeft hij gedaan?'

'Monsters genomen... van mij, van ons allemaal... haar, kleding... zag je dat dan niet? Je hoorde hem, je hoorde die dreigementen van hem. *Maleficia*, doodsmagie. Dat gaan we aan den lijve ondervinden. Heel binnenkort.' Bertin zag eruit alsof hij op sterven na dood was.

D'Agosta draaide zich bruusk weer om naar voren. Dat gezeik ook altijd met Pendergast.

41

'Wat mag het zijn?' vroeg de overwerkt ogende dienster terwijl ze met haar elleboog op haar heup geleund, met opengeslagen notitieblok en haar pen in de aanslag, bij zijn tafeltje stond.

D'Agosta schoof de menukaart van zich af. 'Zwarte koffie, en havermout.'

De dienster keek naar de overkant van de tafel. 'En voor u?'

'Blueberry pancakes,' zei Hayward. 'Met warme stroop, graag.'

'Komt voor elkaar,' antwoordde de dienster. Ze klapte haar blok dicht en wendde zich af.

'Momentje,' zei D'Agosta.

Dit was interessant. Voor zover hij wist had Laura Hayward tijdens hun samenwonen maar om twee redenen bosbessenpannenkoekjes besteld, of gemaakt. Of als ze zich schuldig voelde omdat ze te veel gewerkt en hem verwaarloosd had, óf als ze in een verliefde bui was. Beide opties klonken hem als muziek in de oren. Moest hij dit opvatten als een signaal? Het was tenslotte haar idee geweest om samen ergens te gaan ontbijten.

'Maak daar maar tweemaal pancakes van,' zei hij.

'Okidoki.' En de dienster liep weg.

'Heb jij de *West Sider* van vanochtend gezien?' vroeg Hayward.

'Ja. Helaas wel.' Het roddelblad leek vastbesloten om de complete stad op te zwepen tot een staat van pure hysterie. En dat gold niet alleen voor de *West Sider*: de hele rioolpers had intussen de sensatieberichten overgenomen. De Ville werd in steeds luguberder termen afgeschilderd, en dat met een massa weinig subtiele suggesties dat deze gemeenschap achter de moord op de 'sterverslaggever' van de *West Sider*, Caitlyn Kidd, zat.

Maar Bill Smithback zelf bleef het voornaamste onderwerp van ziekelijke belangstelling. De opzienbarende moord op Kidd, gepleegd door Smithback nadat deze doodverklaard was en op de sectietafel lag; zijn lijk dat vermist werd in het mortuarium: alles werd met het grootste genoegen doorgespit en tegen het licht gehouden. En uiteraard waren er vele duistere suggesties dat ook de Ville daar in laatste instantie verantwoordelijk voor was.

Wat D'Agosta betrof wás de Ville ook inderdaad verantwoordelijk. Maar ondanks zijn eigen toenemende woede wist hij dat eigenrichting wel het laatste was waaraan de inwoners van New York behoefte hadden.

De dienster kwam aanlopen met zijn koffie. Dankbaar nam hij een slok, en over de rand van de kop heen wierp hij een blik op Hayward. Zij beantwoordde zijn blik. Ze keek niet direct schuldbewust of verliefd. Ze keek eerder bezorgd.

'Wanneer ben jij bij Nora Kelly langs geweest?'

'Gisteravond, zodra ik het gehoord had. Meteen toen we klaar waren in de Ville.'

'Je had toch bewaking voor haar geregeld?'

D'Agosta fronste zijn voorhoofd. 'Er bleek iets misgegaan te zijn met de overdracht. Beide teams dachten dat de ander de zaak in handen had. Stelletje idioten.'

'En de buren zijn tussenbeide gekomen?'

D'Agosta nam nog een slok van zijn koffie en knikte bevestigend. 'Ze kwamen aanrennen toen zij het op een gillen zette. Ze hebben de deur opengetrapt.'

'En Nora houdt vol dat het Smithback was?'

'Ze is er rotsvast van overtuigd en is bereid dat voor een rechtbank te getuigen. De buren idem dito.'

Hayward keek naar het marmerpatroon van het tafeltje. 'Dat is krankzinnig. Wat is hier in vredesnaam aan de hand?'

'De Ville. Dát is hier aan de hand.' Bij de gedachte aan Nora alleen al kwam de woede weer opzetten. Het leek wel of hij de laatste tijd onophoudelijk woedend was: op de Ville, op Kline en diens glibberige beloften, op de hoofdcommissaris, op alle bureaucratie die hem aan handen en voeten bond; en zelfs op Pendergast met zijn irritante bescheidenheid en dat onuitstaanbare Frans-creoolse mannetje, die adviseur van hem.

Hayward zat weer naar hem te kijken. De bezorgde blik was alleen maar erger geworden. 'Wat is er dan precies met de Ville?'

'Zie je dat dan niet? Die zitten overal achter. Het kán niet anders. Smithback had gelijk.'

'Mag ik erop wijzen dat daar nog geen enkel bewijs voor is. Smithback had geschreven over die vermeende moord op dieren, meer niet.'

'Daar is niets vermeends aan. Ik heb die beesten in de bestelwagen gehoord. Ik heb die messen zelf gezien, dat bloederige stro. Je had het daar moeten zien, Laura. Mijn god... die pijen, die kappen, dat gezang van ze... het is een stel fanaten.'

'Maar daarom hoeven het nog geen moordenaars te zijn. Vinnie, je moet rechtstreeks verband aantonen.'

'En ze hebben het motief. Die hogepriester van ze, die Charrière...' Hij schudde zijn hoofd. 'Een fraai portret. In staat tot moord? Geen twijfel mogelijk.'

'En die Bertin, die in het rapport voorkomt? Wie is dat?'

'Daar kwam Pendergast mee aanzetten. Voodoo-expert of iets dergelijks. Een kwakzalver als je het mij vraagt.'

'Voodoo?'

'Met die gedachte loopt Pendergast rond. Hij zegt van niet, maar het is wel zo. En wat mij betreft mag hij eindeloos spelden in allerhande poppetjes steken. Als de Ville daarmee uitgeschakeld wordt.'

Hun borden werden gebracht. De pannenkoekjes roken heerlijk naar verse bessen. Hayward lepelde wat ahornsiroop over haar bord, pakte haar vork en legde die weer weg. Ze leunde naar hem over. 'Vinnie, luister even. Jij bent té boos om dit onderzoek te leiden.'

'Waar heb je het over?'

'Je kunt niet objectief zijn. Je was dol op Smithback. Je bent een fantastische politieman, maar je moet je afvragen of je dit onderzoek niet beter uit handen kunt geven.'

'Dat meen je niet. Ik zit er helemaal in, zeven dagen per week, vierentwintig uur per etmaal.'

'Dat bedoel ik nu juist. Je bent op heksenjacht, je bent er bij voorbaat al van overtuigd dat het de Ville is.'

D'Agosta haalde diep adem en wachtte met antwoorden tot hij een hap van zijn pannenkoek had genomen. 'Maar dat moet toch juist? Op onze overtuigingen, ons instinct afgaan? We bekijken toch altijd als eerste de waarschijnlijkste verdachte?'

'Wat ik bedoel is dat jij volgens mij zo blind bent van woede, van emotie, dat je geen rekening meer houdt met andere mogelijkheden.'

D'Agosta deed zijn mond open en klapte hem weer dicht. Hij had geen idee wat hij zeggen moest. Diep in zijn hart voelde hij dat ze gelijk had. Nee, wíst hij dat ze gelijk had. En het ergste was wel dat hem dat niet eens echt raakte. Smithbacks dood was een vreselijke schok, had een onverwacht groot gat geslagen. En hij wilde de verantwoordelijken op de brandstapel hebben.

'En wat wou je aan Pendergast doen? Telkens wanneer die ten tonele verschijnt, komt er ellende van. Die vent is niet goed voor jou, Vinnie; blijf bij hem uit de buurt. Doe het alleen.'

'Dat slaat nergens op,' snauwde D'Agosta. 'Pendergast is briljant. En hij bereikt tenminste iets.'

'Inderdaad. En weet je waarom? Omdat hij geen geduld heeft om de normale wegen te bewandelen. Dus gaat hij buiten het systeem om. En hij sleept jou mee bij die onwettige escapades van hem. En wie ondervindt daar de consequenties van? Jij.'

'Ik heb al een handvol onderzoeken met hem gedaan. En iedere zaak heeft hij tot op de bodem uitgespit; bij ieder onderzoek heeft het recht uiteindelijk gezegevierd.'

'Pendergasts soort recht, zul je bedoelen. Als ik zie hoe hij aan zijn bewijsmateriaal komt, dan vraag ik me af of de daders ooit voor een normale rechtbank veroordeeld kunnen worden. Misschien is het geen toeval dat ze steevast zelf dood zijn voordat ze voor de rechter kunnen verschijnen.'

D'Agosta gaf geen antwoord. Hij schoof zijn amper aangeroerde bord opzij. Dit ontbijt verliep anders dan hij gehoopt had. Hij was moe; moe en verward.

Toen deed Hayward iets onverwachts. Ze stak haar hand over de tafel heen en pakte de zijne. 'Vinnie, ik probeer echt niet moeilijk te doen. Ik probeer je alleen te helpen.'

'Dat weet ik. En dat waardeer ik, eerlijk waar.'

'Het is gewoon dat je zo dicht langs de rand van de afgrond hebt gebalanceerd, die laatste keer dat je betrokken was bij een zaak van Pendergast. De hoofdcommissaris zit door een vergrootglas naar je te kijken. Ik weet hoe belangrijk je carrière voor je is, en ik zou het vreselijk vinden als je die nogmaals in gevaar bracht. Wil je dan tenminste beloven dat je je niet meer zult laten meeslepen op illegale expedities? Jij hebt de leiding over dit onderzoek. Uiteindelijk ben jíj degene die in het getuigenbankje moet vertellen wat je hebt gedaan – en nagelaten.'

D'Agosta knikte. 'Oké.'

Ze kneep even in zijn hand en glimlachte.

'Weet je nog toen we elkaar pas kenden?' vroeg hij. 'Ik was de door de wol geverfde veteraan, de grote boze politieman.'

'En ik het groentje, net weg bij de verkeerspolitie.'

'Precies. Zeven jaar geleden alweer, onvoorstelbaar. Ik hield jou zo'n beetje in de gaten. Zorgde dat je niet in zeven sloten tegelijk liep. En nu zijn de rollen omgekeerd.'

Ze sloeg haar ogen neer, en haar wangen kleurden lichtrood.

'Maar zal ik je wat zeggen, Laura? Dit bevalt me wel.'

Van over Haywards schouder klonk een enthousiaste, licht ademloze stem. 'Is dát hem?'

Over Haywards schouder keek hij naar het aangrenzende tafeltje. Een magere vrouw met een witte blouse en een zwarte jurk aan had zich omgedraaid en zat, met een mobiele telefoon tegen haar oor gedrukt, met starre blik naar hen te kijken. Even had hij geen idee tegen wie ze het had: tegen hem, tegen haar tafelgenoot of tegen degene aan de andere kant van de lijn.

'Ja, dat ís 'm! Ik herken hem van het nieuws van gisteravond!' Ze liet de telefoon in haar tas vallen, stond op van haar tafeltje en kwam op hen toe lopen. 'U bent toch die politieman die de zombiemoorden onderzoekt, nietwaar?'

De dienster, die haar hoorde, kwam aanlopen. 'Bent u dat?'

De magere vrouw leunde naar hem over en greep met haar gemanicuurde nagels de tafelrand zo hard beet dat haar knokkels wit kleurden. 'Vertelt u me alstublieft dat u dit snel zult oplossen, dat u die afschuwelijke lieden achter de tralies brengt!'

Nu kwam een wat oudere vrouw, die het gesprek gevolgd had, naar voren. 'Alstublieft, inspecteur,' smeekte ze; een yorkshireterriër ter grootte van een rat gluurde naar hen vanuit een mandje in haar armen. 'Ik doe al dagenlang geen oog dicht. En mijn vriendinnen ook niet. De gemeente doet er niets aan. U móét hier een eind aan maken!'

Verbijsterd en een moment lang met stomheid geslagen keek D'Agosta van de een naar de ander. Zoiets was hem nog nooit overkomen, ook niet bij zaken die uitgebreid in het nieuws waren. De inwoners van New York waren meestal blasé, wereldwijs, niet van hun stuk te brengen. Maar deze mensen... de angst in hun ogen, in hun stem, was onmiskenbaar.

Hij schonk de magere vrouw iets wat naar hij hoopte een geruststellende glimlach was. 'Daar wordt hard aan gewerkt, mevrouw. En ik kan u wel beloven: lang zal het niet meer duren.'

'Ik houd u aan die belofte!' De vrouw verdween weer, in geanimeerd gesprek gewikkeld met de gelijkgestemden in het restaurant.

D'Agosta keek even naar Hayward. Die beantwoordde zijn blik, even verbluft als hijzelf was. 'Interessant,' zei ze uiteindelijk. 'Deze kwestie is aan het uitgroeien tot iets enorms, Vinnie. Doe voorzichtig.'

'Zullen we dan maar?' vroeg hij, met een gebaar naar de deur.

'Ga jij maar vast. Ik drink even mijn koffie op.'

Hij legde een briefje van twintig dollar op tafel. 'Tot vanmiddag, bij Bewijsmaterialen?'

Toen ze knikte, draaide hij zich om en baande zich zo behoedzaam mogelijk een weg door het groepje bezorgde stadsgenoten
heen.

42

D'Agosta had een bloedhekel aan alles wat te maken had met de
nieuwe afdeling Bewijsmaterialen in het souterrain van One Police Plaza. De ruimte, en alle procedures die erbij hoorden, waren
gerenoveerd nadat er voor de zoveelste maal een rechtszaak niet-
ontvankelijk was verklaard vanwege fouten bij de verwerking van
het bewijsmateriaal. En nu was het betreden van de afdeling zoiets
als toegang krijgen tot Fort Knox.

D'Agosta gaf de documenten aan een secretaresse achter kogel-
vrij glas en daarna moesten hij, Hayward, Pendergast en Bertin al
ijsberend in de daartoe bestemde ruimte blijven wachten tot de ad-
ministratieve handelingen waren afgerond. Geen stoelen, geen tijdschriften, niets dan een portret van de gouverneur. Na een kwartier kwam er een energieke vrouw met een radio in haar hand
binnen, gerimpeld als een mummie maar opmerkelijk geanimeerd.
Ze overhandigde hun allen een badge en een stel katoenen handschoenen.

'Deze kant uit,' zei ze met heldere, zakelijke stem. 'Bij elkaar
blijven. Niets aanraken.'

Achter haar aan liepen ze een kale gang in, met tl-balken aan
het plafond en geschilderde en genummerde stalen deuren aan
weerszijden. Na een eindeloos lijkende wandeling bleef ze voor een
van de deuren staan, haalde een kaartje door een sleuf en toetste
met machinaal aandoende precisie een code in op het nummer-
blokje. De deur sprong open. In de ruimte daarachter stonden langs
drie wanden kasten voor bewijsmateriaal, en in het midden stond
een formica tafel met een rij felle lampen erboven. Vroeger zou het
materiaal al op de tafel gelegd zijn. Nu waren er foto's van het bewijsmateriaal te zien, met daarnaast een lijst waarop alle artikelen

vermeld stonden. De items die ze zien wilden, moesten ze apart aanvragen; ze konden niet meer zomaar door de zaken heen neuzen.

'Achter de tafel staan,' klonk haar zakelijke stem.

Een voor een liepen ze de drempel over en gingen ze achter de tafel staan. Hayward, Pendergast en de hinderlijke Bertin. D'Agosta voelde al afkeurende vibraties van Hayward uitstralen. Ze had geprotesteerd tegen Bertins aanwezigheid; de pandjesjas en de knotsachtige wandelstok hadden beslist geen goede indruk gemaakt. Maar al zijn tijdelijke FBI-papieren waren in orde. Het mannetje zag er verfomfaaid uit; zijn gezicht was bleek en het zweet parelde op zijn slapen.

'Oké,' zei de vrouw achter de tafel. 'Hebben we dit ooit eerder gedaan?'

D'Agosta zei niets, de anderen mompelden: 'Nee.'

'U kunt één stuk bewijsmateriaal tegelijk opvragen. Ik ben de enige die het materiaal mag aanraken, tenzij u het object van dichtbij moet beschouwen. En daarvoor moet van tevoren toestemming gegeven zijn. Laboratoriumproeven kunt u schriftelijk aanvragen. Op deze lijst hier staan alle bewijzen die in het kader van dit onderzoek zijn verzameld, zowel bij de huiszoeking als bij eerdere gelegenheden. Zoals u ziet is alles gefotografeerd. Dus' – ze glimlachte zo breed dat haar gezicht bijna doormidden spleet – 'wat wilt u als eerste bekijken?'

'Eerst,' zei Pendergast, 'zou ik graag het materiaal willen zien dat we uit de crypte van Colin Fearing hebben opgehaald.'

Even later stond het miniatuurlijkkistje met de botjes op tafel. 'En nu?' vroeg de vrouw.

'Nu graag de kist uit de Ville met inhoud.' D'Agosta wees. 'Die foto, daar.'

De vrouw gleed met een gelakte vingernagel langs de lijst, tikte op een nummer, draaide zich om naar een van de wandkasten en trok een la open. 'Hij is te groot, dat red ik niet,' zei ze.

'Ik help wel even,' zei D'Agosta, en hij deed een stap naar voren.

'Nee.' De vrouw riep via haar walkietalkie versterking te hulp, en even later kwam er een grote man binnenlopen die haar hielp de kist op tafel te tillen. Daarna ging hij in de hoek staan.

'Openmaken, graag, en de inhoud op tafel,' zei D'Agosta. Hij had er niet goed naar kunnen kijken op het moment dat ze de kist in beslag namen in de Ville.

Met gekmakende zorgvuldigheid opende de vrouw het deksel en haalde de in leer gewikkelde inhoud eruit, die ze met overdreven precisie uitstalde.

'Uitpakken, graag,' zei D'Agosta.

Ieder voorwerpje werd losgemaakt en uitgepakt alsof het een museumstuk was. Er bleek een reeks messen in te zitten, het een nog vreemder, exotischer en griezeliger dan het ander. De lemmeten waren gekromd, gekarteld en ingekeept, met benen en houten gevesten vol krullerig inlegwerk. Het laatste voorwerp dat werd uitgepakt bleek geen mes te zijn, maar een dik stuk metaaldraad, gebogen en gekruld tot een bijna fantastisch patroon, met aan het ene uiteinde een benen handvat en aan het andere een haak. De buitenrand van die haak was messcherp geslepen. Het leek sprekend op het mes dat Pendergast had meegegrist.

'Offermessen met *vévé*,' zei Bertin, en hij deed een stap achteruit.

Geprikkeld draaide D'Agosta zich naar hem om. 'Weewee?'

Bertin hield een hand voor zijn mond en kuchte even. 'Op die heften,' zei hij met zwakke stem, 'zit vévé, de figuren van de Loa.'

'En wat is een loa nou weer?'

'Een demon, of geest. Ieder mes staat voor een loa. De ronde patronen staan voor de innerlijke dans of *danse-cimetière* van die bepaalde demon. Als dieren of... andere levende wezens... aan de Loa worden geofferd, moet het mes van die bepaalde loa worden gebruikt.'

'Met andere woorden, voodoo-onzin,' zei D'Agosta.

Het mannetje plukte een zakdoek tevoorschijn en depte met bevende hand zijn slapen. 'Geen vôdou. Obeah.'

Bertins Franse uitspraak van het woord 'voodoo' was een nieuwe bron van ergernis voor D'Agosta. 'Wat is het verschil daartussen?'

'Obeah is écht.'

'Obeah is echt,' herhaalde D'Agosta. Hij wierp een blik op Hayward, die met een neutraal gezicht stond te kijken.

Pendergast haalde een leren etui uit de zak van zijn jasje, opende het en begon er van alles uit te halen: een rekje, reageerbuisjes, een pincet, een speld, een paar pipetjes met reagentia en legde de voorwerpen een voor een op tafel.

'Wat is dit?' informeerde Hayward op scherpe toon.

'Testjes,' klonk het antwoord kortaf.

'U kunt hier niet zomaar aan het testen slaan,' antwoordde ze. 'En u hebt mevrouw gehoord: er moet van tevoren toestemming gegeven zijn.'

Er verdween een bleke hand in het zwarte colbert, om even later terug te komen met een stuk papier. Hayward pakte het aan en las het; haar gezicht betrok.

'Dit is bijzonder ongebruikelijk...' begon de gemummificeerde vrouw. Nog voordat ze uitgesproken was, verscheen er een tweede document dat haar voorgehouden werd. Ze pakte het aan, las het en gaf het niet terug.

'Uitstekend,' zei ze. 'Waar wilt u mee beginnen?'

Pendergast wees naar de bizar gekrulde haak van metaaldraad. 'Die zal ik moeten vastpakken.'

Na een korte blik op het papier knikte ze.

Pendergast klemde een loep in zijn oog, pakte met gehandschoende handen de haak op, draaide hem een paar keer om, bestudeerde hem nauwgezet en legde hem weer neer. Heel voorzichtig haalde hij met de speld wat stukjes materiaal van een aangekoekte massa vlak bij de aanzet van het staal, en stopte die in een reageerbuisje. Hij pakte een wattenstaafje, stak het in een fles om het te bevochtigen, veegde ermee langs een deel van de haak en verzegelde het staafje in een tweede reageerbuisje. Dat procedé herhaalde hij voor ettelijke messen, handvatten en lemmeten, waarbij hij ieder wattenstaafje in een afzonderlijk buisje opborg. Ten slotte voegde hij daar met een pipet reageervloeistoffen aan toe. Alleen het eerste buisje verkleurde.

Hij rechtte zijn rug. 'Bijzonder ongebruikelijk.' Even snel als de apparatuur verschenen was, verdween ze ook weer in het leren etui, dat werd opgevouwen, dichtgeritst en in de binnenzak geborgen.

Pendergast streek zijn jasje glad, klopte er even op en vouwde zijn handen voor zijn buik. Alle anderen stonden hem aan te kijken. 'Ja?' vroeg hij onschuldig.

'Meneer Pendergast,' zei Hayward, 'als het niet te veel gevraagd is, zou u dan de vruchten van uw werk met ons willen delen?'

'Ik vrees dat ik geen geluk heb gehad.'

'Wat jammer,' zei Hayward.

'U bent bekend met Wade Davis, de Canadese etnobotanist, en diens boek uit 1988: *Passage of Darkness: The Ethnobiology of the Haitian Zombie*?'

Met over elkaar geslagen armen bleef Hayward hem zwijgend aan staan kijken.

'Een bijzonder interessante studie,' zei Pendergast. 'Ik kan haar van harte aanbevelen.'

'Ik zal het boek straks bij Amazon bestellen,' antwoordde Hayward.

'Uit Davis' onderzoek bleek dat een levende persoon in een zombie kan worden veranderd door toediening van twee speciale chemicaliën, meestal via een wond. De eerste, *coup de poudre*, bestaat voornamelijk uit tetrodotoxine: hetzelfde gif dat de Japanse kogelvis tot een dodelijke delicatesse maakt wanneer hij niet vakkundig wordt bereid. Het tweede stofje is een datura-achtig psychofarmacon. Bij een bepaalde combinatie van deze twee stoffen, toegediend in doses die voor de helft van de mensheid dodelijk is, kan iemand dagenlang in een soort bijna-dood verkeren, ambulant maar met minimale hersenfunctie en zonder onafhankelijke wil. Kortom, volgens de theorie kun je met bepaalde chemische samenstellingen een echte zombie creëren.'

'En die chemische samenstellingen hebt u gevonden?' vroeg Hayward op bitse toon.

'Dat is nu juist de verrassing. Die heb ik níét gevonden: noch hier, noch bij de onafhankelijke proefnemingen die ik in de Ville heb gedaan. Ik moet bekennen dat ik verbaasd en teleurgesteld ben.'

Bruusk wendde ze zich af. 'Breng de volgende lading materialen maar. We hebben al genoeg tijd verspild.'

'Ik heb echter wel kunnen aantonen,' voegde Pendergast eraan toe, 'dat er aan die haak menselijk bloed zit.'

Er viel een stilte.

D'Agosta gromde en richtte zich tot de bewijsmateriaalmummie. 'Ik wil een DNA-test op die haak, ik wil alle databases doorlopen, en er moet getest worden op de aanwezigheid van menselijk weefsel. Nee, ik wil ál die instrumenten hier laten testen op menselijk en dierlijk bloed. En zorg dat er vingerafdrukken worden genomen; ik wil weten wie die dingen in handen heeft gehad.' Hij wendde zich tot Pendergast. 'Enig idee waar die krankzinnige haak voor bestemd is?'

'Ik beken dat ik geen idee heb. Monsieur Bertin?'

Bertin was steeds geagiteerder aan het worden. Nu gebaarde hij dat hij Pendergast even apart wilde nemen. '*Mon frère*, ik kan niet doorgaan,' fluisterde hij zacht en indringend. 'Ik ben ziek, zeg ik je, ziek! Dat komt door die hungan, die Charrière, met zijn doodsconjure – voel jij nog niks?'

'Ik voel me prima.'

Hayward keek van hen tweeën naar D'Agosta. Ze schudde haar hoofd.

'We moeten weg,' zei Bertin. 'We moeten naar huis. Ik heb de siroop nodig, een klein glaasje. "Magere", ik weet dat jij die in huis hebt! Niets anders kan mijn zenuwen kalmeren!'

'*Du calme, maître, du calme.* Het duurt niet lang meer.' Daarna draaide Pendergast zich weer naar de groep en zei hardop: 'Als u dan nu even naar deze haak zou willen kijken, monsieur?'

Even later deed Bertin bijna onwillig een stap naar voren, bukte zich argwanend over het voorwerp heen, snoof. Het zweet liep intussen met straaltjes van zijn gezicht, dat gelig bleek zag. In de kleine ruimte klonk zijn ademhaling als het amechtige gehijg van een oude doedelzak. 'Wat eigenaardig allemaal. Ik heb nog nooit zoiets gezien.'

Weer snoof hij aan de voorwerpen.

'En dat miniatuurgrafkistje dat we uit Fearings crypte hebben gehaald. Is dat het werk van dezelfde sekte?'

Bertin deed een voorzichtig stapje in de richting van het lijkkistje. Het deksel lag er nu op: gemaakt van roomwit papier, met handgetekende schedels en botten in zwarte inkt. Het was als een stuk origami met ingewikkelde vouwen in elkaar gezet, zodat het keurig over de papier-maché kist heen paste.

'De vévé op dat papieren deksel,' zei Pendergast. 'Bij welke loa hoort die?'

Bertin schudde zijn hoofd. 'Deze vévé is mij volledig onbekend.

Als ik een gok moest wagen, zou ik zeggen dat het iets particuliers en geheims is, iets dat maar bij één obeahsekte bekend is. Wat het ook is, het is heel vreemd. Zoiets heb ik nog nooit gezien.' Hij strekte zijn hand uit, trok die terug toen het oude wijfje met haar droge tong klakte, strekte hem opnieuw uit en pakte het deksel van de papieren grafkist.

'Leg dat neer,' zei de vrouw meteen.

Bertin draaide het voorwerp om en om in zijn handen, tuurde er van heel dichtbij naar en prevelde wat voor zich uit.

'Meneer Bertin,' zei Hayward waarschuwend.

Bertin leek niets te horen. Hij draaide het papieren gevalletje om en om in zijn handen, de ene kant uit, de andere kant uit, en bleef maar in zichzelf staan mompelen. Tot hij het plotseling, met een onverwacht handgebaar, doormidden scheurde.

Tussen de vouwen vandaan stroomde een grijzig poeder over Bertins broek en schoenen.

Er gebeurden meerdere dingen tegelijk. Bertin deinsde hinnikend van ontzetting en angst achteruit, en de strookjes papier fladderden weg. De vrouw graaide er vloekend naar. De forse bewaker greep Bertin bij zijn kraag en sleepte hem de gang op. Pendergast knielde snel als een slang die op zijn prooi af schiet, plukte een reageerbuisje uit zijn zak en begon daar korrels van het grijze poeder in te vegen. En te midden van dat alles stond Hayward met over elkaar geslagen armen naar D'Agosta te kijken met een blik die boekdelen sprak: *Ik heb je gewaarschuwd. Ik héb je gewaarschuwd.*

43

Proctor reed de Rolls naar een verlaten parkeerterrein achter de sportvelden aan de rand van Inwood Hill Park en zette de koplampen uit. Terwijl Pendergast en D'Agosta uitstapten, liep Proctor naar de kofferbak, opende die en haalde er een langwerpige canvas-tas uit met gereedschappen, een plastic opslagkist voor bewijsmateriaal en een metaaldetector.

'Denk je dat het veilig is om de auto gewoon te laten staan?' vroeg D'Agosta aarzelend.

'Proctor blijft erop letten.' Pendergast pakte de tas en gaf hem aan D'Agosta. 'Laten we maken dat we hier wegkomen, Vincent.'

'Je meent het.'

Hij slingerde de tas over zijn schouder en zo gingen ze op pad, de verlaten honkbalvelden over in de richting van het bos. Hij keek op zijn horloge: twee uur 's nachts. Waar was hij mee bezig? Hij had Hayward amper beloofd dat hij zich niet door Pendergast zou laten meeslepen in verdere verdachte activiteiten, of daar ging hij alweer, in het holst van de nacht, zonder toestemming of opgravingsbevel, op weg om een lijk op te graven in een openbaar park. Haywards opmerking klonk nog na in zijn hoofd: *Als ik zie hoe hij aan zijn bewijsmateriaal komt, dan vraag ik me af of de daders ooit voor een normale rechtbank veroordeeld kunnen worden. Misschien is het geen toeval dat ze steevast zelf dood zijn voordat ze voor de rechter kunnen verschijnen.*

'Waarom was het ook alweer dat we hier rondsluipen als een stel grafrovers?' vroeg hij.

'Omdat we grafrovers zíjn.'

Eén voordeel, dacht D'Agosta, was dat Bertin niet mee was. Die had zich op het allerlaatste moment afgemeld, naar verluidt omdat hij last had van hartkloppingen. Het mannetje was totaal in paniek omdat Charrière een paar haren van hem te pakken had gekregen. De kans was tenminste klein dat de hogepriester haren van hém te pakken had gekregen, dacht D'Agosta met grimmige voldoening: kaal worden had ook voordelen. Hij dacht aan de scène op de afdeling Bewijsmaterialen en fronste zijn voorhoofd.

'Wat wilde die Bertin nou eigenlijk?' vroeg hij. 'Siroop, een klein glaasje?'

'Dat is een cocktail die hij graag drinkt wanneer hij eh... overmatig aangeslagen raakt.'

'Een cocktail?'

'In zekere zin. Citroen-limoensoda, wodka, vloeibare codeïne en een Jolly Rancher-zuurtje.'

'Een wát?'

'Bertin heeft ze het liefst met watermeloensmaak.'

D'Agosta schudde zijn hoofd. 'Jezus. Zoiets vind je alleen in Louisiana.'

'Nou, voor zover ik weet is deze combinatie bedacht in Houston.'

Voorbij de sportvelden doken ze door een opening in een lage draadgazen omheining, staken een braakliggend terrein over en liepen het bos in. Pendergast zette een gps aan; de vage blauwe gloed van het scherm wierp een spookachtig licht op zijn gezicht.

'Waar ligt het graf precies?'

'Er is geen steen. Maar dankzij Wren weet ik waar het ligt. Het schijnt dat de opzichter niet in de gewijde grond van het familiegraf kon worden begraven, omdat zijn dood wellicht zelfmoord was geweest. En hij had geen familie. Dus is hij begraven waar ze hem gevonden hadden. Volgens de verslagen was dat niet ver van het Shorakkopoch-monument.'

'Het wát?'

'Dat is een gedenksteen op de plaats waar Peter Minuit Manhattan heeft gekocht van de Weckquaesgeek-indianen.'

Pendergast liep voorop, D'Agosta volgde. Ze trokken tussen hoge bomen en dicht struikgewas door, en de rotsbodem onder hun voeten werd steeds ruiger. Weer verbaasde D'Agosta zich erover dat dit dus allemaal in Manhattan lag. De grond rees en daalde en ze staken een smal beekje over, niet meer dan een dun stroompje in de beekbedding, waarna ze een stel vooruitspringende rotsen bereikten. Het bos werd hier dichter, zodat de maan niet meer te zien was. Pendergast pakte zijn lantaarn. Nog een kilometer geleidelijke afdaling over rotsachtig terrein, en plotseling zagen ze in de kring van geel licht een enorm rotsblok uitsteken.

'Het Shorakkopoch-monument,' zei Pendergast met een blik op zijn gps. Hij scheen met zijn lantaarn op een bronzen plaquette die op de rots bevestigd was, waarop stond dat Peter Minuit in 1626 op die plek het eiland Manhattan van de plaatselijke indianen had gekocht voor snuisterijen ter waarde van zestig gulden.

'Prima investering,' merkte D'Agosta op.

'Beroerde investering,' reageerde Pendergast. 'Als die zestig gulden in 1626 op een rekening waren gezet met vijf procent samengestelde interest, dan was de som intussen vele malen groter geweest dan de huidige waarde van het grondgebied van Manhattan.' Hij zweeg even en scheen met zijn lantaarn de duisternis in. 'Volgens onze informatie is het lichaam begraven op tweeëntwintig roeden ten noorden van de tulpenboom die ooit bij dit monument stond.'

'Is de stronk nog aanwezig?'

'Nee. De boom is in 1933 gekapt. Maar Wren heeft een oude kaart gevonden waarop de locatie van de boom staat aangegeven: achttien meter ten zuidwesten van het monument. Ik heb de gegevens al in de gps ingevoerd.'

Pendergast liep naar het zuidwesten, met zijn blik op het toestel gericht. Hij draaide zich naar het zuiden. 'Tweeëntwintig roeden van vijf meter vijfenzeventig per stuk, is honderdzesentwintig en een halve meter.' Hij drukte op een paar knopjes van de gps. 'Volg mij.'

Pendergast liep weer de duisternis in, bijna spookachtig met zijn zwarte pak. D'Agosta hees de zware tas hoger op zijn schouder en ging achter hem aan. Hij rook de moerassen en de moddervlaktes bij Spuyten Duyvil, en even later zag hij, tussen de bomen door, de lichten van de hoge flatgebouwen van Riverdale, aan de overkant van de rivier. Plotseling waren ze het bos uit en stonden ze aan de rand van een open plek met dicht gras, die afliep naar een halvemaanvormig kiezelstrand. Daarachter stroomde en kolkte de rivier; de lichten van de Henry Hudson Parkway en het schijnsel van de flatgebouwen aan de overkant werden weerkaatst in het wervelende water, glinsterend en deinend op het voorbijstromende water. Een laaghangende mist dreef in vlagen over het water en ze hoorden het gesputter van een boot.

'Wacht even,' zei Pendergast zacht, terwijl hij tussen de laatste bomen bleef staan.

Langzaam kwam er een politieboot voorbijvaren, de Spuyten Duyvil af; de spookgedaante gleed de mist in en uit, en met een schijnwerper op het dak werd de kustlijn afgespeurd. Ze hurkten net toen het licht hen passeerde en tussen de bomen door priemde.

'Jezus,' mompelde D'Agosta, 'ik verstop me voor mijn eigen mensen. Gekker moet het niet worden.'

'Dit is de enige oplossing. Heb jij enig idee hoe lang het duurt om de juiste toestemming te krijgen om een lijk op te graven dat niet op een kerkhof maar op openbaar terrein begraven ligt, zonder overlijdenscertificaat en met niets meer dan een paar krantenartikelen als bewijs?'

'Daar hebben we het al over gehad.'

Pendergast stond op, liep tussen de bomen uit en begaf zich door de zee van gras naar de rand van het stenige strand. Naar het oosten, halverwege de rotsen, zag D'Agosta de uitgestrekte, rommelige omtrekken van de kerk midden in de Ville, die als een slagtand boven de bomen uit rees. Achter de ramen op de bovenste verdieping scheen een vaag, gelig licht.

Pendergast bleef staan. 'Hier is het.'

D'Agosta keek om zich heen op het strand. 'Dat kan nooit. Wie begraaft nou híér een lijk, op zo'n zichtbare plek?'

'Het is hier gemakkelijker graven. En honderd jaar geleden stonden die gebouwen aan de overkant van de rivier er nog niet.'

'Fijn. En hoe pakken we dat aan, een lijk opgraven onder het toeziend oog van de hele wereld?'

'Door zo snel mogelijk te werken.'

Met een zucht liet D'Agosta de tas vallen, ritste hem open en trok de schep en het houweel eruit. Pendergast schroefde de buizen van de metaaldetector op elkaar, zette een hoofdtelefoon op, stak de stekker in het apparaat en zette het aan. Hij begon ermee boven de grond te zwaaien.

'Heel wat metaal hier,' zei hij.

Heen en weer zwaaide hij de detector, heen en weer, terwijl hij langzaam voorwaarts liep. Nadat hij zo'n anderhalve meter had afgelegd, kwam hij terug. 'Ik krijg steeds hetzelfde signaal hier, ruim een halve meter onder de grond.'

'Een halve meter? Dat lijkt me vreselijk ondiep.'

'Volgens Wren is het grondpeil in deze buurt door erosie zowat één meter vijfentwintig gedaald sinds de begrafenis.' Hij legde de metaaldetector weg, trok zijn jasje uit en hing het aan een boom, greep de houweel en begon met verbazende energie de grond open te hakken. D'Agosta trok een paar werkhandschoenen aan en begon het losse zand en grind weg te scheppen.

Een nieuw gerommel in de verte kondigde de terugkeer van de politieboot aan. D'Agosta liet zich op de grond vallen toen de schijnwerper aan de oever likte, en Pendergast kwam naast hem liggen. Toen de boot voorbij was, stond hij weer op. 'Bijzonder lastig,' zei hij, terwijl hij zich afklopte en het houweel weer opnam.

Het rechthoekige gat verdiepte zich – dertig centimeter, veertig. Pendergast gooide het houweel opzij, knielde en begon met een troffel te werken. Hij schraapte lagen zand los die D'Agosta vervolgens wegwerkte. Vanuit het gat kwam een zware geur van brak zeewater en rottende humus.

Toen het graf zo'n halve meter diep was, haalde Pendergast er nogmaals de metaaldetector overheen. 'We zijn er bijna.'

Na nog vijf minuten graven schraapte de troffel over iets hols heen. Snel veegde Pendergast het losse zand weg, en daaronder werd de achterkant van een schedel zichtbaar. Nog een paar vegen en ze zagen de achterkant van een schouderblad met daarnaast het uiteinde van een houten heft.

'Zo te zien is onze vriend met het gezicht omlaag begraven,' merkte Pendergast op. Hij veegde de omgeving van het handvat schoon, zodat er een roestig lemmet bloot kwamen te liggen. 'Met een mes in zijn rug.'

'Ik dacht dat hij in de borst gestoken was,' zei D'Agosta. De maan kwam even tussen de mistflarden door, en hij keek van het lijk naar Pendergast. Diens gezicht stond grimmig en bleek.

Eendrachtig samenwerkend legden ze geleidelijk aan de rug van het skelet bloot. Ze zagen een paar verschrompelde schoenen die van de voetbotjes weggerot waren, een beschimmelde riem, een stel manchetknopen en een gesp. Ze schepten de aarde rond het kadaver weg zodat de zijkanten zichtbaar werden en verwijderden zand van de oude, bruine botten.

D'Agosta stond op, met een oog op de rivier en eventuele tekenen van een politieboot, en scheen met zijn lantaarn om zich heen. Het skelet lag met het gezicht naar beneden, armen en benen netjes recht, tenen naar binnen gedraaid. Pendergast stak zijn hand in het gat en tilde een paar rottende rafels van vergane kleding op die aan de botten vastgekleefd zaten. Eerst ontblootte hij het bovendeel van het skelet, daarna trok hij stukken canvas van de benen af. Alles ging de kluis voor bewijsmateriaal in. Het mes stak uit de rug omhoog; het was tot aan het heft door het linkerschouderblad heen gedreven, recht boven het hart. Toen D'Agosta van dichterbij keek, zag hij iets wat een ernstige fractuur in de achterkant van de schedel leek.

Zwijgend boog Pendergast zich over het geïmproviseerde graf

heen en maakte een reeks foto's van het skelet onder verschillende hoeken. Na een tijdje stond hij op. 'Kom, we halen het eruit,' zei hij.

Terwijl D'Agosta de lantaarn vasthield, wrikte Pendergast met de punt van zijn troffel een voor een de botten omhoog, vanaf de voeten omhoogwerkend, en gaf ze aan D'Agosta zodat die ze in de kist kon bergen. Toen hij bij de borst aankwam, werkte hij langzaam het mes de aarde uit en gaf het aan D'Agosta.

'Zie je dat, Vincent?' vroeg hij, en hij wees. D'Agosta scheen met zijn licht over een stuk smeedijzer, een soort lange staak of roede, met een uiteinde dat over de botten van de bovenarm heen gekromd lag. Het lange uiteinde van de staak was diep in de grond gedreven. 'In het graf vastgepind.'

Pendergast trok de pinnen los en legde die bij de rest van het stoffelijk overschot. 'Eigenaardig. En zie je dit?'

Nu scheen D'Agosta met de lantaarn op de nek van het slachtoffer. Daar waren de resten nog te zien van een dun getwijnd hennepkoord dat met grote kracht rond de nekwervel aangetrokken was.

'Zo hard gewurgd,' zei D'Agosta, 'dat hij zowat onthoofd moet zijn.'

'Inderdaad. De keelklep is bijna verbrijzeld.' Pendergast ging door met zijn gruwelijke taak.

Even later was er nog maar één element dat opgegraven moest worden: de schedel, die nog steeds met het gezicht omlaag in het zand lag. Pendergast stak een pennenmes onder de schedel en de kaak, wrikte de botten los en trok ze als één geheel de grond uit. Met het scherp van zijn mes draaide hij ze om.

'O, shit.' D'Agosta deed een stap achteruit. De mond van de schedel zat dicht, maar de ruimte achter de tanden, waar de tong had gezeten, was volgepakt met een kalkachtige, groenig witte substantie. Voorin lag een opgerolde draad, met één uiteinde tussen de tanden geklemd.

Pendergast pakte de draad en keek ernaar voordat hij het garen zorgvuldig in een reageerbuisje plaatste. Daarna bukte hij zich behoedzaam voorover, rook aan de schedel, nam een minuscule hoeveelheid van het poeder tussen duim en wijsvinger en wreef. 'Arsenicum. Daar zat de mond vol mee, en de lippen waren dichtgenaaid.'

'Jezus. Wat moet iemand die zelfmoord heeft gepleegd met een wurgtouw om zijn nek, een mes in zijn rug en een mond vol arsenicum? Je zou toch denken dat dat bij de begrafenis opgevallen moet zijn.'

'Het lichaam is oorspronkelijk niet op deze manier begraven. Niemand begraaft een familielid met het gezicht omlaag. Nadat de verwanten het lichaam hadden begraven is iemand anders, waarschijnlijk de mensen die hem hadden, eh... "gereanimeerd", teruggekomen om het lijk op te graven en op deze speciale manier te prepareren.'

'Waarom?'

'Een tamelijk gebruikelijke obeah-ceremonie. Om hem een tweede maal te doden.'

'Waarom in godsnaam?'

'Om er zeker van te zijn dat hij heel erg dood was.' Pendergast stond op. 'Zoals je al gezien hebt, Vincent: dit was geen zelfmoord. En dit is al evenmin een slachtoffer. In feite is hij tweemaal vermoord, de tweede keer met arsenicum en een mes in de rug, dat lijdt geen enkele twijfel. Na zijn aanvankelijke begrafenis is deze man opgegraven, opgegraven met een specifiek doel voor ogen, en toen dat doel was bereikt, is hij opnieuw begraven, met het gezicht naar beneden. Dit is de dader – het "gereanimeerde lijk" uit de *New York Sun* – van de Inwood Hill-moorden in 1901.'

'Wou je zeggen dat de Ville hem heeft gekidnapt of in dienst genomen, hem in een zombii heeft veranderd, en hem opdracht heeft gegeven die landschapsarchitect en die parkcommissaris te vermoorden, enkel en alleen om te voorkomen dat hun kerk gesloopt zou worden?'

Pendergast wuifde naar het lijk. '*Ecce signum.*'

44

D'Agosta nam een ferme slok koffie en huiverde even. Het was zijn vijfde kop van die dag, en het was nog niet eens middag. De kosten van de Starbucks waren de pan uit gerezen, en dus was hij weer overgestapt op de pikzwarte drab uit de koffieautomaat in de pauzeruimte een paar deuren verderop in de gang. Met de beker aan zijn lippen keek hij naar Pendergast, die in gedachten verloren in de hoek zat, zijn vingertoppen tegen elkaar duwend. Kennelijk had hij geen nadelige gevolgen ondervonden van de grafdelversavonturen van de vorige avond.

Plotseling hoorde hij een onvriendelijke stem in de gang: iemand die hem hoognodig moest spreken. De stem klonk bekend, maar D'Agosta kon hem niet direct plaatsen. Hij stond op en stak zijn hoofd om de hoek van de deur. Daar stond een man met een ribfluwelen jasje te ruziën met een van de secretaresses.

De vrouw keek op en zag hem. 'Inspecteur, ik heb deze meneer al herhaalde malen verteld dat hij aangifte moet doen bij de brigadier van dienst.'

De man draaide zich om. 'Aha, daar bent u dus!'

Het was die gedreven filmproducer, Esteban. Met een kersvers verband op zijn voorhoofd.

'Meneer,' zei de secretaresse. 'U moet echt een afspraak maken als u de inspecteur wilt spreken...'

D'Agosta wuifde hem naderbij. 'Shelley, ik heb wel even voor hem. Dank je.'

D'Agosta liep terug naar zijn kantoor, en Esteban volgde hem. Toen hij Pendergast zwijgend in de hoek zag zitten, fronste hij zijn wenkbrauwen; die twee waren bij hun eerste ontmoeting op Estebans landgoed op Long Island niet direct goede vrienden geworden.

D'Agosta ging met een vermoeid gebaar achter zijn bureau zitten, en de man pakte een stoel recht tegenover hem. Esteban had iets wat D'Agosta niet aanstond. Het was een zelfgenoegzame kwast.

'Wat is er aan de hand?' vroeg D'Agosta.

'Ik ben aangevallen,' antwoordde Esteban. 'Kijk maar. Aangevallen met een mes!'

'Hebt u daarvan aangifte gedaan?'

'Wat denkt u dat ik nú aan het doen ben?'

'Meneer Esteban, ik ben inspecteur bij de afdeling Moordzaken. Ik zal u met alle genoegen doorverwijzen naar een onderzoeksmedewerker...'

'Maar dit is toch een póging tot moord? Ik ben aangevallen door een zombii.'

D'Agosta keek hem sprakeloos aan. Pendergast tilde langzaam zijn hoofd op.

'Pardon... een zombii?' vroeg D'Agosta.

'Precies. Dat zeg ik. Of iemand die net deed als een zombii.'

D'Agosta hief een hand op en drukte op de knop van zijn intercom. 'Shelley? Ik heb hier nu meteen een brigadier nodig om een verklaring op te nemen.'

'Komt voor elkaar, inspecteur.'

De man opende zijn mond voor nieuwe protesten, maar D'Agosta hief zijn hand. Vrijwel meteen arriveerde er een politieman met een digitale recorder, en D'Agosta gebaarde naar de laatste lege stoel.

De agent zette de recorder aan en D'Agosta liet zijn hand zakken. 'Oké, meneer Esteban. Uw verhaal, graag.'

'Gisteravond ben ik tot laat op kantoor blijven werken.'

'Adres?'

'West 35th Street 532, niet ver van Javits Convention Center. Om een uur of een ben ik weggegaan. Dat deel van de stad is bij nacht behoorlijk verlaten, maar toen ik over 35th liep, merkte ik dat er iemand achter me liep. Ik draaide me om en zag een soort zwerver, dronken of misschien stoned, in vodden gehuld, die met grote onregelmatige passen achter me aan kwam. Hij leek me totaal laveloos, dus ik besteedde er niet veel aandacht aan. Vlak voordat ik op de hoek met 10th Avenue kwam, hoorde ik snelle passen achter me; ik draaide me om en werd met een mes in mijn hoofd geraakt. Het mes schampte af, goddank. De man, of het man-ding, probeerde me nog een keer te steken. Maar ik ben behoorlijk in conditie en als student zat ik op boksen, dus ik pareerde de stoot en sloeg terug. Hard. Hij haalde nog een keer naar me uit, maar nu was ik voorbereid. Ik sloeg hem neer. Hij stond op, greep het mes en wankelde de nacht in.'

'Kunt u de aanvaller beschrijven?' vroeg Pendergast.

'Nou en of. Hij had een helemaal opgezwollen, pafferig gezicht. Zijn kleren waren aan flarden en zaten onder de spatten, misschien van bloed. Zijn haar was bruin, helemaal aangekoekt en stond rechtovereind op zijn hoofd, en hij maakte een soort geluid van...'

Esteban zweeg om na te denken. 'Bijna alsof er water door een af-voer gorgelde. Lang, hoekig, mager, slungelig. Een jaar of vijfen-dertig. Zijn handen waren gevlekt en zaten onder de vegen van wat eruitzag als geronnen bloed.'

Colin Fearing, dacht D'Agosta. *Of Smithback.* 'Kunt u precie-zer zeggen hoe laat dat was?'

'Ik heb op mijn horloge gekeken. Het was elf over een.'

'Getuigen?'

'Nee. Kijk, inspecteur, ik wéét wie hierachter zit.'

D'Agosta wachtte.

'De Ville heeft het al op me gemunt sinds ik begonnen ben over die kwestie van de dieroffers. Ik ben geïnterviewd door die ver-slaggever, Smithback – en die is vervolgens vermoord. Door een zombii of iemand die zich zo voordeed, als ik de krant mag gelo-ven. Daarna ben ik geïnterviewd door die andere verslaggever, Caitlyn Kidd – en dan wordt zíj vermoord door een zogeheten zombii. En nu zitten ze achter mij aan!'

'De zombii's zitten achter u aan,' herhaalde D'Agosta op zo neu-traal mogelijke toon.

'Kijk, ik heb geen idee of die dingen echt of namaak zijn. Waar het om gaat, is: ze komen uit de Ville. Daar moet iets aan gebeu-ren, en wel meteen. Die mensen slaan helemaal door, die snijden onschuldige dieren de hals af, en nu vermoorden ze mensen die bezwaar maken tegen hun praktijken, tegen hun onzalige cere-moniëlen. En intussen doet de gemeente niks, terwijl die moor-denaars als een stelletje krakers op terrein van de gemeente zit-ten!'

Nu kwam Pendergast, die ongebruikelijk stil naar het gesprek had zitten luisteren, naar voren. 'Wat akelig dat u zo gewond bent,' zei hij, terwijl hij zich meelevend naar Esteban toe boog om het verband te kunnen bekijken. 'Mag ik...?' Hij begon de pleister los te trekken.

'Liever niet.'

Maar het verband was er al af. Daaronder zat een snee van vijf centimeter met een handvol hechtingen. Pendergast knikte. 'Ge-lukkig maar dat het een scherp mes was, en een rechte snee. In-wrijven met een beetje antibioticazalf, dan blijft er niet eens een litteken achter.'

'Gelukkig? Dat ding heeft me bijna vermoord!'

Pendergast plakte het verband weer vast en trok zich terug.

'En het is ook geen raadsel waarom die aanval juist nú kwam,' zei Esteban. 'Het is algemeen bekend dat ik een protestmars aan het organiseren ben, tegen de dierenmishandeling in de Ville; ik heb een vergunning voor vanmiddag, en er is in de kranten over geschreven.'

'Daar ben ik me van bewust,' zei D'Agosta.

'Ze proberen me kennelijk het zwijgen op te leggen.'

D'Agosta leunde voorover. 'Hebt u enige specifieke informatie die een verband aantoont tussen de Ville en deze aanval?'

'De eerste de beste idioot kan zien dat alles in de richting van de Ville wijst! Eerst Smithback, toen Kidd, nu ik.'

'Ik vrees dat dat helemaal niet zo duidelijk is,' merkte Pendergast op.

'Hoe bedoelt u?'

'Ik vraag me af waarom ze dan niet eerst achter u aan gegaan zijn.'

Esteban wierp hem een vijandige blik toe. 'Hoezo?'

'U bent de aanstichter van de hele toestand. Als ik in hun schoenen stond, zou ik u meteen vermoord hebben.'

'Wou u soms de slimme jongen uithangen?'

'Geenszins. Ik maak u alleen opmerkzaam op een evidente kwestie.'

'Dan zal ik ú eens even op een evidente kwestie wijzen: namelijk dat u een stelletje moordlustige krakers in Inwood hebt zitten en dat noch de gemeente, noch de politie daar iets aan doet. Nou, ze zullen het bezuren dat ze achter míj aan gegaan zijn. Ik ga vanmiddag zo'n verschrikkelijke herrie trappen dat jullie wel actie móéten ondernemen.' Hij stond op.

'U zult de verklaring moeten doorlezen en ondertekenen,' zei D'Agosta.

Esteban slaakte een geïrriteerde zucht, wachtte terwijl de verklaring werd geprint, las hem snel door en krabbelde een handtekening. Hij liep op de deur af, draaide zich om en priemde een van woede en verontwaardiging bevende vinger in hun richting. 'Vandaag wordt alles anders. Ik ben het meer dan zat, al dat getreuzel, en met mij een groot aantal stadgenoten.'

Pendergast glimlachte en tikte met een vinger tegen zijn voorhoofd. 'Antibioticazalf, eenmaal daags. Doet wonderen.'

45

D'Agosta en Pendergast stonden op de hoek van 214th Street en Seaman Avenue naar de protestmars te kijken. D'Agosta was verbaasd over de geringe opkomst: een man of honderd, misschien nog niet eens. Harry Chislett, de adjunct-commissaris voor dit district, was er even bij geweest maar weer verdwenen toen hij zag hoe weinig mensen er waren. Het was een ordelijke aangelegenheid, kalm, bijna gezapig. Geen boos geroep, geen geduw tegen de met schilden uitgeruste politiemensen, geen rondvliegende stenen of flessen.

'Het lijkt wel een reclame voor de catalogus van L.L. Bean,' merkte D'Agosta op, en hij tuurde met samengeknepen ogen tegen het zonlicht van de heldere najaarsdag in.

Pendergast stond met over elkaar geslagen armen tegen een lantaarnpaal geleund. 'L.L. Bean? Ken ik niet.'

De demonstranten stroomden de hoek van West 214th Street om en begaven zich in de richting van Inwood Hill Park, terwijl ze met hun spandoeken zwaaiden en leuzen scandeerden. Voorop liep Alexander Esteban, het verband nog op zijn voorhoofd, samen met een andere man.

'Wie is die vent die daar hand in hand loopt met Esteban?' vroeg D'Agosta.

'Richard Plock,' antwoordde Pendergast. 'Directeur van Mensen voor Andere Dieren.'

D'Agosta keek nieuwsgierig naar de man. Plock was jong, hoogstens dertig; hij zag er pafferig, bleek en bol uit. Hij liep met doelbewuste tred, zijn korte beentjes gingen op en neer, zijn tenen staken naar buiten, zijn mollige armpjes zwaaiden heen en weer met handen die aan het boveneinde van iedere slingerbeweging even meewapperden, en op zijn gezicht lag een uitdrukking van vastberadenheid. In de kille herfstlucht had hij een overhemd met korte mouwen aan, maar ook in die outfit zweette hij. Waar Esteban iets charismatisch had, ging er van Plock helemaal niets uit. En toch had hij een aura van plechtstatig geloof waarvan D'Agosta onder de indruk was: dit was onmiskenbaar iemand met een onwankelbaar geloof in de rechtvaardigheid van datgene waar hij voor streed.

Achter de twee leiders kwam een rij mensen met een enorm spandoek.

KRAKERS UIT DE VILLE!

Iedereen leek een eigen agenda te hebben. Er was een groot aantal borden waarop de Ville werd beschuldigd van de moord op Smithback en Kidd. Daarnaast zagen ze een breed scala aan redenen voor protest: vegetariërs, bonthaters, mensen die tegen dierproeven door de farmaceutische industrie waren; religieuze extremisten die tegen voodoo en zombii's protesteerden en zelfs een stel die tegen oorlog waren. VLEES = MOORD, stond op een van de borden. EEN VRIEND EET JE NIET OP. BONT IS DOOD. DIERENMISHANDELING IS NIET ETHISCH. Sommigen hadden sterk uitvergrote foto's van Smithback en Kidd bij zich, zij aan zij, met het onderschrift VERMOORD.

D'Agosta wendde zijn blik af van de wazige foto's. Het was al bijna één uur, en zijn maag rommelde. 'Er gebeurt hier niet veel.'

Pendergast gaf geen antwoord en speurde met zijn zilvergrijze ogen de menigte af.

'Lunch?'

'Ik stel voor dat we even wachten.'

'Er gebeurt echt niets; die mensen hier hebben geen zin om hun gesteven overhemden te kreuken.'

Pendergast keek naar de voorbijstromende menigte. 'Ik zou het liefst hier blijven tot de speeches voorbij zijn.'

Het lijkt wel of die vent nooit eet, dacht D'Agosta. Hij kon zich niet herinneren dat ze ooit ook maar één maaltijd gezamenlijk hadden genuttigd, behalve aan Riverside Drive. Waarom vroeg hij het eigenlijk nog?

'Laten we achter de massa aan naar Indian Road gaan,' zei Pendergast.

Dit is geen massa, dacht D'Agosta. Dit is een kerkdienst in de openlucht. Met een grimmig gezicht liep hij achter Pendergast aan. De 'massa' begon samen te dromen in het veld aan de rand van de honkbalvelden, langs de weg naar de Ville. Tot nu toe ging alles volgens de vergunning. De politie hield zich op de achtergrond en bleef staan kijken met wapenschild, pepperspray en stokken klaar voor het grijpen in de overvalwagens. Van de twintig surveillancewagens die aanvankelijk op pad gestuurd waren, was intussen al meer dan de helft vertrokken om zich weer aan het normale werk te wijden.

Terwijl de groep al scanderend en met de borden zwaaiend rondliep, klom Plock op de tribune. Esteban klom achter hem aan en bleef met de handen respectvol over de borst gevouwen staan luisteren.

'Vrienden en andere dieren!' riep Plock. 'Welkom!' Hij had geen megafoon, maar zijn schelle, hoge stem droeg opvallend ver.

Er viel een stilte over de menigte, het verbrokkelde scanderen viel weg. Deze meute yuppies en welgestelde buurtgenoten, dacht D'Agosta, zou evenmin amok maken als een stel dames op een chique theepartij. Waar hij momenteel behoefte aan had, was een kop koffie met een cheeseburger.

'Mijn naam is Rich Plock, directeur van de organisatie Mensen voor Andere Dieren. Het is me een eer en een voorrecht om u de woordvoerder van onze organisatie voor te stellen. Mag ik een warm applaus voor Alexander Esteban!'

Hierdoor leek de menigte enigszins in beweging te komen, en toen Esteban naar de hoogste rij van de tribunes klom, namen het geklap en gejoel toe. Esteban glimlachte, keek uit over de kleine menigte en liet het rumoer een minuut of twee aanhouden. Uiteindelijk hief hij zijn handen in een gebaar om stilte.

'Vrienden,' zei hij, en zijn diepe, warme stem was het tegenbeeld van die van Plock, 'ik ga hier geen speech houden; ik wil iets anders proberen. Noem het een cognitieve oefening.'

De aanwezigen begonnen met de voeten te schuifelen en straalden het gevoel uit dat ze hier stonden om te protesteren, niet om naar een lezing te luisteren.

D'Agosta meesmuilde. '*Cognitieve oefening.* Let op, hier komt de opstand.'

'Sluit allemaal, iedereen die hier aanwezig is, de ogen. Verlaat even je menselijke lichaam.'

Stilte.

'En denk je in het lichaam van een lammetje in.'

Meer geschuifel.

'Je bent in het voorjaar geboren, op een boerderij een eindje boven New York. Grazige weiden, zon, vers gras. De eerste weken van je leven ben je bij je moeder, ben je vrij, ben je veilig in de omarming van de kudde. Overdag hol je door de wei, achter je moeder en je broertjes en zusjes aan, en 's nachts ga je terug naar de veilige schuur. Je bent gelukkig, want je leidt het leven waarvoor God je bestemd had. Dit is de pure definitie van geluk. Er is geen angst. Geen nood. Geen pijn. Je weet niet eens dat zulke dingen bestaan.

Maar op een dag komt er een dieseltruck. Een gigantisch, rumoerig, vreemd gevaarte. Je wordt met ruwe hand gescheiden van je moeder. Een angstaanjagende, bijna onbevattelijke ervaring. De deur slaat dicht. Binnen stinkt het naar mest en angst. Het is donker. Brullend hotst de wagen ervandoor. Kunnen jullie proberen, hier en nu, om je in te denken hoe verschrikkelijk bang dat hulpeloze diertje is?'

Esteban zweeg en keek om zich heen. De menigte was stil geworden.

'Je blaat deerniswekkend om je moeder, maar zij komt niet. Je roept en je roept, maar ze is er niet. Ze komt niet. Ze komt... nóóit weer.'

Een nieuwe pauze.

'Na een duistere reis stopt de truck. Alle lammetjes worden uitgeladen, behalve jijzelf. Jouw lot is het niet om lamsbout te worden. Nee, jou wacht iets veel ergers.

De vrachtwagen rijdt verder. Nu ben je helemaal alleen. Je pootjes begeven het onder je, zo doodsbang ben je in het donker. De eenzaamheid is overweldigend; is, in reële zin, iets biologisch. Een lam dat van de kudde gescheiden wordt, is een dood lam. Steevast. En dat voel je, je ervaart een angst die sterker is dan de dood zelf.

Weer stopt de truck. Er klimt een man naar binnen die een stinkende ketting, onder het aangekoekte bloed, om je nek bindt. Je wordt naar buiten gesleept, naar een donkere, donkere plek. Het is een kerk, althans een soort kerk, maar dat weet je natuurlijk niet. Het ziet er zwart van de mensen en het stinkt er. Je kunt amper iets zien in de schemering. De mensen drommen om je heen, ze scanderen een lied en er klinkt tromgeroffel. Vreemde gezichten doemen op uit het donker. Er wordt geroepen, gesist, er wordt vlak voor je snuitje herrie gemaakt met ratels, je hoort stampende voeten. Je angst kent geen grenzen.

Je wordt naar een paal geleid en daaraan vastgeketend. Het dreunen van de trommels, het voetengestamp, de benauwde, doodse lucht... daaruit bestaat je omgeving. Je blaat van angst, nog steeds in de hoop dat je moeder zal antwoorden. Want dit is het enige wat je nog hebt: hoop. Hoop dat je moeder je hier zal komen weghalen.

Er komt een gestalte aan. Een man, een lange, lelijke man met een masker voor, en hij heeft iets langs in zijn hand, iets dat schittert. Hij komt op je af. Je probeert te ontsnappen, maar de ketting rond je nek wurgt je bijna bij je vluchtpoging. De man grijpt je beet en smijt je tegen de grond, pint je vast op je rug. Het gezang wordt sneller, harder. Je kermt en je verzet je. De man grijpt je kop bij de vacht en rukt hem achterover, zodat je kwetsbare hals bloot komt te liggen. Het glanzende ding komt dichterbij, het flitst in het halfduister. Je voelt het tegen je hals drukken...'

Hij zweeg weer even en liet de stilte aanhouden. 'En dan vraag ik jullie nu om je ogen weer dicht te doen en je uiterste best te doen jezelf in het lichaam van dat hulpeloze lam te denken.'

Meer stilte.

'Het glanzende ding drukt tegen je hals. Er is een plotselinge beweging, een afgrijselijke flits van pijn, een pijn waarvan je het bestaan niet eens kende. Plotseling wordt je adem afgesneden door een golf heet bloed. Je kleine, vriendelijke geest kan de wreedheid niet bevatten. Je probeert nog een laatste keer deerniswekkend om je moeder te blaten, om de verloren kudde... om de zonnige, groene weiden van je kindertijd. Je huilt om je dode broertjes en zusjes... Maar er komt niets. Niets meer dan een gegorgel van lucht door het bloed heen. En nu stroomt je leven weg over de bemeste vloer, in het smerige hooi. En je laatste gedachte is geen haat, is geen woede, is niet eens angst. Je laatste gedachte is simpelweg: waarom?

En dan is het, goddank, voorbij.'

Hij zweeg. De menigte was doodstil. Zelfs D'Agosta voelde een brok in zijn keel. Sentimenteel gedoe, natuurlijk, maar wel verdómd effectief.

Zonder iets te zeggen, zonder ook maar een woord van toelichting op Estebans toespraak, zonder op te roepen tot actie, stapte Rich Plock van de tribune af en liep met diezelfde vastberaden tred het sportveld op.

De menigte aarzelde bij de aanblik van Plocks verdwijnende rug. Esteban zelf keek verrast, alsof hij niet goed wist wat Plock van plan was.

Maar toen kwam de menigte in beweging, achter Plock aan. Deze liep het veld over en kwam bij de weg naar de Ville aan. Daar liep hij de bocht om en zette koers naar de Ville, waarbij hij zijn schreden nog versnelde.

'O-o,' zei D'Agosta.

'Naar de Ville!' riep een stem in de nu opdringende menigte.

'Naar de Ville! Naar de Ville!' klonk het antwoord, allengs luider en dringender.

Het geprevel in de massa zwol aan tot een geroezemoes, dat al snel overging in een gebrul. 'Naar de Ville! Weg met die moordenaars!'

D'Agosta keek plotseling om zich heen. De agenten waren nog half in slaap. Dit had niemand verwacht. Binnen een fractie van een seconde was de hele menigte geëlektriseerd en in beweging. En hoe klein de groep ook was: ze waren vastbesloten.

'Naar de Ville!'

'Krakers uit de Ville!'

'Smithback moet gewroken!'

D'Agosta pakte zijn radio en koos een frequentie. 'Hier inspecteur D'Agosta. Mensen, wakker worden, sta op met die luie reet! De demonstranten hebben géén toestemming om naar de Ville op te trekken.'

Maar de menigte drong onverstoorbaar op, net als een opkomende vloed: niet snel, maar onverbiddelijk stroomden ze de weg op. En nu voegde Esteban zich, met een paniekerige blik in de ogen, ietwat laat bij de oprukkende menigte en drong zich door de massa heen in een poging de voorste rijen te bereiken.

'Weg met die moordenaars!'

'Als ze de Ville bereiken,' riep D'Agosta in zijn radio, 'dan zijn de rapen gaar! Dat wordt geweld!'

Er barstte een geknetter van stemmen in de radio los terwijl de afgeslankte groep agenten probeerde hun oproeruitrusting bij elkaar te graaien, de juiste posities in te nemen en de menigte tegen te houden. D'Agosta zag dat ze met te weinig mensen waren en te laat gereageerd hadden – ze waren volledig overrompeld. Honderd man of honderdduizend, dat maakte niet uit: hij zag de bloeddorst in hun ogen. Estebans toespraak had hen op onnavolgbare wijze wakker geschud. De groep stroomde langs de honkbalvelden naar de weg die naar de Ville leidde, sneller nu, zodat er geen enkele kans meer was dat surveillancewagens de mars konden inhalen.

'Vincent, kom mee.' Met snelle pas liep Pendergast het honkbalveld over in de richting van de bomen. D'Agosta zag meteen wat hij van plan was: een kortere route door het bos, om de menigte vóór te zijn als die over de weg aankwam.

'Jammer dat iemand het hek naar de Ville heeft weggehaald... hè, Vincent?'

'Geen geouwehoer, Pendergast – nu even niet.' D'Agosta hoorde in de verte de gescandeerde leuzen van de groep naderen, het gebrul en gegil waarmee ze kwamen aanzetten.

Even later bereikten ze zelf, vlak voor de demonstranten, het wegdek. Links van hen was de omheining: de poort lag nog plat. De menigte naderde met rasse schreden, de voorste rijen bijna op een drafje, Plock voorop. Esteban was in geen velden of wegen te bekennen. De oproerpolitie was sterk achteropgeraakt en kon per surveillancewagen onmogelijk de massa inhalen. De pers daarentegen hield de groep probleemloos bij: een handvol verslaggevers rende met videocamera's in de hand mee, in gezelschap van fotografen en schrijvers. Deze ramp zou vanavond volop in het nieuws zijn.

'Zo te zien is het aan ons om te handelen,' zei D'Agosta. Hij haalde diep adem, stapte met Pendergast aan zijn zij de weg op en trok zijn badge.

Hij stelde zich voor de door Plock aangevoerde menigte op. Het had iets zenuwslopends, alsof hij probeerde een kudde aanstormende stieren tegen te houden. 'Mensen!' riep hij zo hard mogelijk. 'Ik ben inspecteur D'Agosta, NYPD! Vanaf hier is het verboden terrein!'

De menigte rukte op. 'Naar de Ville!'

'Meneer Plock, hou hiermee op! Het is onwettig en ik verzeker u: u wordt opgepakt!'

'Uitzetten, die hap!'

'Uit de weg!'

'Nog één stap en u staat onder arrest!' Hij greep Plock, maar hoewel die geen enkel verzet bood, was het een hopeloos gebaar. De rest sloeg als een vloedgolf over hem heen, en hij kon onmogelijk in zijn eentje een honderdtal arrestaties verrichten.

'Hou vol,' zei Pendergast naast hem.

D'Agosta klemde zijn kaken op elkaar.

Als bij toverslag dook Esteban naast hen op. 'Vrienden!' riep hij, en vlak voor de aanstormende menigte stapte hij het wegdek op. 'Sympathisanten!'

De oprukkende massa aarzelde even, en vertraagde haar pas. 'Naar de Ville!'

Met een onverwacht gebaar draaide Esteban zich om en omhelsde Plock, voordat hij zich weer tot de meute richtte en met opgeheven handen riep: 'Néé! Vrienden, ik ben diep geraakt door jullie moed... díép geraakt! Maar ik smeek jullie: doe dit niet!' Plotseling dempte hij zijn stem en zei in een onderonsje tegen Plock: 'Rich, je moet me even helpen. Dit is veel te vroeg, dat weet jij ook.'

Met gefronste wenkbrauwen keek Plock naar Esteban. De voorste rij demonstranten zag dat de leiders het oneens waren en begon te aarzelen.

'Dank je wel voor jullie grootmoedigheid!' riep Esteban weer tegen de massa. 'Dank je wel! Maar serieus: luister even. Alles heeft zo zijn tijd en zijn plaats. Rich en ik vinden allebei: dit is níet de juiste tijd, niet de juiste plaats, om naar de Ville op te trekken! Is dat duidelijk? We hebben onze bedoeling kenbaar gemaakt, we hebben laten zien dat we het menen. We hebben het publieke gezicht van onze gerechtvaardigde woede getoond! We hebben de bureaucraten te schande gemaakt en de politici de wacht aangezegd! We hebben gedaan waar we voor kwamen. Maar geen geweld. Ik smeek jullie: geen geweld.'

Plock stond er zwijgend en met allengs betrekkend gezicht bij. 'We zijn hier om een eind te maken aan die moordpartijen, niet om te praten!' klonk een kreet.

'En daar gáán we ook een eind aan maken!' antwoordde Esteban. 'Maar ik vraag jullie: wat bereiken we door nu naar de Ville te tijgen? Maak jezelf niets wijs, die mensen zullen zich met hand en tand verdedigen! Misschien zijn ze bewapend. Zijn jullie daarop voorbereid? We zijn maar met zo weinig! Vrienden, de tijd nadert dat die dierenfolteraars op straat worden gezet, die moordenaars van lammetjes en kalveren – om nog maar te zwijgen van journalisten – en dat ze in alle windrichtingen verstrooid zullen worden! Maar niet nu, nóg niet!'

Hij zweeg. De plotselinge, opmerkzame stilte was opvallend.

'Mededemonstranten,' vervolgde Esteban, 'jullie hebben laten zien dat jullie stáán voor jullie overtuiging. Maar nu maken we rechtsomkeert en gaan we terug naar het beginpunt. Daar gaan we praten, daar houden we speeches, daar laten we de hele stad zien wat hier aan de hand is! We zullen gerechtigheid brengen, ook aan diegenen die zelf geen gerechtigheid tonen!'

De meute leek te wachten tot Plock Estebans woorden zou bevestigen. Uiteindelijk hief Plock langzaam, bijna onwillig, zijn handen. 'We hebben onze bedoeling duidelijk gemaakt,' zei hij. 'Laten we dus – voorlopig – de aftocht blazen.'

De pers drong op, de camera's van het avondnieuws gonsden, de microfoons zwaaiden in het rond, maar Esteban wuifde ze weg. D'Agosta keek met verbazing toe terwijl de menigte op Estebans aandringen de aftocht blies, terugkeerde op haar schreden en langzaam weer veranderde in de vreedzame groep die ze aanvankelijk gevormd hadden. Sommigen raapten zelfs de borden op die ze tijdens hun kortstondige opmars naar de Ville hadden weggesmeten. De omwenteling was schokkend, bijna ontzagwekkend. D'Agosta keek met open mond toe. Esteban had de menigte opgezweept en in beweging gekregen, om vervolgens op het laatst mogelijke moment een emmer koud water over ze heen te gooien.

'Wat is dat met die vent, die Esteban?' vroeg hij. 'Denk je dat hij op het laatste moment niet meer durfde, dat hij de zenuwen kreeg?'

'Nee,' antwoordde Pendergast, zonder zijn blik af te wenden

van Estebans verdwijnende rug. 'Eigenaardig,' zei hij, bijna tegen zichzelf, 'dat onze vriend vlees eet. En dan nog wel lam.'

46

Toen D'Agosta zich bij Marty Warteks kantoor aandiende, had de nerveuze miniatuurbureaucraat aan één blik op diens boze gezicht genoeg om de rode loper uit te rollen: hij nam D'Agosta's jas aan, liep met hem mee naar de bank, haalde een kop lauwe koffie voor hem.

Daarna trok hij zich achter zijn bureau terug. 'Wat kan ik voor u doen, inspecteur?' vroeg hij met zijn hoge, ijle stem. 'Zit u daar goed?'

Eerlijk gezegd zat D'Agosta helemaal niet goed. Al sinds het ontbijt voelde hij zich belabberd: rood aangelopen, overal pijntjes; hij vroeg zich af of hij ergens griep of zo had opgelopen. Hij probeerde er niet aan te denken hoe beroerd Bertin er naar verluidt aan toe was, of hoe de inspecteur van Dierenwelzijn, Pulchinski, de vorige dag vroeg naar huis gegaan was omdat hij last had van koude rillingen en knikkende knieën. Die klachten hadden natuurlijk niets te maken met Charrière en diens tovertrucs... dat kon nooit. Maar hij zat hier niet om te praten over zijn eigen welzijn.

'U weet neem ik aan wat er gisteren bij de protestmars is gebeurd?'

'Ik heb het in de krant gelezen.'

D'Agosta zag exemplaren van de *News*, de *Post* en de *West Sider* op het bureau van de onderdirecteur liggen, haastig verborgen onder mappen vol officieel ogende documenten. Kennelijk had Wartek zich op de hoogte gesteld van wat er in de Ville gebeurde.

'Daar was ik bij. De hele toestand was op een haar na uitgelopen op een kloppartij. En dan hebben we het niet over een stel linkse agitatoren, meneer Wartek. Dit zijn normale, gezagsgetrouwe burgers.'

'Ik heb een telefoontje van de burgemeester gekregen,' zei Wartek met een nog iets hogere stem. 'Ook hij gaf, in niet mis te verstane termen, uiting aan bezorgdheid over de explosieve situatie in Inwood Hill Park.'

D'Agosta voelde zich lichtelijk gevleid. Kennelijk begon Wartek eindelijk in te zien waar zijn loyaliteit moest liggen, of werd hem duidelijk wat de bedoeling was. Hij kneep zijn lippen nog strakker dan anders op elkaar, en zijn hangwangen, met wondjes van het scheren, trilden nog iets na. Hij leek sprekend op iemand die zojuist een enorme schrobbering heeft gekregen. 'En? Wat bent u van plan daaraan te doen?'

De ambtenaar knikte even, hield als een vogeltje zijn hoofd schuin en pakte een document van zijn bureau. 'We hebben onze juristen geraadpleegd, we hebben gekeken of er precedenten zijn, we hebben de kwestie besproken op de hoogste niveaus van het bureau Huisvesting. En we zijn van mening dat het gedoogrecht hier niet van toepassing is, aangezien het grotere algemeen belang gevaar kan lopen. Onze positie is verder versterkt door het feit dat er documentatie bestaat over het feit dat de archieven vermelden dat de gemeente al honderdveertig jaar geleden bezwaar heeft aangetekend tegen deze bezetting van openbaar grondgebied.'

Ontspannen zakte D'Agosta iets onderuit op de bank. Kennelijk had het telefoontje van de burgemeester eindelijk iets uitgericht. 'Het doet me plezier dat te horen.'

'Er zijn geen duidelijke vermeldingen van het beginpunt van deze bezetting. Voor zover wij kunnen zien, was dit kort voor het uitbreken van de Burgeroorlog. Daarmee is het aanvankelijke bezwaar van de gemeente dan ruim binnen de juridische termijn.'

'Geen problemen, dus? Ze worden uitgezet?' Dat hele juridische gepalaver klonk hem ietwat glibberig in de oren.

'Jazeker. En de juridische achterdeur heb ik u nog niet eens genoemd: al hadden ze een zeker recht op het perceel verworven, dan nóg heeft de staat het recht om te onteigenen. Het algemeen belang heeft een hogere prioriteit dan individuele behoeften.'

'Aha. En wat is nu dus het plan?'

'Het plan?'

'Ja. Wanneer worden ze uitgezet?'

Ietwat ongemakkelijk ging Wartek verzitten. 'We hebben afgesproken de zaak aan onze juristen voor te leggen, zodat die een uitzettingsbevel kunnen voorbereiden met extra prioriteit.'

'En dat wil zeggen?'

'Met alle voorbereidingen en onderzoek, dan een rechtszaak gevolgd door hoger beroep – want ik neem aan dat die mensen in
beroep zullen gaan – denk ik dat we de zaak rond kunnen hebben
binnen, zeg, drie jaar.'

Het bleef een hele tijd stil. 'Drie jaar?'

'Misschien twee, als we er extra haast mee maken.' Wartek glimlachte nerveus.

D'Agosta stond op. Dit was ongelooflijk. Een aanfluiting. 'Meneer Wartek, we hebben niet eens drie wéken.'

Het mannetje haalde zijn schouders op. 'We moeten ons nu eenmaal aan de wet houden. Zoals ik al tegen de burgemeester zei,
handhaving van de openbare orde is de taak van de politie, niet
van Huisvesting. Wanneer je hartje New York iemand uit zijn woning wil zetten, is dat een moeizaam en duur juridisch proces. En
terecht.'

D'Agosta voelde de woede bonzen in zijn slapen, voelde zijn
spieren straktrekken. Met enige moeite haalde hij diep adem. Hier
hoort u meer van, wilde hij zeggen, maar hij bedacht zich. Dreigementen hadden geen zin. Hij draaide zich om en liep de deur
uit.

Warteks stem galmde hem in de gang na toen hij het kantoor
uit liep. 'Inspecteur, morgen houden we een persconferentie om
onze actie tegen de Ville aan te kondigen. Misschien helpt dat om
de zaak wat te sussen.'

'Nou,' gromde D'Agosta, 'dat betwijfel ik.'

47

In de damestoiletten op de eenendertigste verdieping van One Police Plaza stond Laura Hayward in de spiegel te kijken. Een ernstig, intelligent gezicht keek haar aan. Haar mantelpak was onbe-
rispelijk. Geen blauwzwarte haar op haar hoofd zat waar hij niet
hoorde.

Afgezien van het jaar dat ze vrij genomen had om haar masterstudie aan de Universiteit van New York af te maken zat Hayward al haar hele professionele leven lang bij de politie. Op haar zevenendertigste was ze nog steeds de jongste, en de enige vrouwelijke, hoofdinspecteur. Ze wist dat er achter haar rug gepraat werd. Sommigen noemden haar een hielenlikker. Anderen zeiden dat ze zo snel zo hoog geklommen was omdat ze een vrouw was, en dat ze diende als excuus-Truus. Om dat soort praat maakte ze zich allang niet meer druk. In feite maakte haar rang haar niet zo heel veel uit. Ze hield gewoon van haar werk.

Ze wendde haar blik van de spiegel af en keek op haar horloge. Vijf voor twaalf. Hoofdcommissaris Rocker wilde haar om twaalf uur spreken.

Ze glimlachte. Vaak was het leven één grote ellende. Maar heel af en toe had je van die momenten... En dit beloofde zo'n moment te worden.

Ze liep de toiletten uit, de gang in. Promoties maakten haar weinig uit, dat was zo, maar dit was iets anders. Die taskforce die de burgemeester aan het samenstellen was, dat was het echte werk; dit was niet zomaar wat bombarie om de media gerust te stellen. Jarenlang was er te weinig vertrouwen geweest, onvoldoende samenwerking op hoog niveau tussen de hoofdcommissaris van politie en de burgemeester. De taskforce, had ze zich op het allerhoogste niveau laten vertellen, zou daar verandering in brengen. Dit kon wel eens heel wat minder bureaucratie betekenen, dé kans om de efficiency van het politiewerk drastisch te verbeteren. Natuurlijk was het ook een enorme stap omhoog op de ladder: een grote stap in de richting van de rang van adjunct-commissaris. Maar dat was niet belangrijk. Waar het om ging, dat was de kans om écht iets te doen.

Door de dubbele glazen deuren van Rockers kantoor stapte ze naar binnen, en daar meldde ze zich bij de secretaresse. Bijna meteen verscheen er een assistent die haar langs kantoren en vergaderruimtes naar het heilige der heiligen voerde: het kantoor van de hoofdcommissaris zelf. Rocker zat achter zijn grote mahoniehouten bureau memo's te ondertekenen. Als gewoonlijk zag hij er uitgeput uit: de donkere kringen onder zijn ogen waren nog geprononceerder dan anders.

'Hallo, Laura,' zei hij. 'Ga zitten.'

Verrast nam Hayward plaats in een van de stoelen voor het bureau. Rocker was bijzonder gesteld op protocol en etiquette en noemde bijna nooit iemand bij de voornaam.

Over zijn bureau heen keek Rocker haar aan. Er lag iets in zijn blik waardoor ze onmiddellijk op haar hoede was.

'Er is geen gemakkelijke manier om dit te zeggen,' begon hij. 'Dus ik val maar met de deur in huis: ik stel jou niet aan bij de taskforce.'

Even geloofde Hayward haar oren niet. Ze opende haar mond om iets te zeggen, maar er kwam geen geluid uit. Ze slikte moeizaam en haalde diep adem.

'Ik...' bracht ze uit, maar verder kwam ze niet. Ze was verward, verbijsterd, niet in staat een samenhangende zin te formuleren.

'Het spijt me heel erg,' zei Rocker. 'Ik weet hoezeer je je op deze kans verheugde.'

Hayward haalde nogmaals diep adem. Er stroomde een eigenaardige hitte door haar ledematen. Voor het eerst, nu de baan zo onverwacht buiten haar bereik bleek te liggen, besefte ze hoe belangrijk de opdracht voor haar geweest was.

'Wie wordt er in mijn plaats aangesteld?' vroeg ze.

Rocker wendde even zijn blik af voordat hij antwoord gaf. Hij keek gegeneerder dan ze hem ooit gezien had. 'Sanchez.'

'Sanchez is een uitstekende kracht.' Ze voelde zich alsof dit allemaal een droom was, alsof de woorden uit iemand anders mond kwamen.

Rocker knikte.

Hayward merkte dat haar handen pijn deden. Ze keek omlaag en zag dat ze uit alle macht de armleuningen van haar stoel omklemde. Ze dwong zich te ontspannen en haar zelfbeheersing te bewaren. Niet dat dat haar lukte. 'Heb ik iets verkeerds gedaan?' vroeg ze met verstikte stem.

'Nee, nee, natuurlijk niet. Dat is het niet.'

'Heb ik u op de een of andere manier teleurgesteld? Ben ik tekortgeschoten?'

'Je bent een fantastische politievrouw en ik ben er trots op dat je bij ons werkt.'

'Waarom dan? Gebrek aan ervaring?'

'Ik beschouw jouw masterstitel in sociologie als ideaal voor de taskforce. Maar... tja, dit soort aanstellingen zijn voornamelijk een kwestie van politiek. En Sanchez blijkt boven jou te staan.'

Hayward reageerde niet meteen. Ze had niet gedacht dat rangorde meespeelde bij deze beslissing. Ze had juist gedacht dat dít bij uitstek de positie was waarbij dat soort onzin geen rol speelde.

Rocker ging in zijn stoel verzitten. 'Je moet niet denken dat dit te maken heeft met onvoldoende prestaties jouwerzijds.'

'Maar u moet toch op de hoogte geweest zijn van ons beider rang voordat u me reden gaf om te hopen,' zei Hayward zachtjes.

Rocker spreidde zijn handen. 'Dit soort formules kan nogal ondoorzichtig zijn. Het was een vergissing. Het spijt me.'

Hayward zei niets.

'Er komen andere gelegenheden – vooral voor iemand van jouw kaliber. Je kunt er gerust op zijn dat je harde werk en je inzet beloond zullen worden.'

'De deugd beloont zichzelf. Zo zeggen ze dat toch?' Hayward stond op en toen ze aan Rockers gezicht zag dat het gesprek afgelopen was, liep ze op licht onvaste benen naar de deur.

Tegen de tijd dat de liftdeuren openzoefden en de lobby zichtbaar werd, had ze haar zelfbeheersing terug. De enorme ruimte weergalmde van de herrie en het geroezemoes: het was lunchpauze. Hayward liep langs Bewaking, de draaideur door naar de brede trap. Ze had geen specifiek doel in gedachten, ze had simpelweg behoefte aan beweging. Ze moest lopen, niet denken.

Haar dagdroom werd onderbroken toen iemand tegen haar aan blunderde. Snel keek ze wie het was: een magere, jong ogende man met een pokdalig gezicht.

'Pardon,' zei hij. Maar even later deed hij een stap achteruit en zei: 'Mevrouw Hayward?'

Ze fronste haar wenkbrauwen. 'Ja.'

'Dat is ook toevallig!'

Ze nam hem beter op. Hij had donkere, kille ogen die in tegenspraak waren met de glimlach op zijn gezicht. Snel ging ze in haar hoofd een lijst af: kennissen, collega's, opgepakte criminelen; maar ze wist zeker dat ze hem niet kende.

'Wie bent u?' vroeg ze.

'Mijn naam is Kline. Lucas Kline.'

'En wát is er zo toevallig?'

'Nou, dat ik op weg ben naar de plek waar u net vandaan komt.'

'O? En wat mag die plek wel zijn?'

'Het kantoor van de hoofdcommissaris. Hij wil me namelijk bedanken. Persoonlijk.' En voordat Hayward nog iets kon zeggen, stak Kline zijn hand in zijn zak, haalde er een envelop uit, trok een brief naar buiten, vouwde die open en hield hem haar voor.

Ze stak haar hand uit, maar Kline trok snel zijn arm terug. 'O, nee. Niet aankomen.'

Met samengeknepen ogen keek Hayward hem nogmaals aan. Daarna richtte ze haar aandacht op de brief. Die was inderdaad afkomstig van hoofdcommissaris Rocker, op officieel briefpapier, de dag tevoren gedateerd. Kline werd, als hoofd van Digital Veracity Inc., bedankt voor zijn zojuist aangekondigde donatie van vijf miljoen dollar aan het Dyson-fonds. Dit fonds, dat door de hele politie van New York als heilig werd beschouwd, was vernoemd naar Gregg Dyson, een undercoveragent die tien jaar daarvoor door drugsdealers was vermoord. Het was ingesteld om financiële en emotionele hulp te verlenen aan gezinnen van New Yorkse agenten die tijdens hun werk waren omgekomen.

Ze keek Kline nogmaals aan. Massa's mensen stroomden het gebouw uit, langs hen heen. De glimlach lag nog op zijn gezicht. 'Dat doet me plezier voor u,' zei ze. 'Maar wat heeft dat met mij te maken?'

'Het heeft alles met u te maken.'

Ze schudde haar hoofd. 'Ik kan u niet volgen.'

'U bent slim. U komt er wel uit.' Hij draaide zich om naar de draaideur, maar bleef nog even staan en draaide zich om. 'Ik kan u wel vertellen waar u beginnen moet,' zei hij.

Hayward wachtte.

'Vraag maar aan vriend Vinnie.' En toen hij zich weer afwendde, was de glimlach van zijn gezicht verdwenen.

48

Nora Kelly sloeg haar ogen op. Even vroeg ze zich wanhopig af waar ze was, maar algauw kwam het allemaal terug: de geur van ontsmettingsmiddelen en doodgekookt eten, het elektronische piepen en de gedempte stemmen; de sirenes in de verte. Het ziekenhuis. *Nog steeds.*

Met bonkend hoofd bleef ze liggen. Het infuus, aan de paal naast het bed, zwaaide heen en weer in het heldere maanlicht en knerpte als een roestig uithangbord in de wind. Had zij het ding zelf zo in beweging gezet? Misschien had een verpleegster ertegenaan gestoten toen ze bij haar kwam kijken en haar nog wat tranquillizer kwam geven, hoewel ze bij hoog en bij laag had volgehouden dat ze die niet nodig had. Of misschien had die agent die D'Agosta op de gang had geposteerd even zijn hoofd om de hoek van de deur gestoken. Ze keek naar de deur: die zat dicht.

De infuuszak zwaaide en knerste maar door.

Een vreemd gevoel van dissociatie begon zich van haar meester te maken. Ze had zich niet gerealiseerd dat ze zó moe was. Of misschien was dit een bijwerking van de tweede hersenschudding.

De hersenschudding. Daar wilde ze niet aan denken. Want dan moest ze terug naar de oorzaak van die hersenschudding: het donkere appartement, het open venster en...

Ze schudde haar hoofd – zachtjes – en kneep haar ogen stijf dicht. Daarna begon ze diep adem te halen om haar hoofd helder te krijgen. Toen ze weer rustig was, opende ze haar ogen en keek om zich heen. Ze was in dezelfde tweepersoonskamer waarin ze de afgelopen drie dagen had doorgebracht, in haar bed bij het raam. De rolluiken voor het raam waren neergelaten en het gordijn rond het bed bij de deur was dichtgetrokken.

Ze draaide zich om en keek nog eens naar het gordijn rond het bed. Daar zag ze de omtrekken van iemand die lag te slapen afgetekend tegen het schijnsel uit de toiletruimte. Maar was dat echt een menselijk silhouet? Er had toch niemand in dat bed gelegen toen zij ging slapen? Dit was haar derde nacht hier – de artsen hadden keer op keer gezegd dat ze hier alleen ter observatie lag, dat ze de volgende dag naar huis mocht. En er had nooit iemand in dat bed gelegen.

Een afgrijselijk déjà-vugevoel begon zich van haar meester te maken. Ze spitste haar oren en hoorde de ademhaling: een zwak, stokkend zuchten. Ze keek nogmaals om zich heen. De hele kamer zag er verkeerd uit: de hoeken klopten niet, de donkere tv boven haar bed was vervormd als een beeld uit een Duitse expressionistische film.

Ik slaap nog, dacht ze. Dit is een droom. De roerloosheid van een droomlandschap leek haar te omringen en haar te omwikkelen in een ragfijne omhelzing.

Het silhouet kwam in beweging, er klonk een zucht. Een vaag gorgelen van slijm. Toen kwam er langzaam een arm omhoog, de omtrek afgetekend tegen het gordijn. Met een huivering van afgrijzen greep Nora haar lakens en probeerde daarin weg te zinken. Maar ze voelde zich zo slap...

Met trage, afgrijselijke weloverwogenheid werd het gordijn weggeschoven. Er klonk een zacht ratelen toen de metalen lussen langs de kille stalen rail schoven. Verlamd van angst bleef ze kijken: de donkere omtrekken van een mens werden zichtbaar, eerst in de schaduw, toen door de maan verlicht.

Bill.

Datzelfde pafferige gezicht, het vastgekleefde haar, de zwarte, weggezonken ogen, de grauwe lippen. Hetzelfde opgedroogde bloed, de smerige stank. Ze was verstard. Er kwam geen geluid over haar lippen. Ze kon niet anders dan roerloos blijven liggen kijken terwijl de ergst denkbare nachtmerrie zich voor haar ogen afspeelde.

De gestalte kwam uit bed en stond op, keek op haar neer. Bill... en tegelijkertijd níét Bill: in leven, en toch dood. Hij deed een stap naar voren. Zijn mond ging open, en ze zag wormen. De klauwachtige hand kwam haar kant uit, de nagels lang en gebarsten, en het hoofd werd langzaam naar haar toe gebogen... voor een kús...

Met een kreet zat ze rechtop in bed.

Even zat ze daar, bevend van de angst, tot de opluchting over haar heen spoelde bij het besef dat het een droom was geweest. Een droom, net als de vorige, maar dan erger.

Ze liet zich op haar rug in bed vallen en voelde, badend in het

zweet, hoe haar hartslag langzamer werd en de nachtmerrie terug-
week als het getij aan het strand. De infuuszak schommelde niet,
de tv zag er normaal uit. Het was donker in de kamer: geen straaltje helder maanlicht. Het gordijn rond het andere bed was inderdaad dichtgetrokken, maar daarachter was geen ademhaling te horen. Het bed was leeg.

Hoewel...?

Ze keek naar het gordijn. Dat bewoog zachtjes heen en weer.
Het was ondoorzichtig, dus ze kon niet zien wat zich daarachter
bevond.

Ze dwong zich te ontspannen. Natuurlijk was daar niemand.
Het was maar een droom. En bovendien had D'Agosta tegen haar
gezegd dat er geen andere patiënt op haar kamer zou komen. Ze
sloot haar ogen, maar de slaap kwam niet. Niet dat ze echt slapen
wilde. Ze had zojuist zo'n afgrijselijke droom gehad dat ze bang
was om opnieuw in slaap te vallen.

Dit sloeg nergens op. Ondanks haar noodgedwongen zieken-
huisopname had ze amper een oog dichtgedaan. Ze had een wanhopige behoefte aan slaap.

Ze sloot haar ogen, maar voelde zich zo wakker dat ze haar
oogleden bijna niet op elkaar kreeg. Er verstreek een minuut. Twee
minuten.

Met een geïrriteerde zucht opende ze haar ogen weer. Onwillekeurig voelde ze haar blik opnieuw naar het bed naast het hare
glijden. De gordijnen bewogen weer, zij het heel lichtjes.

Ze slaakte een zucht. Stom, die overactieve fantasie van haar.
Hoewel dat natuurlijk geen wonder was na zo'n nachtmerrie.

Maar toen ze was gaan slapen, hadden die gordijnen toen al
dichtgezeten?

Ze wist het niet meer. Hoe langer ze er evenwel over nadacht,
des te overtuigder raakte ze dat de gordijnen open geweest waren.
Ze was verward geweest, daas van de hersenschudding; kon ze
haar geheugen vertrouwen? Ze draaide zich om, keek vastbesloten naar de muur tegenover haar en probeerde haar ogen weer te
sluiten.

En opnieuw, tegen haar wil, richtten haar ogen zich op de gesloten gordijnen, die zachtjes heen en weer deinden. Het was gewoon een briesje, de luchtstroming van het aircosysteem, zo zwak

dat zij niets voelde, maar wel genoeg om die gordijnen in beweging te krijgen.

Waarom zaten die gordijnen eigenlijk dicht? Had iemand ze dichtgedaan terwijl zij lag te slapen?

Abrupt ging ze rechtop zitten. Haar hoofd protesteerde door te gaan bonzen van de pijn. Stom om hier te blijven liggen piekeren terwijl één eenvoudige stap het probleem eens en voor al uit de wereld kon helpen. Ze slingerde haar benen over de rand van het bed en stond op, voorzichtig om haar infuuslijn niet te knakken. Twee snelle stappen en daarna kon ze met gestrekte arm het gordijn pakken. Toch aarzelde ze. Plotseling ging haar hart als een razende tekeer.

'O, Nora,' zei ze hardop. 'Doe niet zo kinderachtig.'

Ze rukte het gordijn weg.

Er lag een man op het bed. Roerloos. Hij had het gesteven wit van een verpleeghulp aan. Zijn armen waren op de borst gekruist, de enkels had hij over elkaar geslagen. Hij lag er bijna bij als een Egyptische mummie – maar zijn ogen waren wijd open en glinsterden in het licht. Hij lag haar strak aan te kijken. Hij spéélde met haar.

Op dat moment van verstarde angst sprong de gestalte soepel als een kat overeind, klapte een hand voor haar mond, dwong haar achterwaarts naar haar bed en pinde haar daar vast.

Ze verzette zich uit alle macht, trapte en probeerde te gillen, maar ze was machteloos tegenover zijn enorme kracht. Hij duwde haar hoofd opzij en in zijn vrije hand zag ze een glazen injectiespuit met een stalen injectienaald, lang en wreed, met een druppel vloeistof die bevend aan de punt hing. Eén snelle beweging, en ze voelde de naald diep in haar dijbeen steken.

Hoe hard ze ook probeerde zich te verzetten, te schoppen, te krijsen, de verlamming maakte zich genadeloos van haar meester. Dit was geen droom, dit was afgrijselijk en onmiskenbaar waar. Ze werd in een onweerstaanbare omhelzing meegetrokken en het leek of ze viel, steeds dieper en dieper, een bodemloze put in die zich versmalde tot een eindpunt en vervolgens verdween.

49

Marty Wartek klemde zijn zweethanden rond de randen van de lessenaar en keek uit over de menigte die zich had verzameld op het plein voor het gebouw van de gemeentelijke afdeling Huisvesting. Het was zijn eerste persconferentie en hij vond het een angstaanjagende ervaring, maar tegelijkertijd, diep in zijn hart, genoot hij er toch ook wel van. Links en rechts van hem stonden een paar ondergeschikten die hij haastig had opgetrommeld om meer indruk te maken, en een stel politiemensen in uniform. De lessenaar stond op een van de laagste treden, met kabels die met tape waren vastgeplakt aan de achterkant.

Zijn blik ging naar het stelletje demonstranten in een hoek van het plein, op afstand gehouden door een handvol agenten. De gescandeerde leuzen klonken intussen wat matter, en hij had goede hoop dat ze zouden zwijgen zodra hij zijn mond opendeed.

Hij schraapte zijn keel en hoorde het geluid geruststellend via de luidsprekers over het plein galmen. Hij keek om zich heen, en de menigte viel langzaam stil. 'Goedemiddag,' begon hij. 'Dames en heren van de pers, ik lees nu een verklaring voor.'

Hij begon voor te lezen, en langzamerhand werden zelfs de demonstranten rustig. Het juridische proces, legde hij uit, was in beweging gezet. Indien daar reden toe was, zou er actie tegen de Ville worden ondernomen. Ieders rechten zouden gerespecteerd worden. Alles zou volgens de regels verlopen. Geduld en kalmte waren een eerste vereiste. Zijn stem neuzelde verder en de voorspelbare formules hadden een slaapverwekkende uitwerking op de kudde journalisten. Het was een korte verklaring, niet veel langer dan een A4'tje, die door de commissie was opgesteld en door een handvol juristen was goedgekeurd. De tekst had het voordeel absoluut niets te zeggen, geen enkele informatie over te dragen, geen beloften te doen, en tegelijkertijd de indruk te wekken dat ieders belang gediend werd. Althans, dat was de achterliggende gedachte.

Halverwege de pagina hoorde hij echter een ordinair geluid, versterkt via een megafoon, vanuit het groepje demonstranten komen. Zonder te aarzelen, zonder zelfs maar op te kijken, las hij verder. Weer zo'n geluid.

'Wat een gelul!'

Hij verhief zijn stem om boven het geroep uit te komen.

'En die dieren dan?'

'En de moord op Smithback dan?'

'Hou die moordenaars tegen!'

Luider, maar op dezelfde vlakke toon las hij verder, zijn blik op het papier gericht en zijn kale hoofd over de lessenaar gebogen.

'Praatjes, allemaal praatjes! Wij willen actie!'

Vanuit zijn ooghoek zag hij de op hem gerichte microfoons en camera's de kant van de demonstranten uit zwaaien. Nog een paar kreten, wat geruzie, een zwaaiend spandoek dat door een agent opzij geduwd werd. En dat was het. De ordeverstoring was een halt toegeroepen, de demonstranten waren teruggedrongen: het groepje was te klein om de massa in beweging te krijgen.

Wartek maakte zijn verhaal af, vouwde het papier dubbel en keek voor het eerst op. 'Dan zal ik nu vragen beantwoorden.'

De camera's en microfoons waren weer allemaal op hem gericht. De vragen kwamen traag, ongeïnteresseerd. Er hing een sfeer van teleurstelling in de lucht. De demonstranten bleven in hun hoek met borden staan zwaaien en leuzen scanderen, maar hun stemmen klonken nu mat en werden bijna helemaal overstemd door het verkeerslawaai van Chambers Street.

De vragen waren voorspelbaar, en hij beantwoordde ze allemaal. Ja, er zou actie worden ondernomen tegen de Ville. Nee, niet morgen al; het schema werd bepaald door het juridische proces. Ja, hij was op de hoogte van de beschuldigingen van moord tegen de groep; nee, daar was geen bewijs voor, het onderzoek was nog gaande en er waren geen specifieke personen in staat van beschuldiging gesteld. Ja, het zag ernaar uit dat de Ville geen geldig eigendomsbewijs had voor het perceel, en volgens de juristen van de gemeente was er geen sprake van gewoonterecht.

De vragen begonnen af te nemen, en hij keek op zijn horloge: kwart voor een. Hij knikte naar zijn assistenten en hief zijn gepluimde hoofd nog eenmaal op naar de pers. 'Dank u, dames en heren, en hiermee is deze persconferentie beëindigd.'

Dit werd begroet door enig gejoel van de demonstranten: *Mooie praatjes, maar geen actie! Mooie praatjes, maar geen actie!*

Met een tevreden gevoel stopte Wartek het papier weer in zijn binnenzak en liep de trap op. Het was precies verlopen zoals hij gehoopt had. Hij zag het avondnieuws al bijna voor zich: een paar citaten uit zijn speech, een of twee vragen met antwoord, een paar seconden voor de demonstranten en dat was het dan. Hij had alle onderwerpen aangesneden, had iedereen tevredengesteld, en had het sobere, ernstige gezicht van het stadsbestuur laten zien. Voor demonstranten in New York City was dit een behoorlijk tam stelletje geweest. Kennelijk was dit een nevenactiviteit voor iets anders dat de groep aan het beramen was. Hij had zich laten vertellen dat er een tweede mars tegen de Ville gepland werd, veel groter dan de eerste, maar goddank zou die niet op zijn terrein plaatsvinden. Zolang ze niet hier gingen staan protesteren, maakte het hem weinig uit. En als ze uiteindelijk de hele Ville platbrandden... tja, dan was dat een handige oplossing voor zijn probleem.

Hij kwam boven aan de trap aan en ging, geflankeerd door zijn assistenten, op weg naar de glazen draaideur. Het was lunchpauze; stromen gemeenteambtenaren verlieten het enorme gebouw en kwamen de trap af zetten. Het had veel van tegen het tij in zwemmen.

Terwijl hij zich met zijn tweetal tegen de stroom in werkte, voelde hij een passant die hem met zijn schouder hard aanstootte.

'Pardon!' Wartek wilde zich net geïrriteerd omdraaien toen hij in zijn flank iets volkomen onverwachts voelde. Hij deinsde geschrokken achteruit en greep instinctief naar zijn middenrif. Tot zijn nog grotere verbazing voelde, én zag, hij een heel lang mes uit zijn lichaam getrokken worden, midden tussen zijn verkrampte handen door. Een plotselinge sensatie van hitte en kou tegelijk; ijs binnen in hem, in de diepte van zijn buik; hitte die naar buiten en omlaag gutste. Hij keek op en ving een glimp op van een gezwollen gezicht vol korsten; smerig, kleverig haar; gebarsten lippen met een grijns die verrotte tanden zichtbaar maakte.

En meteen was de figuur verdwenen.

Sprakeloos, met zijn handen in zijn zij gedrukt, strompelde Wartek naar voren. De langsstromende massa leek te aarzelen, samen te drommen, tegen elkaar op te botsen.

Er gilde een vrouw in zijn oor.

Wartek, nog niet in staat te begrijpen wat er aan de hand was, zijn hele hoofd één groot vraagteken, deed nog een wankelende stap. 'Au,' zei hij zacht, tegen niemand in het bijzonder.

Nog een gil, gevolgd door een koor van lawaai, een gebrul als van de Niagara-waterval. Zijn knieën knikten en hij hoorde onsamenhangend geroep, zag een stel blauwe uniformen komen aanhollen: agenten die zich met geweld een weg baanden door de menigte. Nog een plotselinge explosie van chaos om hem heen: mensen die heen en weer holden, af en aan renden.

Met uiterste inspanning deed hij nog een stap voordat zijn benen het begaven; hij werd door talloze handen opgevangen en zacht op de grond neergelaten. Weer meer verward geroep, met een paar woorden die zo vaak herhaald werden dat ze door het geroezemoes heen drongen: *Ambulance! Dokter! Neergestoken! Bloed!*

Terwijl hij zijn ogen sloot voor een dutje, vroeg hij zich af wat er allemaal aan de hand was. Marty Wartek was zo vreselijk, dodelijk moe, en New York was zo'n ontzettend rumoerige stad.

50

Langzaam dobberde ze duistere dromen in en uit. Ze sliep, werd half wakker, viel opnieuw in slaap. Uiteindelijk keerde het volle bewustzijn terug. Het was pikdonker en het rook naar schimmel en natte steen. Even bleef ze verward liggen. Toen kwam het allemaal boven, en ze kreunde van doodsangst. Haar tastende handen voelden nat stro op een kille betonvloer. Toen ze probeerde rechtop te gaan zitten, protesteerde haar hoofd hevig; misselijk geworden ging ze weer liggen.

Ze vocht tegen de impuls om te krijsen, te gillen, en ze wist zich te beheersen. Even later probeerde ze nogmaals overeind te komen, langzamer nu, en ditmaal lukte het haar om te gaan zitten. God, wat voelde ze zich slap. Er was geen sprankje licht, niets, alleen duisternis. Haar arm deed pijn op de plek waar het infuus had gezeten, en er zat geen pleister op het wondje van de injectie.

Het begon haar te dagen dat ze uit haar ziekenhuiskamer was ontvoerd. Door wie? De man in het uniform van een verpleeghulp was een onbekende geweest. Wat was er gebeurd met de agent die haar kamer had bewaakt?

Ze kwam overeind, op onvaste benen. Met uitgestrekte armen schuifelde ze behoedzaam voorwaarts tot haar handen iets raakten: een vochtige, klamme muur. Ze tastte rond. Het was een muur van ruwe, gemetselde natuursteen, poederig van de schimmel. Ze moest ergens in een kelder zitten.

Al schuifelend begon ze de muur af te tasten. De vloer was kaal en helemaal leeg, afgezien van wat stro hier en daar. Ze kwam bij een hoek aan, ging verder en mat de afstand in voetlengtes. Nog tien voet en ze kwam bij een nis, die ze volgde tot ze een deurpost bereikte, met daarin een deur. Hout. Ze tastte van boven tot onder en vond hout, met ijzeren banden en klinknagels.

Door een spleet in de deur scheen een heel zwak lichtschijnsel. Ze duwde haar oog tegen de barst, maar vanwege de messing-en-groefconstructie kon ze met de beste wil van de wereld niets zien.

Ze hief haar vuist, aarzelde even en sloeg toen uit alle macht op de deur: eenmaal, tweemaal. De deur galmde en echode. Een hele tijd bleef het stil, toen kwam het geluid van naderende voetstappen. Ze legde haar oor tegen de deur om te luisteren.

Plotseling was er een schrapend geluid boven haar hoofd, en toen ze opkeek barstte er een plotseling, oogverblindend licht boven haar los. Instinctief sloeg ze haar handen voor haar gezicht en deed ze een stap achteruit. Ze draaide zich om en kneep haar ogen samen tot spleetjes. Na een tijdje begon ze te wennen aan het verblindende licht. Ze keek omhoog.

'Help me,' wist ze schor uit te brengen.

Er kwam geen antwoord.

Ze slikte. 'Wat wil je?'

Nog steeds geen antwoord. Maar er klonk wel een geluid: een zacht, regelmatig gonzen. Ze tuurde tegen het licht in. Nu zag ze een klein, rechthoekig luikje hoog in de deur. Daar kwam het licht vandaan. En er was nog iets: de lens van een videocamera, dik en bol, die door de opening stak en op haar gericht was.

'Wie... ben jij?' vroeg ze.

Abrupt werd de lens teruggetrokken. Het gonzende geluid hield op. En een stem, zijdezacht en vriendelijk, antwoordde: 'Mijn naam doet er niet toe; daarvoor leef jij niet lang genoeg meer.'

En met die woorden ging het licht uit, werd het luik met een klap dichtgeschoven en zat ze opnieuw in het donker.

51

Kenny Roybal, ongediplomeerd schoolverlater, zat op de honkbal-tribune zijn weed na te kijken. Hij kamde erdoorheen, wipte de zaden eruit en rolde de rest tot een vette joint. Hij hield er een aan-steker bij en inhaleerde diep voordat hij hem doorgaf aan zijn vriend Rocky Martinelli.

'Volgend jaar,' zei Martinelli, terwijl hij de joint aannam en naar het veld voorbij het honkbalterrein knikte, 'oogsten we de pot die daar groeit.'

'Yeah,' zei Roybal, terwijl hij de rook uitblies. 'Eerste kwaliteit, man.'

'Fuck, yeah.'

'Vet, man.'

'Vet.'

Roybal inhaleerde nogmaals, gaf de joint terug en blies luid-ruchtig uit. Hij wachtte terwijl Martinelli inhaleerde. De joint knapte en knisperde, de punt lichtte even op en Martinelli's lange, slaperige gezicht baadde even in een matoranje schijnsel. Roybal nam de joint terug, rolde voorzichtig de as weg en modelleerde het uiteinde. Net op het moment dat hij nogmaals wilde opsteken zag hij in de invallende schemering een surveillancewagen als een rond-zwemmende haai het parkeerterrein op rijden.

'Uitkijken. Smerissen.' Hij liet zich achter de tribune vallen, met Martinelli op zijn hielen. Tussen de metalen en houten construc-tie door keken ze wat er aan de hand was. De politiewagen was gestopt en er scheen een zoeklicht in het rond, over de sportvel-den en daarachter.

'Wat moet die nou?'

'Ik zou het bij god niet weten.'

Op hun hurken bleven ze zitten wachten terwijl het licht lang-zaam over de tribune scheen. Het leek even te aarzelen toen het op hen viel.

'Stilzitten,' klonk Roybals stem zacht.

'Ik zít stil.'

Het licht gleed verder, maar keerde even later langzaam terug. Het was oogverblindend, zoals het tussen de zitbanken door scheen. Zagen de agenten hen daar gehurkt zitten? Roybal betwijfelde het, maar ze leken wel abnormaal geïnteresseerd in die tribune.

Hij hoorde iemand grommen en daar ging Martinelli er verdomme als een haas vandoor, over het sportveld het weiland in, op weg naar het bos. Het licht veerde omhoog, achter hem aan.

'Shit!' Roybal sprintte achter Martinelli aan. Nu werd de schijnwerper op hem gericht. Hij kreeg het idee dat hij achter zijn eigen schaduw aan zat. Hij sprong over de lage afzetting heen en rende over het veld het bos in, achter Martinelli's schimmige, wegvluchtende gestalte aan.

Ze holden en holden tot ze niet meer konden. Martinelli minderde vaart, begon te wankelen, en bleef volkomen buiten adem naar lucht staan happen. Met een zware plof zakte hij op een omgevallen boomstam neer. Roybal liet zich hijgend naast hem neervallen.

'Komen ze eraan?' wist Martinelli uiteindelijk uit te brengen.

'Je hoefde niet zo idioot te doen, man,' antwoordde Roybal. 'Die smeris had ons niet gezien als jij niet overeind gesprongen was.'

'Hij had ons al gezien.'

Roybal tuurde het bos in, maar de bomen vormden een donkere muur, en hij zag niets. Martinelli was echt een heel eind gekomen. Hij voelde in de zak van zijn shirt. Die was leeg.

'Ik ben de joint kwijt. Jouw schuld.'

'Ik zeg je, ze hadden ons gezien, man.'

Roybal spuwde op de grond. Het was geen ruzie waard. Hij viste de rest van de vloeitjes uit zijn zak, samen met de rest van de marihuana. Hij plakte twee papiertjes aan elkaar en goot wat poeder in de v-vorm. 'Ik zie geen hand voor ogen.'

Maar er filterde genoeg maanlicht tussen de bomen door om een paar zaadjes uit het gedroogde blad te vissen, een joint te rollen, die op te steken en diep te inhaleren. Even hield hij de rook in zijn longen, daarna blies hij uit, inhaleerde nogmaals, hield zijn adem in, blies weer uit en gaf de joint door. Hij begon ademloos te lachen. 'Man, je leek wel een konijn dat achternagezeten wordt door een jachthond.'

'Duh, die vent had ons gezien.' Martinelli pakte de joint aan en keek om zich heen. 'Zal ik jou eens wat zeggen? Die leipe commune, de Ville, die moet hier ergens liggen.'

'Een eind verderop, bij het moeras.'

'Nee, man. Hier vlak naast de rivier.'

'Nou, en? Wou je soms weer op de vlucht slaan? Woe-hoe, hier komen de zombies!' Roybal zwaaide met zijn armen boven zijn hoofd. 'Honger! Geef me een brein!'

'Hou je bek.'

Zwijgend gaven ze elkaar de joint door, heen en weer, tot Roybal hem uiteindelijk zorgvuldig uit maakte en de peuk in een plat blikje stopte. Plotseling dreven de gedempte tonen van *Smack my bitch up* door het donker.

'Vast je moeder,' zei Roybal.

Martinelli haalde de rinkelende telefoon uit zijn zak.

'Niet opnemen.'

'Ze wordt boos als ik niet opneem.'

'Rot voor je.'

'Hallo? Ja. Hé.'

Met een zuur gezicht luisterde Roybal naar het gesprek. Hij was al het huis uit, had een kamer in de stad. Martinelli woonde nog bij zijn moeder thuis.

'Nee, in de bibliotheek. Kenny en ik zijn aan het leren voor ons wiskundeproefwerk. Ja, ik doe voorzichtig... Er zíjn hier geen zakkenrollers... Maar mam, het is pas elf uur!'

Hij klapte de telefoon dicht. 'Ik moet naar huis.'

'En het is nog geeneens twaalf uur. Klote, man.'

Martinelli stond op. Roybal ook. Zijn benen voelden nu al stijf aan van die idiote sprint van daarnet. Martinelli liep met snelle passen het bos in; zijn magere benen waren amper zichtbaar in het donker. Maar algauw bleef hij staan.

'Lag die boom hier net ook al?' vroeg hij.

'Hoe weet ik dat nou? We hadden veel te veel haast om daarop te letten.' Roybal was alweer buiten adem.

'Dan moesten we ons toch herinneren dat we eroverheen gesprongen waren of zo.'

'Loop nou maar door.' Roybal stak een vinger in zijn rug.

Ze kwamen bij een tweede omgevallen boom aan. Weer bleef Martinelli staan. 'Nu weet ik zeker dat we niet zo gekomen zijn.'

'Loop nou maar gewoon door.'

Maar Martinelli bleef staan. 'Waarom stinkt het hier zo? Hé, heb jij een scheet gelaten of zo?'

Roybal snoof luidruchtig. Hij keek om zich heen, maar het was zo donker dat hij de grond niet goed kon zien.

'Ik ga wel voorop.' Hij stapte over de boomstam heen en zijn voet zonk weg in iets dat stevig maar toch slap aanvoelde. 'Wat is dat nou?' Hij trok zijn voet terug en bukte zich om te kijken.

'Fuck!' schreeuwde hij, en hij wankelde achteruit. 'Een lijk! Holy shit! Ik heb op een lijk gestaan!'

Nu keken ze beiden naar de grond. Een bundel maanlicht scheen op een gezicht: bleek, gehavend, bebloed, met niets ziende ogen die glazig omhoogstaarden.

Martinelli kuchte. 'O, god!'

'Bel de politie!'

Martinelli wankelde achteruit, tastte naar zijn mobiele telefoon en begon als een razende op de toetsen te drukken.

'Niet te geloven, een lijk!'

'Hallo? Hall...?' Plotseling klapte Martinelli dubbel en braakte over zijn telefoon heen.

'O, fuck, man!'

Martinelli ging maar door met overgeven en de telefoon viel op de grond, glibberig van het braaksel.

'Bellen, verdomme nog aan toe!'

Meer braken.

Roybal deed nog een stap achteruit. Het was onvoorstelbaar, maar hij hoorde een stem uit de telefoon komen. 'Wie is dit?' klonk het blikkerig. 'Ben jij dat, Rocky? Rocky! Wat is er aan de hand?'

Maar Martinelli kon niet ophouden met overgeven. Roybals blik gleed opnieuw naar het lijk, dat op zijn zij lag, één arm opgegeven, bleek en afschuwelijk in het maanlicht. Dit was niet best. Hij draaide zich om en rende het bos in: weg, weg, weg...

52

Om vier uur in de ochtend arriveerden D'Agosta en Pendergast in de wachtkamer van het mortuarium. Dokter Beckstein stond al op hen te wachten. Hij keek ongewoon monter uit zijn ogen. Of misschien, dacht D'Agosta, was het gewoon dat Beckstein eraan gewend was om in het holst van de nacht in een lijkenhuis rond te hangen. D'Agosta voelde zich afgrijselijk; hij wilde maar één ding, en dat was naar huis en onder de wol.

Maar dat zat er momenteel beslist niet in. De gebeurtenissen volgden elkaar bijna sneller op dan hij verwerken kon. Van alle recente rampen was de ergste, althans in zijn optiek, de ontvoering van Nora Kelly. Er was geen enkele aanwijzing waar zij zich bevinden kon, en de agent die was aangesteld om haar te beschermen was verdoofd via een middeltje in zijn koffie en opgesloten in Nora's badkamer. Opnieuw was hij tegenover haar tekortgeschoten.

En nu dit.

'Zo, zo, heren,' zei Beckstein terwijl hij een paar latex handschoenen aantrok. 'Het mysterie verdiept zich. Neem een paar handschoenen.' En hij knikte naar een bak die vlak bij hen stond.

D'Agosta trok een operatiepak aan, deed een mondkapje voor, zette een operatiekap op zijn hoofd en trok handschoenen aan. Zijn afgrijzen nam toe terwijl hij probeerde zich voor te bereiden op de bezoeking die nu ging volgen. Hij had het sowieso moeilijk met lijken in het mortuarium. De combinatie van dood, koud vlees, de klinische verlichting en het glanzende staal maakte dat zijn maag zich omdraaide. En hoe moest hij dit dan aankunnen, als beschrijvingen van de man bij leven al zo misselijkmakend waren? Hij keek naar Pendergast, die er in groen en wit gehuld eerder uitzag als een klant dan een bezoeker van het mortuarium. Hij paste hier prima.

'Dokter, voordat we naar binnen gaan' – D'Agosta probeerde een nonchalante klank in zijn stem te leggen – 'heb ik een paar vragen.'

'Geen probleem,' zei Beckstein, en hij bleef stilstaan.

'Het lichaam is gevonden in Inwood Hill Park, nietwaar? Niet ver van de Ville?'

Beckstein knikte. 'Twee jongens hebben het gevonden.'

'En u bent zeker van de identiteit van het slachtoffer? Het lijk is Colin Fearing?'

'Behoorlijk zeker. De conciërge van de flat waar Fearing woonde, heeft hem geïdentificeerd en ik beschouw hem als betrouwbare getuige. Twee huurders die Fearing goed kenden hebben de identificatie bevestigd. Verder zijn de juiste tatoeages en moedervlekken te zien. Voor alle zekerheid heb ik DNA-tests aangevraagd, maar ik verwed er mijn carrière om dat dit Colin Fearing is.'

'En het eerste lijk dan, die zelfmoord, die vent die van de brug gesprongen was? Het lijk dat door dokter Heffler is geïdentificeerd als Fearing? Hoe heeft dat kunnen gebeuren?'

Beckstein schraapte zijn keel. 'Het ziet ernaar uit dat dokter Heffler zich heeft vergist – een begrijpelijke vergissing, gezien de omstandigheden,' voegde hij daar haastig aan toe. 'Ik zou identificatie door een zus zelf ook als doorslaggevend hebben beschouwd.'

'Interessant,' merkte Pendergast binnensmonds op.

'Wat?' vroeg D'Agosta.

'Je vraagt je af wat voor lichaam dokter Heffler dan wél op de snijtafel heeft gehad.'

'Ja.'

'Een onjuiste identificatie,' zei Beckstein, 'is niet zo ongebruikelijk. Ik heb het diverse malen meegemaakt. Wanneer je het verdriet en de schok van de familieleden combineert met de onvermijdelijke veranderingen die de dood met zich meebrengt, met name na blootstelling aan water of ontbinding in de zon...'

'Juist, ja,' onderbrak D'Agosta hem haastig. 'Maar in dit geval wijst alles erop dat dit weloverwogen fraude was. En bovendien is dokter Heffler bijzonder slordig te werk gegaan bij de controle van de identiteit van de zuster.'

'Fouten gebeuren nu eenmaal,' zei Beckstein zwak.

'Ikzelf heb gemerkt dat het soort arrogantie waaraan dokter Heffler beslist geen gebrek heeft, een zeer vruchtbare voedingsbodem is voor de opstapeling van fouten,' merkte Pendergast op.

D'Agosta was nog bezig die laatste zin te ontleden op het moment dat Beckstein gebaarde dat ze hem de snijzaal in moesten volgen. Binnen lag Fearings lijk op een brancard onder schel licht, en tot D'Agosta's enorme opluchting lag er een wit plastic laken overheen.

'Ik ben er nog niet aan begonnen,' zei Beckstein. 'Het wachten is op een patholoog en een assistent. Mijn verontschuldigingen voor dit oponthoud.'

'O, dat is niet erg,' reageerde D'Agosta meteen. 'We zijn allang blij dat u dit met spoed wilt doen. Het lichaam is pas rond middernacht binnengebracht, als ik het goed begrijp?'

'Dat klopt. Ik heb de voorbereidende handelingen verricht en het stoffelijk overschot vertoont enkele, eh... eigenaardigheden.' Beckstein pakte de hoek van het laken. 'Mag ik?'

Eigenaardigheden. D'Agosta kon zich maar al te goed voorstellen wat die eigenaardigheden inhielden. 'Eh...'

'Heel graag!' zei Pendergast.

D'Agosta zette zich schrap, begon door zijn mond te ademen en keek over het lijk heen naar de muur. Dit werd afgrijselijk: een zwart verkleurd, opgezwollen lijk, het vlees losgeweekt van de botten, het lichaamsvet half gesmolten, de vloeistoffen weggelekt... God, hij háátte lijken!

Er klonk een vastbesloten geritsel van plastic toen Beckstein het laken wegtrok. 'Kijk,' zei hij.

D'Agosta dwong zich zijn blik op het kadaver te richten. En hij was verbijsterd.

Wat hij zag, was het lichaam van een normaal ogende man: netjes, vlekkeloos, en zo vers dat het had kunnen liggen slapen. Het gezicht was geschoren, het haar gekamd en van gel voorzien, en de enige tekenen van dood waren een groot kogelgat boven het rechteroor en een paar takjes en blaadjes die aan de gel op het achterhoofd kleefden.

D'Agosta wierp een blik op Pendergast en zag dat die al even verbaasd keek als hijzelf.

'Nou!' zei D'Agosta opgelucht. 'Dat was het dus met al die zombies en wandelende lijken, Pendergast. Het is net wat ik de hele tijd al zei: dit is allemaal één grote oplichterij, verzinsels van de Ville. Deze vent hier was waarschijnlijk op weg naar huis na een avondje voor zombie spelen, en is overvallen door een struikrover.'

Pendergast zei niets; met glinsterende zilvergrijze ogen stond hij het lijk op te nemen.

D'Agosta richtte zich tot Beckstein. 'Is er al een tijdstip van overlijden bekend?'

'Volgens rectale temperatuurmeting moet hij zo'n tweeënhalf uur dood geweest zijn op het moment dat hij in Inwood Hill Park is gevonden. En dat was zo rond elven. Hij moet dus circa halfnegen overleden zijn.'

'Doodsoorzaak?'

'Hoogstwaarschijnlijk die grote schotwond boven het rechteroor.'

D'Agosta keek met samengeknepen ogen naar het hoofd. 'Geen uittredewond. Een .22, zo te zien.'

'Dat lijkt mij correct. We weten het natuurlijk pas zeker als we hem opengesneden hebben. Mijn eerste onderzoek wijst uit dat hij van achteren is neergeschoten, met het pistool tegen het hoofd gedrukt. Geen tekenen van een vechtpartij of dwang, geen kneuzing, schrammen of tekenen van kneveling.'

D'Agosta draaide zich om. 'Wat zeg je me daarvan, Pendergast? Geen voodoo, geen obeah, gewoon moord met een vuurwapen, net als de helft van alle andere moorden hier ter plekke. Dokter Beckstein, is hij ter plekke vermoord of was het lijk gedumpt?'

'Daar kan ik nog niets over zeggen, inspecteur. De eerste hulp heeft het lichaam met grote spoed naar het ziekenhuis gebracht. Het was nog warm, en ze namen het zekere voor het onzekere.'

'Dat is natuurlijk prima. We zullen de sporenrecherche moeten vragen als zij klaar zijn met hun onderzoek.' D'Agosta zag geen kans de toon van triomf uit zijn stem te weren. 'Het lijkt mij overduidelijk dat we hier te maken hebben met een heleboel poppenkast, door die klootzakken van de Ville in gang gezet om mensen bang te maken zodat ze daar wegblijven.'

'U had het over eigenaardigheden?' vroeg Pendergast aan Beckstein.

'Inderdaad. De eerste komt u misschien bekend voor.' Beckstein nam een spatel uit een fles, verwijderde de steriele verpakking en hield de mond van het lijk ermee open. Daar, aan de tong vastgespeld, zat een bundeltje veren en haar. Bijna volkomen identiek aan het bundeltje dat in Bill Smithbacks mond was gevonden.

Met ongelovige blik keek D'Agosta ernaar.

'En er was nog iets. Daarvoor moet iemand me even helpen het lijk om te draaien. Inspecteur?'

Met reusachtige tegenzin hielp D'Agosta Beckstein het lijk om te keren. Tussen de schouderbladen was met dikke markeerstift een complex patroon getekend van twee slangen, met daaromheen sterren, kruisen en kubussen in de vorm van een doodskist. Op de onderrug stond een rare tekening van een plant gekriebeld.

D'Agosta slikte moeizaam. Die tekeningen herkende hij.

'Vévé,' prevelde Pendergast. 'Sterk gelijkend op de tekeningen die we bij Smithback thuis op de muur aantroffen. Vreemd...' Hij zweeg.

'Wat?' informeerde D'Agosta meteen.

Pendergast gaf geen rechtstreeks antwoord, maar schudde langzaam zijn hoofd. 'Kon monsieur Bertin dit maar zien,' mompelde hij. Toen rechtte hij zijn schouders. 'Mijn beste Vincent, ik denk niet dat dit heerschap is "neergeschoten door een struikrover" zoals jij stelt. Dit was een weloverwogen moord, een executie, met een zeer specifiek doel.'

D'Agosta keek hem even sprakeloos aan. Daarna richtte hij zijn blik weer op het lijk op de tafel.

53

Alexander Esteban liet zichzelf neer op een onopvallend plekje aan de grote formica tafel in de sjofele 'vergaderzaal' van Mensen voor Andere Dieren aan West 14th Street. Buiten heerste een heldere herfstmiddag, maar daarvan drong via het ene, smerige raampje met uitzicht op een luchtschacht maar weinig door tot de zaal. Hij sloeg zijn armen over elkaar en keek naar de andere directieleden, die met veel geschraap van stoelpoten, gemompelde begroetingen en het geratel van BlackBerry's en iPhones gingen zitten. De geur van Starbucks kaneelkoffie en gearomatiseerde *frappuccino*'s vulde de ruimte terwijl de aanwezigen hun gigantische koffiebekers neerzetten.

Als laatste kwam Rich Plock binnen, in gezelschap van drie mensen die Esteban niet kende. Plock stelde zich achter in de zaal op en vouwde zijn armen voor het zwanger ogende buikje onder zijn slecht zittende pak. Zijn rode gezicht zweette alweer achter de pilotenbril. Meteen begon hij met zijn hoge, zelfgenoegzame stem aan een toespraak.

'Dames en heren directieleden, tot mijn grote genoegen kan ik u drie gedistingeerde gasten voorstellen. Miles Mondello, voorzitter van de Groene Brigade; Lucinda Long-Pierson, voorzitster van het Vegaleger; en Morris Wyland, directeur van Amnestie voor Dieren.'

De drie stonden daar maar te zwijgen. In Estebans ogen zagen ze eruit als figuranten. Rabiate idealisten, wanhopig op zoek naar een Zaak, en zonder enig idee waar ze mee bezig waren.

'Deze drie organisaties zijn mede betrokken bij de demonstratie van vanavond, samen met Mensen voor Andere Dieren. Ik vraag u om ze hartelijk welkom te heten op onze bijeenkomst.'

Applaus.

'Mensen, ga allemaal zitten. Deze bijzondere zitting van de directie van Mensen voor Andere Dieren is hierbij geopend.'

Geritsel van papieren, potloden, schrijfblokken en laptops die tevoorschijn werden gehaald. Slurpgeluiden. De aanwezigen werden geteld. Esteban wachtte het allemaal rustig af.

'Er staat maar één punt op de agenda: de protestmars van vanavond. Afgezien van de organiserende groepen hebben we eenentwintig andere deelnemende groeperingen. U hoort het goed, dames en heren: ééénentwintig andere groeperingen!' Plock keek stralend in het rond. 'De reacties zijn overweldigend. We verwachten zo'n drieduizend man – maar ik ben nog aan het overleggen met andere belangstellenden, en de kans bestaat dat dat deelnemers zal opleveren van nog meer organisaties. Dan zijn we met meer. Véél meer.' Hij haalde een stapel papieren uit een map en begon die rond te delen. 'Hier zijn de details. De kleine groep die als afleiding zal dienen, komt bijeen op het honkbalveld. Andere groepen, te vinden op de lijst, komen bijeen bij het voetbalveld, in het park langs West 218th Street, op de promenade langs het moeras en op diverse andere locaties in de buurt. Zoals u weet heb ik voor een vergunning gezorgd. Anders zouden we nooit in de buurt van de Ville komen.'

Gemompel, geknik.

'Maar uiteraard heeft de gemeente geen idee – géén idee – met hoevelen we vanavond zullen zijn. Daar heb ik wel voor gezorgd!' Meesmuilend gegrinnik.

'Want, dames en heren, dit is een noodtoestand! Die zieke, walgelijke lieden, krakers in onze stad, beperken zich niet tot de moord op dieren. Het lijdt geen twijfel dat ze ook achter de moord op Martin Wartek zitten. Ze zijn verantwoordelijk voor de moord op twee verslaggevers, Smithback en Kidd, en voor de ontvoering van Smithbacks vrouw. En wat doet de gemeente daaraan? Niets. Héle-maal niets. Dus moeten wíj wel in actie komen. En dat doen we. Vanavond om zes uur. We gaan hier een einde aan maken. Nú!'

Plock zweette als een otter, zijn stem klonk hoog en zijn fysieke uitstraling was allesbehalve imposant, maar hij leek vervuld van het charisma van het ware geloof, van passie en oprechte moed. Esteban was onder de indruk.

'De details van ons plan staan in de instructies. Bewaar dit document zorgvuldig – het zou rampzalig zijn als de politie het in handen kreeg. Ga naar huis, ga bellen, ga e-mailen, ga aan het organiseren! Het is een strak schema. We komen bijeen om zes uur. En om halfzeven gaan we op pad.' Hij keek om zich heen. 'Vragen?'

Niemand had vragen. Esteban schraapte zijn keel en hief zijn hand.

'Ja, Alexander?'

'Ik snap het niet helemaal. Wou je echt optrekken naar de Ville?'

'Inderdaad. We maken hier een einde aan: hier en nu.'

Esteban knikte bedachtzaam. 'Maar hier staat niet wat je van plan bent als je daar eenmaal bent.'

'Dan breken we door de omheining heen om die dieren te bevrijden. En die krakers te verdrijven. Dat maakt allemaal deel uit van het plan.'

'Aha. Nu is het natuurlijk zo dat die mensen in koelen bloede dieren vermoorden, martelen zelfs. Waarschijnlijk doen ze dat al jaren. Maar bedenk wel: hoogstwaarschijnlijk zijn ze gewapend. We weten al dat ze minstens drie mensen vermoord hebben.'

'Als zij voor geweld kiezen, dan reageren wij met geweld.'

'Wou je wapens meenemen?'

Plock sloeg zijn armen over elkaar. 'Ik zeg je dit: ik kan niemand afraden om zich te verdedigen. Met alle middelen die binnen handbereik zijn.'

'Met andere woorden,' zei Esteban, 'je adviseert de mensen om wapens mee te nemen.'

'Ik adviseer helemaal niets, Alexander. Ik noem alleen een feit: geweld behoort zeker tot de mogelijkheden. En iedereen heeft het recht zich te verdedigen.'

'Aha. En de politie? Wat wou je daarmee?'

'Daarom komen we op verschillende punten bijeen en trekken we vanuit meerdere richtingen op. Als een soort octopus. Zo kunnen we ze overweldigen eer ze weten wat er aan de hand is. We zijn straks met duizenden, en masse op weg door dat bos. Hoe moeten ze ons tegenhouden? Ze kunnen geen barricades opwerpen of ons de pas afsnijden. Er kunnen geen auto's langs, afgezien van die ene weg, en die is van links tot rechts gevuld met voetgangers.'

Esteban ging met een ongemakkelijk gezicht verzitten. 'Ehm, begrijp me niet verkeerd, ik ben tégen de Ville, dat weet je vanaf het begin al. Verachtelijke onmensen zijn het. Ik bedoel, kijk eens naar die stumper van een Fearing. Gehersenspoeld om moorden te plegen en daarna zelf door het hoofd geschoten – waarschijnlijk door de Ville, terwijl hij probeerde terug te kruipen naar diezelfde sadisten die hem in eerste instantie in een zombii veranderd hadden. Als ze Fearing dit soort dingen kunnen aandoen, dan kunnen ze het met iedereen. Maar als je op deze manier tegen hen optreedt, op zo'n ongeorganiseerde manier, dan kunnen er gewonden vallen. Doden zelfs. Hebben jullie daarover nagedacht?'

'Er zíjn al doden gevallen. Om nog maar te zwijgen van dode dieren – honderden, misschien duizenden. Op de meest afschuwelijke wijze de hals afgesneden. Nee, o nee. We maken hier een einde aan. Vanavond nog.'

'Ik weet niet of ik daaraan toe ben,' zei Esteban. 'Dat is een behoorlijk radicale zet.'

'Alexander, we waren blij toen jij je bij ons aansloot. We zijn blij dat jij zo'n belangstelling toont voor ons werk. We hebben je met alle genoegen uitverkozen tot lid van onze directie. Je financiële vrijgevigheid wordt zeer gewaardeerd, evenals je naamsbekendheid. Maar persoonlijk ben ik ervan overtuigd dat er een moment komt waarop eenieder zijn of haar keuze moet maken. Een moment waarop praten niet meer afdoende is. En dat moment is nú aangebroken.'

'En als je in de Ville bent binnengedrongen,' zei Esteban, 'en als je die dieren bevrijd hebt, wat dan?'

'Net wat ik zei. Dan drijven we die dierenmoordenaars naar buiten. Waar ze heen gaan, is hun eigen zaak.'

'En dan?'

'Dan branden we de boel plat, zodat ze niet terug kunnen.'

Bij die woorden schudde Esteban langzaam zijn hoofd. 'Met duizenden mensen die buiten én binnen de Ville rondkrioelen, en zonder toegang voor de brandweer, kan een brand tientallen dodelijke slachtoffers eisen. Het is daar een soort vuurkorf. En je riskeert niet alleen hen, maar ook je eigen mensen.'

Er viel een onbehaaglijke stilte.

'Ik raad brandstichting ten zeerste af. Het tegendeel lijkt me beter: ik zou een aantal demonstranten brandpiket geven, om de kans op brand tégen te gaan. Stel dat de bewoners zoiets doen als die idioten in Waco en de boel zelf in de fik steken, terwijl jullie allemaal binnen zitten?'

Weer een stilte. 'Dank je, Alexander,' zei Plock. 'Ik moet zeggen, daar zit iets in. Ik neem terug wat ik gezegd heb over brandstichting. We breken de boel met onze blote handen af. Het doel is de zaak daar onbewoonbaar te maken.'

Instemmend gemompel.

Esteban fronste zijn wenkbrauwen. 'Ik kan hier nog steeds niet mee instemmen. Ik ben een bekende persoonlijkheid, iemand die een reputatie heeft hoog te houden. Sorry, maar ik kan mijn naam niet verbinden aan zo'n soort overval.'

Schrapende stoelpoten, een vaag gesis. 'Dat is natuurlijk je goed recht, Alexander,' zei Plock met kille stem. 'En ik moet zeggen dat ik er niet echt van opkijk, gezien de manier waarop je onze vorige confrontatie met de Ville in de kiem hebt gesmoord. Verder nog iemand die samen met de heer Esteban wil opstappen?'

Esteban keek om zich heen. Niemand anders verroerde zich. Hij las de teleurstelling, de minachting zelfs, in hun blikken.

Hij stond op en liep naar buiten.

54

De ochtendzon stroomde door de ramen naar binnen, en D'Agosta zat achter zijn bureau, vingers op het toetsenbord, blik gevestigd op het scherm voor zijn neus. Zo zat hij al een minuut of tien, roerloos. Er waren talloze dingen te doen en toch voelde hij zich ten prooi aan een soort verlamming. Het leek alsof hij in het oog van een orkaan zat: omringd door koortsachtige activiteit, terwijl er hier, in het oog van de joelende storm, helemaal niets gebeurde.

Plotseling ging de deur naar zijn kantoor open. Hij draaide zich om en zag Laura Hayward binnenkomen. Meteen stond hij overeind.

'Laura,' zei hij.

Ze sloot de deur achter zich en liep naar zijn bureau. Toen hij de ijzige blik op haar gezicht zag, voelde D'Agosta zijn maag een onplezierige salto maken.

'Vinnie, bij tijden ben jij zó'n egoïstische klootzak,' zei ze op gedempte toon.

Hij slikte. 'Wat is er?'

'Wat er is? Mijn promotie is me op het allerlaatste moment door de neus geboord. En dat komt door jou.'

Even keek hij haar niet-begrijpend aan. Toen herinnerde hij zich het gesprek dat hij in de gang van Digital Veracity had gevoerd; het onuitgesproken dreigement van de softwareontwikkelaar. 'Kline,' zei hij, terwijl hij tegen het bureau aan zakte.

'Inderdaad. Kline.'

D'Agosta keek haar even aan voordat hij zijn blik neersloeg. 'Wat heeft hij gedaan?'

'Vijf miljoen geschonken aan het Dyson-fonds. Op voorwaarde dat ik zou worden gepasseerd bij de aanstelling voor de taskforce.'

'Dat kan hij niet maken. Dat is omkoping. Dat is onwettig.'

'O, toe nou toch. Je weet hoe het hier werkt.'

D'Agosta zuchtte. Hij wist wat hij nu moest voelen: verontwaardiging, woede zelfs. Maar het enige wat hij voelde was een plotselinge, enorme vermoeidheid.

'Rocker is niet gek,' zei Hayward bitter. 'Hij weet dat ze hem aan het kruis zouden nagelen als hij zo'n schenking afsloeg. Voor-al voor een heet politiek hangijzer als het Dyson-fonds. En ík krijg het op mijn brood.'

'Laura... ik vind het zo erg voor je. Jij bent wel de laatste die hieronder zou moeten lijden. Maar ik kon niet anders. Wat moest ik dan? Die halvegare van een Kline laten lopen? Hij is verdacht. Hij heeft Smithback bedreigd.'

'Wat je had moeten doen, was je professioneel gedragen. Sinds die moord op Smithback lijkt je gedrag nergens naar. Ik heb ge-hoord van die volslagen overdreven huiszoeking van je, hoe je je woede op Kline hebt afgereageerd. Je wist dat het iemand met een bijzonder kort lontje is, en toch heb je hem geprovoceerd. En nu wreekt hij zich op mij.'

'Inderdaad, ik heb geprobeerd hem te provoceren, hem tot een verkeerde zet te bewegen. Dit is het soort gozer dat niet tegen ge-zichtsverlies kan. Als ik had geweten dat hij zich op jou zou wre-ken, dan had ik het nooit gedaan.' Hij liet zijn hoofd hangen en masseerde met zijn vingers zijn slapen. 'Wat kan ik zeggen?'

'Die baan betekende meer voor me dan wat ook ter wereld.'

Haar woorden bleven in de lucht hangen. D'Agosta keek lang-zaam op, beantwoordde haar blik.

Er werd zachtjes op het raam van zijn kantoor geklopt. D'Agos-ta zag een balieagent op de drempel staan.

'Pardon, inspecteur,' zei de man. 'Maar u moet even de tv aan-zetten, kanaal 2.'

Zonder een woord te zeggen liep D'Agosta naar het toestel aan de wand en drukte op de knop. Op het scherm was een amateu-ristisch videobeeld te zien, korrelig, bewogen. Maar hij herkende de vrouw meteen: het was Nora Kelly. Ze had een dunne zieken-huispon aan; haar gezicht was asgrauw en haar haar zat in de war. Ze leek in een soort kerker te zitten, met ruwe stenen muren, en een vloer van cement met stro erop. Hij zag haar met onvaste tred op de camera af lopen.

'Help me,' zei ze.

Toen ging het beeld op zwart.

D'Agosta wendde zich tot de agent. 'Wat moet dat voorstellen?'

'Dit is sinds een kwartier op de politiezender te zien. De origi-nele band wordt momenteel per koerier hierheen gebracht.'

'Zet hier onze beste forensische mensen op. Metéén – is dat duidelijk? Waar is het afgegeven?'

'Het is per e-mail binnengekomen.'

'Ga na waarvandaan.'

'Ja, inspecteur.' De agent verdween.

D'Agosta zakte onderuit in zijn stoel, legde zijn hoofd in zijn handen en sloot zijn ogen. Er ging een minuut voorbij terwijl hij probeerde zijn gedachten op een rijtje te zetten. Hij likte aan zijn lippen en zei zachtjes: 'Ik zal haar vinden, Laura. Al is het mijn laatste daad in naam der wet. Koste wat kost. Alles. Ik zal er persoonlijk op toezien dat Nora Kelly in leven blijft. En dat de mensen die hier verantwoordelijk voor zijn, zullen boeten.'

'Zie je, daar ga je weer,' zei Hayward. 'Dat bedoel ik nu juist. Als jij Nora Kelly wilt redden, dan moet je je emoties onder bedwang zien te krijgen. Dan moet je je weer als een professioneel politieman gaan gedragen. Anders ben ik de volgende keer niet de enige die de klos is.'

En zonder verder nog een woord te zeggen draaide ze zich om en liep het kantoor uit. De deur trok ze stevig achter zich dicht.

55

In de ochtendzon die de roomwitte muren en de hoge terracotta-kleurige daken van het Dakota verguldde, vond bij de ingang aan 72nd Street een eigenaardige processie plaats. Twee bedienden kwamen de zwarte smeedijzeren poort door lopen, elk met drie koffers. Daarachter volgde een vrouw met een wit verpleegsters-uniform, die vanuit de schemering van de inpandige tunnel kwam aanlopen en naast het hokje van de conciërge bleef staan. Vervolgens kwam Proctor, die naar de Rolls-Royce liep die aan de stoeprand stond te wachten. Hij opende het achterportier en bleef zo afwachtend staan. Een tijdje later kwam er nog iemand de poort door. Een tamelijk klein iemand, achterovergeleund in een rolstoel die werd voortgeduwd door een tweede verpleegster. Ondanks de warmte van de najaarsdag was de gestalte zo dik in dekens, moffen en sjaals gehuld dat het gezicht amper te zien was; het was niet eens duidelijk of het een man of een vrouw was. De trekken gingen schuil onder de rand van een grote, slappe, witte hoed. Van onder een donkere zonnebril stak een parelmoeren sigarettenpijp naar buiten.

De verpleegkundige rolde de invalide naar de wachtende Proctor toe. Intussen kwam Pendergast de ingang uit lopen. Met zijn handen in zijn zakken slenterde hij naar de Rolls toe.

'Kan ik u echt niet overhalen om nog een paar dagen te blijven, maître?' vroeg hij.

De persoon in de rolstoel nieste explosief. 'Al vroeg Sint-Christoffel het me in hoogsteigen persoon, dan nog zou ik hier geen minuut langer blijven!' kwam het nukkige antwoord.

'Laat me u de auto in helpen, monsieur Bertin,' zei Proctor.

'Wacht even.' Een bleke hand met daarin een flesje neusspray kwam van onder de deken tevoorschijn. Het flesje werd tegen een neusgat gedrukt, er werd in geknepen, en daarna verdween het weer onder de deken. De zonnebril werd afgezet en in de BOAC-tas gestopt die het mannetje permanent bij zich leek te hebben. 'Nu mag u me helpen. *Doucement, pour l'amour du ciel, doucement!*'

Met enige moeite – en onder een stroom van smeekbeden – zagen Proctor en de verpleegster kans Bertin vanuit de rolstoel op de achterbank van de Rolls te manoeuvreren. Pendergast kwam aanlopen en leunde door het raampje naar binnen.

'Voelt u zich al een beetje beter?' informeerde hij.

'Nee, dat gebeurt pas als ik weer veilig in de bayou zit; áls ik me ooit weer beter zal voelen.' Met zijn enorme, knuppelachtige wandelstok in zijn handen geklemd keek Bertin hem van tussen zijn vele lagen textiel met donkere kraalogen aan. 'En jij moet oppassen, Aloysius. Die hungan heeft een krachtige doods-conjure. Krachtig en oud.'

'Dat weet ik.'

'Hoe voel je je?'

'Niet slecht.'

'Zie je nou wel!' verklaarde Bertin met iets van triomf in zijn stem. De hand verscheen weer, rommelde rond in de rafelige tas en kwam tevoorschijn met een verzegeld envelopje. 'Oplossen in een glaasje salsaparilla, met een beetje lijnzaadolie. Tweemaal daags.'

Pendergast stak het envelopje in zijn zak. 'Dank u, maître. Sorry dat ik u zoveel last heb bezorgd.'

Even stonden de glinsterende zwarte ogen iets milder. 'Ach wat. Het was goed om je na al die jaren weer te zien. Maar volgende keer treffen we elkaar in New Orleans, want ik ga niet meer terug naar dit duistere oord hier!' Hij huiverde. 'Ik wens je alle geluk. Die Loa van de Ville, die is slecht. Door en door slecht.'

'Is er verder nog iets wat u me kunt vertellen, voordat u weggaat?'

'Nee. Ja!' Het mannetje kuchte, en nieste nogmaals. 'Dat was ik bij al mijn ellende bijna vergeten. Dat doodskistje dat je me hebt laten zien, dat kistje dat bij het bewijsmateriaal hoorde, daar is iets vreemds mee.'

'Dat kistje uit Colin Fearings crypte? Dat u, eh... kapotgemaakt hebt?'

Bertin knikte. 'Het duurde even voordat ik het doorhad. Maar de patronen van schedels en botten op dat deksel...' Hij schudde zijn hoofd. 'Die verhouding is ongebruikelijk, in tegenspraak met elkaar. Het zou het Ware Patroon moeten volgen, met een verhouding van twee op vijf. Een subtiel verschil, maar wel degelijk iets om rekening mee te houden. Het past niet bij de rest.' Hij knipte even laatdunkend met zijn vingers. 'Het is ruw, raar.'

'Ik heb dat grijzige poeder geanalyseerd dat erin zat. Dat bleek simpele as van verbrand hout te zijn.'

Weer zo'n laatdunkend gebaar. 'Zie je? Het past niet bij de rest van de obeah van Charrière en de Ville. Die zijn oneindig veel erger. Waarom dit ene object niet in het patroon past is mij een raadsel.'

'Dank u, maître.' En met een bedachtzame blik in zijn ogen rechtte Pendergast zijn rug.

'Geen dank. En dan nu, adieu, mijn beste Aloysius, adieu! En vergeet niet: oplossen in salsaparilla, tweemaal daags.' Bertin tikte met zijn stok tegen het dak van de auto. 'Vooruit maar, mijn beste man! En spaar de paarden niet, wat ik u bidden mag!'

56

De multimedia-afdeling van One Police Plaza deed D'Agosta altijd denken aan het commandocentrum van een onderzeeër: heet, vol elektronische apparatuur en met de geur van ongewassen mensenvlees. In de lage ruimte stonden minstens twintig man over computers heen gebogen. Een van hen was aan een vroege lunch begonnen, en het rook er sterk naar curry.

Hij bleef even staan om in het rond te kijken. De grootste groep stond achterin, waar John Loader, hoofd van de technisch-forensische afdeling, een hokje voor zichzelf had. Daar liep D'Agosta heen. Zijn gefrustreerde gevoel nam nog toe toen hij zag dat Chislett er al was. De adjunct-commissaris draaide zich om, zag D'Agosta en wendde zich weer af.

Loader zat aan zijn bureau, met een enorme CPU op de grond en twee dertig inch flatscreenschermen op het werkblad. Ondanks D'Agosta's aanhoudende verzoeken had hij volgehouden dat hij minstens twee uur nodig had om de video te prepareren en te verwerken.

'Mag ik een update?' zei D'Agosta zodra hij binnen gehoorsafstand was.

Loader schoof zijn stoel weg van het bureau. 'Een MPEG-4-bestand dat naar de nieuwsafdeling van het netwerk is gestuurd.'

'Afkomstig van...?'

Loader schudde zijn hoofd. 'De afzender heeft een doorstuuradres in Kazachstan gebruikt.'

'Oké, en de video zelf, dan?'

De technicus wees op de schermen, die beide hetzelfde beeld vertoonden. 'Zit in de forensische video-analyse.'

'En hiervoor had je anderhalf uur nodig?'

Loader fronste zijn wenkbrauwen. 'Ik heb een tijdcode ingevoegd, de hele clip uitgelijnd en geframed, de ruis eruit gehaald en ieder frame afzonderlijk bewerkt, plus digitale beeldstabilisatie toegepast.'

'Ben je de kers bovenop niet vergeten?'

'Inspecteur, opschonen van het bestand maakt het beeld niet alleen beter en scherper, maar vermindert ook het aantal afleidingen en kan bewijsmateriaal aan het licht brengen dat anders onopgemerkt zou blijven.'

D'Agosta had hem het liefst opmerkzaam gemaakt op het feit dat er hier een mensenleven op het spel stond en dat iedere minuut telde, maar besloot dat niet te doen. 'Oké. Laat maar eens zien, dan.'

Loader trok de joystick naar zich toe, een rond, zwart apparaatje ter grootte van een ijshockeypuck, en het beeld kwam tot leven op het linkerbeeldscherm. Het was nu niet meer zo korrelig en vaag als toen hij het op het nieuws had gezien. Er klonk een geratel, en daarna zag hij een vaag lichtje in het donker. En toen kwam Nora in beeld. Ze staarde naar de camera; haar gezicht, verlicht door de lamp, zag eruit als een wit spook, zwevend in het donker. Achter haar zag D'Agosta nog net een paar plakken stro op een betonnen vloer en de ruwe, gemetselde stenen muren.

'Help me,' zei Nora.

De camera schudde even, het beeld raakte onscherp, maar werd meteen weer scherp gesteld.

'Wat wil je?' vroeg Nora.

Geen antwoord, geen geluid. En daarna iets als een gedempt krassen of knersen. Het licht zwaaide weg, de duisternis keerde terug en het fragment was afgelopen.

'Dus je kunt de herkomst niet traceren,' zei D'Agosta, en hij probeerde zijn stem gelijkmatig te houden. 'Kun je me verder iets vertellen over het bestand? Wat dan ook?'

'Het is niet gemultiplexed.'

'En dat betekent?'

'Dat het niet afkomstig is van een CCTV. Het is waarschijnlijk gemaakt met een standaardmodel digitale camcorder, ik neem aan een ouder model voor de gewone consumentenmarkt, en uit de hand gefilmd, gezien het trillende beeld.'

'En er zat geen bericht bij de e-mail? Geen losgeld geëist, geen boodschap?'

Loader schudde zijn hoofd.

'Kun je het nog eens afspelen?'

Terwijl het beeld nogmaals over het scherm schoof, keek D'Agosta naar het weinige dat zichtbaar was van het vertrek. Op zoek naar iets, wat dan ook, dat hem kon vertellen waar de opname gemaakt was.

'Kun je eens inzoomen op die muur?' vroeg hij.

Met de joystick draaide Loader de opname een seconde of twee terug; hij markeerde een stuk muur vlak achter Nora en vergrootte het uit.

'Te korrelig,' zei D'Agosta.

'Ik zal eens een maskertool toepassen. Dan wordt het wel scherper.' Een paar muisklikken, en de muur werd aanzienlijk scherper – platte stenen, opgestapeld en met cement op hun plaats gehouden.

'Een kelder,' zei D'Agosta. 'Een oude kelder.'

'Helaas,' zei Chislett, die voor het eerst zijn mond opendeed, 'is er niets identificeerbaars aan.'

'De geologie van het gesteente, misschien?'

'De specifieke minerale samenstelling is onmogelijk te zien,' zei Loader. 'Het kan kleisteen zijn, het kan basalt zijn...'

'Laat nog eens zien.'

Zwijgend keken ze naar de clip. D'Agosta voelde zijn woede door de ruimte golven. Hij vroeg zich af waarom hij nog zijn best deed zich te beheersen: die klootzakken hadden Nora ontvoerd.

'Dat geluid op de achtergrond,' zei hij. 'Wat is dat?'

Loader schoof de joystick opzij. 'Daar zijn we mee bezig geweest,' zei hij. 'Ik pak het pakket voor audioverbetering er even bij.'

Op de tweede monitor verscheen een schermpje, een laag, breed venster met daarin de golfvorm van het audiobestand: een ruige, rafelige streep die eruitzag als een gedrogeerde zigzaglijn.

'Stilte, graag,' riep Loader. Het werd stiller op de afdeling, en Loader klikte op een knop onder aan het venster.

De zigzaglijn begon over het venster te kruipen als een band in een cassetterecorder. D'Agosta hoorde de gedempte bewegingen van degene die de camera door het donker droeg, de klik toen de cameralamp aanging, een raspend geluid alsof de camera ergens op neergezet werd. Misschien was dat toen de lens tussen de tralies of door een gat heen gestoken werd. Nora sprak eenmaal, en nog eens. En toen kwam het geluid. Gekners? Gekraak? Het was te zacht, er was te veel ruis op de achtergrond, om te kunnen horen wat het was.

'Kun je dat versterken?' vroeg hij. 'Of isoleren?'

'Ik zet even wat parametrische EQ op het signaalpad.' Er gingen meer vensters open, complex ogende grafieken werden op de golf-vorm van het audiobestand gezet. Loader speelde het geluid nog-maals af. Het klonk duidelijker, maar nog steeds vaag.

'Ik zal een muurfilter toepassen. Dan raken we die lage zoem-toon kwijt.' Meer geklik, meer aanpassingen met de muis, en daar-na speelde Loader de golf nogmaals af.

'Dat is een beest,' zei D'Agosta. 'Dat is een dier dat de keel wordt afgesneden.'

'Ik vrees dat ik dat er niet aan af hoor,' merkte Chislett op.

'O nee?' D'Agosta wendde zich tot Loader. 'En jij?'

Ietwat nerveus krabde de technicus aan zijn wang. 'Moeilijk te zeggen.' Hij opende nog een venster. 'Volgens deze spectrumana-lyse is er een combinatie te horen van uitermate hoogfrequent ge-luid, hoger dan het menselijk oor kan waarnemen. Ik neem aan dat dat het knersen van een roestig scharnier is.'

'Gelul!'

'Met alle respect...' begon Loader.

'Met alle respect, dat is het gillen van een dier. En die kelder is oud, ruw. Ik kan jou één ding wel vertellen: die tape is afkomstig uit de Ville. We moeten een inval doen. Nú.' Hij draaide zich om en keek Chislett agressief aan. 'Ja, toch, chef?'

'Inspecteur,' suste Chislett op kalme en redelijke toon, 'u com-pliceert de zaken eerder dan dat u ze verheldert. Die band levert geen bewijs, geen énkel bewijs, waaruit de herkomst blijkt. Dat geluid kan afkomstig zijn van talloze bronnen.'

Net iets voor die pretentieuze Chislett om een eenvoudige be-spreking te veranderen in een cursus ontleden voor gevorderden. D'Agosta probeerde zich te beheersen. 'Chef, u weet natuurlijk dat er voor vanavond een protestmars tegen de Ville op het program-ma staat.'

'Ze hebben een vergunning, het is allemaal volkomen legaal. Ditmaal staan er meer dan genoeg manschappen klaar en houden we de zaak in de hand.'

'O ja? Dat valt onmogelijk te voorspellen. Als de demonstratie uit de hand loopt, kunnen ze in de Ville misschien wel bang wor-den. En dan bestaat de kans dat ze Nora vermoorden. We moeten nú een inval doen, vandaag nog, voordat die demonstratie plaatsvindt. We overrompelen ze, we overvallen de boel en we bevrijden Nora.'

'Inspecteur, hoort u niet wat ik zeg? Waar is uw bewijs? Geen enkele rechter zal een inval goedkeuren op basis van dat ene geluid, ook al is het dan misschien afkomstig van een beest. Dat weet u. En vooral niet,' en hier snoof hij even, 'na uw hardhandige doorzoeking van Klines burelen.'

D'Agosta rechtte zijn rug. Eindelijk was het zover: hij kon zijn woede niet langer intomen. Alle boosheid en frustratie golfden naar buiten. 'Moet je dat stelletje nou eens zien,' zei hij luid. 'Een beetje zitten friemelen met hun apparatuur.'

Alle aanwezigen hielden op met hun werk, draaiden zich om en keken hem aan.

'Terwijl jullie hier zitten te spelen, is er een vrouw ontvoerd en zijn er twee journalisten en een ambtenaar van Huisvesting vermoord. Wat we nu nodig hebben is een enorme, massale overval op die vuilakken daar.'

'Inspecteur,' zei Chislett, 'het zou u betamen uw emoties in bedwang te houden. We zijn ons terdege bewust van wat er op het spel staat en we doen wat we kunnen.'

'Nee, ik hou me niet in en nee, u doet níét alles.' En daarmee draaide hij zich om en beende het hokje uit.

57

Pendergast zat in een fauteuil in de salon van zijn appartement in het Dakota; hij had zijn knieën over elkaar geslagen en liet zijn kin op de driehoek van zijn tegen elkaar gezette handen rusten. In een soortgelijke stoel aan de overkant van een enorm Turks tapijt zat Wren; zijn vogelgestalte werd bijna opgeslokt door het wijnrode leer. Tussen hen in stond een tafeltje met een pot *a-li-shan jin xu-an*-thee, een mandje met brioches, een botervloot en potjes marmelade en kruisbessenjam.

'Waaraan heb ik het genoegen van dit onverwachte bezoek te danken, en nog wel bij daglicht?' vroeg Pendergast. 'Er is heel wat voor nodig om jou op een dergelijk uur uit je hol te lokken.'

Wren knikte vol overtuiging. 'Ik ben inderdaad geen liefhebber van daglicht. Maar ik heb iets ontdekt dat jij volgens mij moet weten.'

'Gelukkig schijnt er zelden daglicht bij mij thuis.' Pendergast schonk twee koppen thee in, zette een daarvan voor zijn gast neer en bracht de andere naar zijn lippen.

Wren wierp een blik op de kop maar stak er zijn hand niet naar uit. 'Wat ik steeds maar wilde vragen. Hoe is het met de charmante Constance?'

'Ik krijg regelmatig rapporten uit Tibet. Alles verloopt volgens schema – althans, voor zover dergelijke zaken volgens schema kúnnen verlopen. Ik hoop er in de nabije toekomst heen te gaan.' Pendergast nam nog een slok. 'Je zei dat je iets ontdekt had. Wat was dat?'

'In mijn speurtocht naar het verleden van de Ville en haar bewoners, alsmede hun voorgangers, heb ik uiteraard gebruikgemaakt van een groot aantal verslagen uit die tijd, krantenberichten, rapporten, manuscripten, incunabelen en overige documenten. En hoe meer ik daarmee bezig was, des te sterker trof me een eigenaardig patroon.'

'En wat was dat voor patroon?'

Wren schoof naar het puntje van zijn stoel. 'Dat ik niet de eerste ben die deze specifieke reis heeft ondernomen.'

Pendergast zette zijn kop neer. 'O?'

'Als je zeldzame of historische documenten bestudeert, krijg je van de bibliotheek een identificatienummer. Ik merkte op dat een en hetzelfde nummer keer op keer opdook in de database van gebruikers van de documenten die ik ophaalde. Eerst dacht ik dat het toeval moest zijn. Maar toen het een paar maal voorgekomen was, ben ik naar de database gegaan en heb ik dat nummer opgezocht. En inderdaad: ieder document over de Ville, de inwoners, de geschiedenis, de geschiedenis van eerdere ingezetenen, met naar het schijnt bijzondere nadruk op de oprichters, was ook door die andere onderzoeker bestudeerd. Een vlijtig iemand: hij had er zelfs aan gedacht enkele folianten te bestuderen waar ik zelf niet op gekomen was.' Wren grinnikte en schudde met iets van zelfspot zijn hoofd.

'En wie is die raadselachtige onderzoeker?'

'Dat is het nu juist – zijn of haar dossier is volledig uit de bibliotheekhistorie gewist. Alsof niemand mocht weten dat hij of zij daar geweest was. Er restte niets dan de sporen, als het ware, van zijn zoektocht. Ik weet dat het een professioneel onderzoeker moet zijn geweest; dat blijkt uit de eerste twee cijfers van het identificatienummer. En ik ben ervan overtuigd dat dit een klus in opdracht van iemand anders was, niet iets wat hijzelf uit belangstelling deed. Het werk is zo snel en ordelijk verricht, in een zo kort tijdsbestek, dat het onmogelijk om een hobby of persoonlijk onderzoek kon gaan.'

'Aha.' Pendergast nam een slok. 'En wanneer heeft zich dit allemaal afgespeeld?'

'Een maand of acht geleden heeft hij de eerste documenten opgehaald. Dat is hij vrijwel wekelijks blijven doen tot het spoor tamelijk abrupt eindigt, een maand of twee geleden.'

Pendergast keek hem aan. 'Was hij toen klaar met zijn onderzoek?'

'Ja.' Wren aarzelde. 'Er is natuurlijk nog een mogelijkheid.'

'Juist. En wat is die mogelijkheid?'

'Dat hij ergens naar op zoek was. Naar iets heel specifieks. En dat abrupte einde aan zijn werk betekent dat hij het gevonden had.'

Toen zijn gast vertrokken was, stond Pendergast op, liep de salon uit en de centrale gang van het appartement door, tot hij bij een klein, ietwat ouderwets laboratorium aankwam. Hij trok het jasje van zijn zwarte pak uit en hing het op een haak achter de deur. Het vertrek werd grotendeels in beslag genomen door een zeepstenen onderzoektafel waarop chemische apparatuur en een bunsenbrander stonden. Langs de wanden waren oude, eikenhouten kasten aangebracht, met planken vol glazen flessen, beduimelde vakbladen en gehavende naslagwerken.

Hij haalde een sleutel uit zijn zak, opende een van de kasten en haalde er een aantal benodigdheden uit: een paar latex handschoenen, een glanzende instrumentenkoffer van walnoothout, een rek met glazen reageerbuisjes met etiketten en stoppen, en een messing vergrootglas. Dat alles werd op de zeepstenen tafel neergezet. Hij liep met grote passen het vertrek door, trok de handschoenen aan en opende een tweede kast. Even later werd er een schedel zichtbaar, behoedzaam vastgehouden in de kom van zijn handen – de schedel die D'Agosta en hij hadden gevonden in het graf aan de oever. Er kleefde nog zand aan de kaken en in de oogkassen. Voorzichtig legde hij de schedel op de tafel en opende de koffer. Daarin bleek een set negentiende-eeuwse tandartsapparatuur te zitten, met ivoren handvatten. Met de grootste zorg reinigde hij de schedel en veegde voorzichtig de zandkorrels weg. Enkele daarvan stopte hij in diverse reageerbuisjes, waarop hij genummerde etiketten plakte. Monsters van een wittig poeder dat aan de binnenkant van de kaken en tanden kleefde, verdwenen ook de buisjes in, samen met stukjes huid, haar en vetweefsel.

Toen hij klaar was, legde hij de schedel neer en bleef ernaar zitten kijken. Er verstreken seconden, minuten. Het was volkomen stil in het vertrek. Toen kwam hij langzaam overeind. Zijn zilvergrijze ogen glinsterden van ingehouden opwinding. Hij pakte het vergrootglas en bestudeerde de schedel van heel dichtbij, waarbij hij als laatste de rechteroogkas bekeek. Hij legde de loep weg en pakte de schedel nogmaals op, bestudeerde de oogkas, draaide hem, tuurde er van alle kanten naar. Aan de binnenkant van de holte was een aantal dunne, krom lopende krassen te zien, en ook aan de aan de binnenzijde van het schedeldak waren aan de achterkant enkele van die krasjes te zien.

Hij zette de schedel weer op tafel, liep naar een derde kast en deed die van het slot. Hij haalde er een eigenaardig instrument uit dat hij van het altaar in de Ville had meegegrist: een scherp, kronkelend stuk metaal met een houten handvat. Het leek nog het meest op een lange, bizarre kurkentrekker. Hij nam het mee naar de onderzoektafel en legde het naast de schedel. Met beide handen op tafel gesteund bleef hij een tijd naar beide voorwerpen staan kijken, terwijl zijn blik rusteloos van het een naar het ander schoot.

Uiteindelijk ging hij aan de tafel zitten. Hij pakte de schedel in zijn rechterhand en het instrument in de linker. Opnieuw bleef hij zo een hele tijd zitten. Toen bracht hij, bijna onzichtbaar langzaam, zijn ene hand naar de andere tot het gekromde uiteinde van de haak in de oogkas stak. Langzaam en voorzichtig schoof hij de punt van de haak langs de vage krassen in de schedel, en bewoog die alsof hij de haak door de bovenste orbitale spleet wilde steken

– de opening achter in de oogkas. De punt gleed probleemloos in de opening. Alsof hij een puzzel oploste bracht Pendergast de naald verder de hersenpan in, steeds dieper, langs de markeringen op het bot, tot een inkeping in het metaal achter de orbitale spleet bleef haken zodat het haakvormige uiteinde diep in de hersenpan bleef steken.

Met een plotselinge draai van het handvat zorgde hij ervoor dat het gekromde uiteinde van het instrument een ronddraaiende snijbeweging maakte. Heen en weer draaide hij het handvat – en heen en weer sneed het kleine, scherpe haakje binnen in de schedel, in steeds hetzelfde boogje.

Er verscheen een vreugdeloze glimlach op het gezicht van special agent Pendergast, en hij mompelde één woord: 'Frontaalkwab.'

58

Nora Kelly lag in het donker te luisteren. De ruimte waarin ze zich bevond, was stil als het graf. Hoezeer ze ook haar best deed, ze ving niets op van de normale, geruststellende geluiden van de buitenwereld: auto's, stemmen, voetstappen, wind in de bomen. Er waren niet eens muizen of ratten te horen in de duistere kelder.

Toen ze van de eerste schrik bekomen was en haar angst onder controle had, was ze haar kerker nauwgezet gaan verkennen. Tweemaal had ze de hele cel geïnspecteerd. Het had haar uren gekost. Ze moest op de tast werken: de enige glimp die ze van haar omgeving had opgevangen, was toen ze gefilmd was, en op dat moment was ze te verward en te overstuur geweest om zich een goed beeld van de kerker te vormen.

Toch leverde die verkenning op de tast een uitstekende indruk op van haar cel – bijna té uitstekend. De vloer was van gietbeton, vers en nog vochtig, met een sterke geur van cement. Op de vloer lag stro. De afmetingen van het hok, die ze een paar maal met voetlengtes nauwkeurig had opgemeten, waren circa drie bij vijf meter. De wanden waren van ruwe, gemetselde natuursteen, waarschijnlijk graniet, en volkomen dicht, zonder ook maar één ope ning, afgezien van de deur. Die was van dik hout, met een dikke plaat ervoor en ijzeren klinknagels (dat had ze op de tast vastgesteld); ze had de indruk dat het een nieuwe deur was, op maat gemaakt voor deze kelder, want het kozijn was lager en smaller dan de standaardmaat. Het plafond was een laag gewelf van gemetselde baksteen. Rond de randen kon ze het aanraken, in het midden rees het tot een hoger punt. In de wanden en het plafond waren hier en daar roestige ijzeren haken aangebracht, een teken dat de cel misschien ooit gebruikt was voor het drogen van vlees.

De kerker bevatte twee voorwerpen: een emmer in een van de hoeken die dienst moest doen als latrine, en een plastic jerrycan met water. In al die uren dat ze al vastzat, had ze niets te eten gekregen. Het was aardedonker en het viel moeilijk te zeggen hoeveel tijd er verstreken was, maar ze had sterk de indruk dat het minstens een etmaal moest zijn. Vreemd genoeg vond ze het niet erg om honger te hebben; haar geest werd er helderder van.

Mijn naam doet er niet toe; daarvoor leef jij niet lang genoeg meer. Dat was het enige wat haar cipier gezegd had, en Nora wist dat hij het meende. Er werd niets gedaan om haar in leven te houden, om te zorgen dat ze in acceptabele fysieke toestand terug kon naar het land der levenden. Maar meer nog: de toon waarop de woorden waren uitgesproken was zo nonchalant geweest, en tegelijkertijd zo vol kalme zekerheid, dat ze in haar merg voelde dat het de waarheid was.

De kans leek klein dat ze bevrijd zou worden. En medewerking was geen optie – ze kon alleen meewerken aan haar eigen dood. Ze moest ontsnappen.

Methodisch, alsof ze potscherven aan het sorteren was, verkende Nora iedere mogelijke vluchtroute die ze maar kon verzinnen. Kon ze op de een of andere manier door de nog niet helemaal uitgeharde betonvloer heen graven? De plastic emmer en de jerrycan waren geen geschikte gereedschappen. Ze had geen schoenen of riem; ze had de dunne ziekenhuispon nog aan. De haken zaten stevig in het plafond verankerd. Schrapen kon ze alleen met haar nagels en tanden, en daar was geen denken aan.

Vervolgens richtte ze haar aandacht op de gemetselde muren. Met de grootste zorg speurde ze die af, betastte ze iedere steen, voelde ze aan de metselspecie in de voegen. De stenen waren keihard, en er zat er niet één los. De bak- en natuurstenen van het plafond leken kortgeleden opnieuw gevoegd te zijn, en er was geen kier te bekennen waar ze ook maar een vingernagel in had kunnen wringen.

De deur was al even onmogelijk: geen beweging in te krijgen en verschrikkelijk dik. Aan de binnenkant zat geen slot, niet eens een sleutelgat. Waarschijnlijk waren aan de buitenkant een grendel en een hangslot aangebracht. In de deur zat een klein raampje, met tralies aan de binnenkant, en een metalen luikje dat dichtgeschoven bleef. Het was er zo stil dat het zonder enige twijfel een ondergrondse kerker met geluidsisolatie was.

Er bleef dus maar één optie over: ze moest de gevangenbewaarder overweldigen als die terugkwam. Daarvoor had ze een plan nodig. En een wapen.

Eerst dacht ze aan de roestige haken in de wanden en het plafond; maar die waren van dik ijzer, te zwaar om los te werken of af te breken. Zelfs de emmer had geen hengsel. Ze kon haar handen, voeten, nagels en tanden als wapens gebruiken. En daarmee moest ze het doen.

Hij had haar levend nodig, althans voorlopig. Waarom? Hij moest iemand bewijzen dat ze leefde. Om losgeld te eisen? Misschien. Of diende ze als gijzelaar? Het viel onmogelijk te zeggen. Ze wist alleen dat hij haar, zodra hij kreeg wat hij nodig had, zou vermoorden.

Zo simpel was het.

Ze verwonderde zich over haar eigen kalmte. Waarom was ze niet banger? Ook dat was simpel. Na Bills dood was er niets meer te vrezen. Het ergste was al gebeurd.

Ze ging overeind zitten en deed dertig sit-ups om haar bloed aan het stromen te krijgen. De plotselinge beweging in combinatie met het voedselgebrek en de hersenschudding maakte haar even duizelig. Maar toen haar hoofd weer helder werd, voelde ze zich wakkerder dan ooit.

Kon ze doen alsof ze ziek was, hem de cel in lokken, zich bewusteloos voordoen en hem dan aanvallen? Nee, dat werd niets: het was een flauwe truc en hij zou er niet in trappen.

Bij zijn volgende bezoek zou hij haar misschien al vermoorden. Ze moest ervoor zorgen dat hij haar bij terugkomst niet zomaar kon executeren met een schot door het luik in de deur. Nee, ze moest zich zo opstellen dat hij de deur helemaal open moest doen en zelf naar binnen moest stappen om haar te kunnen vermoorden. Ze moest dus achter de deur gaan staan. De duisternis was haar bondgenoot, als hij binnenkwam – dat was haar enige kans. Ze moest klaarstaan om tot explosieve actie over te gaan. Ze moest direct op de ogen mikken. Dit was de man die haar echtgenoot had vermoord, dat wist ze zeker. Haar haat tegen de man vulde haar met energie.

In gedachten begon ze de stappen door te nemen. Ze stelde zich voor hoe de deur openging, hoe zij de man besprong en haar duimen in zijn oogkassen drukte, hoe hij achteroverwankelde. En dan zou ze zijn pistool grijpen en hem doodschieten...

Een geluidje onderbrak haar gedachten, iets heel zachts, onherkenbaar. Als een kat sprong ze naar de andere kant van de deur en hurkte daar in het donker, bijna als een sprinter in de startblokken, klaar voor de sprong. Ze hoorde een slot dat werd geopend, een grendel die wegschoof. De deur ging iets open en er viel een schemerig licht over de vloer. De deur raakte haar voet en zwaaide niet verder open.

'Filmtijd,' zei de stem. 'Ik kom binnen.' Het licht van de camcorder ging aan en meteen was haar cel gebaad in een fel wit licht waardoor ze even verblind was. Ze wachtte, spande haar spieren, deed haar best om iets te ontwaren.

Plotseling zwenkte het licht om de deur heen en scheen pal in haar gezicht. Ze sprong eropaf, haar duimen blindelings op het hoofd van de cipier gericht. Maar het duizelingwekkende licht had haar verblind en met een grom van inspanning pakte de man haar polsen in een greep als van een bankschroef, terwijl hij het licht liet vallen. Ze voelde dat ze met enorme kracht opzij geduwd en op de grond gesmeten werd. Hij trapte haar hard in haar maag. Het licht was kletterend op de grond gevallen, maar de man raapte het meteen weer op en liep een paar stappen achteruit.

Happend naar adem keek ze vanaf de vloer naar hem op. Het licht werd weer op haar gericht, de lens daaronder knipoogde. De man zelf bleef volkomen onzichtbaar in het donker. Weer flitste die ondraaglijke gedachte door haar hoofd: *dit is de moordenaar van mijn echtgenoot.*

Met een bevende ademstoot kwam ze overeind. Ze rende nogmaals op de man achter het licht af en klauwde met uitgestrekte armen naar hem, maar hij was erop voorbereid. Ze kreeg een klap tegen haar slaap en eer ze het wist lag ze op de grond, met suizende oren en lichtstippen voor haar ogen dansend.

Het videolicht ging uit, de gestalte trok zich terug, de deur begon dicht te zwaaien. Nora hees zich op haar knieën. Plotseling voelde ze zich zwak. Haar hoofd bonsde, maar de grendel schoof voor de deur voordat ze had kunnen opstaan. Ze greep de deur en hees zich moeizaam overeind.

'Je bent er geweest,' hijgde ze, terwijl ze met haar vuist op de deur beukte. 'Ik zweer het je, ik maak je af.'

'Andersom, wild diertje,' kwam de stem. 'Binnenkort zie je me weer. Héél binnenkort.'

59

D'Agosta stond achter in de projectkamer met over elkaar geslagen armen naar de rijen collega's te kijken die luisterden hoe Harry Chislett de troepen op meesterlijke wijze instrueerde over de ophanden zijnde 'meeting' – zo sprak dat lulletje rozenwater erover – die in de buurt van de Ville zou plaatsvinden. Meeting, je kunt me wat, dacht D'Agosta ongeduldig. Het feit dat Esteban en Plock voor een vergunning voor de 'meeting' hadden gezorgd, wilde nog niet zeggen dat ze van plan waren langs de Ville heen en weer te marcheren onder het zingen van 'Give Peace A Chance'. D'Agosta had gezien hoe agressief die eerste menigte was geworden, en hoe snel dat gegaan was. Chislett had dat niet gezien; hij was al bijna vertrokken voordat het protest goed en wel begonnen was. Maar nu stond hij hier dan, met weidse gebaren naar schema's op een whiteboard te wijzen, de mond vol woorden als beveiliging, groepspsychologie en diverse tactische nuances, zo kalm alsof hij een reidans stond te dirigeren.

Terwijl hij naar de volslagen ontoereikende plannen stond te luisteren, voelde D'Agosta zijn handen samentrekken tot vuisten.

Hij had geprobeerd Chislett uit te leggen dat er grote kans was dat Nora Kelly gevangenzat in de Ville, en dat een uitbarsting van geweld van de demonstranten haar dood kon worden. Hier kwam meer bij kijken dan logistiek: bij iedere grote menigte waren geweld en massahysterie niet meer dan een hartslag verwijderd. Nora Kelly's leven kon wel eens op het spel staan. Maar zo zag Chislett het niet. 'De bewijslast rust op jouw schouders,' had hij pompeus beweerd. 'Waar is je bewijs dat Nora Kelly zich in de Ville bevindt?' Slechts met uiterste inspanning kon D'Agosta zich beheersen en zich ervan weerhouden om zijn vuist in dat weke lijf te laten wegzinken.

'We hebben drie controlepunten, hier, hier en hier,' neuzelde Chislett met een zoveelste tik van zijn aanwijzer. 'Twee bij de centrale ingangs- en uitgangspunten, en een bij de ingang van Inwood Hill Park.'

'Draai naar links en stap opzij,' mompelde D'Agosta binnensmonds, 'stap naar achter in de rij.'

'Het komt me voor dat adjunct-hoofdcommissaris Chislett niet helemaal doorheeft waar het om gaat,' zei een bekende stem naast zijn schouder.

D'Agosta draaide zich om en zag Pendergast naast zich staan. 'Goedemiddag, Vincent,' klonk de trage stem.

'Wat doe jíj hier?' vroeg D'Agosta verbaasd.

'Ik was op zoek naar jou.'

'Waar is je gabber Bertin?'

'Terug naar de veilige bayou. Jij en ik staan er weer alleen voor.'

D'Agosta voelde de hoop door zijn aderen stromen – een gevoel dat hij in geen dagen gehad had. Pendergast begreep tenminste hoe ernstig de situatie was. 'Dan weet jij ook dat we niet meer kunnen wachten,' zei hij. 'We moeten maken dat we daar binnenkomen en Nora bevrijden. Nú.'

'Helemaal mee eens.'

'Als die kloppartij plaatsvindt terwijl Nora vastzit in de Ville, dan is de kans groot dat ze haar onmiddellijk vermoorden.'

'Ook dat ben ik met je eens – ervan uitgaande dat ze in de Ville is.'

'Ervan uitgaande? Waar kan ze anders zitten? Ik heb het geluid van die video laten analyseren.'

'Daar ben ik me van bewust,' zei Pendergast. 'De geleerden leken het niet met je eens te zijn dat dat geluid een dier was.'

'De geleerden kunnen me wat. Ik word gék van dat wachten. Ik ga eropaf.'

Pendergast knikte alsof hij dit al verwacht had. 'Uitstekend. Maar één ding, Vincent: we mogen onze krachten niet versnipperen. De Ville heeft er op de een of andere manier mee te maken, dat staat vast. Maar hoe? Dat moeten we uitzoeken. Er is hier iets gaande waar ik nog niet helemaal de vinger op heb kunnen leggen. Iets wat heel erg verkeerd aanvoelt.'

'Nou en of dat verkeerd is. Nora Kelly kan ieder moment vermoord worden.'

De special agent schudde zijn hoofd. 'Dat bedoel ik niet. Beloof je me, Vincent, dat we dit samen doen?'

D'Agosta keek hem aan. 'Beloofd.'

'Uitstekend. Mijn auto wacht beneden.'

60

Richard Plock stond aan de overkant van het parkeerterrein van de metroremise aan 207th Street uit te kijken over de dichte rijen metrowagons die in het late middaglicht stonden te glanzen. Het was stil op het terrein, bijna slaapverwekkend stil. Ergens liep een monteur over het spoor, om vervolgens een werkplaats in te verdwijnen, en een machinist reed langzaam een rij wagons een zijspoor naast een inspectieschuur op.

Plock keek de straat voorbij de schutting af. Ook aan West 215th Street was het rustig. Hij gromde tevreden en keek op zijn horloge: kwart over zes.

In zijn jaszak begon een van de mobiele telefoons met kleurcode te rinkelen. Hij haalde het toestel tevoorschijn en zag dat het de rode lijn was. Dat was dus Traum, bij de Cloisters.

Hij klapte het toestel open. 'Heb je een update voor me?'

'Ze komen de afgelopen twintig minuten langzaam binnendruppelen.'

'Hoeveel zijn het er tot nu toe?'

'Een mannetje of tweehonderd, tweehonderdvijftig misschien.'

'Mooi. Hou ze uit elkaar, zorg dat het er zo ongeorganiseerd mogelijk uitziet. We moeten niet te vroeg laten merken wat we van plan zijn.'

'Oké.'

'En blijf me op de hoogte houden. Over een kwartier gaan we op pad.' Zachtjes klapte Plock de telefoon dicht en stak hem weer in zijn zak. Het was bijna tijd om naar zijn eigen afdeling toe te gaan, die zich aan de zuidzijde van de remise aan het verzamelen was.

Hij was zich ervan bewust dat hij niet voldeed aan het standaardbeeld van een geboren leider. En als hij eerlijk was, moest hij zichzelf bekennen dat hij ook het charisma van een leider miste. Maar hij had de passie, de overtuiging – en die deden er het meest toe. Mensen hadden hem zijn leven lang onderschat. Ook vandaag zouden ze hem onderschatten.

Daar rekende Rich Plock op.

Sinds die eerste, voortijdig afgebroken mars, was Plock onophoudelijk aan het werk geweest. In het geheim had hij contact opgenomen met andere organisaties in de hele stad, in de staat en zelfs in heel Amerika. Hij had voor de mars van vanavond de fanatiekste mensen opgetrommeld die hij maar vinden kon. En nu zou zijn werk vrucht afwerpen. Meer dan twintig verschillende organisaties – Mensen voor Andere Dieren, Vegaleger, Amnestie zonder Grenzen, de Groene Brigade – waren op dit moment aan het samenstromen op West Side. En het waren niet alleen vegetariërs en dierensympathisanten meer: de moord op twee journalisten en een gemeenteambtenaar plus de ontvoering van Nora Kelly had een opmerkelijk galvaniserend effect gehad. Met die publiciteit als wapen had Plock een paar randgroeperingen met werkelijk serieuze agenda's in actie gekregen. Sommige zouden elkaar normaal gesproken met argusogen hebben aangekeken; zo waren intussen ook Guns Universal en Amerika voor de Amerikanen van de partij; maar dankzij Plocks inspirerende woorden hadden ze een gezamenlijke vijand gevonden in de Ville.

Plock had niets aan het toeval overgelaten. Hij had alles tot in de puntjes gechoreografeerd. Om niet voortijdig uiteengejaagd of samengedreven te worden door de politie kwamen de diverse groepen op tien verschillende, van tevoren afgesproken plekken bijeen: Wien Stadium, Dyckman House, High Bridge Park. Zo zouden ze niet te veel officiële aandacht trekken... tot Plock het bevel gaf en ze allemaal soepel samensmolten tot één. En op dat punt was het te laat om hen nog tegen te houden. Ze zouden niet meer terugdeinzen; ditmaal niet.

Bij de herinnering aan die eerste protestmars verhardden Plocks trekken zich. Achteraf bezien was het maar goed dat Esteban op het laatste moment de moed in de schoenen gezonken was. Estebans rol was uitgespeeld. Hij had gedaan wat nodig was: hij had als beroemdheid de aandacht getrokken, hij had hen in de publiciteit gebracht, en de hoognodige financiële middelen bezorgd waardoor Plock voldoende momentum had kunnen vergaren voor deze klus. Als Esteban er vandaag bij geweest was, had hij waarschijnlijk geadviseerd het rustig aan te doen, had hij de mensen eraan herinnerd dat er geen bewijs voor een gijzeling was, geen bewijs dat de Ville achter de moorden zat.

Estebans slappe houding had de vorige actie de pas afgesneden, maar bij god, dat zou hem niet nogmaals gebeuren. De Ville moest gestopt worden, eens en voor al. Er moest nu maar eens een einde komen aan die walgelijke wreedheden, aan de moord op hulpeloze dieren en de moord op journalisten die zich dit lot aantrokken.

Plock was opgegroeid op een boerderij in het noorden van de staat New Hampshire. Ieder jaar was hij als kind fysiek onwel geworden als het tijd was lammeren en varkens te slachten. Zijn vader had dat nooit begrepen, had hem geslagen en hem als hij probeerde aan het werk te ontkomen een drukker genoemd, een moederskindje. En hij was te klein geweest om daar iets aan te doen. Hij zag het beeld nog voor zich van zijn vader die met een handbijl een kip de kop afsloeg en stond te lachen toen het arme dier een eigenaardige, wankelende rondedans maakte over het zandpad, terwijl het bloed uit de afgehakte nek spoot. Dat beeld spookte nog steeds door zijn dromen. Zijn vader had erop gestaan dat ze hun eigen beesten opaten, vlees bij iedere maaltijd, en had geëist dat Rich zijn deel opat. Toen Plocks lievelingsvarken was geslacht, had zijn vader hem gedwongen haar vette ribben af te kluiven. Nadien was hij naar buiten geslopen en had hij urenlang achter de schuur staan kotsen. De volgende dag was hij weggelopen. Hij had niet eens de moeite genomen zijn spullen te pakken, afgezien van de paar boeken die hij bezat (*Brave New World*, *Atlas Shrugged*, *Nineteen Eighty-Four*), en had koers gezet naar het zuiden.

En hij had nooit meer omgekeken. Zijn vader had hem geen liefde gegeven, geen steun, had hem niets geleerd – níéts.

Hoewel, dat is niet helemaal waar, dacht hij, terwijl hij aan de Ville dacht. Zijn vader had hem één ding geleerd. Hij had hem leren haten.

Er begon een andere mobiele telefoon te rinkelen. De blauwe ditmaal: McMoultree, bij Yeshiva University. Net toen Plock wilde opnemen, zag hij iets eigenaardigs: een dure limousine die in noordelijke richting over Tenth Avenue scheurde, met een ambulancemedewerker in volledig tenue achter het stuur. Maar de telefoon rinkelde nog en hij bleef de auto maar heel even nastaren. Hij schraapte zachtjes zijn keel, opende de mobiele telefoon en drukte die vol vertrouwen tegen zijn oor.

61

De Rolls kwam langzaam tot stilstand aan het eind van West 218th Street en stopte op een parkeerplek tussen een sjofele pick-up met houten panelen en een nieuw model jeep. Links van hen stond een rij saaie, lage flatgebouwen; rechts lag het groene ovaal van Columbia's Baker Field. Over het veld en de tribunes verspreid hingen zo'n tweehonderd mensen rond, schijnbaar ongeorganiseerd, maar D'Agosta wist zeker dat ze deel uitmaakten van het ophanden zijnde protest. Onderweg door Inwood had hij soortgelijke verdachte groepjes gezien. Chislett zou, met al zijn megalomane onwetendheid, van een koude kermis thuiskomen.

'We trekken lateraal op, via Isham Park,' zei Pendergast, en hij greep een canvas tas van de achterbank.

Op een drafje staken ze de honkbalvelden en de keurig onderhouden velden over tot ze plotseling in de wildernis van Inwood Hill Park stonden. De Ville zelf lag nog onzichtbaar achter de bomen. Pendergast had een prima route gekozen: de aandacht van de Ville zou ergens anders op gericht zijn, zodat zij ongezien naar binnen konden glippen. Op de avondbries hoorde D'Agosta de geluiden uit het zuiden aanzweven: het gonzen van megafoons, de kreten in de verte, de pneumatische claxons. Degene die dit gepland had, was bijzonder slim te werk gegaan: één rumoerige groep leidde de aandacht van de politie af van de andere, zodat die zich konden organiseren om vervolgens en masse op te trekken. Als ze Nora niet weg kregen voordat die hoofdmassa op pad ging...

Een eindje verderop bleef Pendergast staan, zette de tas op de grond, opende hem en haalde er twee ruwe bruine pijen uit. D'Agosta, die toch al zweette in het kogelvrije vest dat hij aangetrokken had, was blij dat het die dag zo koud was. Pendergast gaf hem een van de habijten aan, en hij trok het over zijn hoofd en stopte de kap rond zijn gezicht in. De FBI-agent volgde zijn voorbeeld, keek even in een zakspiegeltje en hield het vervolgens zo dat D'Agosta zijn spiegelbeeld kon inspecteren. Niet gek, zolang hij de kap ophield en met gebogen hoofd bleef lopen. Hij keek naar zijn collega, die allerhande andere benodigdheden uit de tas haalde: een lantaarn met extra batterijen, een mes, een beitel en hamer en een setje instrumenten om sloten open te maken. Dit alles borg hij weg in een heuptas, die hij vervolgens onder zijn pij borg. D'Agosta klopte op zijn eigen middel om zich ervan te vergewissen dat zijn Glock 19 en de extra magazijnen voor het grijpen waren.

Pendergast duwde de nu lege tas onder een omgevallen boomstam, schraapte er wat dor blad overheen en knikte naar D'Agosta dat die hem moest volgen, de steile helling op die een paar meter verderop begon. Ze kropen de heuvel op en keken over de rand. Twintig meter voor hen stond de omheining van de Ville, het zichtbare gedeelte roestig en slecht onderhouden, met hier en daar gapende openingen. Vijftig meter daarachter lag het armzalige kluitje gebouwen, de vage omtrekken nog net zichtbaar in het wegstervende avondlicht, het gigantische silhouet van de oude kerk boven alles uit stekend.

D'Agosta dacht terug aan de eerste keer dat hij in dat bos was geweest, die keer dat hij een tik op zijn hoofd had gekregen. Hij haalde de Glock uit de holster en greep het wapen vast terwijl hij overeind kwam. Dat zou hem niet nogmaals gebeuren.

Achter Pendergast aan sprintte hij naar de omheining, glipte door een van de gaten en draafde gehurkt naar de voet van de buitenmuren van de Ville. Ze liepen de bocht om tot ze bij een klein, half vergaan deurtje in de muur kwamen, afgesloten met een hangslot. Één scherpe tik van Pendergasts beitel en de hele constructie was verdwenen, met hangslot, scharnieren en al. De agent duwde de deur open; voor hen lag een smalle, met vuilnis bezaaide steeg, bijna helemaal afgesloten door overhangende daken, die langs een van de flanken van de enorme kerk liep. Pendergast liep de steeg in en D'Agosta volgde hem, de deur achter hen dichttrekkend. Pendergast drukte zijn oor tegen de achtermuur van de kerk, en D'Agosta kwam naast hem staan luisteren. Binnen hoorde hij een zangerige stem stijgen en dalen, een priesterlijke toon vol tremolo's, beschuldigend en bezwerend, maar het geluid klonk te zacht om afzonderlijke woorden te kunnen verstaan – als het al Engels was. Af en toe klonk er een veelstemmig antwoord, unisono als de zangtoon van een wezenloos koor, en dan begon het krankzinnige gescandeer weer.

Boven de mensenstem uit klonk in de verte het hoge hinniken van een bang veulen.

D'Agosta probeerde dat afgrijselijke idee uit zijn hoofd te zetten en zich te concentreren op datgene waar ze mee bezig waren. Hij volgde Pendergast op de hielen de steeg door. Ze doken van de ene schemerige portiek naar de andere, en hij hield zijn hoofd gebogen en zijn gezicht verborgen. Er leek niemand op straat te zijn; waarschijnlijk zaten ze allemaal in de kerk voor hun walgelijke ceremonie. De steeg maakte een haakse bocht en verloor zich in een wirwar van eeuwenoude, krakkemikkige gebouwen alvorens voor een groter gebouw langs te lopen, aan de kerk vast gebouwd, dat misschien ooit de pastorie of het parochiehuis geweest was.

De eerste deur van die woning zat op slot, maar in minder dan vijf seconden had Pendergast hem open. Ze stapten snel de drempel over en bevonden zich in een ruimte waar het donker en verstikkend bedompt was. Toen zijn ogen aan de schemering gewend waren, zag D'Agosta dat het een eetkamer was, met een oude eiken tafel, stoelen en een groot aantal kaarsen in kandelabers met enorme bulten van gelekt kaarsvet. Het enige licht was afkomstig van het beeldscherm van een oude computer uit het DOS-tijdperk, volslagen misplaatst te midden van het antieke meubilair. Deuren op het oosten, zuiden en westen leidden naar nieuwe schemerige ruimtes.

Het gepreek van de priester klonk hier luider; waar het vandaan kwam, viel niet te bepalen.

Plotseling leek het probleem waarvoor ze zich gesteld zagen, namelijk om Nora te vinden te midden van dit uitgestrekte gekkenhuis, onoverkomelijk. Maar die gedachte schudde hij meteen van zich af. Eén stap tegelijk.

'De keukens van die oude huizen hadden altijd een toegang tot de ondergrondse voorraadkamers,' fluisterde Pendergast. Hij koos schijnbaar willekeurig een deur, met toegang op het oosten, en liep de drempel over. D'Agosta volgde hem op de voet. Ze stonden in een voorraadkamer, vol jutezakken die zo te zien vol graan zaten. Daar, aan het eind, zagen ze een oeroude, primitieve goederenlift. D'Agosta liep langs Pendergast heen, schoof het luik open, knipte het licht aan en keek naar beneden – meters en meters diep.

Plotseling hoorde hij een stem achter hen, luid en scherp.

'Jullie tweeën. Wat hebben jullie hier te zoeken?'

62

Adjunct-hoofdcommissaris Harry Chislett liet zich van de achterbank van een onopvallende Crown Vic glijden en liep met vastberaden tred over het trottoir naar de plek waar zijn persoonlijke assistent, inspecteur Minerva, door een verrekijker naar de menigte stond te kijken. Nu ja, menigte... dacht Chislett, dat was een te groot woord voor de tweehonderd, hoogstens tweehonderdvijftig mensen die bij de ingang van het park over het honkbalveld rondzwierven, met borden zwaaiden en een paar leuzen scandeerden. Het leek hetzelfde stelletje boomknuffelaars dat de vorige keer bijeengekomen was. Terwijl hij stond te kijken, ging er een verspreid gejuich op dat al wegstierf nog bijna voordat het begonnen was.

'Zie je die vent met die baard?' vroeg hij. 'Die filmregisseur, die de vorige keer zo'n opzwepende toespraak hield?'

Minerva speurde met zijn verrekijker het veld af. 'Nee.'

'Controlepunten en vooruitgeschoven posten?'

'We hebben teams op beide locaties.'

'Uitstekend.' Chislett luisterde naar een zoveelste plichtmatig gejuich. De demonstranten klonken heel wat apathischer dan de vorige keer. En zonder die spreker om hen te enthousiasmeren zou de hele toestand ongetwijfeld binnen de kortste keren als een nachtkaars uitgaan. En al gebeurde dat niet: hij was overal op voorbereid.

'Commissaris.' Hij draaide zich om en zag tot zijn verbazing een vrouw met de strepen van een hoofdinspecteur op haar kraag naast zich staan. Klein en rank, met donker haar. Ze beantwoordde zijn blik met een koel zelfvertrouwen dat hij irritant, maar tegelijkertijd ook lichtelijk intimiderend vond. Ze maakte geen deel uit van zijn staf, maar hij herkende haar wel. Laura Hayward. De jongste vrouwelijke hoofdinspecteur van New York. En de vriendin van inspecteur D'Agosta – of, als de geruchten klopten, zijn ex-vriendin. Geen van beide omschrijvingen vond hij aanbevelenswaardig.

'Ja, inspecteur?' zei hij kortaf.

'Ik was daarnet bij uw briefing. Ik probeerde u nog even te spreken te krijgen, maar u was al weg voordat ik u bereiken kon.'

'En?'

'Met alle respect, gezien het veldplan dat u omschreef weet ik niet zeker of u voldoende manschappen hebt om de massa in bedwang te houden.'

'Mánschappen? Massa? Kijk zelf eens om u heen, inspecteur.' Chislett maakte een weids gebaar met zijn hand. 'Ziet u dat geringe aantal demonstranten? Die maken straks rechtsomkeert en slaan op de vlucht voor de eerste agent die boe tegen ze zegt.'

Inspecteur Minerva, die had meegeluisterd, begon breed te grijnzen.

'Volgens mij is dit niet de hele menigte. Ik denk dat er meer komen.'

'En waar zouden die dan wel vandaan moeten komen?'

'In deze buurt zijn heel wat plekken te vinden waar omvangrijke samenscholingen kunnen plaatsvinden,' antwoordde Hayward. 'En ik heb heel wat mensen op verschillende plekken zien samendrommen – verdacht veel, voor een doordeweekse herfstdag.'

'En dat is dan ook precies de reden waarom we onze mannen op vooruitgeschoven posities hebben. Die geven ons de flexibiliteit die we nodig hebben om snel te kunnen optreden.' Hij probeerde zijn irritatie niet in zijn stem te laten doorklinken.

'Ik heb uw schema gezien. Die vooruitgeschoven posten van u bestaan uit een handvol agenten elk. Als ze door uw linie heen breken, kunnen de demonstranten linea recta naar de Ville optrekken. En als Nora Kelly daar gegijzeld wordt, wat zeer wel mogelijk lijkt, dan kunnen haar gijzelnemers in paniek raken. Dan is haar leven in gevaar.'

Dit was precies het soort baarlijke nonsens dat D'Agosta ook had staan spuien. Misschien was hij het wel geweest die haar hiertoe aangezet had.

'Uw bezorgdheid is genoteerd,' antwoordde Chislett, die niet langer zijn best deed het sarcasme uit zijn toon te weren. 'Hoewel ik voor latere referentie wil opmerken dat een rechter eerder vandaag heeft verklaard dat er geen enkel bewijs is dat Nora Kelly daar wordt vastgehouden, en weigerde een huiszoekingsbevel voor de Ville uit te vaardigen. En wilt u dan nu zo vriendelijk zijn mij te melden wat u hier precies doet, inspecteur? Voor zover mij bekend maakt Inwood Hill Park geen deel uit van uw wijk.'

Maar Hayward antwoordde niet. Hij zag dat haar blik niet langer op hem gevestigd was, maar op iets achter zijn rug.

Hij draaide zich om. Vanuit het oosten kwam een tweede groep demonstranten aanzetten. Ze hadden geen spandoeken bij zich, maar het leek hun menens te zijn; ze bewogen zich snel en zwijgend voorwaarts. Ze kwamen op het honkbalveld af en sloten de rijen toen ze de politiemacht naderden. Het was een bonte groep, met een hardere blik in de ogen dan degenen die al op het veld stonden.

'Geef mij die verrekijker eens,' zei hij tegen Minerva.

Hij speurde door de kijker de groep af en zag aan het hoofd daarvan de jonge, gezette man die de charge de vorige keer geleid had. Even voelde Chislett een beginnetje van ongerustheid bij de aanblik van de vastberaden trekken van de leider.

Maar die ongerustheid was ook vrijwel meteen weer verdwenen. Honderd, tweehonderd demonstranten meer, wat maakte het uit? Hij had de mankracht om vierhonderd actievoerders aan te kunnen – of nog meer. Bovendien was zijn plan om de demonstratie binnen de perken te houden een meesterlijk staaltje van economische overwegingen en veelzijdigheid.

Hij gaf de verrekijker terug aan Minerva. 'Meld,' zei hij op zijn meest krijgshaftige toon, zonder verder nog acht te slaan op Hayward, 'dat we beginnen met de uiteindelijke mobilisatie. Zeg tegen de voorste posten dat ze zich gereedhouden.'

'Goed, commissaris,' antwoordde Minerva, terwijl hij zijn radio loshaakte.

63

D'Agosta verstarde. Pendergast, met zijn hoofd in de monnikskap verborgen, mompelde iets en schuifelde op de man af, ietwat onvast, als een oude man die niet meer zo goed ter been is.

'Wat hebben jullie hier te zoeken?' vroeg de man nogmaals met zijn eigenaardige, exotische accent.

'*Va t'en, sale bête,*' stamelde Pendergast schor.

De man deed een stap achteruit. 'Ja, maar... jullie horen hier helemaal niet te zijn.'

Pendergast schuifelde naderbij en waarschuwde D'Agosta met een schuine blik.

'Ik ben maar een oud man...' begon hij, zijn stem zacht en ademloos, en met een bevende hand reikte hij hulpeloos omhoog. 'Kunt u me misschien...'

De man boog zich iets voorover om hem te kunnen verstaan, en D'Agosta deed een stap naar voren om hem met de kolf van zijn pistool op de slaap te slaan. De gestalte zakte bewusteloos ineen.

'Een voltreffer, een uitstekende voltreffer,' zei Pendergast terwijl hij het neerzijgende lichaam behendig opving.

D'Agosta hoorde in de aangrenzende kamers andere stemmen,

met een opgewonden klank; kennelijk was niet iedereen aanwezig bij de ceremonie in de grote kerk. De voorraadkamer had geen achterdeur; ze zaten klem met de bewusteloze man.

'De goederenlift in,' fluisterde Pendergast.

Ze hesen de man de lift in, schoven het luik dicht en stuurden de lift naar de kelder. Amper hadden ze op de knop gedrukt of er verschenen drie mannen op de drempel. 'Morvedre, wat ben je aan het doen?' vroeg een van hen. 'Kom mee. Jij ook.'

Ze liepen verder, en D'Agosta en Pendergast sloten zich bij hen aan en probeerden de trage, onhoorbare manier van lopen te imiteren. D'Agosta voelde zijn frustratie en spanning toenemen. Deze vermomming konden ze onmogelijk lang volhouden; ze moesten weg, de kelder doorzoeken. Veel tijd hadden ze niet meer.

De mannen liepen een bocht om, een lange, smalle gang door, een dubbele deur door, en plotseling stonden ze in de kerk zelf. Daar hing een zware geur van kaarsvet en wierook; de menigte schuifelde en mompelde op dringende toon, deinend als de zee op de cadans van de zang van de hogepriester. Charrière, de hogepriester, stond voor in de kerk; twee rijen brandende kaarsen wierpen licht op vier mannen die uit alle macht bezig waren met een platte steen in de vloer. Achter hen, in de walmende schemering, stonden vele anderen, tientallen, zwijgend, het wit van hun ogen als glinsterende parels in de samengebalde duisternis van hun omkapte hoofden. Een eindje verderop stond Bossong, bijna vorstelijk tot zijn volle lengte verheven, vanuit de schaduw met ondoorgrondelijke blik het gebeuren gade te slaan.

Voor D'Agosta's ogen haalden de vier mannen touwen door de ijzeren ringen in de hoeken van de gigantische flagstone en maakten ze vast. Ze legden de uiteinden op de stenen vloer en gingen ernaast staan. Er daalde een diepe stilte neer terwijl de hogepriester naar voren liep; in zijn ene hand had hij een kleine kandelaar, in de andere een ratel. In zijn ruige bruine habijt gehuld liep hij met weloverwogen, afgemeten passen, de tenen omlaag wijzend, tot hij midden op de steen stond.

Zachtjes schudde hij met de ratel: eenmaal, tweemaal, een derde maal. En daarbij draaide hij langzaam om zijn as. De was van de kaarsen droop op zijn arm, spetterde op het steen. Hij stak een hand in de zak van zijn pij, haalde er een klein, met veren overdekt voorwerpje uit en liet dat al draaiende vallen. Weer een zacht geratel, nog een langzame draai. En toen, plotseling, bracht Charrière zijn voet omhoog, bleef even zo staan en stampte toen hard op de platte steen.

Plotselinge stilte... gevolgd door een vaag geluid, diep onder de grond, een sissen van lucht, een hortende ademhaling.

In de kerk had je een speld kunnen horen vallen.

Nogmaals schudde de hogepriester met zijn ratel, iets luider, en nogmaals draaide hij om zijn as. Toen hief hij zijn voet weer, en stampte opnieuw op de koude steen.

Aaaaahhhoeoeoeoe... klonk een melancholiek geluid uit de diepte.

Met bonzend hart wierp D'Agosta een snelle blik op Pendergast, maar die stond het gebeuren gespannen gade te slaan van onder de zware, verhullende monnikskap.

Nu begon de priester in trage cirkels rond te dansen, lichtvoetig dartelend met zijn grove schoenen in een kring rond het voorwerpje met de veren. Nu en dan zette hij zijn voet harder neer, zodat het dreunde, en telkens klonk dan van onder de grond een gekreun ten antwoord. Naarmate de dans sneller werd en de dreunen elkaar rapper opvolgden, nam het gekreun toe in lengte en intensiteit. Het klonk alsof iets of iemand geïrriteerd begon te raken door de regen van geluid boven zijn hoofd. Met een huivering van ontzetting herkende D'Agosta de stem.

Aaaaiiieehhhoeoeoeoeo... klonk het melancholiek, terwijl Charrière danste, *aaaiiehoeoeoe... aaaaiiehoeoeoeoe...* de langgerekte klanken vormden geen ritmisch patroon, maar volgden elkaar wel steeds sneller op; het leek wel of er iets van opwinding in uitgedrukt werd. Naarmate de droevige kreten luider en dringender werden, begon de menigte te antwoorden met een zacht, laag gezang. Het begon als een fluistering, maar nam geleidelijk toe tot het ene woord dat ze zongen, verstaanbaar werd: *Envoie! Envoie! Envoie!*

De dans van de priester werd sneller, zijn voeten waren een vage streep van beweging, met ritmische stappen die de maat aangaven als een trommel van vlees. *Aaiiehoeoeoe...* klonk het gehuil vanonder de grond. Envoie! scandeerde de groep in de kerk.

Plotseling bleef Charrière stokstijf staan. Het scanderen hield op, de stemmen echoden en stierven weg in de ruimte. Maar het geluid onder de grond hield aan, het gekreun klonk nu onophoudelijk, vermengd met steunen, een reutelende ademhaling, rusteloos geschuifel.

D'Agosta keek vanuit de schaduw ademloos toe.

'Envoie!' riep de hogepriester, en hij stapte van de steen weg. 'Envoie!'

De vier mannen aan de hoeken van de grote, platte steen grepen hun touwen, namen die over de schouder en begonnen te trekken. Met een schrapend geluid kantelde de steen omhoog, wankelde even en kierde open.

'Envoie!' riep de priester nogmaals, en hij hief beide handpalmen omhoog.

De mannen deden een stap opzij en sleepten de steen weg, zodat er in de vloer van het koor een opening zichtbaar werd. Ze brachten de steen tot stilstand en lieten hun touwen vallen. De kring van mannen drong dichter om de opening heen en bleef zwijgend staan wachten. De hele ruimte leek stil te staan; de tijd zelf leek stil te staan. Bossong, die geen vin verroerd had, keek hen om beurten met donkere ogen aan. Vanuit de opening rees een vage walm op: de geur van de dood.

Nu klonk er onophoudelijk geluid vanuit de put: gekrabbel en geschuifel, en een verwachtingsvol, vochtig geslurp.

En plotseling verscheen het, vanuit de duisternis, rond de rand van de stenen vloer: een bleke, uitgemergelde hand, een graatmagere onderarm waarop de pezen en spieren als kabels stonden afgetekend. Een tweede hand werd zichtbaar en maakte een wild graaiend geluid. Meteen daarop kwam er boven de rand uit een smerig hoofd met vastgekoekt haar en een holle blik in de ogen, afgezien van een vaag soort honger. Eén oog rolde rond in de oogkas, het andere was niet te zien: de holte zat vol bloed- en andere korsten. Met een ruk hees het gevaarte zich uit het gat omhoog en viel met een klap op de vloer van de kerk, met nagels die over de vloer klauwden. De gelovigen hijgden en hier en daar werd goedkeurend gemompeld.

D'Agosta keek ongelovig en vol afgrijzen toe. Het was een mens – althans, het was een mens gewéést. En het leed geen twijfel, geen enkele twijfel, dat dit het geval was dat hem exact een week geleden bij de Ville achternagezeten en aangevallen had. Maar het zag er niet uit als Fearing, en op Smithback leek het al helemaal niet. Leefde het... of was het een tot leven gewekte dode? Met kippenvel over zijn hele lichaam keek hij naar het afstotelijke gezicht; de wasachtig bleke huid, de geschilderde krullen en lianen die door de smerige vodden van de half vergane kleding heen te zien waren. Maar toen hij nog eens keek, zag D'Agosta dat het mens-ding helemaal geen vodden aanhad. Het waren de overblijfselen van zijde of satijn, of andere kostbare stoffen, die in de loop der tijden gerafeld waren en die stijf stonden van het zand, bloed en ander vuil.

De menigte mompelde vol ontzag terwijl het mens-ding aarzelend om zich heen loerde, naar de hogepriester opkeek alsof hij instructies verwachtte. Aan zijn dikke, grijze lippen bungelde een sliert kwijl, en zijn adem kwam naar buiten als lucht die uit een natte zak geperst wordt. Het goede oog leek dood. Morsdood.

Charrière reikte in de plooien van zijn pij en haalde daaruit een kleine koperen kelk tevoorschijn. Hij doopte er zijn vingers in en sprenkelde iets olieachtigs over het hoofd en de schouders van de gestalte die voor hem stond te wankelen. Daarna liet de hogepriester zich tot D'Agosta's oneindige verbazing voor het schepsel op zijn knieën vallen en boog zich tot op de grond voorover. De anderen volgden dit voorbeeld. D'Agosta voelde iemand aan zijn pij trekken: Pendergast maande hem te knielen. Hij liet zich zakken en strekte zijn handen in de richting van de zombii, als het dat tenminste was, zoals hij de anderen zag doen.

'Wij buigen voor onze beschermer!' galmde de hogepriester. 'Ons zwaard, onze rots, ons heil!'

De rest galmde mee.

Charrière ging verder in een vreemde taal, gevolgd door de gelovigen.

D'Agosta keek om zich heen. Bossong was nergens meer te bekennen.

'Zoals de goden in de hemel ons kracht geven,' zei de hogepriester, nu in het Engels, 'zo geven wij u nu kracht!'

Alsof dat een aanwijzing was geweest, hoorde D'Agosta een jammerlijk geluid. Hij draaide zich om en zag in de duisternis een klein, kastanjebruin veulen, amper een week oud, dat aan een halster naar de houten paal werd geleid. De lange, slungelige benen stampten over de vloer en met een deerniswekkend gehinnik schoot het diertje van links naar rechts; zijn grote bruine ogen waren rond en angstig. Zijn begeleider bond het aan de paal en deed een stap achteruit.

De priester stond op. Met een soort half dansende, half zwaaiende pas hief hij een glanzend mes in de lucht, identiek aan de messen die ze bij de politie-inval hadden buitgemaakt.

O god, nee, dacht D'Agosta.

De anderen stonden op en wendden zich naar de hogepriester. De ceremonie had bijna haar hoogtepunt bereikt, dat was duidelijk. Charrière had zichzelf opgezweept tot een soort koorts en danste op het veulen af; de gelovigen stonden als één man heen en weer te zwaaien op hun benen; het glinsterende mes werd nog hoger geheven. Het veulen stampte met zijn hoefjes en hinnikte steeds banger, schudde met zijn hoofd, probeerde los te komen.

De priester naderde.

D'Agosta wendde zijn blik af. Hij hoorde het schelle hinniken, hoorde de plotselinge zucht van de menigte – en toen de doodskreet van een bang paard.

De menigte hief een snel gezang aan en D'Agosta richtte zijn blik weer naar voren. De priester hief het stervende veulen, waarvan de benen nog licht trappelden, in zijn armen. Hij liep het schip van de kerk door en de menigte week voor hem uiteen. Hij naderde het afzichtelijke mens-ding. Met een kreet gooide de priester het dode veulen op de stenen vloer, terwijl de gelovigen abrupt knielden, allen tegelijk. D'Agosta en Pendergast haastten zich om niet achter te blijven.

Met een afstotelijk geluid viel de zombii op het dode veulen aan. Hij scheurde met zijn tanden het vlees weg, sleurde met een bestiaal gegrom van tevredenheid de darmen naar buiten en propte die in zijn mond.

Het geroezemoes klonk steeds luider: *voed de beschermer! Envoie! Envoie!*

Vol afgrijzen keek D'Agosta naar de gehurkte man. En er plukte een soort oerangst aan zijn binnenste. Hij wierp een blik op Pendergast. Een glinstering van diens zilveren ogen van onder de kap vestigde D'Agosta's aandacht op een halfopen zijdeur in de kerk waarachter een donkere, verlaten gang lag. Een vluchtroute.

Envoie! Envoie!

De gestalte at met razende vaart tot hij verzadigd was. Met een uitdrukkingsloos gezicht stond hij op alsof hij op orders wachtte. Ook de menigte rees als één man overeind.

Op een gebaar van de priester week de menigte uiteen en vormde een menselijke erehaag. Aan de andere kant van de kerk klonk het gekners en gepiep van ijzer en een van de gelovigen opende de buitendeur. Er dreef een vaag briesje van avondlucht naar binnen en boven de ommuring was één enkele ster aan het firmament te zien. Charrière legde een hand op de schouder van de zombii, hief de andere en wees met een lange, benige vinger naar de open deur.

'Envoie!' fluisterde hij hees, en zijn vinger beefde. 'Envoie!'

Langzaam begon de gestalte naar de deur te schuifelen. Even later was hij de drempel over en verdwenen. Met een holle dreun sloeg de deur dicht.

Daarop leek de menigte wel opgelucht adem te halen, te ontspannen. Ze begonnen te schuifelen en rond te lopen. De priester laadde de resten van het veulen in een kist die veel weg had van een lijkkist. De afgrijselijke 'eredienst' was bijna ten einde.

Meteen begaf Pendergast zich onopvallend naar de gang, met D'Agosta in zijn kielzog. Hij deed zijn uiterste best een rustige en doelbewuste indruk te maken. Het duurde niet lang of Pendergast had de open deur bereikt en zijn hand op de klink gelegd.

'Wacht eens even!' Een van de dichtstbijzijnde gelovigen had zich van het afstotelijke tafereel afgewend en had hen gezien. 'Niemand mag weg voordat de ceremonie ten einde is – dat weten jullie!'

Pendergast gebaarde naar D'Agosta, maar hield zijn hoofd afgewend. 'Mijn vriend voelt zich niet goed.'

'Geen excuses.' De man kwam op hen af en bukte zich om naar Pendergasts gezicht onder de kap te kijken. 'Wie ben jij, vriend?'

Pendergast boog zijn hoofd, maar de man had zijn gezicht al gezien. 'Buitenstaanders!' riep hij, terwijl hij Pendergasts kap wegtrok.

Plotseling werd het stil in de kerk.

'Indringers!'

Snel smeet Charrière de buitendeur van de kerk open. 'Indringers!' riep hij het donker in. 'Baka! Baka!'

'Grijp hem! Snel!'

Plotseling zag D'Agosta het mens-ding in de deuropening staan. Even stond hij daar op zijn benen te wankelen. Toen zette hij zich met angstaanjagende doelbewustheid in beweging – hun kant uit.

'Envoie!' krijste de priester, en hij wees met zijn vinger naar Pendergast en D'Agosta.

D'Agosta kwam als eerste in actie. Hij mepte de klokkenluider tegen de grond, en Pendergast sprong over zijn gevloerde gestalte heen en zwaaide de zijdeur open. D'Agosta stormde erdoorheen, sloeg de deur achter hen dicht en deed hem op slot.

64

Ze bleven staan en keken om zich heen: ze stonden in een schemerige gang met een andere deur aan het eind. Terwijl er gebeukt werd op de deur die ze zojuist op slot gedaan hadden, kwamen ze in actie. Ze renden de gang door, maar de deur aan de andere kant zat dicht. D'Agosta deed een paar stappen achteruit om hem open te rammen.

'Wacht even.' Een paar snelle manoeuvres met Pendergasts inbrekerssetje en het slot sprong open. Ze liepen verder, en Pendergast deed de deur achter hen weer op slot.

Ze stonden boven aan een overloop met een houten trap die een troebele duisternis in leidde. Pendergast knipte een lantaarntje aan en richtte het op het donker dat voor hen lag.

'Dat... die man...' hijgde D'Agosta. 'Wat waren die lui in godsnaam aan het doen? Is dat een godheid of zo?'

'Misschien is dit niet het ideale moment voor speculaties,' antwoordde Pendergast.

'Ik kan je één ding wel zeggen: dat is het gedrocht dat mij een week geleden heeft aangevallen.' Hij hoorde gebeuk op de deur aan het begin van de gang, het geluid van splinterend hout.

'Na jou,' zei Pendergast met een gebaar naar de trap.

D'Agosta rimpelde zijn neus. 'Wat is het alternatief?'

'Er is helaas geen alternatief.'

Ze klommen de oude trap af; de treden kraakten luidruchtig onder hun voeten. De trap eindigde in een halve overloop die naar een tweede trap leidde, van steen ditmaal, die in een spiraal de duisternis in verdween. Toen ze eindelijk onder aan de trap stonden, zag D'Agosta dat er voor hen een bakstenen gang lag, vochtig, vol spinnenwebben en korsten op de muren. Het rook er naar aarde en schimmel. Achter en boven hen klonken gedempte kreten en het beuken van vuisten op hout.

D'Agosta haalde zijn eigen zaklamp tevoorschijn.

'We moeten op zoek naar metselwerk dat overeenkomt met dat op de videobeelden,' zei Pendergast, terwijl hij met zijn licht over de vochtige muren scheen. Met fladderende pij liep hij snel het donker in.

'Die ellendelingen daarboven kunnen ons ieder moment te grazen nemen,' zei D'Agosta.

'Over hen maak ik me geen zorgen,' zei Pendergast binnensmonds. 'Over hém wel.'

Ze liepen onder een reeks boogvormige doorgangen door, langs een stenen trap die omhoogvoerde. Daarna splitste de tunnel zich en na een korte aarzeling koos Pendergast de linkerzijde. Even later bereikten ze een grote, ronde kamer waarin op regelmatige afstanden nissen in de wand waren aangebracht. In iedere nis lagen menselijke botten als brandhout opgestapeld, de schedels opgehangen aan de pijpbeenderen. Aan vele kleefden nog plukjes haar en stukjes opgedroogd weefsel.

'Fijne plek hier,' mompelde D'Agosta.

Plotseling bleef Pendergast staan.

Even later hoorde D'Agosta wat hem tot staan had gebracht: een ongelijkmatig geschuifel dat uit het donker achter hen kwam. Net buiten het bereik van zijn lantaarn klonk een luid, reutelend gesnuif, alsof iemand de lucht opsnoof om de boel te verkennen. Met een onvaste tred, sneller en sneller, schoof er iets door een onzichtbare gang die kennelijk parallel liep met het vertrek waarin zij zich bevonden. D'Agosta ving de sterke geur op van paardenvlees in de bedompte lucht.

'Ruik je dat?'

'Maar al te goed.' Pendergast richtte zijn licht op een boogvormige doorgang waarvandaan de geur op een zuchtje frisse lucht leek binnen te drijven.

D'Agosta trok zijn Glock. Onwillekeurig voelde hij een steek van angst door zich heen gaan. 'Dat gedrocht zit daar. Jij neemt de linkerkant, ik neem rechts.'

Pendergast trok zijn .45 onder zijn habijt vandaan en ze slopen op de deuropening af, elk aan een kant.

'Nú!' riep D'Agosta.

Ze draaiden om hun as naar de deuropening toe. D'Agosta richtte zijn pistool op de plekken waar hij met de lantaarn op scheen, maar zag niets anders dan kale muren van natte baksteen. Pendergast wees naar de vloer, waar een reeks bloederige voetsporen de duisternis in leidden. D'Agosta knielde en raakte er een aan; het bloed was zo vers dat het nog niet eens gestold was.

D'Agosta stond op. 'Dit kan helemaal niet,' mompelde hij.

'En we verdoen tijd die we niet hebben. Kom, we gaan verder. Snel.'

Achterwaarts liepen ze het vertrek uit, en daarna staken ze op een draf de open necropolis over naar een doorgang aan de andere zijde. Die gaf op zijn beurt toegang tot een tweede spelonkachtige ruimte, met ruwe wanden die rechtstreeks uit de rots van de ondergrond waren gehouwen. Ze gingen naar binnen en schenen met hun licht om zich heen.

'Deze muren lijken ook niet op het metselwerk in de video,' fluisterde Pendergast. 'Dit is schist, geen graniet, en het is niet op dezelfde manier gehouwen.'

'Het lijkt hier wel een doolhof.'

Pendergast knikte naar een lage doorgang. 'Laten we die gang eens proberen.'

Ze doken de lage tunnel in. 'Jezus, wat een stank,' zei D'Agosta. Het was de dikke, overweldigende, vaag ijzerachtige lucht van paardenbloed, nog afgrijselijker doordat het zo overduidelijk vers was. Daarnaast waren er hier en daar wervelingen van frisse lucht, afkomstig van een onzichtbare spleet in de buitenmuren. In de verte, weergalmend door de tunnels, hoorde hij de kreten en het roepen van de gelovigen die de achtervolging hadden ingezet. Ze leken ondergronds gegaan te zijn en zich verspreid te hebben, op zoek naar hen.

Ze liepen verder door de tunnel; Pendergast bewoog zich zo snel dat D'Agosta hem alleen op een drafje kon bijhouden. Zo spatterden ze door poelen stilstaand water, glibberig van de algen. De muren waren overdekt met zoutkorsten en spinnenwebben, en al lopende zag D'Agosta witte spinnen wegduiken in de gaten in het metselwerk. Aan de rand van de duisternis glinsterden rode rattenogen die hen in het voorbijgaan fonkelend opnamen.

Ze naderden een kruispunt waar drie kruistunnels bijeenkwamen in een zeshoekige ruimte. Pendergast minderde vaart, legde zijn vinger aan zijn lippen en gebaarde dat D'Agosta langs de ene tunnelwand moest sluipen terwijl hijzelf de andere voor zijn rekening nam.

Toen ze bij de splitsing aankwamen, was er een snelle beweging boven hen: D'Agosta voelde haar eerder dan hij haar zag. Hij liet zich vallen en rolde weg op het moment dat iets, het zombii-achtige schepsel, zich naar beneden liet vallen. De flarden van zijn oude, ooit chique uitdossing klapperden en ritselden over zijn knoestige ledematen als kapot gebeukte zeilen in de storm. D'Agosta vuurde een schot af, maar daarop was het mens-ding voorbereid en het dook zo onverwacht opzij dat hij miste. Het gedrocht rende zijn blikveld in, flitste door de lichtbundel van zijn lantaarn, en terwijl D'Agosta zich op de grond liet vallen om aan de charge te ontkomen, werd er een kort maar doodgriezelig beeld op zijn netvlies gebrand: het ene, doelloos rondrollende oog; de patronen en krullen van de vévé die op zijn huid waren geschilderd of geplakt; de natte lippen, opgekruld in een scheve grijns van hilariteit. En toch was er niets vaags of hilarisch in de bewegingen van het schepsel: het kwam hen achterna met een doelbewuste, afgrijselijke blik in de ogen.

65

D'Agosta vuurde nogmaals, maar hij wist al dat hij zou missen: het gedrocht was de duisternis in gedoken en verdwenen. Hij ging op de grond liggen en scheen met de lantaarn om zich heen, zijn pistool getrokken.

'Pendergast?'

De special agent kwam gehurkt vanuit een donkere deuropening tevoorschijn; hij hield zijn colt met twee handen voor zich.

Het enige wat de stilte doorbrak was het geluid van druppelend water.

'Hij zit hier nog ergens,' zei D'Agosta op gedempte toon. Hij kwam half overeind en draaide met gebogen knieën en het pistool in de aanslag om zijn as. Zich tot het uiterste inspannend probeerde hij iets te ontwaren in het donker.

'Ja. Ik denk niet dat hij weg zal gaan voordat wij dood zijn – of híj.'

De seconden regen zich aaneen tot minuten.

Uiteindelijk rechtte D'Agosta zijn rug en liet de Glock zakken. 'We kunnen ons niet permitteren om hier te gaan zitten wachten, Pendergast. We moeten...'

Als een matte bliksemschicht kwam de zombii van opzij aanzetten, recht op de lantaarn af. Met een uitgemergelde hand sloeg hij naar het licht, zodat de lantaarn met een klap de duisternis in rolde. D'Agosta schoot, maar het gedrocht was al uit het zicht verdwenen, terug in de relatieve veiligheid van het donker. Hij hoorde Pendergasts .45 bijna gelijk met zijn eigen schot afgaan, een oorverdovend dubbel schot – en toen werd het plotseling aardedonker en kletterde Pendergasts eigen lantaarn tegen een muur.

Bijna meteen klonken in het duister de geluiden van een verbitterde strijd.

Hij dook op het rumoer af, borg zijn Glock in de holster en trok zijn mes; dat was beter voor een vuistgevecht in het donker, en zo had hij minder kans Pendergast te raken, die zo te horen een strijd op leven en dood met het wezen voerde. Hij stuitte op de pezige gestalte van de zombii en haalde meteen uit met het mes, maar ondanks zijn schuifelende manier van lopen was het schepsel onmenselijk sterk en razendsnel. Hij draaide zich om en graaide naar D'Agosta als een panter, waarbij hij hem in een adembenemende stank hulde. Het mes werd uit zijn hand gerukt en hij ging het mens-ding te lijf met zijn blote handen. Hij beukte erop los, op zoek naar de weke onderbuik, het hoofd. En intussen moest hij zich verweren tegen de magere handen die naar hem klauwden en graaiden. In het donker, en in een pij gehuld, verkeerde hij in het nadeel; het walgelijke schepsel daarentegen leek in zijn element te zijn: wat D'Agosta ook deed, hoezeer hij zich ook verweerde, keer op keer had het gedrocht het voordeel van een betere positie. Bovendien was het moeilijk vat te krijgen op het glibberige lijf, dat glad was van zweet en bloed en olie.

Wat was er in godsnaam met Pendergast gebeurd?

Er werd een arm om zijn nek geslagen, verstikkend als een stalen kabel. D'Agosta wrong zich opzij, naar adem happend, half verstikt, en probeerde zijn aanvaller af te werpen terwijl hij naar zijn vuurwapen tastte. Maar het glibberige mens-ding had stalen spieren, en ondanks D'Agosta's wanhopige verzet bleef die hand om zijn hals geslagen, zodat hij amper adem kreeg, terwijl de andere hand zijn pistoolarm vastpinde. Het schepsel slaakte een kreet van triomf, een wilde, ongearticuleerde kreet: *oaaahhhoeoeoooo!*

Er schoten witte sterren voor zijn gezichtsveld langs. Hij wist dat hij nog maar een paar seconden had. Met een laatste, explosieve inspanning, wrikte hij zijn rechterarm vrij, trok zijn pistool en vuurde. De flits verlichtte de grafachtige tunnel, de daverende knal was oorverdovend in die besloten ruimte.

Eiiii! krijste de zombii, en meteen voelde D'Agosta een harde klap op zijn hoofd. Meer sterren ontploften voor zijn ogen. Het gedrocht had zijn onderarm weer vastgeklemd en schudde en beukte ermee op de grond in een poging het wapen uit zijn hand te rammen. *Eiiii,* riep het nogmaals. Hoe verdoofd hij ook was, D'Agosta wist zeker dat hij het wezen geraakt had. De opwinding en het jammerlijke krijsen getuigden daar overduidelijk van. Maar desondanks leek het schepsel sterker dan ooit, en vocht het met een onmenselijke razernij. Het stampte op zijn onderarm tot hij zijn botten hoorde knappen. Vlak boven zijn pols bloeide een onbeschrijflijke pijn op; het pistool vloog zijn hand uit en het wezen liet zich boven op hem vallen, beide klauwen rond zijn nek geklemd.

Hij kronkelde en draaide, beukte op de zombii los met zijn goede hand en probeerde zich los te werken – maar hij voelde zijn krachten snel wegebben.

'Pendergast!' riep hij verstikt.

De stalen vingers werden nog strakker om zijn hals geklemd. D'Agosta kokhalsde en wrong zich in alle bochten, maar zonder zuurstof was het een verloren strijd. Een eigenaardige prikkeling trok door zijn ledematen, vergezeld van een luid gonzen. Hij graaide om zich heen, klauwde over de vloer, op zoek naar zijn mes. In plaats daarvan sloten zijn vingers zich rond een groot brok steen. Dat greep hij; hij haalde ermee uit zover hij kon en ramde het op de kop van de zombii.

Eeiiiaaaahhh! kermde het wezen, en het tuimelde achteruit. Hij hapte naar adem, zoog zijn longen vol, haalde uit met de steen en trof het wezen nogmaals. Weer een schrille kreet, en het sprong van D'Agosta af.

Kuchend en buiten adem kwam D'Agosta overeind en rende blindelings weg in het donker. Even later hoorde hij het mens-ding achter hem aan komen, met blote voeten pletsend op de slijmerige stenen vloer.

66

Vanaf zijn positie bij een grote opening in de omheining van de Ville overzag Rich Plock de naar binnen stromende menigte met grote voldoening. Tien eerste groepen van zo'n tweehonderd man elk – dat was tweeduizend in totaal, minder dan hij verwacht had, maar ze waren evenzogoed ontzagwekkend in hun vastberadenheid. Voor een demonstratie hartje New York was het een kleine groep, maar dit was een demonstratie met een specifiek doel. Deze mensen wisten wat ze wilden. Dit was de harde kern. Nerveuze en bang uitgevallen types, dagjesmensen en mooiweervrienden als Esteban, waren ditmaal thuisgebleven. Des te beter. Dit was een doelbewuste groep, een vastberaden menigte. Met dit soort mensen had hij weinig kans dat ze het bij tegenwerking of geweld zouden laten afweten. Hoewel er weinig kans was op geweld; waarschijnlijk telde zijn groep zowat tienmaal zo veel koppen als het aantal inwoners van de Ville. Misschien zouden ze aanvankelijk verzet bieden, maar binnen de kortste keren zouden ze overweldigd zijn.

Het was allemaal gesmeerd verlopen, een plezier om mee te maken. De politie was volkomen overdonderd geweest. De aanvankelijke demonstranten, zorgvuldig zo uitgedost dat ze er zo ongevaarlijk mogelijk uitzagen, hadden de indruk gewekt dat dit een klein, onschuldig opstootje werd, niets om je druk om te maken. En toen, binnen enkele minuten, waren van alle kanten de andere groepen gearriveerd, rustig, te voet – en meteen had de massa zich volgens plan als één man in beweging gezet. Met vereende krachten waren ze gezamenlijk op pad gegaan over de sportterreinen, de weg af naar de Ville. De politie had geen tijd gehad om een barricade op te werpen, geen tijd om de belhamels te arresteren, geen tijd om de vooruitgeschoven posten elders te positioneren, geen tijd om versterking op te trommelen. Het enige wat ze nog konden, was zonder enig effect in hun megafoons staan schreeuwen en oproepen tot orde, terwijl boven hun hoofd een eenzame politiehelikopter rondcirkelde en onverstaanbare waarschuwingen uitte. Hij hoorde de sirenes en de megafoons achter zich terwijl de politie als mosterd na de maaltijd een achterhoedegevecht voerde om te voorkomen dat de massa naar de Ville zou optrekken.

Ongetwijfeld waren de hulptroepen al op weg. De politie van New York was een goed geoliede machine. Maar tegen de tijd dat die hulptroepen arriveerden zouden Plock en zijn mensen al in de Ville zitten, bezig hun doel te bereiken: de moordenaars eruit gooien en wie weet de ontvoerde vrouw vinden, Nora Kelly.

De laatste demonstranten kropen door het gat en liepen te hoop op het veld tegenover de vooringang van de Ville, zich verspreidend als stoottroepen. Toen Plock naar de voorste rijen liep voor een paar laatste instructies, weken ze uiteen. De Ville zelf stond zwijgend in het avondlicht, somber als een donkere berg; het enige teken van leven waren een paar geel verlichte raampjes hoog in de muren van de kerk. De voordeur zat dicht en was gebarricadeerd, maar zou geen enkel obstakel vormen voor de mannen met stormrammen die zwijgend vooraan in de menigte stonden, klaar voor actie.

Plock hief een hand op en de meute viel stil.

'Vrienden.' Hij sprak zonder stemverheffing, waardoor de aanwezigen nog stiller werden om hem te kunnen verstaan. 'Wat kwamen we hier ook alweer doen?' Hij wachtte even. 'Laten we daar vooral duidelijk over zijn. Wat komen we hier doen?'

Hij keek om zich heen. 'Wij zijn hier om die deur open te breken en die dierenbeulen, die moordenaars, weg te jagen. Met ons onverzoenbare morele oordeel en de massa die we meebrengen. We drukken ze weg. We bevrijden die dieren in dat hellegat.'

De politiehelikopter cirkelde boven hun hoofd en herhaalde voor de zoveelste maal de onverstaanbare boodschap. Hij sloeg er geen acht op.

'En de allerbelangrijkste mededeling: wij zijn geen moordenaars. We zijn en blijven moreel superieur. Maar pacifisten zijn we ook niet! Als zij kiezen voor de strijd, dan vechten wij terug. We zúllen onszelf verdedigen, en we zúllen de dieren verdedigen.'

Hij haalde diep adem. Hij wist dat hij geen begenadigd spreker was, maar hij had de kracht van de overtuiging en hij zag dat de menigte tot veel bereid was.

De politie kwam nu vanaf de weg aanzetten, maar hun aantallen waren belachelijk klein in vergelijking met zijn eigen troepen, en Plock negeerde ze. Hij zou al binnen in de Ville zitten voordat de politie zich zelfs maar had kunnen hergroeperen. 'Zijn we er klaar voor?' riep hij.

'We zijn er klaar voor!' klonk het antwoord.

'Vooruit!' En hij wees met zijn vinger.

Brullend trok de meute op naar de hoofdingang van de Ville. Deze leek kortgeleden hersteld en versterkt te zijn. De twee mannen met de stormrammen stonden vooraan. Ze namen een aanloop en beukten op de deuren los, eerst de ene en toen de andere. Het houtwerk versplinterde en spleet doormidden, en nog geen minuut later stonden ze binnen. De meute drong naar voren en drukte de laatste houtsplinters weg. Plock voegde zich bij de massa die een donkere, smalle steeg in drong, met aan weerszijden schuin overhangende houten gebouwen. Het was eigenaardig stil op straat, er was geen inwoner te bekennen. Het gebrul van de massa rees op als een dierlijke kreet, versterkt door de krappe ruimtes van de Ville, en op een draf liepen ze de hoek van de steeg om tot ze oog in oog stonden met de oude kerk.

Die aanblik deed hen aarzelen. Het was een ontzagwekkend gebouw; het stond er als een middeleeuwse structuur die nog het meest weg had van iets op een schilderij van Jeroen Bosch, vol vreemde hoeken en half afgetimmerd met ruw ogende steunberen die de lucht in staken voordat ze de grond in boorden, enorm groot en vol scherpe punten. Het portaal van de kerk stond recht voor hen – een tweede serie houten deuren, met ijzeren banden en klinknagels.

Die aarzeling duurde echter maar even. Toen steeg opnieuw het gebrul op, krachtiger dan ooit, en de mannen met de stormrammen kwamen opnieuw naar voren. Ze namen hun plek in aan weerszijden van de gewapende deuren en zwaaiden de rammen om beurten in een asynchroon ritme: boem-*boem!* Boem-*boem!* Boem-*boem!*

Een oorverdovend gekraak gaf aan dat het eeuwenoude eikenhout aan het bezwijken was, terwijl het onophoudelijke beuken doorging. Deze deuren waren veel solider dan de vorige, maar uiteindelijk begaven ze het met een luid gesplinter en een gerinkel van knappende ijzeren nagels en banden. Ze zegen ineen en bezweken met een daverende huivering onder hun eigen gewicht...

En daar, in de duisternis, stonden twee mannen die hun de weg versperden. De een was lang, een opvallende gestalte met een lange, bruine pij aan, de kap achterovergeschoven. De zware wenkbrauwen en uitgesproken jukbeenderen waren zo prominent aanwezig dat ze de zwarte ogen en de bleke huid, glanzend in het licht van de pas opgekomen maan, bijna verhulden. Zijn neus was scherp als een kromzwaard. De andere, korter en grover van bouw, had een krankzinnig versierd priestergewaad aan en bekleedde onmiskenbaar een of andere geestelijke functie. Met kwaadaardig glinsterende ogen keek hij de indringers aan.

De langere man straalde zo'n vanzelfsprekende kracht uit dat de meute meteen tot stilstand kwam. Hij hief een hand en zei: '*Tot hier en niet verder!*' De stem klonk rustig, somber, met een vaag accent dat Plock niet herkende. Toch klonken de woorden uitermate gezaghebbend.

Plock drong naar voren en ging pal voor hem staan. 'Wie ben jij?'

'Mijn naam is Bossong. En wat u hier ontheiligt met uw aanwezigheid is míjn gemeente.'

Plock verhief zich tot zijn volle lengte. Hij was zich terdege bewust van het feit dat hij half zo lang en tweemaal zo breed was als zijn tegenstander. Maar toen hij antwoordde, knisperde zijn stem van de overtuiging: 'Wíj gaan verder en jíj gaat opzij. Je hebt het recht niet om hier te staan, dierenbeul!'

De mannen stonden stokstijf stil, en tot zijn verrassing zag Plock achter hem in de rossige schemering een minstens honderdkoppige menigte staan.

'Wij doen niemand enig kwaad,' vervolgde Bossong. 'We willen alleen met rust gelaten worden.'

'Geen kwaad? En onschuldige dieren de hals afsnijden, hoe noem jij dat dán?'

'Dat zijn eerbiedwaardige offerpraktijken, een cruciaal onderdeel van onze religie...'

'Waanzin! En die vrouw die jullie ontvoerd hebben? Waar is die? En waar zitten de dieren, waar worden die gehouden? Zeg op!'

'Een vrouw? Daar weet ik niets van.'

'Leugenaar!'

Nu hief de priester plotseling een ratel in de ene en een vreemd ogend bundeltje veren in de andere hand, en hij barstte los in een luid, bevend gezang in een of andere onverstaanbare taal, alsof hij een vloek uitsprak over de indringers.

Plock strekte zijn arm en rukte de priester het bundeltje uit de hand. 'Weg met die hocus pocus! Aan de kant, of je wordt onder de voet gelopen!'

De man keek hem zwijgend aan. Plock deed een stap naar voren alsof hij dwars door hem heen wilde lopen en de menigte achter hem reageerde met een gebrul en drong naar voren, zodat Plock tegen de priester aan geduwd werd. Die viel ruggelings op de grond en de meute stroomde om hem heen de donkere kerk in. Bossong werd ruw opzij gedrukt; de gelovigen in de kerk aarzelden bij de aanblik van hun gevallen priester en er ging een geroep van angst en woede op, vermengd met kreten van verontwaardiging over deze heiligschennis.

'Naar de dieren!' brulde Plock. 'Op zoek naar de dieren! Vrijheid voor de dieren!'

67

Pendergasts kleren waren gescheurd en zaten onder het bloed; zijn oren suisden nog van de aanval. Hij hees zich op zijn ellebogen en kwam even later onvast overeind. Bij de aanval met het mens-ding was hij buiten westen gemept, en nu, een paar minuten later, kwam hij in het donker bij. Hij reikte in de zak van zijn jasje en haalde er een miniatuurlantaarntje met leds uit, dat hij speciaal voor dit soort noodgevallen bij zich had. Hij scheen ermee om zich heen en zocht langzaam en nauwgezet de vochtige vloer af naar zijn pistool. Dat was echter nergens te vinden. Hij zag vage sporen van een strijd en de voetafdrukken van D'Agosta, die op de vlucht geslagen was, achternagezeten door het barrevoetse wezen.

Hij knipte de lantaarn uit en bleef even in het donker staan nadenken. Hij maakte een snel rekensommetje en kwam tot een besluit. De oppassers van dit schepsel, deze zombii, hadden hem een vreselijk, moorddadig streven ingeprent. Zolang hij liosliep, vormde hij een groot gevaar voor hen beiden. Maar Pendergast had een rotsvast vertrouwen in D'Agosta – een vertrouwen dat bijna iets van een geloof had. Als er iemand was die voor zichzelf kon opkomen, was het inspecteur D'Agosta wel.

Maar Nora – Nora moest gered worden.

Pendergast knipte de lantaarn weer aan en keek in de volgende kamer. Daar was het een ware dodenstad, vol houten lijkkisten op rijen stenen verhogingen, sommige met twee of drie op elkaar gestapeld, vele ervan deels bezweken zodat de inhoud over de grond rolde. Het leek erop dat een groot deel van de ondergrondse ruimtes van de Ville, oorspronkelijk voor andere doeleinden gebouwd, tegenwoordig in gebruik was als opslagplaats voor doden.

Maar toen hij zich omdraaide om verder op zoek te gaan naar Nora, ving hij een glimp op van iets aan het eind van de ruimte – een ongebruikelijke lijkkist die iets had wat zijn aandacht trok. Hij liep erheen om beter te kunnen zien, dacht even na en legde er toen zijn hand op.

Het was een doodskist van dik lood, die niet als de andere op schragen stond, maar die was neergelaten in de stenen vloer. Alleen het deksel stak boven de grond uit. Wat zijn aandacht trok was het feit dat dit deksel op een kier openstond en dat de ruimte daarbinnen zichtbaar geplunderd was – en wel heel kortgeleden.

Hij keek er nog eens goed naar. In vroeger eeuwen was lood vaak gebruikt voor het begraven van belangrijke personen, omdat lood de inhoud goed conserveert. Toen hij met zijn lantaarn over de kist scheen, viel hem op hoe zorgvuldig die was verzegeld; het loden deksel was stevig aan de kist vastgelast. Maar iemand had het loden deksel met een bijl opengehakt, had met geweld de verzegeling opengebroken en het deksel er afgewrikt, zodat er een groot, lelijk gat was ontstaan. Dit was niet alleen kortgeleden, maar ook in grote haast, gedaan. De krassen in het zachte metaal waren duidelijk zichtbaar en glommen nog: er was geen teken te bekennen van oxidatie, waardoor de braaksporen mat geworden zouden zijn.

Pendergast keek in de kist. Het lijk, dat in de verzegelde omgeving was gemummificeerd, was ruw opzijgeschoven; er was met geweld iets tussen de gekromde handen vandaan getrokken: de versteende vingers waren gebroken en lagen her en der door de kist, en één arm was uit de vermolmde schouderkom getrokken.

Hij stak zijn hand naar binnen en voelde hoe stoffig het lijk was, hoe droog het nog was. Dit was zo kortgeleden gebeurd dat de muffe lucht in het vertrek nog niet eens was neergeslagen in de kist. De plundering moest nog geen halfuur geleden hebben plaatsgevonden.

Toeval? Beslist niet.

Pendergast richtte zijn aandacht op het lijk zelf. Het was een opmerkelijk goed bewaard gebleven lijk van een oude man met een lange, witte baard en lang wit haar. Op de ogen lagen twee antieke gouden munten. Het gezicht was verschrompeld als een oude appel, de lippen hadden zich door uitdroging over de tanden weggetrokken en de huid had de kleur van oud ivoor gekregen. Het lichaam was gehuld in eenvoudige kleding, in quakerstijl: een donkere jas, een overhemd met daaroverheen een bruin vest en een lichte broek. Maar rond de borstkas waren de kleren opengerukt en opzij getrokken en waren knopen en flarden stof rondgestrooid bij wat zo te zien een wanhopige poging was geweest iets op het lijk te vinden. Op de overhoopgehaalde kleding zag Pendergast de omtrek van iets wat de stof platgedrukt had, een klein, vierkant, zwaar voorwerp – een doosje.

Die sporen vertelden, samen met de gebroken vingers, een verhaal. De grafrover had een doos uit de stoffige greep van het lijk gewrikt.

Op de vloer achter de lijkkist zag Pendergast de kapotte resten van wat alleen maar datzelfde doosje kon zijn, met de vergane bovenkant eraf gerukt. Hij bukte zich en bekeek het van dichtbij, rook eraan, nam de afmetingen in zich op. De vage geur van perkament bevestigde zijn eerste indruk: in de doos had een gebonden document van zo'n twintig bij vijfentwintig centimeter gezeten.

Langzaam en weloverwogen liep Pendergast om het deksel van de doodskist heen. Bovenaan, in het lood gestempeld, zag hij een inscriptie, nog maar vaag leesbaar door wittige bloesems van oxidatie. Hij veegde met zijn mouw de korrels weg en las wat er stond.

Elijah Esteban
uit dit leben genomen op 22 nobember 1745
in zijn 55ste lebensjaar
hoe droebig zwijgt uw mond,
hoe traag uw stap
wanneer de afgrond gaapt.
gij lebenden, aanschouw de grond
waarin gij aanstonds slaapt.

Een hele tijd bleef Pendergast naar de naam op de kist staan kijken. En toen viel alles plotseling op zijn plek en begreep hij wat er aan de hand was. Zijn gezicht betrok bij de gedachte aan de catastrofale fout die hij had gemaakt.

Deze geplunderde lijkkist was geen toeval, geen onbelangrijk bijverschijnsel: hier was het allemaal om begonnen.

68

Het schepsel was er niet meer – op de een of andere manier had het D'Agosta niet kunnen bijhouden, laat staan inhalen; of het had de achtervolging gestaakt. Dat laatste leek echter niet zeer waarschijnlijk. Het ding mocht dan een voortstrompelende zombii zijn, het had de vasthoudendheid van een pitbull. Misschien, dacht hij, had de afwezigheid iets te maken met een vage commotie die hij boven zijn hoofd hoorde, een geluid als van een op hol geslagen kudde. Hij liet zich tegen het natte steen onderuitzakken, half verdoofd en volledig buiten adem, tot het gebrul in zijn hoofd eindelijk begon af te nemen. Hij hoorde nog steeds het vage geroezemoes uit de kerk boven zich komen.

Hij ging rechtop zitten, en meteen schoot de pijn door zijn rechteronderarm. Hij tastte er voorzichtig naar met zijn linkerhand en voelde de botten over elkaar schuren. Een breuk, dat was duidelijk.

'Pendergast?' zei hij in het donker.

Geen geluid.

Hij probeerde zich te oriënteren, te bedenken waar hij zich bevond in die wirwar van tunnels, maar het was aardedonker en bij zijn vlucht was hij ieder gevoel van richting verloren. Hij kon onmogelijk weten hoever hij gelopen had, of welke kant uit. Met een grimas van de pijn stak hij zijn gebroken arm in zijn shirt, knoopte dat strak dicht en kroop over de grond tot hij met de hand van zijn goede arm een bakstenen muur vond. Hij hees zich overeind en voelde de misselijkheid als een vloedgolf over zich heen slaan. Nog steeds klonken de stemmen boven zijn hoofd, maar nu hoorde hij dichterbij een veel harder lawaai: kreten en gejoel dat van elders in de kelders klonk en met grote snelheid dichterbij kwam.

Ze zaten dus nog steeds achter hem aan.

Zo hard als hij durfde riep hij: 'Pendergast!'

Geen antwoord.

Zijn zaklamp had hij niet meer, maar hij bedacht dat hij de oude zippo op zak had, een aandenken uit de dagen dat hij nog sigaren rookte. Hij haalde de aansteker tevoorschijn en knipte hem aan. Hij bevond zich in een kleine ruimte met een boogvormige doorgang naar een bakstenen tunnel. Langzaam, om de pijn en de misselijkheid niet nog erger te maken, wankelde hij naar de doorgang en keek om zich heen. Nog meer bakstenen tunnels.

De hitte van de aansteker brandde aan zijn vinger, en hij liet de vlam uitgaan. Hij moest terug, zijn pistool en zijn lantaarn opsporen en Pendergast zien te vinden. En boven alles moesten ze erachter komen waar Nora zat.

Hij vloekte hardop en knipte de aansteker weer aan. Hij probeerde de stekende pijn in zijn arm te negeren en strompelde de hoofdgang in, steun zoekend bij de bakstenen muur. Hij herkende de gang niet: het was een bakstenen tunnel als alle andere.

Langzaam wankelde hij verder. Waren ze deze tunnel door gekomen? In het bevende schijnsel van de aansteker zag hij verse sporen op de natte, modderige vloer. Maar had hij die gemaakt? Plotseling zag hij een grote afdruk van een blote voet met wijduitstaande tenen. Hij huiverde.

De geluiden van boven klonken luider: kreten, het gekwaak van een megafoon, een dreun. Het klonk niet meer als een ceremonie. Zo te horen waren de demonstranten gearriveerd.

Was het gevaarte daarom verdwenen? Het leek de enige voor de hand liggende conclusie.

'Pendergast!'

Plotseling zag hij lichten in het donker en verscheen rond een bocht in de tunnel voor hem een groep gelovigen. Ze hadden pijen aan, met de kap over hun hoofd getrokken. Sommigen hadden lantaarns of toortsen in hun handen, anderen een assortiment aan wapens, tuingereedschap en mestvorken. Ze waren met twintig, vijfentwintig man.

D'Agosta slikte, deed een stap achteruit en vroeg zich af of ze hem in het donker gezien hadden.

Met een kreet als uit één keel kwam de groep op hem af.

D'Agosta draaide zich om en ging ervandoor, zijn gebroken onderarm tegen zich geklemd. Zo hard hij kon vluchtte hij de donkere tunnels door, met de flakkerende en walmende aansteker in zijn hand. De vlam doofde en hij bleef even staan om hem weer aan te steken, probeerde zich te oriënteren en zette het weer op een rennen. Hij holde een hoek om en zag dat hij was beland in een somber hok van een kelderruimte waarin stapels en stapels rottend timmerhout lagen. Aan het eind was een deur. Hij rende erheen en sloeg de deur achter zich dicht, waarna hij er hijgend tegenaan bleef staan leunen. Zijn hoofd tolde van de pijn in zijn onderarm. De zippo was tijdens de vlucht uitgegaan, en toen hij hem weer aanknipte zag hij dat hij in een zoveelste grote voorraadkamer stond. Hij keek naar de grond – en zijn adem stokte.

Nog geen anderhalve meter voor hem gaapte een enorm gat met stenen wanden. Het moest een oude waterput zijn, met gladde, natuurstenen muren. Behoedzaam liep hij eropaf en hield de aansteker boven de donkere muil. Het leek een bodemloos gat. Eromheen lagen hopen oud meubilair, scherven van wand- en vloertegels, beschimmelde boeken en andere rotzooi.

Wanhopig keek hij uit naar een schuilplaats. Er waren er zat, maar in geen daarvan zou hij lang onvindbaar blijven als die idioten die hem op het spoor waren iedere hoek en spleet doorzochten. Hij liep om de oude put heen en vluchtte verder. Onderweg schopte hij per ongeluk een oude rotanstoel om, die doormidden brak en vast bleef zitten om zijn voet. Met een enorme trap trok hij zich los voordat hij onder een doorgang aan het eind van de opslagruimte door dook. Nu stond hij in een enorme ruimte, een soort crypte, met oude stenen zuilen en een gewelfd plafond. Hij keek om zich heen bij het licht van de aansteker. Het was inderdaad een crypte, maar anders dan de vorige want de muren en vloeren waren ingelegd met marmeren platen waarin op primitieve wijze kruisen, treurwilgen, schedels en geboorte- en sterfdata waren gehouwen. Er stonden rijen grofhouten sarcofagen. Het was een puinhoop, alles overdekt met stof, de stenen wanden doorzakkend en half ingestort. Dit was niet zomaar oud: dit moest tientallen, misschien zelfs eeuwen ouder zijn dan de hele Ville. Boven zijn hoofd zwollen de stemmen aan. Het klonk als het begin van een confrontatie, misschien zelfs een massale vechtpartij.

Achter zich hoorde hij hoe de deur van de kamer met de put ruw opengesmeten werd, en daarna het geluid van vele voeten.

Zodra hij achter in de crypte een doorgang zag, rende hij daarop af, de hele gang door; hij sloeg af bij een kruising en koos willekeurig een nieuwe, en een derde, dwarsgang. Deze laatste was ruiger van constructie maar leek van later datum te zijn. Het was eerder een soort uit de grond opgegraven catacombe, met nissen die in de harde kleimuren waren uitgehakt, de tunnel zelf werd gestut met oude balken. Ook hier wemelde het van de voodoobeelden, met door de motten aangevreten zakken, bundels half vergane veren, vreemde constructies en graffiti en hier en daar een vreemd gevormde schrijn.

Nadat hij door een nauwe opening was gekropen, bevond hij zich in een ruimte met wanden die van onder tot boven vol nissen zaten, elk met een of meer skeletten erin. Zonder erbij na te denken kroop hij in de grootste nis. Zonder zijn gebroken arm te belasten schoof hij de botten opzij, wurmde zich zo ver als hij kon naar achteren en trok het gebeente met zijn voeten terug, zodat hijzelf aan het oog onttrokken was.

En vervolgens bleef hij zitten wachten.

De zoekpartij was nu dichterbij; hij hoorde de echo's van hun stemmen eigenaardig door de ondergrondse ruimtes galmen. Dit beloofde weinig goeds: uiteindelijk zouden ze hem vinden. Bij het licht van zijn aansteker bekeek hij de nis, en zo ontdekte hij dat die nog verder doorliep. Al kronkelend kon hij zich verder naar binnen werken, terwijl hij met zijn voeten de botten terugharkte die hij opzijgeschoven had. Gelukkig was het zo vochtig dat er geen stofwolken opstegen na al zijn inspanningen, hoewel hij nu omgeven was door een onaangename, schimmelige lucht van bederf. Sommige van de lijken hadden nog flarden kleding, haar, gespen, knopen en verschrompelde schoenen aan hun botten hangen. Zo te zien legden de bewoners van de Ville hun doden in deze diepe nissen, en schoven ze de oude lijken simpelweg naar achteren wanneer er nieuwe werden bijgezet.

De muren waren zo glad dat hij verder naar achteren kon kruipen langs de licht aflopende helling, terwijl hij zich zo diep mogelijk de nis in werkte.

En daar bleef hij zitten wachten, zo ver in het donker dat geen lantaarnlicht hem kon bereiken. Hij hoorde ratelende geluiden: ze priemden met een lange staak in de grafnissen, op zoek naar hem. Even later kwam de staak zijn eigen kruipruimte in glijden; de botten werden opzijgeschoven, maar hij zat zo diep dat de staak hem niet raakte. De punt tastte hier en daar rond, maar trok zich uiteindelijk terug. Hij hoorde hen in de volgende nissen zoeken. Plotseling nam het volume van hun stemmen toe en hoorde hij de opwinding, gevolgd door het geluid van verdwijnende voetstappen. Even later waren de stemmen weggestorven.

Stilte.

Waren ze teruggeroepen om de Ville te verdedigen? Het was de enige mogelijke verklaring.

Hij wachtte een minuut, en nog een, om het zekere voor het onzekere te nemen. Daarna probeerde hij moeizaam zijn nis uit te kruipen. Maar dat leverde geen enkel resultaat op: hij ontdekte dat hij zich in zijn paniek wel heel erg vast had gewerkt. Té vast. Een afgrijselijk gevoel van claustrofobie maakte zich van hem meester. Hij probeerde het te onderdrukken door regelmatig en diep adem te halen. Hij probeerde het nogmaals, maar hij zat werkelijk vast. De paniek dreigde weer toe te slaan, nog erger dan voorheen.

Dit kón niet. Hij was hierin gekomen dus hij móést er weer uit kunnen.

Hij boog zijn knie, zette die als een wig tussen het plafond en de vloer en probeerde zich naar buiten te wrikken terwijl hij zich intussen met zijn goede hand afzette. Maar het zat hem niet mee. De wanden waren glibberig van het vocht en de slijmerige algengroei, en hij moest iets omhoogkruipen. Hij deed zijn uiterste best, gromde van inspanning en klauwde met zijn goede hand over het natte steen. In een nieuwe golf van paniek groef hij zijn vingers in de vochtige aarde en probeerde zich naar voren te duwen, waarbij enkele nagels afbraken.

Mijn god, dacht hij. Ik ben levend begraven.

Hij kon zich maar net inhouden, anders had hij het op een schreeuwen gezet.

69

Het kostte special agent Pendergast tien minuten van dolen en heen en weer lopen voordat hij de goederenlift naar de bijkeuken terugvond. Hij trok de kreunende, half bewusteloze man eruit, klom er zelf in en zag kans zijn hand door een luik in de bovenkant te steken en de kabels te grijpen, zodat hij zich vanuit de ondergrondse vertrekken omhoog kon hijsen. Toen de lift met een klap tegen de bovenkant van de schacht tot stilstand kwam, schoof Pendergast het voorluik open en sprong op de grond. Vanuit de kerk kwamen de geluiden van een hevig oproer, waarbij alle leden van de Ville buiten gehoorsafstand waren gelokt. Daardoor lag er voor hem een vluchtroute open. Hij sprintte door de donkere vertrekken van de oude pastorie, de zijdeur door en het kronkelige steegje door. Nog geen vijf minuten later stond hij weer in het bos van Inwood Hill Park. Hij wierp zijn pij en kap af en liet die op de bosgrond vallen, haalde zijn mobiele telefoon tevoorschijn en koos een nummer.

'Hayward,' klonk het kortaf.

'Pendergast hier.'

'Ik word al bang als ik uw stem hoor. Waar zou dat nou door komen?'

'Bent u in de buurt van Inwood Hill Park?'

'Ik sta hier met Chislett en zijn mannen.'

'Ah, ja. Chislett. Levend bewijs van de volslagen doelloosheid van hoger onderwijs. Maar luister: D'Agosta zit in de ondergrondse vertrekken van de Ville. Hij kon wel eens in de problemen zitten.'

Een korte stilte. 'Vinnie? In de Ville? Waarom in godsnaam?'

'Dat kunt u toch zeker wel raden? Op zoek naar Nora Kelly. Alleen besef ik net dat Nora daar helemaal niet zit. Het komt binnenkort tot een handgemeen...'

'Niet binnenkort. Het is al zover, en...'

Pendergast onderbrak haar. 'Ik denk dat Vincent hulp nodig heeft. Anders gaat hij eraan.'

Een stilte. 'En wat bent u zelf precies van plan?'

'Daar hebben we nu even geen tijd voor. Iedere minuut telt. Luister: er zit iets in de Ville, iets dat ze zelf losgelaten hebben. Het heeft ons aangevallen.'

'U bedoelt, een zombie of zoiets?' was het sarcastische antwoord.

'Een man – of althans, iets wat ooit een man geweest is, maar nu veranderd is in iets levensgevaarlijks. Ik herhaal: Vincent heeft hulp nodig. Hij verkeert in levensgevaar. Pak het voorzichtig aan.'

Zonder op antwoord te wachten klapte Pendergast de telefoon dicht. In de verte, tussen de bomen door, zag hij maanlicht fonkelen op de rivier de Harlem. Er klonk een motor, en even later zag hij een zoeklicht door de duisternis heen priemen: een politieboot die heen en weer voer: nu het allang te laat was op zoek naar demonstranten die vanuit het westen of noorden kwamen aanzetten. Snel rende Pendergast door het bos naar de rivier. Toen hij de bomenrand bereikte, vertraagde hij zijn pas, trok zijn gehavende pak recht en slenterde het moerasgras op naar de kiezeloever. Hij wuifde naar de politieboot, trok zijn FBI-badge en zwaaide daarmee, terwijl hij er met zijn lantaarn op scheen.

De boot minderde vaart, maakte rechtsomkeert en voer de inham in, waar hij net voor de oever bleef liggen. Het was het allernieuwste model patrouilleboot, met waterjet. Er zaten een brigadier en iemand van de waterpolitie in.

'Wie bent u?' informeerde de brigadier, terwijl hij de peuk van een sigaret in het water mikte. Hij had gemillimeterd haar, een vlezig gezicht met oude acnelittekens en dikke lippen, vetrollen in zijn nek en korte, driehoekige vingers. Zijn partner, die aan de knoppen stond, zag eruit of hij het grootste deel van zijn vrije tijd in de fitnessclub doorbracht. De spieren in zijn nek stonden strak als de kabels van Brooklyn Bridge. 'Man, hebben ze jou door de mangel gehaald of zo?'

Pendergast borg zijn badge weer in zijn binnenzak. 'Special agent Pendergast.'

'O ja? FBI? Dat hebben wij nou steeds, hè, Charlie?' Hij stootte zijn partner aan. 'De FBI arriveert: te laat, en met onvoldoende middelen. Hoe spelen jullie dat toch steeds weer klaar?'

'Brigadier...?' Pendergast waadde het water in, kwam langszij en legde zijn hand op de flank van de boot.

'Nu zijn je schoenen verpest, makker,' zei de brigadier met nog een wrange blik op zijn partner.

Pendergast keek naar het naambordje. 'Brigadier Mulvany, ik vrees dat ik uw boot moet confisqueren.'

De brigadier keek naar hem, zoals hij daar meer dan kniediep in het water stond, en er brak een glimlach door op zijn gezicht. 'U vreest dat u mijn boot moet kon-fis-keren?' herhaalde hij lijzig. 'Nou, ík vrees dat ik toestemming nodig heb voor zo'n confiscatie. Want ik kan niet zomaar politie-eigendommen uit handen geven, al was u Edgar Hoover zelf.'

De gespierde partner liet zijn biceps rollen en gnuifde.

'Ik kan u verzekeren, brigadier, dat dit een noodsituatie is. Ik wijs u op sectie 302(b) van de politiewetgeving...'

'O, ook nog eens jurist! Een nóódsituatie. Nee maar, wat voor sóórt noodsituatie dan wel?' Mulvany hees zijn broek op, waardoor de handboeien en sleutels die aan zijn riem bungelden, luid begonnen te rinkelen. Met scheef gehouden hoofd bleef hij staan wachten.

'Een leven. In gevaar. Het doet me genoegen met u te spreken, maar ik vrees dat ik geen tijd meer heb voor dit soort plichtplegingen, brigadier. Eerste en laatste waarschuwing.'

'Luister eens even, ik heb mijn orders. De toegang over water naar de Ville in het oog houden. En ik geef mijn patrouilleboot niet zomaar uit handen, alleen omdat u dat wilt.' De brigadier sloeg zijn hammen van armen over elkaar en keek met een grijns op Pendergast neer.

'Brigadier Mulvany?' Pendergast leunde over de reling heen naar Mulvany over, alsof hij iets vertrouwelijks in zijn oor wilde zeggen. Mulvany hurkte om hem te kunnen verstaan. Een snelle beweging, en Pendergasts arm schoot omhoog naar het middenrif van de politieman. Mulvany stootte in één keer al z'n adem uit en klapte over de reling. Pendergast draaide zich half om en kiepte hem het water in, waar hij met een enorme plons landde.

'Wat krijgen we...?' Zijn partner kwam overeind en tastte met een verbaasde blik naar zijn wapen.

Pendergast hees de druipende politieman overeind, ontwapende hem en richtte het pistool op de man van de waterpolitie. 'Wapens op de oever. Nú.'

'Je kunt niet zomaar...'

Hij sprong op van de schrik bij het geluid van een pistoolschot.

'Oké! Jezus.' Hij verwijderde zijn wapens en mikte ze op het kiezelstrand. 'Is dit FBI-protocol?'

'Maak je over dat protocol nou maar geen zorgen,' zei Pendergast, met Mulvany nog in zijn armen. 'En maak dat je van boord komt.'

Behoedzaam liet de man zich in het water zakken. Even later

was Pendergast de stuurhut in gesprongen. Hij rukte de versnelling in zijn achteruit en voer met grote snelheid weg van de oever.

'Sorry voor de overlast, heren,' riep hij, terwijl hij het roer omgooide en de versnelling in zijn vooruit zette. Met een enorme dot gas spoot hij brullend de bocht om.

70

Met uiterste zelfbeheersing vertraagde D'Agosta zijn ademhaling en concentreerde hij zich op zijn missie. Hij moest Nora bevrijden. Op de een of andere manier hielp het om aan iets anders te denken dan aan het feit dat hij hier klem zat. Het probleem was niet zozeer dat hij vastzat, maar dat de muren zo glad waren; hij kreeg gewoonweg niet genoeg houvast, al helemaal niet omdat hij maar één arm kon gebruiken. Hij had al zijn nagels gebroken in een zinloze poging om zich los te werken, maar wat hij nodig had was iets scherps en sterks waarmee hij zich in de muur kon vastbijten om zich zo naar buiten te hijsen.

Bijten...

Daar, op nog geen twintig centimeter van zijn hand vandaan, lag een menselijk kaakbeen met alle tanden er nog in. Wanhopig kronkelend zag hij kans zijn bruikbare arm zo te verplaatsen dat hij de kaak kon grijpen. Vervolgens draaide hij om zijn as en ramde de tanden van het bot in een spleet boven in de nis; door tegelijkertijd te trekken en te draaien zag hij uiteindelijk kans zich te bevrijden.

Met enorme opluchting kroop hij de nis weer uit en ging in het vertrek overeind staan, zwaar ademend. Alles was stil. Kennelijk hadden de zombii en de zoekpartij zich nu beiden op de demonstranten gericht.

Hij liep terug naar de centrale gang en stak heel even zijn aansteker aan om te kijken hoe lang die was. Het bleek een doodlopende gang te zijn, met nog meer grove grafkamers aan weerszijden, uitgehouwen in diezelfde zware kleisteen en gestut met houten balken. Maar die leken in de verste verte niet op de gemetselde stenen muren in de video. Niets dat hij tot nu toe gezien had deed denken aan dat soort constructie, de steen zelf was anders. Hij moest elders op zoek.

Hij liep terug zoals hij gekomen was, om de put heen en stond weer in de gewelfde necropolis. Langs de wanden eindeloze rijen kleine ijzeren deurtjes die leidden naar wat kennelijk familiegraven waren; hij opende ze een voor een, maar er was geen spoor van Nora te bekennen.

Met stijgende frustratie zocht hij moeizaam zijn weg terug, steeds opnieuw gedwongen rechtsomkeert te maken en een andere route te kiezen, maar uiteindelijk bevond hij zich in het middelste cryptorium. Daar bleef hij even staan om te proberen een plattegrond van de kelders voor ogen te krijgen, om in zijn hoofd een lijstje te maken van de vertrekken waar hij half bewusteloos doorheen gevlucht was. In alle vier de windrichtingen waren deuren te zien: één leidde er naar de catacomben, een andere, zo besefte hij nu, naar de doodlopende gang waar hij zojuist vandaan kwam. Dan waren er dus nog twee die hij moest proberen.

Hij koos op goed geluk een van beide deuren.

Ook daarachter lag weer een tunnel. Deze zag er echter veelbelovender uit: de wanden waren van ruwe, gemetselde natuursteen. Niet exact gelijk aan het steen dat hij op de film gezien had, maar er wel op gelijkend.

Er hing een walgelijke stank in de gang. D'Agosta bleef staan, knipte even zijn aansteker aan en liet die meteen weer uitgaan om brandstof te sparen. Wat hij zag was een en al smerigheid; de wanden zaten vol modderspatten en schimmel en zwammen, en de vloer veerde akelig mee bij zijn aanraking.

Terwijl hij met het licht om zich heen scheen, hoorde hij uit de duisternis een eind verderop een gedempte kreet komen – kort, hoog en vol doodsangst...

... Nora?

Met de aansteker in de hand rende hij de gang door, op het geluid af.

71

Plock ging de demonstranten voor. Als een horde iconoclasten trokken ze de kerk door, smeten altaren omver en stootten schrijnen vol fetisjen om. Toen de priester was gevallen, had de rest van de in pijen gehulde menigte zich verward teruggetrokken in de halfschaduw, volledig overweldigd door de massa indringers en onzeker over de juiste handelwijze. Plock besefte dat de bal aan zijn kant lag: nu moest hij zijn kans grijpen en vasthouden. Met de meute in zijn kielzog trok hij op naar het centrale altaar. Daar stond een bloederige, smerige paal waar zonder enige twijfel de dieroffers plaatsvonden – en daar lag een plas vers bloed waaraan ze hun verontwaardiging konden laven.

'Verniel die slachtbank!' brulde Plock terwijl de menigte het podium op zwermde waarop het altaar en de slachtpaal stonden. Ze beukten de paal van zijn plek, braken kisten open, smeten relieken in het rond.

'Heiligschenners!' baste Bossongs diepe stem. Hij stond schrijlings over het lichaam van de gevallen priester heen, die bewusteloos op de grond lag, onder de voet gelopen door de menigte. Ook Bossong zelf was niet ongedeerd – toen hij het middenpad van de kerk op liep, bleek hij een bloedende snee op zijn voorhoofd te hebben.

De stem van de leider van de Ville had een galvaniserende uitwerking op de gelovigen. Ze bleven staan, niet direct optrekkend tegen de indringers maar zich ook beslist niet meer terugtrekkend. In sommige handen blikkerden plotseling messen.

'Slager!' brulde een van de demonstranten tegen Bossong.

Plock besefte dat hij de meute in beweging moest houden, de kerk uit en de rest van de Ville in. Een confrontatie hier in de kerk kon gemakkelijk uitlopen op geweld.

Plotseling dook een van de in een pij gehulde mannen met een kreet naar voren en haalde met zijn mes uit naar een van de demonstranten. Er vond een korte, heftige worsteling plaats die abrupt aanzwol tot een massale vechtpartij waarbij leden van beide groepen hun kompanen te hulp schoten. Er klonk een stokkende kreet: iemand had een messteek opgelopen.

'Moordenaars!'

'Dierenbeulen!'

De kluwen mensen vocht en tuimelde in het rond, er werd geschopt en geslagen en het was één werveling van bruine pijen en kaki en gemerceriseerde katoen. Een bijna surrealistische aanblik. Binnen enkele minuten lagen er al meerdere slachtoffers bloedend op de grond.

'De dieren!' riep Plock plotseling. Hij hoorde en rook ze, een gedempt pandemonium achter een deur bij het altaar. 'Deze kant uit! Zoek de dieren, dan kunnen we ze bevrijden!' Hij rende op de deur af en beukte erop.

De voorste rijen van de menigte vielen op de deur aan en de stormrammen werden weer tevoorschijn gehaald. Met een krakend gesplinter begaf de deur het. De demonstranten stroomden onder een stenen boog door, op weg naar de volgende ruimte, die was afgesloten met een massief, smeedijzeren traliehek. Daarachter openbaarde zich een hels tafereel: tientallen jonge dieren – lammetjes, geitjes, kalveren en zelfs puppy's en kittens – opgesloten in een stenen ruimte met een dunne laag stro op de vloer. De dieren begonnen deerniswekkend te blaten en te kermen, de lammetjes mekkerden en de puppy's hieven een schel gekef aan.

Even was Plock sprakeloos van afgrijzen. Dit was erger dan zijn ergste nachtmerries.

'Breek open dat hek!' schreeuwde hij. 'Die beesten moeten vrij!'

'Nee!' brulde Bossong, terwijl hij probeerde bij het hek te komen. Maar hij werd achteruitgeduwd en tegen de grond gewerkt.

De stormrammen beukten in op het ijzeren hek, maar dat bleek veel steviger dan de houten deuren. Keer op keer ramden ze op het ijzer, en de dieren drongen angstig met angstige geluiden tegen de achterwand samen.

'Een sleutel! We moeten een sleutel hebben!' riep Plock. 'Híj moet de sleutel hebben.' Hij wees naar Bossong, die intussen overeind gekrabbeld was en vocht met een stel demonstranten.

De meute rende op Bossong af, en met een gekraak van scheurend textiel verdween hij uit het zicht.

'Hier!' Iemand hield een ijzeren ring met sleutels in de lucht. Die werd snel naar voren doorgegeven en Plock stak de zware, antieke sleutels een voor een in het slot tot er een werkte. Hij smeet de poort wijd open.

'Vrijheid!' brulde hij.

De voorste gelederen van de menigte stormden naar binnen en leidden de dieren naar buiten. Ze probeerden ze bijeen te houden, maar zodra de beestjes het hek uit waren, sprongen ze in doodsnood alle kanten uit en renden in het rond. Hun kreten rezen op naar de enorme houten balken en echoden in de ruimte.

Er rezen grote stofwolken op en de kerk was een inferno geworden van strijd en vlucht, waarbij de demonstranten duidelijk aan de winnende hand waren. De dieren galoppeerden door het schip van de kerk, sprongen weg als de gelovigen probeerden ze te pakken te krijgen en verdwenen al snel door iedere deur of opening die ze vinden konden.

'Dit is onze kans!' schreeuwde Plock. 'Drijf die dierenbeulen naar buiten! Weg met dat stel! Nú!'

72

De politieraceboot, met Pendergast aan het roer, scheurde met een snelheid van vijftig knopen over de rivier de Harlem, rondde de noordelijke punt van Manhattan Island en racete naar het zuiden onder een reeks bruggen door: West 207th, George Washington, Alexander Hamilton, High Bridge, Macombs Dam, 145th Street en tot slot de Willis Avenue Bridge. Hier verbreedde de Harlem zich tot een baai, niet ver van het punt waarop ze zich samenvoegde met de East River. Maar Pendergast maakte met krijsende motor een scherpe bocht en voer niet East River op, maar Bronx Kill, een smalle, stinkende kreek tussen de Bronx en Randall's Island.

Hij minderde vaart tot dertig knopen en voer de Bronx Kill af, die eerder een open riool en stortplaats is dan een bevaarbare waterweg. De boot liet een bruin kielzog achter en de geur van moerasgas en rioolwater steeg op als een miasma. Voor hem doemde een donkere spoorbrug op, en hij voer eronderdoor; de dieseljet echode spookachtig langs de wanden terwijl hij door de korte tunnel voer. De nacht had zich meester gemaakt van het landschap; Pendergast greep de hendel van de schijnwerper aan boord en richtte de lichtbundel op de diverse obstakels in het water. De boot slalomde tussen half gezonken boten, rottende restanten van lang vergane bruggen en de skeletten van gedumpte metrowagons door.

Plotseling verbreedde de Bronx Kill zich weer tot een brede baai, uitlopend in Hell Gate en de noordelijke arm van de East River. Recht voor hem doemde het enorme gevangeniscomplex van Rikers Island op, de beruchte cementen torens in de vorm van een x, gebaad in genadeloos natriumlicht, afgetekend tegen de zwarte hemel.

Pendergast meerdere vaart en algauw had hij Manhattan achter zich gelaten; de skyline van het centrum verdween naarmate hij over East River naar de monding van de Long Island Sound voer. Tussen de Stepping Stones-vuurtoren en City Island door rondde hij de punt naar de Sound en gaf daar plankgas. De wind brulde langs zijn oren, het schuim spatte op en het scheepje hotste op de golven, van links naar rechts rollend terwijl het de Sound op racete tussen de glinsterende weerspiegelingen van de vollemaan. De boeien glansden zachtjes in het maanlicht.

Iedere minuut telde. Misschien was hij al te laat.

Toen de vuurtoren van Sands Point in zicht kwam, richtte hij de boeg op de kust, stak de brede monding van Glen Cove over en zette koers naar het vasteland aan de overkant. Hij hield zijn blik gericht op de riante villa's aan de oever, die langzaam voorbijgleden, de een na de ander. Er werd een lange aanlegsteiger zichtbaar, langs een beboste kustlijn. Daar voer hij op af. Achter de steiger lag een donker gazon dat opliep naar de torentjes en gevels van een groot landhuis aan de plaatselijke goudkust.

Pendergast voer met duizelingwekkende snelheid op de steiger af, zette de motoren op het allerlaatste moment in hun achteruit en draaide de boot zo dat die weer in de richting van de Sound wees. Voordat het vaartuig tot stilstand was gekomen ramde hij een stootkussen tussen de rand van het roer en de gashendel, sprong vanaf de boeg de steiger op en rende op het donkere, stille huis af. De onbemande boot, met de gashendel vastgepind in zijn vooruit, voer weg van de steiger en was even later verdwenen op de uitgestrekte watervlakte van Long Island Sound; de rode en groene vaarlichten gingen geleidelijk op in de duisternis.

73

Hoofdinspecteur Laura Hayward stond met gefronst voorhoofd te kijken naar de versplinterde deuren die de donkere muil van de Ville in leidden. Ze hoorde de oorverdovende chaos daarbinnen; deze demonstratie was op vaardige wijze gepland. Haar vrees was bewaarheid. Dit was geen slordig, onsamenhangend zootje: dit was een groep die serieuze plannen had gemaakt en die nu ten uitvoer aan het brengen was. Chislett was hopeloos overweldigd en overdonderd, hij had geen idee waar hij beginnen moest. Vijf cruciale minuten lang, terwijl de meute uit het niets was komen opzetten, had hij verbijsterd staan toekijken, zonder iets te doen, machteloos in zijn verbazing. Er waren kostbare minuten verloren gegaan; minuten waarin de politie de demonstratie had kunnen tegenhouden of op z'n minst vertragen; minuten waarin een wig tussen de demonstranten gedreven had kunnen worden. Toen Chislett eindelijk bij zijn positieven was, begon hij een reeks tegenstrijdige orders te blaffen waardoor de verwarring onder zijn manschappen alleen nog maar toenam. Ze zag een aantal agenten van de vooruitgeschoven posten de zaak in eigen handen nemen en met traangas, knuppels en schilden op de voordeur van de Ville afrennen. Maar het was al te laat: de demonstranten zaten al binnen en vormden daarmee tactisch een bijzonder moeilijke en complexe situatie.

Maar daar kon Hayward zich momenteel geen zorgen over maken. Ze stond nog te denken aan Pendergasts telefoontje. Hij verkeert in levensgevaar, had Pendergast gezegd. En Pendergast was niet iemand die snel overdreef.

Haar gezicht betrok. Dit was niet voor het eerst dat Vinnies vriendschap met Pendergast uitliep op een ramp – voor Vinnie, welteverstaan. Pendergast leek er altijd zonder kleerscheuren af te komen; ook ditmaal weer, terwijl hij Vinnie aan zijn lot had overgelaten.

Ze schudde haar woede van zich af. Later kon ze Pendergast ter verantwoording roepen. Nu moest ze iets doen.

Ze liep op de Ville af in de hoop de vechtpartij in de kerk te omzeilen. De hoofdingang stond wijd open en er flakkerde kaarslicht doorheen. Terwijl ze die kant uit liep, zag ze de oproerpolitie binnengaan, gewapend met wapenstokken en tasers. Met haar eigen pistool in de hand liep ze snel achter hen aan. Achter de verbrijzelde deuren lag een oude, smalle steeg, met aan weerszijden half ingezakte houten gebouwtjes. Ze volgde de mannen in uniform langs donkere portieken en met luiken afgesloten ramen. Een eind verderop hoorde ze het geluid van wel duizend stemmen.

Ze kwamen een bocht om en troffen daarachter een stenen plein aan, met aan het eind het gigantische kerkgebouw. Hier speelde zich een toneel af dat zo bizar was dat ze als aan de grond genageld bleef staan. Op het plein heerste een wanhopig pandemonium, een nachtmerrie in ware Fellini-stijl: mannen in bruine pijen kwamen de kerk uit gevlucht, sommigen bloedend, anderen huilend of schreeuwend. Intussen waren demonstranten bezig de zaak kort en klein te slaan; ze holden rond, gooiden ruiten in en mepten naar alles wat ze maar zagen. Een horde dieren – geiten, schapen, kippen – rende over het plein rond zodat de weghollende gestalten erover struikelden en de zo getroffen beesten voegden hun eigen geblaat en gemekker toe aan het tumult. En te midden van dit alles stond de oproerpolitie ongelovig om zich heen te kijken, zonder orders, zonder plan, onzeker en verward.

Dit kon natuurlijk niet. Ze moest toegang zien te krijgen tot de kelders, waar Vinnie op zoek was gegaan naar Nora Kelly.

Ze wendde zich af van het spektakel, liep het plein af en holde nog een donker keiensteegje door, waarbij ze onderweg aan alle deuren rammelde. Vele zaten op slot, maar één ging open. Daarachter lag een soort werkplaats, misschien een looierij of een primitief naaiatelier. Ze keek snel om zich heen maar zag geen kelderdeur. Ze keerde terug naar de straat en probeerde de andere deuren. Een zware houten deur een paar huizen verderop ging open en ze liep haastig naar binnen. Ze trok de deur achter zich dicht en meteen verdween het gekrijs en gejoel naar de achtergrond.

Ook hier was niemand aanwezig. Zo te zien moest het een slagerij zijn. Ze liep langs een rij glazen kasten in de achterkamer en zag een trap omlaag. Ze haalde een kleine zaklamp uit haar zak en knipte die aan voordat ze de trap af ging. Onderaan lag een koele ruimte, met wanden die bekleed waren met zinken panelen: een voorraadkelder. Hammen, zijden spek, dikke worsten en halve karkassen hingen aan het plafond te drogen. Ze liep er voorzichtig tussendoor; een of twee raakte ze, en die begonnen zachtjes aan hun haken te bungelen. Met haar lantaarn scheen ze over de vloer en de wanden. Achter in het vertrek zag ze een deur naar een tweede trap, van steen en zo te zien veel ouder, die de duisternis in leidde. Vanuit de diepte steeg een onaangename geur op. Hayward aarzelde en dacht aan Pendergasts andere opmerking: iets wat ooit een man geweest is, maar nu veranderd is in iets levensgevaarlijks. Ik herhaal: Vincent heeft hulp nodig. Hij verkeert in levensgevaar.

Hij verkeert in levensgevaar...

Zonder verder nog te aarzelen scheen Hayward met haar lantaarn het trapgat in en daalde met getrokken pistool verder af, de duisternis in.

74

Op Pond Road sloeg Alexander Esteban af en reed door de automatische poort het smetteloze grindpad op dat tussen twee rijen dikke eiken door naar zijn landhuis liep. Hij reed langzaam, en genoot van het gevoel thuis te komen. Op de stoel naast hem lag een simpel perkamenten document, twee pagina's, ondertekend, voorzien van een lakzegel, geattesteerd en juridisch gezien waterdicht.

Een document dat hem, ongetwijfeld na de nodige strijd, tot een van de rijkste mannen ter wereld zou maken.

Het was laat, al bijna negen uur, maar hij had geen haast meer. Hij hoefde niets meer te plannen, te regisseren, te produceren, uit te voeren. Maandenlang, langer dan hij weten wilde, had dit plan bijna ieder moment van zijn dag in beslag genomen. Maar dat lag nu allemaal achter hem. De show was perfect verlopen, staande ovaties, en nu moest hij nog één klein detail afmaken. Nog éénmaal het podium op, als het ware: een laatste buiging.

Toen de auto voor de schuur tot stilstand kwam, voelde Esteban zijn BlackBerry trillen. Met een geïrriteerd geluidje keek hij op het scherm: het alarm bij de keukendeur was afgegaan. Zijn rug verstrakte. Het moest een vals alarm zijn, die kwamen vaak genoeg voor op zijn uitgestrekte landgoed. Een van de nadelen van zo'n uitgebreid alarmsysteem. Maar hij moest het zekere voor het onzekere nemen. Hij stak zijn hand in het dashboardkastje en pakte daar zijn favoriete handwapen uit, een Browning Hi-Power 9mm parabellum. Hij controleerde het magazijn en zag dat daar nog alle dertien patronen in zaten. Hij stak het in zijn zak, stapte de auto uit en liep de geurige nacht in. Op het pas geharkte grind van de oprit stond geen auto. Hij slenterde over het brede gazon, keek naar de verlaten aanlegsteiger en naar de fonkelende lichtjes aan de overkant van de Sound, en constateerde niets ongebruikelijks. Met getrokken pistool liep hij langs de kas, arriveerde in een ommuurde tuin en liep onhoorbaar naar de keukendeur, waar het alarm was afgegaan. Daar aangekomen voelde hij aan de deurklink. De deur zat dicht en op slot. Het oude messing sleutelplaatje vertoonde geen tekenen van braak, geen krassen in het oude patina, geen ingetikte ruitjes, niets dat op een verstoring van de rust duidde.

Vals alarm.

Hij rechtte zijn rug en keek op zijn horloge. Hij verheugde zich bijna op wat er komen ging. Een pervers genoegen, dat wel, maar een soort oergenoegen. Iets wat ons in de genen zit: het plezier van het doden. Hij had het al eerder gedaan en had het een bijna religieuze ervaring gevonden. Als hij geen filmregisseur was geweest, had hij misschien kunnen uitgroeien tot een uitmuntende seriemoordenaar.

In zichzelf grinnikend om die komische gedachte pakte hij zijn sleutel, opende de keukendeur en toetste zijn code in om het alarm uit te schakelen. Maar terwijl hij door de keuken naar de kelderdeur liep, aarzelde hij. Waarom was er uitgerekend nú een vals alarm geweest? Meestal gebeurde zoiets bij onweer of als het hard waaide. Was er ergens kortsluiting geweest? Had er ergens een statische ontlading plaatsgevonden? Hij had een onbehaaglijk gevoel, en dat was iets wat hij nooit ofte nimmer negeerde.

In plaats van op weg te gaan naar de kelder draaide hij zich om en liep onhoorbaar door de donkere gangen tot hij bij zijn werkkamer kwam. Hij zette zijn Mac aan, voerde zijn wachtwoord in en logde in op de website waarop zijn beveiligingscamera's te zien waren. Als er iemand door de keukendeur was binnengekomen, had hij het gazon achter de oude kas moeten oversteken, en in dat geval was hij gefilmd door een camera. Het was vrijwel onmogelijk om ongezien het huis in te komen, de dekking was meer dan honderd procent, maar áls je het wilde proberen was de keukenzijde van het huis, met haar ommuurde tuin en ingestorte kas, waarschijnlijk wel het zwakste punt van het hele systeem. Hij tikte het tweede wachtwoord in en de live-cambeelden kwamen tot leven op het scherm. Hij keek op zijn BlackBerry en zag dat het alarm was geregistreerd om elf over halfnegen. Hij tikte 8:36 in het veld voor de digitale tijdstempel, selecteerde de camera waarvan hij de beelden wilde zien en ging zitten kijken.

Het was ruim na zonsondergang en het beeld was donker – de nachtweergave was nog niet ingeschakeld. Hij draaide aan een paar knoppen en probeerde het beeld zo scherp mogelijk te krijgen. Intussen vroeg hij zich af of hij paranoïde was, of dat hij als gebruikelijk aan het mierenneuken was. Met een ironische grijns bedacht hij dat dat zowel zijn slechtste als zijn beste eigenschap was. Maar het onbehaaglijke gevoel hield aan...

En op dat moment zag hij een zwarte flits over de hoek van het scherm schieten.

Esteban zette het beeld stil, draaide een paar frames terug en speelde het in slow motion opnieuw af. Daar was het weer: een gestalte in het zwart, die langs de hoek van het blikveld van de camera vloog. Hij voelde ijzige vingers over zijn ruggengraat glijden. Slim. Heel slim. Als hijzelf ongezien het huis had willen binnenglippen, had hij het precies zo aangepakt.

Hij zette de band stil en speelde hem nogmaals af, frame na frame. De rennende man was maar in zes frames te zien, nog geen vijfde van een seconde, maar de *high-def* camera had hem goed kunnen opnemen; en in het middelste frame had hij een goed zicht op het bleke gezicht en de bleke handen van de man.

Esteban stond zo plotseling op dat zijn stoel ervan omviel. Het was die FBI-agent, die vent die een week geleden bij hem op de stoep had gestaan. Even dreigde de paniek zich van hem meester te maken, als een verstikkende beklemming op zijn borst. Tot nu toe was alles perfect verlopen – en dan nu dit. Hoe wist hij het? *Hoe wist hij het?*

Met uiterste wilskracht zag hij kans de paniek de kop in te drukken. Onder druk het hoofd koel houden was een van zijn sterke punten, iets wat hij in de filmbusiness wel had geleerd. Als alles fout liep op de set, midden in een opname, en als iedereen maar wat rondhing à raison van duizend dollar per minuut, in afwachting van zijn oplossing, dan moest hij binnen een fractie van een seconde de juiste beslissingen nemen.

Pendergast. Zo heette die gozer van de FBI. In zijn eentje. Hij had die vetklep van een collega dus niet meegenomen, die met die Italiaanse naam. Waarom niet? Dat betekende dat hij hier op een ingeving heen was gekomen, dat hij als het ware voor zichzelf was begonnen. Als hij harde bewijzen had, dan was hij met een overvalteam gekomen, met rokende pistolen. Dat was één.

Twee was dat Pendergast niet wist dat hij gesnapt was. Misschien had hij Esteban per auto zien arriveren of had hij verwacht dat Esteban thuis zou komen. Maar hij wist niet dat Esteban wíst dat hij hier was. Dat gaf Esteban een duidelijk voordeel.

Drie: Pendergast kende de plattegrond van het landgoed niet, en met name de uitgestrekte doolhof van kelders was hem onbekend. Daar kende Esteban de weg met zijn ogen dicht.

Hij bleef aan zijn bureau zitten en dacht als een razende na. Pendergast moest op weg zijn naar de kelders – daar was hij zeker van. Hij moest op zoek zijn naar de vrouw. Waarschijnlijk was hij via de achterste keukentrap naar beneden gegaan, dicht bij de deur waardoor hij was binnengekomen. En ongetwijfeld was dat waar hij zich nu bevond: onder het huis, rondsnuffelend tussen de oude filmrekwisieten, op weg naar de zuidelijke kelders. Het zou hem minstens een kwartier kosten om tussen al die rotzooi de weg te vinden naar de tunnel die naar de schuur liep.

Gelukkig zat de vrouw in de schuurkelder. Helaas was er een tunnel die van de huiskelder naar de schuurkelder liep.

Abrupt kwam Esteban tot een beslissing. Hij stak het pistool in zijn broekband en stond op. Met energieke passen liep hij de voordeur uit, het gazon over naar de schuur. Terwijl hij de oprijlaan overstak, verscheen er een glimlachje op zijn gezicht toen er een plan opkwam. Die arme donder had geen idee waaraan hij begonnen was. Dit kleine huis-tuin-en-keukendrama kreeg nog een heel aardige ontknoping – héél aardig. Eigenlijk net zoiets als zijn laatste film, *Breakout Sing Sing*. Jammer dat hij het niet kon filmen.

75

Te midden van de chaos en het tumult stond Rich Plock in het donker te piekeren. De kreten en het gejoel van gelovigen en demonstranten vermengden zich met het krijsen van de dieren, het gesis van de ratels en het dreunen van de trommels. Na de eerste aanval op de kerk hadden de gelovigen heel even weerstand geboden, maar nu hadden ze de aftocht geblazen. Velen vluchtten de zijdeuren door, de smalle kronkelsteegjes en de doolhof van gebouwen in waaruit de Ville bestond.

Voor Plock was het een onverwachte ontwikkeling en zelfs iets van een anticlimax. Ze hadden de dieren inderdaad bevrijd, maar nu besefte hij dat ze geen plek hadden om ze heen te drijven, geen weiland of stal, en ze renden los rond; de meeste waren al door de kapot geboukte deuren het plein op gevlucht. Daar had hij van tevoren niet bij stilgestaan, en nu had hij geen idee wat hij aan moest met de verdwijnende mensen. Het was zijn plan geweest de inwoners uit de Ville te verdrijven, maar hij had er niet echt bij stilgestaan dat de Ville zo'n enorme, onoverzichtelijke wirwar was. En ook had hij nooit verwacht dat de inwoners zo plotseling een goed heenkomen zouden zoeken, dat ze de krochten van de Ville in zouden vluchten in plaats van langer weerstand te bieden, zodat ze verdreven konden worden. Het leken de indianen van vroeger wel, zoals ze bijna in het niets leken op te lossen bij een directe confrontatie.

Hij zou hen moeten uitroken.

En daarbij konden ze dan meteen uitkijken naar de ontvoerde vrouw. Want Plock begon zich te realiseren dat ze wel eens – nee, beslist – in de problemen konden komen als ze de vrouw niet redden; zij was een legitieme reden om dit alles op touw te zetten. Ze zouden de Ville uitkammen, purgeren, schoonvegen, die dierenbeulen uitroken en laten zien dat ze nergens heen konden, dat ze zich niet langer konden schuilhouden. En al doende zouden ze meteen de vrouw redden. Als ze dat redden, dan zou de publieke opinie hun kant kiezen. En dan hadden ze een soort juridische rechtvaardiging. Zo niet...

Er stroomden nog steeds demonstranten door de kapotte voordeuren de kerk in; ze vulden de ruimte op, terwijl de laatste inwoners van de Ville zich al uit de voeten maakten. Bossong was als enige overgebleven. Onbeweeglijk als een standbeeld stond hij met wrokkige blik naar het schouwspel te kijken. De wond op zijn voorhoofd bloedde nog steeds.

Terwijl de laatste demonstranten de kerk in liepen, klom Plock op het podium. 'Mensen!' riep hij, terwijl hij zijn handen hief.

De menigte viel stil. Hij probeerde Bossong te negeren, die in de hoek stond te staren en zijn kwaadaardige aanwezigheid door de hele ruimte projecteerde.

'We moeten bij elkaar blijven!' schreeuwde Plock. 'Die dierenbeulen zijn hun holen in gevlucht – we moeten ze vinden, we moeten ze opjagen! En bovenal: we moeten de vrouw redden!'

Plotseling deed Bossong vanuit de hoek zijn mond open. 'Dit is ons thuis.'

Met een van woede vertrokken gezicht keerde Plock zich naar hem om. 'Jullie thuis? Deze martelkamer? Jullie verdíénen geen thuis!'

'Dit is ons thuis,' herhaalde hij met zachte stem. 'En dit is hoe wij God aanbidden.'

Plock voelde zich razend worden. 'Hoe jullie God aanbidden? Door hulpeloze dieren de hals af te snijden? Door mensen te ontvoeren en te vermoorden?'

'Ga weg. Ga weg nu het nog kan.'

'Oeoeoe, nu word ik pas echt bang. Waar zit die vrouw? Waar hebben jullie haar opgesloten?'

De menigte kolkte van verontwaardigde instemming.

'Wij eren de dieren door ze te offeren als voedsel voor onze... onze beschermer. Met het welnemen van onze goden zorgen wij...'

'Bespaar me die nonsens!' schreeuwde Plock tegen de man in de pij, bevend van verontwaardiging. 'Je zegt tegen je mensen dat het afgelopen is, dat ze er beter vandoor kunnen. En anders jagen wij ze weg! Is dat duidelijk? Ga maar ergens anders heen met die misselijkmakende religie van je!'

Bossong hief een vinger en wees daarmee naar Plock. 'Ik vrees dat het voor u al te laat is,' zei hij met gedempte stem.

'O, ik sta te trillen op mijn benen!' Plock spreidde zijn armen in een verwelkomend gebaar. 'Straf me maar, goden van de dierenbeulen! Ga je gang!'

Op dat moment was er een plotselinge beweging in een van de donkere zijbeuken van de kerk; de demonstranten hapten naar adem en er was een moment van aarzeling. En plotseling gilde er iemand; de menigte deinsde als een golf achteruit, mensen drongen tegen de rijen achter hen aan en schoven die tegen de daar weer achter staande lieden aan – en een groteske, misvormde gestalte wankelde het bevende halflicht in. Plock stond met open mond van afgrijzen en ongeloof te kijken naar het schepsel – maar nee, het was geen schepsel. Het was een mens. Gebiologeerd staarde hij naar de gebarsten lippen, de verrotte tanden, het brede, vlakke gezicht; naar de bleke, slijmerige spierbundels gehuld in smerige lappen. In één hand hield het wezen een bloederig mes. De stank die van zijn lichaam sloeg, vulde de hele ruimte. Hij legde zijn hoofd in de nek en loeide als een gewond kalf. Eén enkel, melkwit oog rolde door de oogkas en vestigde zich uiteindelijk op Plock.

Het wezen deed een stap zijn kant uit, twee stappen; de dijen bewogen met iets traag, griezelig weloverwogens. Plock stond verstard, als aan de grond genageld, niet in staat zich te verroeren, zijn blik af te wenden of zelfs maar een woord te uiten.

In de plotselinge stilte klonk het ruisen van textiel en Bossong kielde, boog zijn hoofd en hief smekend zijn handen.

'Envoie,' zei hij stil, bijna droevig.

Meteen sprong het wezen met een krabachtige, zijwaartse beweging op het podium af, sprong erop, opende zijn verrotte mond en viel op Plock aan.

Plock vond uiteindelijk zijn stem terug en wilde gillen terwijl het schepsel hem uiteenscheurde, maar het was al te laat: er kwam geen geluid meer uit zijn opengereten luchtpijp en hij stierf in een gemartelde stilte.

Het was snel, heel snel, voorbij.

76

Pendergast scheen met zijn penlight door de kelder. De smalle lichtbundel viel op een chaos van bizarre voorwerpen, maar die negeerde hij, en hij richtte zijn aandacht op de keldermuur, die bestond uit vlakke, ruwe stukken graniet, opgestapeld en keurig gemetseld.

Zijn gezicht trok strak van herkenning.

Nu richtte hij zijn aandacht op de troep waarmee de kelder volgestapeld was. Voor hem rees een obelisk op van gebarsten gips, met druipsporen van vocht en ragdunne schimmeldraden. Daarnaast stond de afgebroken torenspits van een middeleeuws kasteel, haastig in elkaar geflanst van rottend multiplex, compleet met kantelen en schietgaten, op misschien een tiende van de ware grootte; daarnaast lag een berg gehavende gipsen beelden, opgestapeld als aanmaakhout, waarin Pendergast schaalmodellen herkende van de David, de Nikè en de Laocoön, met armen en benen in een grote hoop, kapotte vingers die rondslingerden over de betonnen vloer onder hem. In het licht was een haai van glasvezel te zien, een stel plastic skeletten, een primitief Afrikaans reliek van piepschuim en een menselijk brein van rubber met een hap eruit.

Hij kwam amper vooruit door de eindeloze bergen rommel, en daardoor drong de ware omvang van de ondergrondse vertrekken aanvankelijk niet goed tot hem door. Terwijl hij door de griezelige stapels afgedankte filmrekwisieten door manoeuvreerde – want het kon niet anders of dat waren het – hield hij de lantaarn laag gericht en liep zo snel en onhoorbaar mogelijk verder.

Het licht flitste van links naar rechts terwijl Pendergast dieper doordrong in de rommelige collectie Hollywoodiana. De benauwde ruimtes vertakten zich eindeloos onder de grond, kelder na kelder, tot voorbij de huidige omtrekken van het huis, met allerhande vreemde en ongebruikelijke hoeken en spleten, allemaal vol oude rekwisieten in diverse stadia van verval en bederf, de meeste uit de grootse historische drama's waarom Esteban bekend was. Het souterrain wekte de indruk eindeloos te zijn; het moest behoord hebben tot een eerder, nog groter gebouw op de plek waar tegenwoordig Estebans villa stond.

Esteban. Die zou binnenkort thuiskomen, als hij niet al thuis wás. De tijd verstreek-kostbare tijd die Pendergast niet verspillen mocht.

Hij liep door naar de volgende kelder. Ooit was dat een rookoven geweest, maar nu stonden er een stoel waarmee heksen ondergedompeld konden worden, een galg, een schandpaal en een spectaculair realistische guillotine uit de Franse Revolutie, het mes klaar om te vallen, de bak eronder gevuld met wassen afgehakte hoofden: de ogen wijd open, de monden verstard in een kreet.

Hij liep verder.

Toen hij het eind van de laatste kelder bereikte, kwam hij bij een roestige ijzeren deur die op een kier stond. Hij trok hem voorzichtig verder open en constateerde tot zijn verbazing dat de zware deur onhoorbaar openzwaaide op geoliede scharnieren. In de duisternis strekte zich een lange, smalle tunnel uit – een tunnel die op het eerste gezicht uit de ruwe aarde gegraven leek te zijn. Pendergast liep erheen en raakte een muur aan. Zo kwam hij erachter dat het helemaal geen aarden muur was, maar pleisterwerk dat zo geschilderd was dat het net zand leek. Weer een filmset, ditmaal achteraf ingebouwd in wat kennelijk een oudere tunnel was geweest. Aan de richting te zien nam Pendergast aan dat deze gang naar de schuur leidde; dit soort tunnels tussen huis en schuur kwamen vaak genoeg voor op negentiende-eeuwse boerenbedrijven.

Hij scheen met zijn lantaarntje de schemerige gang in. Hier en daar had het valse pleisterwerk losgelaten van de muren en zag hij diezelfde granieten stapelmuren waarmee de kelders van het huis waren gebouwd en die hij in de video van Nora's kerker had gezien.

Behoedzaam liep hij de tunnel in, zijn hand beschermend voor het licht van de penlight houdend. Als Nora hier ergens gevangenzat, en hij wist zeker dat dat het geval was, dan moest ze in de kelder onder de schuur zitten.

Esteban ging door de zijdeur de schuur binnen en liep onhoorbaar door de enorme ruimte, waar een geur hing van hooi en oud pleisterwerk. Overal om hem heen lagen de rekwisieten van zijn vele films, die hij zo ijverig had verzameld en opgeslagen – kosten noch moeite had hij gespaard. Hij bewaarde ze om sentimentele redenen die hij niet goed kon verklaren. Als alle filmrekwisieten waren ze haastig in elkaar geflanst, met spuug en lijm vastgeplakt. Alles was goed, zolang ze het maar hielden totdat de film geschoten was. Nu vielen ze in rap tempo uit elkaar. Maar toch koesterde hij er een grote affectie voor: hij moest er niet aan denken dat ze weggehaald zouden worden, dat ze in losse onderdelen afgevoerd zouden worden. Vele heerlijke avonden had hij hier lopen ronddwalen, een glas cognac in de hand, hier iets betastend, daar iets bewonderend, terwijl hij terugdacht aan de gloriedagen van zijn carrière.

En nu dienden ze een onverwacht doel: ze hielden die FBI-agent op, zorgden ervoor dat hij bezig en afgeleid was en hielpen Esteban tegelijkertijd zich onzichtbaar te verplaatsen.

Esteban baande zich een weg tussen de spullen door naar de achterwand van de schuur, waar hij een ijzeren deur van het slot deed en de grendel ervoor wegschoof. Daarachter lag een trap die de koele duisternis in leidde, naar de uitgestrekte ondergrondse vertrekken van de schuur. Ooit waren dat fruitkelders geweest, kamers waar kazen lagen te rijpen, waar pootgoed werd opgeslagen en vlees te drogen werd gehangen, en wijnkelders voor het hotel dat daar gestaan had. Zelfs hier, in de diepst gelegen ruimtes van het landgoed, stond het tjokvol rekwisieten – afgezien van de oude vleeskelder die hij had uitgeruimd om de vrouw in op te sluiten.

Als een blinde in zijn eigen huis liep Esteban zonder aarzelen tussen de filmsouvenirs door. Ook zonder lantaarn wist hij probleemloos de weg te vinden in het donker. Even later stond hij in de monding van de tunnel die van de schuur naar het huis leidde. Nu knipte hij een klein ledlampje aan; in de blauwige gloed zag hij de namaakpleisterwanden en de betimmering die nog over waren van de opnames van *Breakout Sing Sing*, waarbij hij deze zelfde tunnel had gebruikt als decor – daar had hij een lief bedrag mee uitgespaard. Een meter of zeven voorbij de tunnelmonding was een plaat multiplex in de muur aangebracht, met daarop een klein hendeltje. Esteban inspecteerde het even en zag dat het in prima conditie verkeerde. Nu was het sowieso een eenvoudig mechanisme, waarvoor geen elektriciteit nodig was, alleen de zwaartekracht. In de filmbusiness moesten constructies betrouwbaar en eenvoudig te bedienen zijn, want het was een bekend gegeven dat alles wat kapot kón, ook inderdaad kapotgíng, bij voorkeur op het moment dat de camera draaide en de hoofdrolspeler eindelijk nuchter was. Uit nieuwsgierigheid had hij het apparaat, dat hij zelf ontworpen had, het jaar tevoren nog uitgeprobeerd. Het functioneerde nog even goed als op de dag dat hij die onsterfelijke ontsnappingsscène had gedraaid van de film die hem bijna een Oscar opgeleverd had. Bíjna.

Het bloed steeg hem naar de wangen bij de gedachte aan de misgelopen Oscar. Hij knipte zijn lantaarntje uit en bleef staan luisteren. Ja: hij hoorde de zachte voetstappen van de agent die kwam aansluipen. Die zou een afgrijselijke ontdekking doen. En daarna kon die arme FBI-agent, hoe onwerelds slim hij ook was, onmogelijk voorzien wat hem daarna zou overkomen.

77

Harry R. Chislett, adjunct-commissaris van district Washington Heights North, stond met zijn radio in de hand bij de centrale controlepost aan Indian Road. Geconfronteerd met een ongehoorde en volslagen onverwachte ontwikkeling had hij desalniettemin met opmerkelijke snelheid en efficiency gereageerd; althans, dat vond hij zelf. Wie had kunnen voorzien dat de demonstranten met zovelen zouden zijn, dat ze zo snel zouden komen opzetten, dat ze met de genadeloze precisie en doelbewustheid van één enkel brein zouden opereren? Maar Chislett had zich fantastisch geprofileerd. Het was dus een extra grote tragedie dat al zijn eigen kundigheid omgeven was door incompetentie en onhandigheid. Zijn orders waren verkeerd geïnterpreteerd, onjuist uitgevoerd, genegeerd zelfs. Ja: een tragedie was het, er was geen ander woord voor.

Hij pakte zijn verrekijker en richtte die op de ingang van de Ville. De demonstranten hadden kans gezien binnen te dringen en zijn mannen waren erachteraan gegaan. De berichten waren chaotisch en tegenstrijdig. God mocht weten wat er werkelijk aan de hand was. Hij zou natuurlijk zelf naar binnen kunnen, maar een bevelhebber mocht zichzelf nooit aan gevaar blootstellen. Er kon wel eens geweld plaatsvinden, misschien zouden er doden vallen. Het was de schuld van zijn mannen in het veld, en dat zou hij dan ook in zijn rapport zetten.

Hij bracht zijn radio naar zijn mond. 'Voorste positie alfa,' blafte hij. 'Voorste positie alfa. Stel u op in verdedigingspositie.'

De radio kraakte en sputterde.

'Voorste positie alfa, hoort u mij?'

'Positie alfa, roger,' kwam de stem. 'Die laatste order herhalen, graag.'

'Ik zei, ga naar verdedigingspositie.' Dit was te gek om los te lopen. 'Ik zou het op prijs stellen als u mijn orders voortaan zou opvolgen zonder dat ik ze nog eens moet herhalen.'

'Ik wilde alleen even verifiëren,' kwam de stem weer door, 'want twee minuten geleden zei u nog dat we...'

'Volg gewoon mijn orders op!'

Vanuit het groepje agenten dat verward over het honkbalveld rondliep, maakte een gestalte in een donker pak zich los en kwam op hem af. Inspecteur Minerva.

'Ja, inspecteur,' zei Chislett, en hij legde doelbewust een waardige commandotoon in zijn stem.

'Er komen berichten vanuit de Ville.'

'Gaat u verder.'

'Er is een aanzienlijk conflict gaande tussen de bewoners en de demonstranten. Er zijn meldingen van gewonden, sommigen ernstig. Het interieur van de kerk wordt kort en klein geslagen. De straten van de Ville krioelen van de uit hun huis verdreven bewoners.'

'Dat verbaast me niets.'

Minerva aarzelde.

'Ja, inspecteur?'

'Commissaris, ik zou u nogmaals willen adviseren om, eh... krachtdadiger op te treden.'

Chislett keek hem aan. 'Krachtdadiger? Krachtdadiger? Waar heb je het in godsnaam over?'

'Met alle respect, commissaris, toen de demonstranten aan hun opmars naar de Ville begonnen, heb ik u geadviseerd onmiddellijk versterking aan te vragen. We moeten meer mensen inzetten.'

'We hebben voldoende mankracht,' zei Chislett geprikkeld.

'Verder heb ik geadviseerd dat de mannen snel posities aan de overkant van de straat moeten innemen, om de mars een halt toe te roepen.'

'Dat waren exact mijn orders.'

Minerva schraapte zijn keel. 'Commissaris... u hebt alle eenheden bevolen hun posities te behouden.'

'Zo'n bevel heb ik nooit gegeven!'

'Het is niet te laat, we kunnen nog...'

'U hebt uw orders,' zei Chislett. 'Ik verzoek u die op te volgen.' Hij wierp Minerva een snijdende blik toe. Deze sloeg zijn ogen neer en mompelde 'Ja, commissaris,' terwijl hij langzaam terugliep naar het stelletje agenten. Ongelooflijk: niets dan onvermogen, zelfs onder diegenen op wie hij de meeste hoop had gevestigd.

Hij hief de kijker weer. Hm, dit was interessant. Hij zag een stel demonstranten – eerst een paar, maar daarna steeds meer, de Ville uit komen hollen en de oprit afrennen; hun gezichten waren vertrokken van angst. Eindelijk waren zijn mannen dan dus bezig hen naar buiten te jagen! Onder hen waren figuren in habijten, met kappen op het hoofd: inwoners van de Ville zelf. Allen stroomden de Ville uit, sprintten weg van de antieke houten bouwsels, vielen over elkaar heen in hun paniek om zo ver mogelijk weg te komen.

Uitstekend, uitstekend.

Hij liet de kijker zakken en bracht zijn radio naar zijn mond. 'Voorste positie delta, meld u.'

Even later kwaakte zijn radio. 'Voorste positie delta, Wegman hier.'

'Agent Wegman, de demonstranten beginnen zich te verspreiden,' zei Chislett zelfvoldaan. 'Mijn tactiek heeft het beoogde effect. Nu moet u met uw mannen de demonstranten terugsluizen naar het honkbalveld en de straat, zodat we een ordelijke aftocht kunnen bewerkstelligen.'

'Maar, commissaris, we staan helemaal aan de andere kant van het park, want u zei net nog...'

'Doe wat u gezegd wordt, agent.' En met een nijdige druk op de zendknop snoerde Chislett de tegenstribbelende man de mond. Wat een slap zootje, het hele stel. Was er ooit in de geschiedenis van de georganiseerde agressie een commandant opgezadeld geweest met dit soort monumentaal onvermogen?

Met een ontmoedigde zucht liet hij de radio zakken en keek naar de menigte die de Ville uit kwam stromen: het beekje veranderde in een rivier, en vervolgens in een stortvloed.

78

Pendergast liep de tunnel door, vlak langs de linkerwand en met zijn hand zorgvuldig de smalle lichtbundel van zijn penlight afschermend. Na een bocht in de gang zag hij in de vage gloed iets op de grond liggen: een lang, bleek voorwerp.

Hij liep eropaf. Het was een zware plastic zak, aan één kant dichtgeritst, besmeurd met modder, zand en gras, alsof ermee gesleept was. Op de zijkant stonden in grote letters de woorden GEMEENTELIJK MORTUARIUM NEW YORK en een nummer.

Hij knielde en stak zijn hand uit naar de rits. Hij trok hem open, langzaam, om zo weinig mogelijk geluid te maken. Algauw rook hij een overweldigende stank van formaline, alcohol en ontbinding. Centimeter na centimeter kwam het lijk bloot te liggen. Hij ging door tot de zak halfopen was, greep de randen van het plastic en spreidde die uiteen, zodat het gezicht te zien was.

William Smithback, jr.

Een hele tijd bleef Pendergast zitten kijken. Toen trok hij met bijna eerbiedige gebaren de rits verder open om het hele lichaam te kunnen bekijken. Dat verkeerde in verregaande staat van ontbinding. Er was sectie verricht op Smithbacks stoffelijk overschot en daarna, de dag voor de verdwijning, was het lijk weer in elkaar gezet voordat het aan de familie werd overgedragen: de organen waren teruggeplaatst, de incisie was dichtgenaaid, de schedel was weer op het hoofd geplaatst met de hoofdhuid eroverheen en dichtgenaaid; het gezicht was hersteld en alles was weer opgevuld en dichtgeplakt. Het was slordig gedaan – keurig hechten was niet de sterkste kant van een patholoog – maar het was een geheel waarmee een goede begrafenisondernemer iets kón.

Alleen was het lichaam niet naar de begrafenisonderneming gegaan. Het was gestolen. En nu lag het hier.

Plotseling kneep Pendergast zijn ogen samen. Hij stak een hand in zijn binnenzak, haalde er een pincet uit en plukte daarmee wat stukjes wit latex weg die aan het gezicht van het lijk kleefden: een van een neusgat, een tweede van een oorlel. Bij het licht van zijn zaklantaarn bestudeerde hij die grondig, en daarna stak hij ze met een peinzend gezicht in zijn zak.

Langzaam scheen hij met de lantaarn om zich heen – en zag een eindje verderop een tweede half ontbonden lijk, opgeknapt en aangekleed voor de begrafenis, in een zwart pak. Een onbekende, maar lang en slank, met bij benadering dezelfde lengte en lichaamsbouw als Smithback en Fearing.

Toen hij naar de twee lijken zat te kijken, werden de laatste details van Estebans plan hem duidelijk. Het was schitterend opgezet. Er restte nog maar één vraag: wat stond er in het document dat Esteban uit het graf had geroofd? Het moest iets heel bijzonders zijn, iets van immense waarde, wilde Esteban zo'n enorm risico nemen. Voorzichtig en onhoorbaar ritste hij de zak dicht. Hij was verbijsterd; niet alleen door de complexiteit van Estebans plan, maar vooral door het lef ervan. Alleen iemand met een wel heel zeldzame combinatie van geduld, strategische visie en persoonlijke voorkeur kon zoiets hebben klaargespeeld. En dat hij het hád klaargespeeld, stond als een paal boven water. Als Pendergast niet toevallig de geplunderde tombe in de kelders van de Ville had gezien en dat detail had gecombineerd met de bloederige verpakking van een stuk lamszadel in Estebans vuilnisbak, dan was het hem gelukt.

In de troebele duisternis bleef Pendergast even gespannen staan nadenken. In zijn haast om hierheen te komen en Nora te redden, had hij er niet bij stilgestaan wat hij met Esteban aan moest. Hij besefte nu dat hij de man had onderschat: dit was een ontzagwekkende tegenstander. De afstand per auto van Inwood naar Glen Cove was zo kort dat hij intussen thuis moest zijn. En iemand als hij moest weten dat Pendergast hier zat. Zo iemand zou een plan hebben, en zat hem op te wachten. Die verwachting moest hij de kop indrukken. Hij moest toeslaan uit een letterlijk onverwachte richting.

Voorzichtig, onhoorbaar, liep hij dezelfde weg terug.

Met gespitste oren en zijn hand aan de hendel stond Esteban in de tunnel te wachten. De FBI-agent kon vrijwel onhoorbaar lopen, maar in deze stille ondergrondse ruimtes was het kleinste geluid over grote afstand hoorbaar. Hij luisterde gespannen en zag voor zijn geestesoog wat zich afspeelde. Eerst het geluid van een rits; dan het geknisper van plastic, een paar minuten stilte, en toen weer de rits. Daarna zag hij een heel vaag schijnsel van licht in de tunnel: Pendergasts zaklamp. Hij bleef staan wachten.

Grappig wel, als je erover nadacht: die FBI-agent die die twee lijken vond. Wat een schok moest dat zijn. Hij vroeg zich af in hoeverre de man zijn plannen had kunnen reconstrueren. Waarschijnlijk wist hij intussen heel wat, met die twee lijken voor zijn neus. Die Pendergast was niet op zijn achterhoofd gevallen. Misschien wist hij alles, behalve het cruciale punt, namelijk de inhoud van het document dat hij uit het graf van zijn voorvader had gehaald.

Het belangrijkste was dat Pendergast hier op een ingeving heen gekomen was, zonder enig bewijs. En daarom zat hij hier in zijn eentje, zonder versterking en zonder overvalteam.

Bij de gedachte aan het document gingen Estebans nekharen plotseling overeind staan. Hij had het niet bij zich. Waar had hij het gelaten? In de auto, die op de oprit stond, niet op slot. Dat verdomde alarm op zijn BlackBerry had hem afgeleid op het moment dat hij thuiskwam. Stel dat iemand het gestolen had? Stel dat Pendergast het vond? Maar dat waren idiote gedachten: de poort van het landgoed zat op slot en Pendergast was hier, in de tunnel. Hij zou het document zo snel mogelijk ophalen, maar eerst had hij dringende zaken af te handelen.

Er heerste nu absolute stilte in de tunnel. Met ingehouden adem bleef hij staan luisteren en wachten.

En wachten. De vage, indirecte gloed van de lantaarn bleef waar hij was en trok niet verder. Naarmate de minuten verstreken, begon Esteban het akelige gevoel te krijgen dat er iets niet klopte.

'Meneer Esteban?' klonk een vriendelijke stem uit het donker achter hem. 'Wilt u zo vriendelijk zijn roerloos te blijven staan en uw wapen op de grond te laten vallen? Ik waarschuw u: bij de geringste beweging, al knippert u maar met uw ogen, bent u dood.'

79

Esteban liet het pistool vallen. Het kletterde op de grond. 'Als u dan nu uw handen boven uw hoofd wilt brengen en twee stappen achteruit doen? U kunt tegen die muur leunen.'

Esteban deed de gevraagde twee stappen en ging tegen de muur staan. Pendergast bukte zich, raapte de browning op, stak die in zijn jaszak en fouilleerde Esteban. Hij nam hem zijn lantaarn af, deed een stap achteruit en knipte het licht aan.

'Kijk eens...' begon Esteban.

'Geen gepraat graag, behalve om op mijn vragen te antwoorden. U brengt me naar Nora Kelly. Knik als u me begrijpt.'

Esteban knikte. De strijd was nog niet verloren... Je kon ook té slim zijn. Langzaam liep hij achteruit in de richting van het huis.

'Daar is ze niet,' zei Pendergast. 'Daar heb ik al gekeken. U hebt uw enige kaart verspeeld; als u nog een keer zoiets probeert, moet ik wel concluderen dat u me tegenwerkt en dan schiet ik u zonder meer dood en ga ik zelf op zoek naar mevrouw Kelly. Knik als u me begrijpt.'

Esteban knikte.

'Is ze in de kelders onder de schuur?'

Esteban schudde zijn hoofd.

'Waar is ze? U mag spreken.'

'Ze zit in een ruimte bij de tunnel, onder het pleisterwerk. Niet ver van waar Smithback ligt.'

'Er was geen vers pleisterwerk te vinden in de tunnel.'

'De deur zit onder een oud gepleisterd paneel dat ik zelf kan weghalen en terugzetten.'

Daar leek Pendergast even over na te denken. Uiteindelijk wuifde hij met zijn pistool. 'Na u. Vergeet niet wat er gebeurt bij tegenwerking.'

Esteban ging weer op pad, de tunnel in, de kant van Smithback uit, en bleef vlak langs de rechtermuur lopen. Pendergast volgde een meter of drie achter hem. Hij stapte over een lantaarntje heen – dat moest van de agent zijn – dat op de bodem van de tunnel lag. Toen hij de hendel passeerde, deed Esteban of hij even struikelde en viel, waarbij hij het ding overhaalde.

Er klonk een schot, maar dat schampte over zijn hoofd heen en warrelde even door zijn haar. Vanuit het plafond van de tunnel klonk een daverende knal toen zijn mechanisme het luik van de filmlawine opende. Dit was een enorme massa piepschuimen blokken, gebroken en beschilderde stukken hout, en zand en grind met piepschuimpinda's erdoorheen. Niet zo dodelijk als een echte lawine, maar wel snel en genadeloos. Pendergast sprong opzij, maar hoe snel hij ook was, hij kon de duizenden kilo's materiaal die vlak boven zijn hoofd werden uitgestort niet ontwijken. Onder een lang, rommelend gebrul van hout en grind en piepschuim werd hij tegen de vloer gesmakt en bedolven. Esteban maakte zich haastig uit de voeten en zag maar net kans zelf de rand van de lawine te ontwijken.

Het werd pikdonker. De lampen waren mét de agent begraven. Esteban hoorde de laatste stukjes grind neerregenen. Hij lachte hardop. Dit was de lawine waaronder de cipiers waren bedolven die de achtervolging hadden ingezet bij de slotscène van *Breakout Sing Sing*, terwijl de held zelf vanuit de tunnelmonding de vrijheid tegemoet sprong. En die scène had hij hier nagemaakt, maar ditmaal was de ontsnapping écht!

Pendergast was kennelijk geen filmliefhebber. Was hij dat wel geweest, dan had hij de tunnel misschien herkend en had hij geweten wat er kwam. Jammer voor hem.

Esteban waadde de namaaklawine in, schopte het materiaal opzij en ging op zoek naar Pendergast. Na vijf minuten puinruimen zag hij de lichtbundel van de zaklantaarn, die nog brandend naast het stoffige, bebloede en bewusteloze lichaam van de agent lag. De browning die hij in beslag had genomen lag naast hem. Zijn eigen pistool had hij in zijn hand, en de mobiele telefoon lag naast hem. Het puin had hem vol getroffen en zo te zien was hij dood, maar Esteban moest het zekere voor het onzekere nemen. Eerst griste hij beide vuurwapens weg. Daarna stampte hij hard op de mobiele telefoon om die te verbrijzelen. Tot slot hief hij de browning, controleerde het magazijn, richtte op Pendergasts borstbeen en vuurde van dichtbij twee schoten op de speurder af: een dubbele treffer in het hart, gevolgd door een derde schot voor de zekerheid. Bij ieder schot schokte het lichaam op, en rond de borst en schouders wolkte het stof op.

Op de grond onder het lichaam verscheen een snel uitdijende plas bloed.

Te midden van de opstijgende stofwolken stond Esteban zichzelf een bescheiden glimlachje toe. Jammer dat deze scène nooit op het zilveren doek zou verschijnen. En dan was het nu tijd voor de slotakte van zijn privé-epos: de vrouw ombrengen en de lijken dumpen.

Alle vier.

80

Laura Hayward baande zich voorzichtig een weg door de donkere gewelven onder de stegen en huizen van de Ville. De kreten en het gejoel boven haar hoofd, die een crescendo hadden bereikt, waren plotseling opgehouden. Ofwel de strijd had zich verplaatst naar Inwood Hill Park, ofwel ze zat intussen te diep ondergronds om nog iets te horen. De ondergrondse gangen van de Ville strekten zich over vele niveaus uit en vertoonden een groot aantal bouwstijlen, van ruw met de hand uitgehakte grotten tot schitterende gemetselde ribgewelven. Het leek wel of de opeenvolgende golven van bewoners, elk met hun eigen behoeften en technologische kennis, steeds weer volgende uitbreidingen van de kelders hadden aangebouwd.

Een snelle blik op haar horloge leerde haar dat ze al een kwartier lang op zoek was; vijftien minuten van doodlopende gangen en verwarrende slingerpaden, de ene ruimte nog macaberder dan de andere. Hoe ver liep dit onderaardse labyrint wel niet door? En waar zat Vincent? Een paar keer had ze op het punt gestaan zijn naam te roepen, maar telkens weer had een zesde zintuig haar daarvan weerhouden. Haar radio bleek onbruikbaar.

Nu stond ze op een kruispunt van vier korte gangen, die naar een stel deuren met ijzeren banden leidden. Ze koos een willekeurige gang, liep erdoor, bleef bij de deur staan luisteren, opende hem en keek naar binnen. Voor haar lag een smerige, stinkende tunnel, de vloer sponzig van de schimmel, het plafond vol spinnenwebben. Er klonk een onophoudelijk druppelen van condens aan de slijmerige zoldering, en er vielen vettige druppels op Haywards haar en schouders die ze vol walging wegveegde.

Na een meter of twintig kwam ze bij een t-splitsing aan. Hayward nam de rechtergang, in de richting vanwaar naar ze aannam de centrale kerk stond. De lucht was hier iets minder bedompt, de wanden waren gemaakt van primitief uitgehouwen steen. Ze tuurde naar het metselwerk en scheen erop met haar zaklantaarn. Dit was beslist niet de muur die ze gezien had op de video van Nora Kelly.

Plotseling rechtte ze haar rug. Was dat een kreet?

Roerloos bleef ze in het donker staan luisteren. Maar wat ze ook gehoord had, áls het al iets was geweest, klonk niet opnieuw.

Ze liep verder. De stenen gang eindigde in een enorme, gewelfde doorgang. Ze liep eronderdoor en bevond zich in een grofgebouwd mausoleum, gestut met rottende palen, een tiental grafnissen in de kleimuren uitgehakt, met in elk daarvan een half vergane lijkkist. Overal hingen fetisjen en afweermiddelen: zakjes leer met pailletten, groteske poppen met starende ogen in veel te grote hoofden, krankzinnig complexe patronen met spiralen en arceringen op planken en dierenhuiden geschilderd. Het leek wel een ondergrondse tempel voor de dode leiders van de Ville – of misschien voor de 'ondoden'. De lijkkisten zelf zagen er eigenaardig uit, met ijzeren banden en hangsloten, alsof de doden op hun plek gehouden moesten worden, sommige met enorme staken er tot in de grond doorheen gedreven. Met een huivering dacht Hayward terug aan een paar kleurrijke verhalen van haar vroegere collega's bij de politie van New Orleans.

... En nu klonk het weer, ditmaal zonder enige twijfel: een vrouwenstem die zacht snikte, vanuit het duister vlak voor haar.

Nora Kelly? Zo zachtjes mogelijk liep ze, met getrokken pistool en afgeschermde lantaarn, door de grafkamer vol voodoo. De stem klonk gedempt, maar dichtbij, twee of hoogstens drie ruimtes verderop. De kamer vol nissen eindigde in een gang die zich opnieuw splitste. De geluiden klonken van links en daar liep Hayward op af. Als het Nora was, werd ze waarschijnlijk bewaakt. Dan had de Ville bij de eerste tekenen van problemen iemand de kelders in gestuurd.

De gang maakte een scherpe bocht en kwam plotseling uit in een enorme crypte met een gewelfd plafond, gestut door zware zuilen. In de stoffige duisternis zag Hayward eindeloze rijen houten sarcofagen staan, doorlopend tot aan de achterwand. Daar, in de verte, zag ze drie gestalten bij het flakkerende licht van wat zo te zien de vlam van een aansteker was. Twee vrouwen, van wie er een stilletjes zat te huilen. De derde, een man, zat zachtjes op hen in te praten. Hij zat met zijn rug naar Hayward toe, maar te zien aan zijn houding, te horen aan zijn toon, probeerde hij hen gerust te stellen.

Ze voelde haar hartslag versnellen. Ze deed een stap dichterbij, en nog een. En toen wist ze het zeker: de man aan de andere kant van de ruimte was Vincent D'Agosta.

'Vinnie!'

Hij draaide zich om. Even keek hij verbaasd, toen verscheen er een opgeluchte glimlach op zijn gezicht. 'Laura! Wat doe jij hier?'

Snel liep ze op hem af. Ze probeerde niet langer haar licht te verbergen. Met angstige gezichten keken de twee vrouwen haar aan.

D'Agosta had zijn rechterarm in een geïmproviseerde mitella; zijn gezicht zat onder de vegen en schrammen en zijn pak was gescheurd en haveloos. Maar ze was zo blij hem te zien dat haar dat amper opviel.

Even sloeg ze haar armen om hem heen, wat onbeholpen vanwege de mitella. Toen keek ze hem aan. 'Vinnie, je ziet eruit alsof ze je achter een auto hebben meegesleept.'

'Zo voel ik me ook. Maar ik heb hier een stel mensen die hulp nodig hebben. Ze zaten bij de demonstratie, maar bij een achtervolging door bewoners van de Ville zijn ze de weg kwijtgeraakt.' Hij zweeg even. 'Ben jij hier ook op zoek naar Nora?'

'Nee. Ik was op zoek naar jou.'

'Naar mij? Hoezo?' Hij leek bijna beledigd.

'Pendergast zei dat je misschien hier zat, dat je in gevaar verkeerde.'

'Ik was op zoek naar Nora. Pendergast, zei je?'

'Op weg naar buiten zei hij dat hij Nora ging ophalen. Hij zei dat ze niet hier zit.'

'Wát? Waar dan?'

'Dat zei hij niet. Maar hij zei wel dat jullie samen aangevallen waren. Door iets eigenaardigs.'

'Dat klopt. Laura, als Nora hier inderdaad niet is, dan moeten we ervandoor. Nú.'

Plotseling zweeg hij. Even later hoorde Hayward het ook: een geplets vanuit het donker, alsof iemand met brede blote handen op het kille steen sloeg. Het was nog veraf, maar het kwam dichterbij. Even later werd het spetterende geluid overstemd door een vochtig gesmak en een zacht gekreun, als het hijgen van een kapotte blaasbalg: *aaahhhoeoeoeoeoe...*

Een van de vrouwen hapte naar adem en deed instinctief een wankele stap achteruit.

D'Agosta schrok. 'Te laat,' zei hij. 'Hij is terug.'

81

In de naar schimmel ruikende duisternis zat Nora te wachten. Haar hoofd bonsde verschrikkelijk; bij iedere beweging schoot er een pijl van pijn van haar ene naar haar andere slaap. Haar cipier had haar hersenschudding nog vererrgerd met die klap op haar hoofd. Ondanks de pijn moest ze vechten tegen een grote loomheid die haar dreigde te overweldigen. Hoeveel uren waren er verstreken? Vierentwintig? Zesendertig? Vreemd hoe moeilijk het was om in het donker een gevoel van tijd te bewaren.

Ze lag tegen de muur aan, naast de deur, op de terugkeer van haar gevangenbewaarder te wachten, zich afvragend of ze de energie zou opbrengen om hem aan te vallen als hij terugkwam. Ze moest zichzelf bekennen dat het hopeloos was. De truc had de eerste keer niet gewerkt en het zou de tweede keer ook niet lukken. Maar wat kon ze anders? Op iedere andere plek in de kerker kon hij haar door het raam doodschieten. Ze wist dat hij haar niet vrij zou laten. Hij had een of andere obscure reden om haar in leven te laten, en als dat doel bereikt was zou hij haar vermoorden.

In de zwarte stilte dwaalden haar gedachten af. Ze zag een zwarte limousine bij de haven van het stadje Page, in de staat Arizona, met op de achtergrond de rode heuvels rond Lake Powell en de hemel boven haar hoofd, als een perfect blauwe, wolkeloze koepel. De hitte steeg in trillende banen van het parkeerterrein op. De deur van de limousine ging open en er kwam een lange, magere man naar buiten, die het stof van zich af klopte en zijn rug rechtte. Hij zag er bespottelijk uit met zijn Ray-Ban en zijn bruine haar dat alle kanten uit piekte. Hij liep met iets gekromde schouders, alsof hij zich schaamde voor zijn lengte. Ze dacht terug aan zijn adelaarsneus, aan zijn lange, smalle gezicht en aan de perplexe blik, met iets samengeknepen ogen maar tegelijkertijd zag ze weer het vertrouwen waarmee hij zijn omgeving in zich opgenomen had. Dat was haar eerste blik geweest op de man die haar echtgenoot zou worden, die met haar mee was gegaan op een archeologische expeditie naar de canyons van Utah, als meereizend journalist. Ze had hem meteen een druiloor gevonden. Pas later merkte ze dat hij zijn betere eigenschappen, zijn uitstekende eigenschappen, zorgvuldig verborgen hield, alsof hij die lichtelijk gênant vond.

Andere herinneringen aan die eerste dagen in Utah speelden door haar hoofd, zonder bepaalde volgorde: Bill, die haar 'mevrouw de voorzitter' noemde. Bill die vloekend en foeterend op zijn paard klom, Hurricane Deck, terwijl het beest geen seconde stilstond. Die herinneringen gingen over in gedachten aan hun begindagen in New York: Bill die cognacsaus over zijn nieuwe pak knoeide in Café des Artistes. Bill als zwerver vermomd om een bouwput binnen te sluipen waar zesendertig lijken waren gevonden. Bill in het ziekenhuisbed nadat hij uit handen van Leng was bevrijd... De beelden kwamen ongevraagd, onwelkom, maar tegelijkertijd vreemd geruststellend. Ze bracht het niet meer op om zich ertegen te verzetten en liet ze door haar hoofd glijden, terwijl ze wegdommelde in een soort halfslaap. Nu, in deze opperste nood, terwijl haar eigen leven ieder moment afgelopen kon zijn, leek ze zich eindelijk met haar verlies te kunnen verzoenen.

Een gedempte dreun, een diepe trilling in de lucht en door de wanden heen, deed haar met een schok weer in het heden belanden. Ze ging rechtovereind zitten, plotseling alert; haar hoofdpijn vergeten. Het gerommel hield eindeloos aan voordat het wegstierf in de stilte. Enkele minuten later hoorde ze de luide knallen van twee pistoolschoten vlak achter elkaar, gevolgd door een pauze en een derde schot.

Die geluiden, zo luid en zo plotseling na de eindeloze stilte, zetten haar aan tot actie. Er was iets gebeurd, en dit werd misschien haar enige kans om zelf iets te doen. Haar spieren verstrakten zich en ze bleef met gespitste oren zitten luisteren. Eerst vaag, maar daarna steeds duidelijker, hoorde ze dat er iets zwaars over de keldervloer werd gesleept. Een gegrom, stilte, weer gesleep. Stilte. En toen het geluid van het tralieluikje in haar deur dat openging.

De stem van haar gevangenbewaarder klonk. 'Bezoek!'

Nora bleef roerloos zitten.

Er scheen een licht door de opening, en de zwarte tralies van het luik tekenden zich af tegen de achterwand van de cel.

Nora bleef zitten wachten. Ze moest hem dwingen binnen te komen, zodat ze hem kon aanvallen. Dat was haar enige kans.

Ze hoorde een sleutel in het slot, zag de deur deels openzwaaien. Maar in plaats van zelf naar binnen te stappen smeet haar cipier iets op de grond, een lichaam, en verdween meteen weer. De deur sloeg met een klap achter hem dicht. Bij het verdwijnende licht keek ze naar het gezicht dat zich aftekende tegen het schemerige luikje: de gebeeldhouwde trekken, de hoge jukbeenderen, de marmerbleke huid en het fijne haar. De ogen als spleetjes, waarachter alleen het wit te zien was. Stof en bloed in het haar, het ooit zwarte pak nu grijs van het stof, verkreukt en gescheurd. Een plas donker bloed die zich nog over zijn overhemd aan het verspreiden was.

Pendergast. Dood.

Ze slaakte een kreet van verbazing en ontzetting.

'Vriendje van je?' hoonde de stem door het luik. De sleutel werd omgedraaid, de ketting rinkelde en de duisternis keerde terug.

82

Alexander Esteban haastte zich terug door de kelders, die hij als zijn broekzak kende, en rende met twee treden tegelijk de trap op naar de begane grond. Even later was hij de schuur uit en stond hij buiten. Het was een frisse herfstavond, de sterren waren uitgezaaid over een fluwelen hemel. Op een drafje liep hij naar zijn auto, smeet het portier open en goddank, góddank lag de bruine envelop nog op de passagiersstoel. Hij greep de omslag, opende hem, haalde de oude perkamenten bladen uit de envelop, telde ze na en borg ze, langzamer nu, weer in de envelop.

Hijgend bleef hij even tegen zijn auto geleund staan. Idioot natuurlijk, die paniek. Natuurlijk was er niets met het document gebeurd. Het was niemand behalve hemzelf iets waard. De meeste mensen zouden het niet eens begrijpen. Maar toch was het een marteling geweest om te weten dat het daar zo onbeschermd in de auto lag. Hij had alles zo zorgvuldig gepland, had relaties gekweekt, een fortuin uitgegeven, had mensen misleid en gekoeioneerd en geïntimideerd en vermoord... en dat alles voor dit ene dubbele vel perkament. De gedachte dat het daar onbewaakt in de auto had gelegen, voor het grijpen van de eerste de beste insluiper die voorbijkwam of zelfs maar ten prooi aan de grillen van het weer in Long Island, was pure ellende geweest. Maar het was allemaal prima afgelopen. Het document was veilig. En nu, nu hij het weer in handen had, kon hij zich veroorloven om te lachen om zijn eigen paranoia.

Met een wat beschaamde grijns op zijn gezicht liep hij naar het huis terug, door de donkere gangen naar zijn kantoor, en opende zijn safe. Hij legde de envelop in de stalen behuizing en koesterde hem even met zijn blik. Nu was hij volledig gerust. Nu kon hij terug naar het souterrain en de zaken daar afhandelen. Pendergast was dood, nu alleen de vrouw nog. Hun lijken zouden diep onder de keldervloer verdwijnen – de plek had hij al gemarkeerd – en niemand zou ze ooit terugzien.

Hij duwde de zware metalen deur dicht en toetste de elektronische code in. Terwijl het slot fluisterde en klikte en de tuimelaars op hun plek vielen, dacht Esteban aan de komende weken, maanden, jaren... en hij glimlachte. Het zou een hele strijd worden, maar uiteindelijk zou hij daar als een rijk, een steenrijk man, uit komen.

Hij liep het huis uit en slenterde het gazon over, ontspannen ademhalend en met zijn hand op de kolf van het pistool dat hij bij het lijk van de FBI-agent had weggenomen. Het was een dienstwapen, perfect voor de anonieme klus die hij in gedachten had. Hij zou het natuurlijk weggooien, nadat hij het voor de vrouw had gebruikt.

De vrouw. Die had hem al eenmaal verbaasd met haar vindingrijkheid en haar fysieke uithoudingsvermogen. De menselijke genialiteit in het aangezicht van de dood mocht je nooit onderschatten. Ze was gewond en ze zat opgesloten, maar toch moest hij voorzichtig doen. Het had geen enkele zin op het laatste moment nog een fout te maken, nu hij alles wat zijn hart begeerde in handen had.

In de schuur knipte hij zijn zaklamp aan en liep de keldertrap af. Hij vroeg zich af of de vrouw het hem moeilijk zou maken, of ze weer net als de vorige keer achter die ellendige deur verstopt zou zitten. Maar dat leek hem onwaarschijnlijk; ze was zichtbaar over haar toeren geraakt toen hij Pendergasts lijk naar binnen had gegooid. Waarschijnlijk was ze intussen volledig hysterisch en zou ze gaan soebatten, of proberen zich eruit te lullen. Nou, die kans zou hij haar niet geven.

Hij kwam bij de deur van haar kerker aan, opende het tralieluikje en scheen met zijn lantaarn naar binnen. Daar lag ze, midden in het hok, op het stro te snikken, alle vechtlust weggeëbd, met gebogen hoofd in haar handen. Haar brede rug was een perfect doelwit. Een eindje rechts van haar, nog zichtbaar, lag het lijk van de FBI-agent; de kleren waren weggetrokken alsof ze op zoek was gegaan naar zijn wapen. Misschien was dat de reden waarom ze uiteindelijk de hoop had opgegeven: dat ze geen wapen gevonden had.

Even voelde hij iets van berouw. Dit was een wel heel kille daad. Heel iets anders dan de moord op Fearing of Caitlyn Kidd; dat was opportunistisch tuig geweest, een stelletje oplichters, tot alles bereid voor geld. Maar het was een noodzakelijk, onvermijdelijk kwaad om de vrouw te vermoorden. Hij tuurde door het vizier, richtte zorgvuldig op haar bovenrug, vlak boven het hart, en loste een schot met de colt. De kracht van de inslag smeet haar opzij en ze gilde even: een korte, felle kreet. Het tweede schot trof haar lager, vlak boven de nieren, en opnieuw schokte het lichaam opzij. Ditmaal klonk er geen kreet.

Dat was dat.

Maar hij moest het zekere voor het onzekere nemen. Een kogel door het hoofd voor allebei – en dan een snelle teraardebestelling op de plek die hij al had uitgezocht. Dan kon hij zich meteen ontdoen van de lijken van Smithback en die onderzoeker. Man en vrouw samen het graf in – was dat nou niet mooi?

Met getrokken pistool stak hij de sleutel in het slot en duwde behoedzaam de deur open.

83

D'Agosta wendde zich tot de twee demonstranten, die met angstig gezicht naar hem zaten te kijken, hun kasjmieren truien en bootschoenen volslagen misplaatst in dit gruwelkabinet van de dood. 'Ga achter die crypte zitten,' zei hij met een gebaar naar een grote plaat marmer. 'Vouw je helemaal op en hou je onzichtbaar. Vooruit.'

Hij draaide zich weer terug naar Hayward, en zijn gebroken onderarm protesteerde tegen de plotselinge beweging. 'Geef me je zaklamp.'

Ze gaf hem de lamp en hij hield zijn hand ervoor om het licht te temperen. 'Laura, ik heb geen wapen. We kunnen dit wezen niet ontlopen en we kunnen ons niet verbergen. Zodra het binnenkomt, schiet je.'

'Zodra wát binnenkomt?'

'Dat zie je vanzelf. Het lijkt geen pijn te voelen, geen angst, niets. Het ziet er in eerste instantie uit als een mens, maar het is niet volledig menselijk. Het is snel, en het twijfelt geen moment. Ik zal er met mijn lantaarn op schijnen. Als je aarzelt, zijn we er geweest.'

Ze slikte, knikte en controleerde haar pistool.

Hij stak de lantaarn in zijn zak, zocht een plek achter een grote marmeren tombe en gebaarde dat Hayward achter de volgende sarcofaag moest plaatsnemen. Zo bleven ze wachten. Even hoorde hij niets dan Haywards snelle ademhaling, een vaag gejammer van de demonstranten en het hameren van zijn eigen hart. En toen was het er weer: het geluid van blote voeten op natte steen. Het leek nu verder weg. Een zacht kreunen echode door de holle ruimte, lang aangehouden maar met een soort hongerige urgentie: *aaahhhoeoeoeoe...*

Vanuit de duisternis achter zich hoorde D'Agosta het gejammer van de demonstrant, waar steeds meer paniek in doorklonk.

'Stil!' fluisterde hij.

De pletsende voetstappen bleven staan. D'Agosta voelde zijn hartslag versnellen. Hij stak zijn hand in zijn jaszak om de lantaarn te pakken. Daarbij voelde hij plotseling zijn medaillon van Sint-Michaël, de beschermheilige van politiemensen. Dat had hij van zijn moeder gekregen toen hij agent werd. Iedere ochtend stak hij het, bijna gedachteloos, in zijn zak. Al had hij al een handvol jaren niet meer gebeden en was hij al veel langer niet meer naar de kerk gegaan, nu hoorde hij zichzelf een gebed aanheffen: *God, Gij die ons ziet in onze grootste nood...*

Aaaiiieeehhhhoeoeoeoe... klonk het gekreun, dichterbij nu.

... wij smeken u, heer, verlos ons van de dodelijke macht van het kwaad. Sint-Michaël de aartsengel, verdedig ons in de strijd...

Achter in de gewelfde ruimte bewoog iets in het onwelriekende donker. Een lage, gebukte gestalte, een schaduw tussen de schaduwen, sloop tussen de verst afgelegen sarcofagen door. D'Agosta haalde de lantaarn uit zijn zak. 'Ben je zover?' fluisterde hij.

Hayward richtte haar wapen voor zich uit en greep het met twee handen vast.

D'Agosta richtte de lantaarn op de verste boog en knipte hem aan.

Daar zat het wezen, gevangen in de lichtbundel: bleek, gehurkt, één hand met gespreide vingers plat op de grond voor zich, de andere tegen zijn zij gedrukt, waar de lompen aan zijn lijf een snel groeiende vuurrode vlek vertoonden. Het ene, goede oog rolde onbeheerst in de richting van het licht, het andere was onzichtbaar achter zwarte korsten geronnen bloed; er lekte vocht uit. De onderkaak hing los en zwengelde met iedere beweging mee, en aan de donkere, gezwollen tong bungelde een dikke sliert kwijl. Het schepsel zat onder de schrammen en modder en bloed. Maar de verwondingen hadden geen enkele uitwerking op zijn snelheid of zijn doelbewustheid. Met een hongerige kreun sprong het op het licht af.

Bam! klonk Haywards pistool. *Bam! Bam!*

D'Agosta knipte het licht uit om de kans te verkleinen dat het wezen hen vond. Zijn oren tuitten van de explosies en van het gekrijs van de demonstranten achter hen.

De echo's van de schoten rolden weg in de ondergrondse tunnels en de stilte keerde terug.

'Mijn god,' hijgde Hayward. 'Mijn god.'

'Heb je hem geraakt?'

'Volgens mij wel.'

D'Agosta hurkte en bleef met gespitste oren zitten wachten tot

het tuiten in zijn oren zou afnemen. Achter hem nam het angstge-
gil af tot een hartverscheurend snikken. En daarna hoorde hij niets
anders meer dan Haywards hijgende ademhaling.

Had ze het wezen gedood?

Hij wachtte een, twee minuten. Daarna knipte hij zijn lantaarn
aan en scheen ermee in de ruimtes die voor hen lagen. Niets.

Maar of het schepsel nu leefde of dood was, dit was vijandelijk
gebied en ze konden niet zomaar blijven zitten. 'Kom op,' zei hij.
'Wegwezen.'

D'Agosta greep de twee demonstranten beet en hees ze overeind. Snel laveerden ze tussen de rijen sarcofagen door tot ze even
later bij de doorgang in de achterwand stonden. Hij scheen met
zijn afgeschermde lantaarn op de vloer rondom hen. Een paar
druppels vers bloed, en verder niets. Hij liep onder de doorgang
door en gebaarde dat ze hem moesten volgen naar de enorme opslagruimte daarachter.

'Voorzichtig,' fluisterde hij. 'Er zit een diepe put midden in de
vloer. Langs de wanden lopen.'

Terwijl ze zich een weg baanden tussen de stapels half verrotte,
in leer gebonden boeken en het eeuwenoude, uit elkaar vallende
meubilair, klonk er opzij van hen een scherp gesis. D'Agosta draaide zich om en hief de lantaarn net op het moment dat het gevaarte de duisternis uit schoot en op hen afsprong, de blubberige mond
opengesperd, de gehavende zwarte nagels geheven om zijn slachtoffers uiteen te rijten. Hayward wilde haar pistool richten, maar
het wezen zat in een flits boven op haar, zodat zij op de grond viel
en het pistool de ruimte door tuimelde. Zonder te letten op de pijn
in zijn verbrijzelde onderarm sprong D'Agosta het schepsel op de
rug en beukte het een paar maal in de nek. Het wezen negeerde
de klappen en omklemde Haywards nek nog harder, terwijl zij zich
uit alle macht verzette. En daarbij blafte het bijna van bloeddor-
stig genoegen: *Aihoe! Aihoe! Aihoe!*

Plotseling scheen er een feloranje licht in de opslagruimte.
D'Agosta draaide zich om naar de bron daarvan. En daar stond
Bossong, in de tegenovergelegen deuropening, met een enorme,
brandende toorts in zijn geheven hand. Zijn gezicht zat onder de
bloederige schrammen, maar zijn houding was streng en bijna vorstelijk als voorheen.

'*Arrête!*' riep hij, zijn diepe stem weergalmend door de ondergrondse zaal.

Het schepsel kromp iets ineen en keek op, waarbij het loense oog doelloos rond rolde in de kas.

D'Agosta zag dat Haywards pistool vlak voor de voeten van de geestelijk leider lag. Hij dook eropaf, maar meteen raapte Bossong het op en richtte het op hen.

'Bossong!' riep D'Agosta. 'Roep dat schepsel van je terug!'

De leider van de Ville bleef zwijgend met het pistool op hen gericht staan.

'Is dit waar het bij die religie van jullie om gaat? Dit monster?'

'Dat mónster' – Bossong spuwde het woord bijna uit – 'is onze beschermer.'

'En dit is dus zijn manier van beschermen? Door te proberen een ambtenaar van politie in functie te vermoorden?'

Bossong keek van D'Agosta naar de zombii, van de zombii naar Hayward en van Hayward weer naar D'Agosta.

'Zij heeft niets misdaan! Roep hem tot de orde!'

'Ze is in onze leefgemeenschap binnengedrongen, ze heeft onze kerk ontwijd.'

'Zij is hier om mij te redden, en om die anderen te redden.' D'Agosta staarde de leider aan. 'Ik heb altijd gedacht dat jullie zomaar een bloeddorstige cultus waren, dat jullie dieren doodmaken vanuit een of ander pervers, misplaatst genoegen. Kom op, Bossong, laat me zien dat ik het bij het verkeerde einde heb. Dit is je kans. Laat me zien dat je meer in je mars hebt. Dat er meer achter die religie van jullie zit.'

Even bleef Bossong roerloos staan. Toen verhief hij zich tot zijn volle lengte. Hij keek naar de zombii en riep: '*Cela suffit! N'envoie pas!*'

Het gevaarte uitte een ongearticuleerde, slurpende kreet. Het kwijl borrelde in zijn keel terwijl hij naar de priester opkeek. De greep op Haywards nek verslapte en ze worstelde zich los, kuchend en naar adem happend. D'Agosta hees haar overeind en samen deden ze een paar stappen achteruit.

'Hier moet een eind aan komen!' zei Bossong. 'Dit geweld moet afgelopen zijn.'

Het mens-ding trok even met zijn ledematen en schokte van

krampachtige besluiteloosheid. Het keek van Hayward naar Bossong en terug. D'Agosta zag een krankzinnige honger over de gelaatstrekken komen, en het wezen hurkte en sprong opnieuw op Laura af.

Het pistoolschot klonk oorverdovend in de besloten ruimte. Het schepsel, halverwege de sprong getroffen, wentelde om zijn as en viel op de grond. Met een gehuil van pijn en dierlijke razernij kwam het op handen en knieën overeind. Het bloed gutste uit een gapende tweede wonde in zijn flank, maar het zette wankelend, met steeds snellere passen en een schrikwekkende nieuwe blik van doelbewustheid, koers in de richting van Bossong. De volgende kogel trof hem in de onderbuik en met een walgelijk gorgelend geluid tuimelde hij voorover. Tot ieders verbijstering probeerde hij daarna wéér overeind te krabbelen; het bloed spoot uit de wonden en uit zijn opengesperde mond, maar de derde kogel trof hem in de borst en hij viel terug op de grond, waar hij onbeheerst en krampachtig schokkend bleef liggen. D'Agosta probeerde hem nog te grijpen, maar het was al te laat: kronkelend en met een afgrijselijk gekreun viel het wezen krampachtig trekkend met al zijn ledematen over de rand van de put. Er klonk een vochtig, rochelend gekrijs dat na een afgrijselijk lange seconde eindigde in een plons in de diepte.

Langzaam liet Bossong het rokende wapen zakken. 'En zo eindigt het zoals het begonnen is,' zei hij. 'In duisternis.'

84

Esteban stapte de cel in en bleef even staan. Welk van de twee eerst? Maar het was niets voor hem om al te lang besluiteloos te zijn, en hij stapte over het lichaam van de vrouw heen op de bebloede gestalte van de FBI-agent af. Die verdiende het al heel in het bijzonder om te sterven. Hoewel, dacht Esteban met een wrange glimlach, hij is natuurlijk al dood, of op sterven na dood. Het werd natuurlijk een bende, en bovendien zou hij nog tijdenlang oorsuizingen houden van de herrie van het pistool in de besloten ruimte. Hij nam de te volgen stappen nog een keer door terwijl hij het magazijn laadde. Hij zou zijn eigen kleren samen met de lijken en de wapens begraven – geen enkel probleem. Bloed kon je tegenwoordig onmogelijk wegwassen, met al die krachtige chemische middelen die de forensische dienst ter beschikking stonden. Maar hij zou de kelderruimte zelf dichtmetselen, zodat niets er nog op duidde dat die vertrekken ooit bestaan hadden. Daar konden alle lijken in verdwijnen. Misschien zouden er de komende dagen wat mensen komen rondsnuffelen, op zoek naar de FBI-agent. Misschien had de man zelfs wel gezegd waar hij naartoe was. Maar niets wees erop dat hij hier ook inderdaad aangekomen was: geen auto, geen boot, niets.

Hij ramde het magazijn op zijn plek, plaatste een ronde in de kamer en hief met één hand het pistool terwijl hij met de andere zorgvuldig de lantaarn op de stilliggende gestalte richtte.

De klap kwam van achteren: een verlammende slag op zijn achterhoofd. Meteen daarna zat er iets aapachtigs boven op hem, met twee klauwen van handen die in zijn gezicht groeven, een vinger in de rand van zijn oogkas en vervolgens naar binnen, tastend naar de oogbol zelf. Hij schreeuwde van de plotselinge pijn, wervelde om zijn as, probeerde de overvaller af te werpen, tastte er met één hand naar terwijl hij met het pistool in de andere hand wild om zich heen vuurde: een reeks enorme dreunen. De zaklantaarn viel met een klap op de grond en de duisternis slokte hen op.

Het duurde even voor hij, wankelend van pijn en onbegrip, doorhad wat er aan de hand was. Toen besefte hij dat het de vrouw was. Hij gilde, bokte en schudde en sloeg blindelings met zijn vrije hand naar haar, maar de vrouw bleef haar duimen in zijn oogkas duwen en uiteindelijk voelde hij de oogbol met een nat, zuigend geluid losploppen; de pijn in combinatie met het afgrijzen was zo vreselijk dat hij één ogenblik niet rationeel meer kon denken.

Brullend viel hij op de grond, en bij die zware klap verzwakte eindelijk haar greep. Maar terwijl hij om zijn as rolde en probeerde het pistool op haar te richten, besefte hij dat er een tweede persoon tegen hem in het geweer was gekomen. Dat moest de FBI-agent zijn – en het pistool werd hem ruw uit handen getrapt. Wild sloeg hij om zich heen, zag kans zich los te worstelen, krabbelde overeind en rende ervandoor. Hij klapte tegen de muur aan en tastte wanhopig om zich heen terwijl het gehijg van zijn aanvallers overal om hem heen leek te klinken.

... *De deur!* Hij strompelde de drempel over en rende de duisternis in, versuft en zonder enig richtinggevoel, stuiterend van de rekwisieten naar de muur en terug; in alle pijn en paniek vergat hij waar hij was en wankelde struikelend door het oerwoud van troep in zijn pogingen om weg te komen. De vrouw en de FBI-agent – hoe was het in godsnaam mogelijk dat die twee nog leefden? Maar zodra de vraag opkwam, wist hij het antwoord al. En hij vervloekte zijn monumentale, kolossale stommiteit. Al rennende voelde hij zijn oogbol, los bungelend aan de oogzenuw, in een slingerende boog op en neer hotsen.

De browning! Het tweede pistool: helemaal vergeten. Hij tastte in zijn broekband, trok het wapen, draaide zich om en vuurde achter zich, in de richting van zijn achtervolgers. Even later werd zijn schot beantwoord door de dreun van de colt en de inslag van een zwaarkaliberkogel die niet ver van zijn oor door een rekwisiet heen scheurde, zodat hij in een regen van splinters verder holde.

Jezus, dat scheelde een haar. Hij draaide zich om en rende verder, wanhopig rondkrabbelend door de oude decors in een poging zijn richtinggevoel terug te vinden. Hij hoorde zijn wankelende achtervolgers. Als hij in het donker nogmaals op hen schoot, maakte hij zichzelf alleen maar tot doelwit.

Hij blunderde tegen iets aan en besefte dat hij in zijn wanhopige vluchtpoging op de een of andere manier van richting veranderd moest zijn. Waar was hij in godsnaam? Wat voor rekwisiet was dit? Een enorme wand van pleisterwerk... de omtrek van een stel blokken... was dit de kasteeltoren? Ja, dat moest wel! Hij duwde het pistool terug in zijn broekband en rende zo hard hij kon op de tast de kantelen op. Nog even verder, heel iets verder... Het einde van de kantelen, en hij sprong aan de andere kant omlaag; daar kwam hij terecht op iets wat als een loopplank aanvoelde. Wat was dit? Hij had verwacht te zullen belanden op de namaakstenen sarcofaag van de Egyptische farao Raneb, maar dit was iets heel anders. Was hij de andere kant uit gevlucht? Zijn hoofd tolde terwijl hij ondanks de gekmakende pijn voor de zoveelste maal probeerde zich te midden van de eindeloze hoeveelheden rekwisieten te oriënteren. Hij kroop tegen de schuin oplopende loopplank op, struikelde en viel, en bleef hijgend op een houten plankier liggen. Als hij daar nou gewoon doodstil bleef liggen, dan zouden ze hem misschien niet vinden. Hoewel... nee, dat sloeg nergens op. Natuurlijk zouden ze hem vinden, en dan... Hij móést zien weg te komen, hij moest ergens heen waar hij zich kon verdedigen. Of vanwaar hij kon vluchten.

Hij hoorde hen in het donker langs de kantelen scharrelen, op zoek naar hem.

Hij was tot op het merg bedroefd en gekwetst na de onverwachte tegenvaller, terwijl hij het allemaal zo goed voor elkaar gehad had. Maar hij moest de werkelijkheid onder ogen zien: de enige uitweg die hem restte, was een vlucht. Naar Mexico, misschien, of naar Indonesië. Of Somalië. Maar eerst moest hij deze inktzwarte gevangenis uit en naar zijn oog laten kijken. Hij ging rechtop zitten, voelde een bungelend touw tegen zijn gezicht vegen, greep dat beet en begon zich omhoog te hijsen – maar plotseling gaf het touw mee en hoorde hij een eigenaardig suizen boven zijn hoofd. Een fractie van een seconde later besefte hij wat hij gedaan had, aan wat voor touw hij had getrokken, maar tegen die tijd was het te laat. Zijn wereld eindigde abrupt met een kort, scherp *tok*.

Nora hoorde een gekrabbel, gevolgd door een sissend geluid, en plotseling verscheen er een bevend geel licht. Pendergast had een opgefrommeld stuk krant in zijn hand, waarvan één uiteinde in brand stond. De open huls van een kogel lag op de cementvloer; daaruit had hij het cordiet gehaald om het vuur mee aan te maken.

'Kom eens kijken,' zei hij zwakjes.

Pendergast stak zijn hand uit, en Nora pakte hem. Haar hele lijf deed pijn; alle ribben leken gebroken door de kogels en haar hoofd, dat toch al leed onder een hersenschudding, bonsde. Pendergasts kogelvrije vest, dat hij haar in de duisternis van de cel had aangegeven, voelde ongewoon en zwaar aan onder haar ziekenhuisnachtpon. Ze liep naar een oud deel van de middeleeuwse vestingmuur en daar, voor haar, stond een guillotine, met het mes omlaag, een lichaam op het schavot en in de mand daaronder een vers hoofd. Het hoofd van haar gevangenbewaarder, met één oog verbaasd opengesperd en het andere afzichtelijk verminkt bungelend aan een laatste streng zenuwweefsel.

'O mijn god...' Ze sloeg een hand voor haar mond.

'Kijk goed,' zei Pendergast. 'Dit is de man achter de moord op jouw echtgenoot en Caitlyn Kidd. De moordenaar van Colin Fearing en Martin Wartek, degene die jou en mij heeft willen vermoorden.'

Ze hapte naar adem. 'Waarom?'

'Een bijna perfect gechoreografeerd, of moet ik zeggen in scène gezet, drama. De laatste details komen we te weten zodra we de hand kunnen leggen op een bepaald document.' Zijn stem klonk zo zacht, zo fluisterend, dat ze hem amper verstaan kon. 'Maar nu moeten we een ambulance bellen. Zodra... zodra je hier klaar bent.'

Terwijl ze naar het grueltafereel keek, besefte ze dat ze door de sluier van pijn heen inderdaad een zekere grimmige catharsis voelde. Ze wendde zich af.

'Genoeg gezien?'

Ze knikte. 'We moeten hier weg. Je bloedt – en niet zo'n beetje, ook.'

'Estebans derde kogel belandde naast mijn vest. Volgens mij is mijn linkerlong geraakt.' Hij kuchte even; er kwamen druppeltjes bloed uit zijn mond.

Met de geïmproviseerde toorts als verlichting in de hand zochten ze zich langzaam, moeizaam, een weg door de kelders, de trap op, over het donkere grasveld naar het huis toe. Daar, in de onverlichte woonkamer, hielp Pendergast Nora op de bank te gaan liggen. Daarna pakte hij de telefoon en koos het alarmnummer.

En na dat telefoontje viel hij bewusteloos op de grond, waar hij roerloos bleef liggen in een steeds grotere plas van zijn eigen bloed.

85

Toen de nacht viel, was het rustig geworden op de zesde verdieping van het academisch ziekenhuis North Shore. Het knersen van rolstoelen en brancards, de belletjes en de mededelingen door de luidsprekers in de verpleegkundigenruimte: dat alles was bijna opgehouden. Maar er waren geluiden die altijd doorgingen: het sissen van de beademingsapparatuur, het vage snurken en mompelen van slapende patiënten, het mekkeren en piepen van de hartbewaking.

D'Agosta hoorde er niets van. Hij zat waar hij de afgelopen achttien uur had gezeten: naast het enige bed in de kleine ziekenhuiskamer. Zijn blik was op de grond gericht en onophoudelijk balde hij de hand van zijn goede arm tot een vuist en ontspande die dan weer.

Vanuit zijn ooghoek zag hij een beweging. Nora Kelly stond in de deuropening. Haar hoofd zat in het verband en onder haar ziekenhuishemd waren haar ribben ingetapet en omzwachteld. Ze liep naar de voet van het bed.

'Hoe gaat het met hem?' vroeg ze.

'Hetzelfde.' Hij zuchtte. 'En jij?'

'Stukken beter.' Ze aarzelde. 'En hoe is het met jou? Hoe gaat het?'

D'Agosta schudde zijn gebogen hoofd.

'Luister, ik wil je bedanken. Voor je steun bij dit alles. Dat je in me geloofd hebt. Voor alles.'

D'Agosta voelde zijn gezicht branden. 'Ik heb niets gedaan.'

'Jij hebt alles gedaan. Ik meen het.' Hij voelde haar hand op zijn schouder, en meteen was ze verdwenen.

De volgende keer dat hij opkeek, waren er opnieuw twee uren verstreken. En ditmaal was het Laura Hayward die op de drempel stond. Toen ze hem zag, liep ze snel op hem af, kuste hem even en ging op de stoel naast hem zitten.

'Je moet iets eten,' zei ze. 'Je kunt hier niet eeuwig blijven zitten.'

'Geen honger,' antwoordde hij.

Ze boog zich naar hem over. 'Vinnie, doe jezelf dit niet aan. Toen Pendergast me belde om te zeggen dat jij in de kelders van de Ville verdwenen was, toen...' Ze zweeg en pakte zijn hand. 'Toen besefte ik plotseling dat ik er niet aan moest denken om jou voorgoed kwijt te raken. Luister. Je mag jezelf geen verwijten blijven maken.'

'Ik was veel te kwaad. Als ik mijn woede in bedwang had gehouden, was hij niet neergeschoten. Zo simpel liggen de zaken, en dat weet jij ook.'

'Nee, dat weet ik níét. Wie weet wat er gebeurd zou zijn als de zaken anders waren gelopen? Dat is nu eenmaal de onzekere kant van het politiewerk; daar leven we allemaal mee. En bovendien, je hebt gehoord wat de dokter zei: de crisis is voorbij. Pendergast heeft een boel bloed verloren, maar hij haalt het.'

In bed bewoog even iets. D'Agosta en Hayward keken. Daar lag special agent Pendergast hen met half geloken ogen aan te kijken. Hij was bleker dan D'Agosta hem ooit gezien had, lijkbleek, en zijn altijd al slanke ledematen leken nu bijna spookachtig mager.

De FBI-agent keek hen even zwijgend aan, zonder met zijn zware oogleden te knipperen. Heel even, een afgrijselijk moment lang, vreesde D'Agosta dat hij dood was. Maar plotseling bewogen Pendergasts lippen. De twee bogen zich naar hem over om hem te verstaan.

'Het doet me plezier dat jullie er beiden zo goed uitzien,' zei hij.

'Jij ook,' antwoordde D'Agosta, en hij probeerde te glimlachen. 'Hoe gaat het?'

'Ik heb hier een hele tijd liggen nadenken, terwijl ik me koesterde in jouw zorgen. Wat is er met je arm gebeurd, Vincent?'

'Onderarm gebroken. Niets ernstigs.'

Pendergasts ogen vielen dicht. Even later gingen ze echter weer open.

'Wat zat erin?' vroeg hij.

'Waarin?' antwoordde D'Agosta.

'Estebans kluis.'

'Een oud testament.'

'Aha,' fluisterde Pendergast. 'Het testament van Elijah Esteban?'

D'Agosta veerde op van verrassing. 'Hoe weet jij dat nou?'

'Ik had Elijah Estebans sarcofaag gevonden. In de kelders van de Ville. Die was nog maar enkele minuten tevoren opengebroken en leeggeplunderd – en daarbij was ongetwijfeld datzelfde testament weggehaald. Iets over grondbezit, neem ik aan?'

'Precies. Een boerenbedrijf van vijf hectare,' zei D'Agosta.

Een trage knik. 'Een boerenbedrijf dat, naar ik aanneem, niet langer als zodanig in gebruik is.'

'Precies. Tegenwoordig vijf hectare van de allerduurste grond in Manhattan, tussen Times Square en Madison Avenue. Het testament was zo opgesteld dat Esteban de enige erfgenaam was.'

'Natuurlijk zou hij nooit geprobeerd hebben het land zelf in handen te krijgen. Hij zou het document gebruikt hebben als grondslag voor een uitermate lucratieve rechtszaak – die ongetwijfeld geëindigd zou zijn in een schikking ter waarde van miljarden dollars. Iets om een moord voor te plegen, of niet, Vincent?'

'Voor sommigen misschien wel.'

Pendergast haalde zijn armen boven het laken uit en legde zijn bleke vingers voorzichtig neer op het linnengoed dat, zo zag D'Agosta, van ongebruikelijk fijne kwaliteit was. 'Waar de Ville nu ligt,' zei hij, 'daar heeft ooit een veel oudere religieuze gemeenschap bestaan. Wren heeft me verteld dat die gemeenschap niet levensvatbaar bleek en dat de oorspronkelijke oprichter vervolgens herenboer was geworden in zuidelijk Manhattan. Die boer moest Elijah Esteban geweest zijn. Na zijn dood is hij bijgezet in de kelders van de nederzetting die hij had opgericht. Samen met die belangrijke documenten, naar het schijnt.'

'Klinkt logisch,' zei D'Agosta. 'Maar hoe wist Alexander Esteban daar dan van?'

'Toen hij zich uit Hollywood terugtrok, is hij kennelijk zijn genealogie gaan bestuderen. Hij had een onderzoeker in de arm genomen om de archieven voor hem door te spitten. Die onderzoeker had de ontdekking gedaan. En is vanwege zijn vondst vermoord. Dat was trouwens het tweede, ongeïdentificeerde lijk in de tunnel.'

'Dat hebben we gevonden,' zei Hayward.

'En het kwam goed uit om over een lijk te kunnen beschikken. Dat is over de brug gekieperd, de Harlem in, en door onze drukbezette vriend Wayne Heffler samen met een zogenaamde zuster geïdentificeerd als Fearing.'

'Dus Colin Fearing was inderdaad nog in leven,' zei D'Agosta. 'Toen hij Smithback vermoordde, bedoel ik.'

Een hoofdknik. 'Opmerkelijk wat je niet allemaal kunt doen met een potje schmink. Esteban was een regisseur par excellence.'

'Misschien moeten we special agent Pendergast even rust gunnen,' zei Hayward.

Pendergast wuifde zwakjes met een hand. 'Nonsens, commissaris. Van praten wordt mijn hoofd helder.'

'Het is me nog steeds niet duidelijk,' zei D'Agosta.

'Het is heel eenvoudig, als je het eenmaal doorhebt.' Pendergast sloot zijn ogen en vouwde zijn bleke handen op het beddengoed. 'Esteban was op de hoogte geraakt van het bestaan, en de locatie, van een document dat hem onbeschrijflijk rijk zou maken. Helaas lag dat verzegeld in een sarcofaag, opgesloten in de kelder van wat nu de Ville des Zirondelles was: een gesloten sekte die niets hebben moest van buitenstaanders. Zo gesloten zelfs dat er maar honderdvierenveertig leden konden zijn; er werd pas een nieuw lid geworven als er een overleden was. Daarin kon Esteban onmogelijk doordringen. Dus probeerde hij de publieke opinie op te stoken tegen de Ville, in de hoop dat de gemeente de Ville dan tot verboden terrein zou verklaren en de krakers zou uitzetten. Daarom was hij bij Mensen voor Andere Dieren gegaan en had hij Smithback in de arm genomen voor een stel artikelen in *The New York Times*.'

'Aha,' zei D'Agosta. 'Maar dat was nog niet genoeg. Dus heeft hij de zaak op de spits gedreven door Smithback te vermoorden en aanwijzingen rond te strooien die in de richting van de Ville wezen. Al die voodoo en dat zombii-gedoe.'

Pendergast knikte heel even. 'Die vôdou had hij niet helemaal goed aangepakt – bijvoorbeeld dat lijkkistje in Fearings lege crypte. Daarom was mijn vriend Bertin daar ook zo overstuur van. Een aanwijzing die ik helaas onbenut heb gelaten. Ironisch genoeg, want de Ville deed helemaal niet aan vôdou maar aan een eigen, vreemde en bizarre cultus, die in de loop van tientallen jaren van isolement was vervormd en veranderd.' Hij zweeg. 'Hij had twee trawanten: Colin Fearing en Caitlyn Kidd.'

'Caitlyn Kidd?' herhaalde D'Agosta ongelovig. 'Die verslaggever?'

'Precies. Die maakte deel uit van het plan. Esteban moet een lijst hebben opgesteld met exacte kwalificaties, en daarna moet hij op zoek zijn gegaan naar mensen die precies aan die eisen voldeden. Het moet ongeveer zo gegaan zijn: Fearing was een werkloze acteur met een niet al te frisse achtergrond, en zat zwaar in geldnood. Hij woonde bij Smithback in het gebouw en was grofweg even lang en zwaar als hij. Een perfecte keuze voor Esteban. Caitlyn Kidd was een nogal onscrupuleuze verslaggever, belust op carrière maken.' Hij keek naar Laura Hayward. 'U kijkt niet verbaasd.'

Hayward aarzelde heel even voordat ze antwoordde. 'Ik heb een serieus antecedentenonderzoek aangevraagd voor iedereen die bij de zaak betrokken was. Dat van Kidd is nog maar een paar uur binnen. Ze heeft een strafblad – bijzonder goed verborgen, zoals bleek – wegens fraude. Ze had een stel oudere mannen geld afgeperst.'

D'Agosta keek haar geschokt aan.

Pendergast knikte zwijgend. 'Door dat strafblad heeft Esteban haar gevonden, neem ik aan. Hoe dan ook, hij moet haar een lief bedrag hebben betaald voor haar hoofdrol. Esteban heeft voor dit drama een script geschreven waarin Fearing zijn eigen dood in scène zette, met behulp van het lijk van de onderzoeker. Caitlyn Kidd was de zuster die hem identificeerde, en de overbezette dokter Heffler maakte het plaatje af. Zodra iedereen dacht dat Fearing dood was, kon Esteban de illusie versterken met grime – hij was tenslotte filmproducent. En hij liet Fearing, in de rol van zichzelf, maar dan als uit de dood opgestane zombii Smithback vermoorden en Nora Kelly aanvallen.'

D'Agosta schudde droevig zijn hoofd. 'Het lijkt zo eenvoudig nu je het zegt.'

'Weet je nog hoe weloverwogen Fearing naar de bewakingscamera keek toen hij het gebouw waar Smithback woonde, uit liep? En hoe hij ervoor zorgde dat de buren hem goed in het oog kregen? Op dat moment kwam het me vreemd voor, maar nu is het volkomen logisch. Het was voor Estebans plan van groot belang, misschien zelfs van vitaal belang, dat mensen Fearing zouden zien en herkennen.'

Er viel een lange stilte. Na een tijd opende Pendergast zijn ogen. 'Vervolgens begon Esteban aan de volgende akte van zijn scenario. Caitlyn Kidd benaderde Nora, die in rouw gedompeld was, en riep haar hulp in om de Ville als moordenaars aan te wijzen. Haar eerste taak was, dicht bij Nora in de buurt te komen en haar zo te bespelen dat Nora zou denken dat het háár idee was geweest om de Ville te verdenken. Ze hielden haar onder druk door Fearing in het museum en elders achter haar aan te sturen. Daarna stal Esteban Smithbacks lichaam uit het mortuarium – om de illusie te wekken dat ook hij als zombii uit de dood was herrezen. Maar hij had Smithbacks lichaam ook nodig voor iets anders, iets nog crucialers: hij moest een masker maken van zijn gezicht, dat Fearing kon opzetten. Ik trof sporen van latex op Smithbacks gezicht aan, de resten van de mal. Fearing had dat masker op – uiteraard geschminkt voor een horroreffect – toen hij Kidd vermoordde in bijzijn van een menigte die Smithback gegarandeerd zou herkennen.'

'Maar waarom moest Kidd dood?' wilde D'Agosta weten.

'Ze had haar rol perfect gespeeld – en ze was niet meer nodig. Het was tijd om zich van haar te ontdoen. Het was gemakkelijker haar te vermoorden dan haar te betalen, en het is altijd verstandig je van je handlangers te ontdoen. Een les die Fearing zich ook in de oren had moeten knopen. Weet je nog dat Kidd Smithbacks naam riep voordat ze vermoord werd? Ik neem aan dat Esteban haar had verteld dat Fearing, vermomd als de dode Smithback, bij die ceremonie iemand anders zou vermoorden. Haar rol, haar slotscène, was om vol doodsangst Smithbacks naam te roepen. Zodat iedereen meteen wist wie hij was, om te helpen de illusie in stand te houden. Maar hier had ze natuurlijk nooit op gerekend.'

'En toen moest Fearing Wartek vermoorden zodra die begonnen was met de uitzettingsprocedure tegen de Ville,' zei D'Agosta.

Pendergast knikte.

'En hij ontvoerde Nora en liet daar opnieuw de Ville voor opdraaien.'

'Ja. De druk tegen de Ville moest tot aan het breekpunt worden opgevoerd. Esteban was niet van plan een langdurige uitzettingsprocedure af te wachten. Zijn timing was perfect: hij was een uitstekend regisseur. Toen hij die video van Nora vrijgaf, waarvan iedereen aannam dat die in de kelders van de Ville was opgenomen, was het al bijna tijd voor de derde akte. Op dat moment wist hij dat het tijd was om toe te slaan.'

'Dus Esteban heeft Fearing eigenhandig vermoord?' vroeg Hayward.

'Volgens mij wel. Ongetwijfeld wilde hij zijn tweede medeplichtige op dezelfde wijze als de eerste uit de weg ruimen. Door dat lijk in de buurt van de Ville te dumpen had hij dan bovendien het voordeel dat de Ville nogmaals van moord beticht werd.'

'Maar één ding snap ik niet,' zei D'Agosta. 'Die eerste mars tegen de Ville – toen had Esteban de massa eerst enorm opgezweept, om de zaak vervolgens als een nachtkaars te laten uitgaan. Waarom? Waarom trok hij niet gewoon verder?'

Het duurde even voor Pendergast antwoord gaf. 'Dat vond ik aanvankelijk ook vreemd. Tot ik bedacht dat ze niet met genoeg mensen waren om te kunnen slagen. Het was nog te vroeg. Hij had een oproer nodig; een groot oproer, geen bescheiden protestmars. Alleen dan kon hij ongezien naar binnen glippen, zijn schat in handen krijgen en maken dat hij wegkwam. De eerste demonstratie was een vingeroefening, meer niet. Daarom had Esteban ook niet de leiding over de tweede demonstratie, de grote. Hij had de zaak opgezweept en zei daarna dat hij niet meer meedeed. Hij zat daar in die kelders, Vincent, op het moment dat wij daar ook waren. Het was zuiver toeval dat we elkaar niet tegen het lijf zijn gelopen. Tegen de tijd dat dat schepsel ons aanviel, was hij er al vandoor.'

Hayward fronste haar voorhoofd. 'Wat was dat voor wezen?'

'Een mens. Althans, iemand die ooit mens geweest was. Door het ritueel was hij in iets anders veranderd.'

'Wat voor ritueel?' informeerde D'Agosta.

'Weet je nog van die vreemde instrumenten die we op het altaar in de Ville aantroffen? Dat gereedschap met benen heften en een lange, spiraalvormige metalen punt met een klein mesje aan het uiteinde? Die dienden hetzelfde doel als een oud medisch instrument, een zogenoemde leucotoom.'

'Een leucotoom?' herhaalde D'Agosta.

'Het instrument waarmee lobotomie wordt verricht – in dit geval transorbitale lobotomie, uitgevoerd door via de oogkas in de hersenen door te dringen. De leden van de Ville waren er sinds jaar en dag achter dat je een bepaald deel van de hersenen kunt vernietigen, voor in de schedel, de zogeheten frontaalkwab, om het ongelukkige slachtoffer ongevoelig te maken voor pijn, vrij van morele remmingen, uitzonderlijk gewelddadig maar tegelijkertijd onderworpen aan zijn verzorgers. Iets wat minder is dan een mens, maar meer dan een dier.'

'En je wou zeggen dat de Ville die operatie opzettelijk op mensen uitvoerde?'

'Jazeker. Het slachtoffer werd door de sekte gekozen als offer voor de gemeenschap, maar werd tegelijkertijd vereerd en aanbeden om het offer dat hij bracht. Misschien was het zelfs een eer, iets waarom gestreden werd. Dat mens-ding was een centraal onderdeel van hun religieuze ritueel: het scheppen, opleiden, trainen, voeden en vrijlaten van het schepsel, dat alles maakte deel uit van de rituele cyclus. Hij diende om de gemeenschap te beschermen tegen een vijandige wereld, en op hun beurt voedden zij hem, gaven hem onderdak, vereerden hem. In sommige samenlevingen krijgen bepaalde individuen het recht om dingen te doen die normaal gesproken als verkeerd gelden. Misschien hebben ze in de Ville lobotomie uitgevoerd op die man om zijn ziel te beschermen, zodat hij kon moorden en doden om de Ville te verdedigen zonder zijn ziel te bezoedelen met een doodzonde.'

'Maar hoe kun je door één operatie iemand in zo'n monster veranderen?' vroeg Hayward.

'De operatie zelf is niet ingewikkeld. Vele jaren geleden was er een arts, ene Walter Freeman, die maar een paar minuten nodig had voor wat later bekend werd als ijspriemlobotomie. Priem naar binnen, snel een paar maal heen en weer bewegen en het bewuste deel van de hersenen is vernield. Samen met een groot deel van de persoonlijkheid van de patiënt, zijn ziel, zijn gevoel voor goed en kwaad. De Ville heeft dat gewoon een stapje verder doorgevoerd.'

'Die moorden van vroeger, die Wren ontdekt had?' vroeg D'Agosta. 'Misschien waren die wel door net zo'n soort zombii's gepleegd?'

'Precies. De creatie van een levende zombii die dood en verderf zaaide en op die manier Isidor Straus overhaalde om de kap van Inwood Hill Park niet door te zetten. Het schijnt dat de opzichter van de familie Straus zelf bekeerd is door de Ville, en dat ze hem daarvoor eerden door hem heilig te verklaren zodat hij zelf die zombii kon worden.'

Hayward huiverde. 'Wat afgrijselijk.'

'Zeg dat wel. De ironie is bijna tastbaar: Esteban liet Fearing optreden als zombii om het publiek te overtuigen dat hij een creatie van de Ville was. Maar de Ville maakte ook inderdaad in zekere zin zombii's – zij het voor andere doeleinden dan Esteban vreesde. Wat is er trouwens met de Ville gebeurd?'

'Het ziet ernaar uit dat ze voorlopig blijven zitten. Ze hebben beloofd op te houden met die dieroffers.'

'En met die zombii's, hopelijk. Het zou me niets verbazen als Bossong in de toekomst niet meer de kwade genius is maar een soort reclasseringsrol gaat spelen in de Ville. Ik had het gevoel dat er tussen hem en die hogepriester heel wat spanning hing.'

'Bossong heeft de zombii gedood,' merkte D'Agosta op. 'Op het allerlaatst, toen hij op het punt stond ons te vermoorden.'

'O ja? Dat is geruststellend. Zo'n heroïsche daad is niet iets wat een, laten we maar zeggen, ware gelovige zou doen: de graal van je eigen godheid doden.' Pendergast keek naar Hayward. 'Ik wilde u overigens nog zeggen, commissaris, dat het me spijt dat u bent gepasseerd bij de aanstelling voor de taskforce van de burgemeester.'

'Dat hoeft u niet te spijten.' Laura Hayward streek haar zwarte haar uit haar gezicht. 'Het kon wel eens zijn dat ik juist bof dat die kans mijn neus voorbij is gegaan; het laatste nieuws is dat die taskforce exact de bureaucratische nachtmerrie aan het worden is waarvoor iedereen zo bang was. En dat doet me aan iets anders denken: vriend Kline, de softwareontwikkelaar? Het ziet ernaar uit dat die nog spijt zal krijgen dat hij de hoofdcommissaris heeft gedwongen tot bepaalde zaken. Ik heb zojuist gehoord dat de FBI Rockers telefoon heeft afgetapt omdat ze hem verdachten. Het hele afpersingsgesprek staat op de band en ze gaan er beiden aan. Kline is definitief de klos.'

'Jammer. Rocker was niet slecht.'

Hayward knikte. 'Hij had een prima motief – het Dyson-fonds. In zeker opzicht een tragedie. Maar een van de neveneffecten is dat ik niet meer voor de hoofdcommissaris werk en mijn baan bij Moordzaken terugkrijg.'

Het werd stil in de kamer.

Plotseling barstte D'Agosta los. 'Luister, Pendergast, ik wil me verontschuldigen voor mijn verdomde stupiditeit daar in die kelders – dat ik jou de Ville in gesleept heb, dat je door mijn schuld neergeschoten bent, dat we Nora bijna kwijt waren. Ik heb in mijn leven al heel wat stommiteiten uitgehaald, maar dit sloeg alles.'

'Mijn beste Vincent,' prevelde Pendergast, 'als we de Ville niet in gegaan waren, had ik dat geplunderde graf nooit gevonden en dan had ik de naam Esteban nooit zien staan... En wat zou er dan van ons geworden zijn? Dan was Nora nu dood en Esteban de nieuwe Donald Trump. Dus je ziet, jouw "stommiteit" was van cruciaal belang bij het oplossen van deze zaak.'

D'Agosta wist niet goed wat hij daarop antwoorden moest.

'En als je het niet erg vindt, Vincent, ga ik nu even rusten.'

Zodra ze de ziekenhuiskamer uit waren, vroeg D'Agosta aan Laura: 'Wat was dat met dat antecedentenonderzoek naar alle betrokkenen?'

Hayward keek bedremmeld, wat niets voor haar was. 'Ik kon niet zomaar werkeloos toezien hoe Pendergast jou meetrok in iets veel te groots. Dus... dus heb ik zelf een paar dingen uitgezocht. Een páár dingetjes maar.'

D'Agosta voelde zich ten prooi aan een vreemde mengeling van gevoelens: hij was licht geprikkeld bij de gedachte dat ze hem had moeten redden, maar tegelijkertijd bijzonder blij te weten dat ze hem kennelijk zo belangrijk vond dat ze dat überhaupt gedaan had. 'Jij geeft me ook altijd rugdekking,' zei hij.

Ten antwoord stak ze haar hand door zijn arm. 'Heb jij al plannen voor het eten?'

'Ja. Ik nodig jou uit.'

'Waarheen?'

'Wat dacht je van Le Cirque?'

Ze keek hem verbaasd aan. 'Wauw. Tweemaal binnen één jaar. Wat vieren we?'

'Niets. Dat jij een wel heel bijzondere dame bent.'

Op dat moment werden ze in de gang staande gehouden door een man op leeftijd. D'Agosta keek hem verbaasd aan. Hij was klein van stuk, gezet, en zag eruit alsof hij zó uit negentiende-eeuws Londen kwam: een zwarte pandjesjas, een witte anjer in zijn knoopsgat, een keurige dophoed.

'Pardon,' zei hij, 'maar de kamer waar u net uit loopt, is dat de kamer waar Aloysius Pendergast verblijft?'

'Ja,' antwoordde D'Agosta. 'Hoezo?'

'Ik heb een brief voor hem bij me.' En inderdaad, de man had een brief in zijn hand, op duur, roomwit papier, handgeschept zo te zien. Op de voorkant van de envelop stond met een ferme hand Pendergasts naam geschreven.

'Dan zult u later terug moeten komen met uw brief,' zei D'Agosta. 'De heer Pendergast is aan het rusten.'

'Ik kan u verzekeren dat hij deze brief meteen zal willen zien.' En de man wilde langs hen heen naar de deur lopen.

D'Agosta legde een hand op zijn schouder om hem tegen te houden. 'En wie mag u wel niet wezen?' vroeg hij.

'Mijn naam is Ogilby en ik ben de notaris van de familie Pendergast. Als u me dan nu wilt excuseren?' En terwijl hij met een in hertenleren handschoen gestoken hand zijn schouder losmaakte uit D'Agosta's greep, maakte hij een kleine buiging, lichtte even zijn hoed voor Laura Hayward en liep langs hen heen Pendergasts kamer in.

De kleine motorboot doorkliefde zonder tegenstand het glasheldere water van Lake Powell. Het was een koude, heldere dag in april en de lucht in Arizona was helder en fris als pas gewassen linnengoed. De late ochtendzon glansde oranje op de hoge zandstenen wanden van de Grand Bench, en toen de boot de bocht om kwam rees de steile wand van de Kaiparowits-hoogvlakte ver daarachter op, purper in de opkomende zon, woest en ongenaakbaar.

Nora Kelly stond aan het roer; de wind speelde met haar korte haar. Het gerommel van de motor echode zachtjes tussen de rotsen en het water ruiste langs de romp terwijl de boot door de mystieke steenwereld voer. De lucht was bezwangerd van de geuren van ceders en warme zandsteen, en terwijl de boot door de kathedraalachtige stilte sneed, hoorde ze hoog boven de canyonwanden de ijle kreet van een steenarend die daar rondcirkelde.

Ze nam gas terug en de boot minderde vaart tot hij bijna stillag. Toen het meer een zoveelste bocht maakte, werd de monding van een smalle, overstroomde canyon zichtbaar – Serpentine Canyon, twee gladde wanden van rode zandsteen, gescheiden door een stroompje groen water.

Nora stuurde de boot de canyon in. Het motorgeluid werd sterker in de smalle ruimte. De canyon deed zijn naam eer aan en slingerde zich als een slang tussen de rotswanden door. Het was hier koeler, koud zelfs, en Nora zag haar eigen adem in de kille lucht. Ruim een kilometer landinwaarts bereikte ze een uitzonderlijk mooie plek, waar een smalle waterval omlaag tuimelde door een stenen tunnel en een eigen microkosmos vormde van afhangende varens en mossen met een bosje kleine, kronkelige pijnbomen die zijdelings uit een spleet in de rotswand groeiden. Ze schakelde de motor uit en bleef zomaar wat ronddobberen. Ze luisterde naar het spetteren van de waterval en ademde diep de geur van varens en water in.

Deze magische plek herinnerde ze zich als de dag van gisteren. Hier was hun boot bijna vijf jaar geleden ook voorbijgekomen, op de expeditie naar Quivira. Bill Smithback, met wie ze de dag ervoor had kennisgemaakt, had bij de reling van de boot gestaan en haar gewenkt.

'Zie je dat, Nora?' had hij gezegd, terwijl hij haar met een glimlach aanstootte. 'Hier wassen de elfjes hun gazen vleugels. Dit is de elfendouche.'

Het was de eerste keer dat hij haar verbaasd had doen staan met zijn zin voor poëzie, zijn inzicht, zijn humor en zijn voorliefde voor schoonheid. Daardoor was ze beter naar hem gaan kijken in plaats van op haar eerste indruk af te gaan. En misschien was dat wel het moment geweest waarop ze verliefd op hem was geworden.

Twee weken geleden was ze naar New Mexico teruggekeerd, nadat haar een baan was aangeboden als conservator bij het archeologisch instituut van Santa Fe. Ze had bij haar broer Skip gelogeerd, had de afgelopen week meer gehoord over de baan, en had besprekingen gevoerd met de voorzitter en de raad van bestuur van het museum. Als ze de baan aannam, was daaraan de voorwaarde verbonden dat ze de details uitwerkte voor de financiering van haar reeds geplande expeditie naar Utah, volgende zomer. Skip was uitermate behulpzaam geweest, blij dat hij iets terug kon doen nadat ze hem jaren geleden had geholpen de scherven van zijn eigen leven op te rapen.

Maar ze had nog een reden gehad voor de reis, hoewel ze die aan niemand verteld had. Ze was allereerst op reis gegaan om in het reine te komen met Bills afgrijselijke dood. New York City, hun favoriete restaurants en parken, zelfs het appartement zelf, joeg haar geen schrik meer aan. Maar het verleden was een ander verhaal. Ze had geen idee wat het canyonlandschap in het zuidwesten met haar zou doen. Plaatsen als Page, Arizona, waar ze elkaar voor het eerst gezien hadden, of Lake Powell zelf, of het onherbergzame landschap daarachter, waar ze op zoek geweest waren naar de half mythische stad Quivira. Ze voelde de behoefte die plekken nogmaals te gaan verkennen, misschien om afscheid te nemen van het verleden. Terwijl de boot door de canyon dobberde, begonnen er herinneringen boven te komen, gehuld in een nostalgische sluier van tijd waardoor ze eerder bitterzoet dan pijnlijk waren. Bill, die luidkeels zijn beklag deed nadat zijn paard, Hurricane Deck, hem gebeten had. Bill, die haar met zijn eigen lichaam beschermde tegen een stortvloed. Bill, zijn silhouet afgetekend tegen het schitterende licht van de sterren, met zijn hand uitgestoken naar de hare. Dit magische land had dergelijke herinneringen bovengebracht, en daar was ze dankbaar voor.

De boot kwam tot stilstand, amper merkbaar dobberend op het spiegelgladde water. Nora pakte een kleine bronzen urn, verwijderde de papieren verzegeling van de rand en haalde het deksel eraf. Ze hield de urn schuin over de reling en schudde een paar handenvol as uit over het water. Ze ploften zachtjes neer op het water, waar ze langzaam in de jadegroene diepte verdwenen. Ze zag ze oplossen in een wervelende wolk die langzaamaan vervaagde. Tot er niets meer te zien was.

'Vaarwel, lieve vriend,' zei ze zachtjes.

DE PRESTON- EN CHILD-BOEKEN

Vaak krijgen wij de vraag of onze boeken in een bepaalde volgorde gelezen moeten worden, en zo ja in welke.

Die vraag is het meest van toepassing op de boeken waarin special agent Pendergast optreedt. Hoewel de meeste van onze boeken zijn geschreven als opzichzelfstaande verhalen, zijn er maar heel weinig die in echt verschillende werelden spelen. Integendeel: hoe meer boeken we samen schrijven, hoe meer 'overlap' er plaatsvindt tussen personen en gebeurtenissen waarin ze allemaal voorkomen. Personen uit het ene boek kunnen bijvoorbeeld opduiken in een later verhaal, of gebeurtenissen in het ene boek kunnen doorlopen in een volgend. Kortom: we hebben langzaam maar zeker een universum opgebouwd waarin alle personen uit onze boeken naast elkaar leven en waarin alles wat ze meemaken, ergens een overlap heeft.

Het is echter zelden nodig om de boeken in een bepaalde volgorde te lezen. We hebben ons best gedaan om bijna al onze boeken zo te schrijven dat ze gelezen kunnen worden zonder eerst de voorgaande boeken te lezen. Maar er zijn een paar uitzonderingen.

Daarom volgt hieronder een lijst van onze boeken.

BOEKEN MET PENDERGAST

Onze eerste roman was *De vloek van het oerwoud* (*Relic*), en dat was ook het eerste boek waarin special agent Pendergast optrad. Hier gaat dus niets aan vooraf.

De onderwereld was de opvolger van *De vloek van het oerwoud* (*Relic*).

De gruwelkamer is onze derde Pendergast-roman, en dit verhaal staat helemaal op zichzelf.

Kraaienvoer komt daarna. Ook dat is een opzichzelfstaand verhaal (hoewel mensen die benieuwd zijn naar Constance Greene hier enige informatie over haar zullen vinden, net als in *De gruwelkamer*).

Daarna komt *Hellevuur*, en dit is het eerste boek in wat wij informeel de Diogenes-trilogie noemen. Hoewel ook dit boek zelfstandig gelezen kan worden, gaat het door op enkele zaken die we in *De gruwelkamer* al genoemd hadden.

Dans des doods is het tweede boek van de Pendergast-trilogie. Het kan zelfstandig gelezen worden, maar het verdient aanbeveling om eerst *Hellevuur*, dan *Dans des doods* te lezen.

Het *Dodenboek* is de laatste roman van de Diogenes-trilogie. Voor optimaal leesplezier is het raadzaam eerst minimaal *Dans des doods* te lezen.

Daarna volgt *Het helse rad*, een zelfstandig boek waarin Pendergast verder wordt gevolgd. Het verhaal vindt plaats ná de gebeurtenissen in het *Dodenboek*.

Duel met de dood, dat u momenteel in handen hebt, is onze recentste Pendergast-roman. Het kan zelfstandig worden gelezen, maar verwijst hier en daar naar eerdere gebeurtenissen of bouwt daarop voort, zoals wij vaker doen.

BOEKEN ZONDER PENDERGAST

We hebben ook een aantal opzichzelfstaande avonturenverhalen geschreven waarin special agent Pendergast niet voorkomt. Dit zijn, in volgorde van publicatie, *Virus*, *Dodelijk tij*, *De verloren stad* en *IJsgrens*.

In *De verloren stad* verschijnt Nora Kelly voor het eerst ten tonele; zij komt ook voor in de meeste latere Pendergast-boeken. *IJsgrens* introduceert Eli Glinn, die ook weer optreedt in *Dans des doods* en *Dodenboek*.

Tot slot willen we onze lezers op het hart drukken dat deze aantekening niet bedoeld is als een wet van Meden en Perzen. Het is gewoon het antwoord op de vraag: *In welke volgorde kan ik jullie boeken het best lezen?* We voelen ons uitermate bevoorrecht dat er mensen als jullie zijn die onze boeken met evenveel plezier lezen als wij ze schrijven.

Hartelijke groeten,

De volgende mensen willen we graag danken voor hun hulp in vele vormen: Jaime Levine, Jamie Raab, Kim Hoffman, Kallie Shimek, Mariko Kaga, Jon Couch, Claudia Rülke, Eric Simonoff, Matthew Snyder en iedereen bij Grand Central Publishing en daarbuiten die ons helpt onze boeken bij de lezers te brengen.

Bijzondere dank aan degenen die ons hebben geholpen bij het maken van Corrie Swansons Pendergast-website, onder wie Carmen Elliott, Nadine Waddell, Cheryl Deering, Ophelia Julien, Sarah Hanley, Kathleen Munsch, Kerry Opel, Maureen Shockey en Lew Lashmitt. We heffen een glas met eenentwintig jaar oude Lagavulin op jullie uitzonderlijke talent en literaire smaak.

En als altijd gaat onze eindeloze en voortdurende dank uit naar onze gezinnen voor hun liefde en steun.

Lezers die bekend zijn in Manhattan zullen opmerken dat we ons enige vrijheden hebben veroorloofd met Inwood Hill Park.

Uiteraard zijn alle mensen, plaatsen, openbare en particuliere instellingen, bedrijven en overheidsinstanties en religieuze instellingen in *Duel met de dood* ofwel fictief, ofwel fictief gebruikt. Met name de in het boek beschreven ceremoniën en overtuigingen zijn volledig fictief en het is niet onze bedoeling dat zij gelijkenis vertonen met bestaande religies of geloofsovertuigingen, noch willen wij enige gelijkenis suggereren.